D1703692

BULLETIN DE L'INSTITUT FRANÇAIS D'ARCHÉOLOGIE ORIENTALE

Bulletin de l'Institut français d'archéologie orientale

TOME 104/2

LE CAIRE - 2004

IF 927B (*BIFAO* 104/2) ISBN 2-7247-0380-4 (édition complète)
ISSN 0255-0962 ISBN 2-7247-0388-X

Sommaire

Sommaire

Reconstitution du décor de la tombe de Ramsès III (partie inférieure)

d'après les manuscrits de Robert Hay

Florence ***MAURIC-BARBERIO***

MONUMENT majeur de la Vallée des Rois, la tombe de Ramsès III (KV 11) a connu de nombreuses vicissitudes depuis sa redécouverte, dès la fin du XVIIIe siècle, par l'explorateur anglais James Bruce [1]. Rendue célèbre par la beauté et l'originalité de ses peintures, elle attira de nombreux voyageurs et savants qui s'intéressèrent tout particulièrement au décor inhabituel des petites niches creusées dans les premiers couloirs. Outre la fameuse scène des harpistes, celles-ci renfermaient des figurations d'objets ainsi que certains tableaux laissant entrevoir des aspects de la vie quotidienne sans équivalent dans les autres tombeaux royaux. C'est sans doute le caractère plus familier de ces représentations qui explique leur vogue auprès des premiers visiteurs, succès que l'on peut mesurer au nombre très important de reproductions qui nous en ont été conservées [2]. L'ensemble de cette documentation s'avère d'autant plus précieux que la tombe n'a toujours pas fait l'objet de publication à ce jour [3]

Ce travail est le résultat d'une enquête menée depuis plusieurs années sur les manuscrits de Robert Hay, d'une part, et sur la tombe de Ramsès III, d'autre part. Nous remercions le département des manuscrits de la British Library de nous avoir permis d'accéder aux sources et de nous avoir autorisée à publier les présents documents. L'examen de la partie inférieure de la tombe de Ramsès III n'aurait pu être envisagé sans l'autorisation du Conseil suprême des antiquités égyptiennes et sans le soutien de l'Institut français d'archéologie orientale grâce à l'octroi d'une bourse doctorale en 1997, puis de deux missions d'étude effectuées en 2001 et 2002. Pour l'aide qu'ils ont apportée à nos recherches, nous tenons à remercier ici MM. Mohammad Nasr et Mohammad El-Bialy, directeurs successifs du site de Thèbes ouest, leurs collaborateurs M. Ibrahim Soliman et M. Ezz el-Din, ainsi que la direction de l'Ifao, représentée par MM. Nicolas Grimal et Bernard Mathieu.

1 Voir J. BRUCE, *Voyage en Nubie et en Abyssinie entrepris pour découvrir les sources du Nil pendant les années 1768, 1769, 1770, 1771, 1772 et 1773* (traduit de l'anglais par M. Castera), I-VI, Paris, 1790-1791. C'est dans le premier volume que l'auteur relate sa visite au tombeau de Ramsès III et l'illustre d'une représentation (peu fidèle) de la fameuse scène des harpistes, voir *ibid.*, I, p. 138-147, pl. 3-4; C.H. ROEHRIG, *Explorers and Artists in the Valley of the Kings*, Le Caire, 2001, p. 18.

2 On sait que les savants de l'Expédition d'Égypte furent particulièrement sensibles à ces représentations, voir V. DENON, *Voyage dans la Basse et la Haute Égypte*. Présentation de J.-Cl. Vatin, I-II, Le Caire, 1989-1990, p. 200-201, pl. 135, 1-26; L. COSTAZ, dans *Description de l'Égypte, Antiquités*, Texte, I, Paris, 1809, chap. IX, section XI, p. 402-407. Cet intérêt se reflète dans les planches de la *Description* qui font la part belle à la tombe de Ramsès III, mais se concentrent presque exclusivement sur l'iconographie des petites niches des premiers couloirs, voir *Description de l'Égypte, Atlas*, II, pl. 87-92. Pour le détail des représentations et la liste des autres sources anciennes, voir PM I, 2, p. 519-522 (*side-rooms* C-D, F-M).

3 Bien que le matériel semble avoir été réuni, la publication par le Centre d'archéologie méditerranéenne de l'Académie polonaise des Sciences, annoncée dans M. MARCINIAK, « Deux campagnes épigraphiques au tombeau de Ramsès III dans la Vallée des Rois (n° 11) », *EtudTrav* 12, 1983, p. 295-305, n'a malheureusement jamais pu voir le jour. Pour une présentation de la tombe, voir en dernier lieu Fl. MAURIC-BARBERIO, « La tombe de Ramsès III », *Égypte. Afrique et Orient* 34, 2004, p. 15-34.

et qu'elle a en outre subi de nombreuses dégradations. Si le décor des petites niches a souffert, l'ampleur des dégâts reste cependant limitée comparée à l'étendue des désordres survenus dans la partie inférieure de l'hypogée, aujourd'hui totalement ruinée.

Alors même qu'elle était restée relativement préservée jusque dans les années 1880, la tombe de Ramsès III fut par la suite victime d'un phénomène géologique complexe impliquant tout à la fois l'action des eaux souterraines et les problèmes liés à l'instabilité de la roche [4]. En effet, il semble que la salle du sarcophage, ainsi que les pièces adjacentes, aient été envahies par des eaux d'infiltration qui firent se gonfler le sol schisteux et que cette dilatation, en exerçant une poussée sur la couche calcaire, ait à son tour entraîné la fracture des piliers et la chute de pans entiers de plafond. L'assèchement ultérieur des salles causa par ailleurs de nouveaux dommages, dus cette fois à la rétractation de la roche [5]. Sachant que la décoration des parois reposait sur une mince couche d'enduit, on ne s'étonnera pas de ce que, soumise à de telles conditions, elle ait aujourd'hui presque entièrement disparu. La perte du décor dans la moitié inférieure de la tombe est d'autant plus regrettable que celle-ci était moins connue, correspondant à la partie de l'hypogée la plus rarement reproduite par les dessinateurs.

C'est au point qu'il n'existe jusqu'à présent que deux sources d'information disponibles : les *Notices descriptives* de Jean-François Champollion [6] et les *Notices des hypogées* d'Eugène Lefébure [7]. On sait qu'à la fin mars 1829, les membres de l'Expédition franco-toscane s'établirent sur le site même de Biban al-Molouk pour se consacrer à l'étude des tombes royales [8]. Le séjour se prolongea plus de deux mois durant lesquels Champollion copia sans relâche les scènes appartenant aux compositions funéraires dont il était le premier à percer le sens, réservant l'exécution des portraits royaux et des scènes de genre à « la main élégante de [ses] dessinateurs [9] ». Ce partage des tâches

4 Voir J. ROMER, « A History of Floods in the Valley of the Kings », dans J. Romer *et al., Theban Royal Tomb Project, a Report of the First Two Seasons*, San Francisco, 1979, p. 8-9 ; *id.*, « History and experience in the Valley of the Kings », *VI. Congresso Internazionale di Egittologia. Atti I,* Turin, 1992, p. 545. On ne sait pas exactement quand le processus de dégradation a commencé. Les dates avancées par l'auteur « between 1883 and 1910 » correspondent à l'intervalle écoulé entre le moment où Eugène Lefébure vit encore la tombe en bon état (voir *infra*) et celui où elle est signalée comme inaccessible dans sa partie inférieure (voir A. WEIGALL, *A Guide to the Antiquities of Upper Egypt from Abydos to the Sudan Frontier*, Londres, 1910, p. 209). Il semble néanmoins que les premières destructions aient eu lieu avant la fin du siècle. En effet, l'examen des différentes versions du guide *Baedeker* montre que si l'édition de 1891 consacre encore un paragraphe au décor de la moitié basse (voir K. BAEDEKER, *Handbuch für Reisende*, II, *Ober-Ägypten und Nubien bis zum zweiten Katarakt*, Leipzig, 1891, p. 239), celle de 1898 a supprimé le passage et l'a remplacé par ces mots : « The remaining rooms are much damaged and need detain the traveller but a short time. » (*id., Egypt. Handbook for Travellers, Fourth Remodelled Edition*, Leipzig, 1898, p. 265). Même chose dans le guide *Joanne* de 1900 : « Les autres chambres et couloirs, grossièrement décorés, perdent, par suite de leur dégradation, une grande partie de leur intérêt. » (G. BÉNÉDITE, *L'Égypte, guide Joanne-Hachette*, I, Paris, 1900, p. 543).

5 Bien qu'il produise les mêmes effets dévastateurs, ce phénomène d'inondation par infiltration souterraine (chez Ramsès III) doit être distingué d'un autre type d'inondation, plus fréquemment attesté dans la Vallée des Rois, qui consiste dans l'intrusion, par l'entrée béante des tombes, de flots de gravats charriés par les eaux de pluie (par ex. chez Ramsès II). Voir à ce sujet J. ROMER, dans *VI. Congresso. Atti I*, 1992, p. 544 ; Chr. LEBLANC, « Thèbes et les pluies torrentielles. À propos de *mw n pt* », *Memnonia* 6, 1995, p. 197-214, pl. XXXVII-XXXIX.

6 Voir J.-Fr. CHAMPOLLION, *Monuments de l'Égypte et de la Nubie, Notices descriptives*, I, Paris, 1844, p. 416-424 et *ibid.*, II, 1871, p. 748-751 (*Suppléments*). La KV 11 y est désignée sous le nom de « tombeau de Rhamsès-Méiamoun ».

7 Voir E. LEFÉBURE, *Les hypogées royaux de Thèbes, 2e division, Notices des hypogées*, *MMAF* III, 1, Le Caire, 1889, p. 105-116, p. 118-120, pl. 58-64.

8 Pour les dates du séjour (du 23 mars au 8 juin 1829), voir J.-Fr. CHAMPOLLION, *Lettres et journaux écrits pendant le voyage d'Égypte*, Paris, 1986[2], p. 245 et p. 385 ; G. GABRIELI (éd.), *Ippolito Rosellini e il suo giornale della spedizione letteraria toscana in Egitto negli anni 1828-1829*, Pise, 1994[2], p. 164-181. Voir aussi M. BETRÓ, « Con Ippolito Rosellini, lungo il Nilo, a Tebe e oltre », dans E. Bresciani (éd.), *La Piramide e la Torre : due secoli di archeologia egiziana*, Pise, 2000, p. 93-106.

9 J.-Fr. CHAMPOLLION, *op. cit.*, p. 279. Pour un premier exposé du sens de la décoration des tombes royales, voir *ibid.*, p. 281-307 (lettre à son frère datée du 26 mai 1829).

se reflète bien dans la publication ultérieure de la documentation puisque les manuscrits de Champollion forment la substance même des *Notices descriptives* [10], tandis que les dessins de ses collaborateurs figurent parmi les planches des *Monuments de l'Égypte et de la Nubie* [11]. Quoique succinctes, les pages des *Notices* consacrées au tombeau de Ramsès III offrent une description assez détaillée de la décoration depuis l'entrée jusqu'aux dernières salles, le tout agrémenté de différents croquis et relevés d'inscriptions.

Ces données se trouvent en partie complétées par Eugène Lefébure qui conçut son propre travail de documentation dans les hypogées royaux de Thèbes comme un prolongement à l'œuvre de Champollion [12]. Membre de la Mission archéologique française au Caire dont il fut momentanément le directeur, il séjourna dans la Vallée des Rois en février-mars 1883 avant de regagner définitivement la France quelques mois plus tard [13]. Bien que ses ouvrages ne soient pas exempts de défauts, on doit reconnaître à Lefébure le mérite d'avoir rassemblé dans ses *Notices des hypogées* un matériel important et de l'avoir fait, en ce qui concerne la tombe de Ramsès III, à un moment particulièrement propice, puisque sa visite précéda de peu la destruction de la partie inférieure de la KV 11 [14]. Cette seule circonstance suffirait à nous faire considérer avec attention ses écrits, si une troisième source ne venait en confirmer la validité. Parallèlement aux indications fournies par Champollion et Lefébure, nous avons en effet la chance de posséder, sur l'hypogée de Ramsès III, un témoignage extrêmement précieux qui, sans être totalement inconnu [15], est resté jusqu'à présent inédit. Il s'agit du contenu des manuscrits de Robert Hay conservés à la British Library.

1. Présentation des manuscrits de Robert Hay

Cadet de famille engagé dans la marine, Robert Hay (1799-1863) découvrit Alexandrie à l'âge de 19 ans ; promu héritier à la mort de ses frères, il profita de sa nouvelle condition pour satisfaire son goût des voyages [16]. Sacrifiant à la tradition du « Grand Tour », il entama un périple au Levant qui le conduisit à Rome et à Malte où il rencontra quelques-uns des artistes qui devaient

10 La publication posthume de ces manuscrits, sous une forme initialement tronquée, ne rend pas pleinement justice à l'immense labeur de Champollion. Il ne faut pas manquer de se reporter aux pages des *Suppléments* (édités en 1871 par E. de Rougé et G. Maspero) pour compléter le texte de certaines descriptions.

11 Les planches relatives à la tombe de Ramsès III illustrent, pour l'essentiel, des sujets tirés de l'iconographie des petites niches, voir J.-Fr. CHAMPOLLION, *Monuments de l'Égypte et de la Nubie,* III-IV, Paris, 1845, pl. CCLIII-CCLXIV, CCCCXIX-CCCCXXIV, CCCCXXIX-CCCCXXXI et CCCCXXXVII. Rappelons que ces planches ont un équivalent dans I. ROSELLINI, *I Monumenti dell'Egitto e della Nubia,* I-III, Pise, 1832-1844. Voir *ibid.*, II, *Monumenti Civili*, 1834, pl. LVII-LXII, LXXIII-LXXV, XCI-XCII, XCVII, CVII-CVIII, CXXI et CXXV ; *ibid.*, III, *Monumenti del Culto*, 1844, pl. LXXIV.

12 Voir E. LEFÉBURE, *op. cit.*, p. V (préface).

13 Voir Ph. VIREY, « Notice biographique », dans E. Lefébure, *Œuvres Diverses* 1, *BiEg* 34, Le Caire, 1910, p. XLIV-XLIX.

14 Voir *supra*, n. 4. On reproche généralement à Lefébure la présence de graphies fautives dans le relevé des textes funéraires qu'il réalisa pour sa publication des tombeaux de Séthi Ier et Ramsès IV (voir E. LEFÉBURE, *Les hypogées royaux de Thèbes, 1ère division, Le tombeau de Séthi Ier*, *MMAF* II, Le Caire, 1886 ; *id.*, *Les hypogées royaux de Thèbes, 3ème division, Le tombeau de Ramsès IV, MMAF* III, 2, Le Caire, 1889). Bien que ces erreurs nuisent à la fiabilité des publications, elles nous semblent jeter un discrédit immérité sur le contenu, plus général, de ses *Notices des hypogées*.

15 Voir PM I, 2, p. 525 ; W. WAITKUS, « Zur Deutung einiger apotropäischer Götter in den Gräbern im Tal der Königinnen und im Grabe Ramses'III. », *GöttMisz* 99, 1987, p. 51-82, n. 52, 70, 73 et 76.

16 Pour la biographie de Robert Hay, voir S. TILLETT, *Egypt itself, the Career of Robert Hay, Esquire of Limplum and Nunraw, 1799-1863*, Londres, 1984. Nous remercions vivement le Professeur Hornung de nous avoir fait parvenir des photocopies de cet ouvrage. Sur R. Hay, voir aussi J. ROMER, *Valley of the Kings*, Londres, 1981, p. 107-114 (= *id.*, *Histoire de la Vallée des Rois*, traduit de l'anglais par A. Forgeau, Paris, 1991, p. 151-158) ; A. SILIOTTI, *Egypt Lost and Found. Explorers and Travellers on the Nile*, Londres, 1998, p. 320-325.

le suivre en Égypte. Ainsi accompagné de dessinateurs et d'architectes tels que Joseph Bonomi (1796-1878), Frederick Catherwood (1799-1854) ou Francis Arundale (1807-1853), il parcourut de très nombreux sites d'Égypte et de Nubie entre 1824 et 1834. Durant toutes ces années, il eut par ailleurs l'occasion de nouer des relations solides avec d'autres voyageurs anglais vivant en Égypte, comme James Burton (1788-1862), Edward Lane (1801-1876) ou encore Sir Gardner Wilkinson (1797-1875) qui joua un rôle central au sein de cette petite communauté [17]. Versé dans l'étude des hiéroglyphes, ce dernier s'était fixé sur la rive ouest de Thèbes, dans une maison aménagée sur l'emplacement d'une tombe de la nécropole de Cheikh Abd al-Gourna qui devint un point de ralliement obligé : Hay séjourna à plusieurs reprises dans ces lieux qui réunissaient savants, voyageurs et dessinateurs britanniques, tous animés d'un même zèle et travaillant, ensemble ou séparément, au relevé des monuments [18].

Sous leur apparence de dilettantes [19], ces hommes ont réuni dans leurs portefeuilles une véritable moisson de documents. Faute de publication, leur contribution à l'égyptologie n'a pas connu l'audience des comptes rendus d'expéditions officielles, alors que les matériaux rassemblés étaient tout à fait dignes de figurer à côté des planches de la *Description de l'Égypte* et même, dans une certaine mesure, des relevés de Champollion et de Lepsius (ces derniers étant *a priori* plus fiables dans le détail des inscriptions) [20]. Seul un inventaire détaillé permettrait de mesurer l'ampleur de cette documentation dont on pourra néanmoins juger de l'étendue en indiquant que les manuscrits de Robert Hay et de James Burton, aujourd'hui conservés à la British Library, forment deux lots dont le premier constitue un ensemble de quarante-neuf volumes [21], tandis que le second s'élève à un total de soixante-trois [22]. Signalons que, dans les deux cas, on ne compte pas moins de trois volumes entièrement consacrés aux tombes de la Vallée des Rois [23].

17 Sur Wilkinson, voir J. THOMPSON, *Sir Gardner Wilkinson and his Circle*, Austin, 1992 ; J. ROMER, *Valley of the Kings*, p. 97-102 (= *id.*, *Vallée des Rois*, p. 135-144) ; A. SILIOTTI, *op. cit.*, p. 218-223 ; C.H. ROEHRIG, *Explorers and Artists*, p. 44-47. Sur les autres personnages cités, voir J. THOMPSON, *op. cit.*, p. 82-99 ; W.R. DAWSON, E.P. UPHILL, *Who was who in Egyptology*, Londres, 1995³. Notons que James Burton, qui eut également l'occasion de travailler dans la Vallée des Rois (voir *infra*), était un parent de Robert Hay, originaire comme lui d'Écosse. Sur Fr. Arundale, voir J. VIALLA, *Les Pickersgill-Arundale, une famille de peintres anglais au XIXᵉ siècle*, Paris, 1983, p. 103-149.

18 Voir J. THOMPSON, *op. cit.*, p. 100-114. La maison de Wilkinson était aménagée dans la chapelle de la tombe du vizir *ỉʿḥ-msw* (TT 83), voir *ibid.*, p. 30/31 (2ᵉ fig. non numérotée). Après le départ de Wilkinson (et celui de Hay qui lui succéda dans les murs), la maison fut occupée un temps par Nestor L'Hôte qui en fit un dessin publié par D. HARLÉ, « Nestor L'Hôte, "ami et compagnon de Champollion", (1804-42) », *VI. Congresso Internazionale di Egittologia. Atti II*, Turin, 1993, p. 174, fig. 3.

19 Voir C.N. REEVES, R.H. WILKINSON, *The Complete Valley of the Kings. Tombs and Treasures of Egypt's Greatest Pharaohs*, Londres, 1996, p. 61-63.

20 Échaudé par l'échec commercial de ses *Illustrations of Cairo* parues en 1840, Robert Hay ne voulut pas faire les frais d'une nouvelle expérience, et faute de financement, sa documentation resta inédite, au grand regret de tous ceux qui en connaissaient la valeur. Voir S. TILLETT, *Egypt Itself*, p. 4, 65, 85-87 et 97-98 ; J. THOMPSON, *Sir Gardner Wilkinson*, p. 161-162 et p. 185-186. Sur la toute récente publication de l'ouvrage d'Edward Lane, resté jusqu'ici inédit, voir E.W. LANE, *Description of Egypt. Notes and Views in Egypt and Nubia, Made During the Years 1825, -26, -27, -28 : Chiefly Consisting of a Series of Descriptions and Delineations of the Monuments, Scenery, &c. of those Countries ; The Views, with Few Exceptions, made with the Camera Lucida*, edited and with an introduction by Jason Thompson, Le Caire, 2000. L'ouvrage contient une brève description de la tombe de Ramsès III, voir *ibid.*, p. 378-380.

21 Ces manuscrits Add. MSS. 29812-29860 sont collectivement désignés sous l'appellation de « *Views, Water-colour Drawings, Sketches of Buildings and Monuments, and Copies of Mural Paintings, Inscriptions, and various Objects of Antiquity in Egypt*, taken by Fr. Arundale, Joseph Bonomi, James Burton, Robert Hay, Fr. Catherwood, A. Dupuy, Edward William Lane, Charles Laver, and others artists, *during an Expedition Organized by Robert Hay, Esq. of Limplum, N.B., in the Years 1826-1838*. Forty-nine volumes ». Pour l'intitulé des différents volumes, voir I. HILMY, *The Literature of Egypt and the Sudan from the Earliest Times to the Year 1885 Inclusive. A Bibliography*, I, Londres, 1886, p. 292-294. Pour les dates, voir *infra*, n. 43.

22 Ces manuscrits Add. MSS. 25613-25675 portent la désignation collective de « *Collectanea Aegyptiaca* (formed by James Burton between the years 1820 and 1839) ». Pour le détail des titres, voir également I. HILMY, *op. cit.*, p. 108-111. Quant aux manuscrits de Wilkinson, ils forment un ensemble de 56 volumes conservés à Oxford dans les archives de la Bodleian Library, voir *ibid.*, II, 1887, p. 330-333.

23 Il s'agit des manuscrits portant les cotes Add. MSS. 29818-29820 pour Robert Hay et Add. MSS. 25641-25643 pour James Burton.

Le grand nombre de relevés et de dessins réalisés dans les hypogées royaux par l'équipe de Robert Hay témoigne bien de l'intérêt que l'on portait au site de Biban al-Molouk dans l'entourage de Sir Gardner Wilkinson. Celui-ci était d'ailleurs à l'origine de la numérotation des tombes royales, ayant pris l'initiative, en 1827, de leur attribuer à chacune un numéro spécifique qui figurait non seulement sur les cartes, mais était également inscrit à l'entrée des monuments [24]. Ce système, encore en usage aujourd'hui, devait faciliter l'identification des tombeaux dont Wilkinson, féru de dynasties, avait par ailleurs établi le nom et l'ordre de succession des propriétaires. Malgré ces avancées incontestables, l'attention de Wilkinson demeurait principalement attirée par les scènes de la vie quotidienne figurant dans le tombeau de Ramsès III. S'il agissait en cela comme les premiers visiteurs, il faut noter que cette prédilection reflétait plus généralement chez lui un attrait pour les aspects pratiques de la civilisation égyptienne dont il devait offrir une synthèse magistrale dans son célèbre ouvrage *Manners and Customs of the Ancient Egyptians* paru à Londres en 1837 [25].

Autre membre du cercle à avoir œuvré dans la Vallée des Rois, James Burton orienta davantage son activité vers l'archéologie en entreprenant le dégagement de différents tombeaux encore obstrués, comme la tombe d'Hatchepsout (KV 20) et la tombe nº 5 où figuraient les cartouches de Ramsès II [26]. Si le fouilleur cherchait à explorer de nouveaux domaines, le dessinateur semble être resté, quant à lui, en terrain connu : au regard des travaux qu'il effectua sur le site, le contenu des portefeuilles de Burton concernant les hypogées royaux se montre en effet plus conventionnel. Mis à part une série de plans, l'ensemble se rapporte essentiellement aux deux tombes « vedettes » de l'époque : la « tombe de Bruce » (KV 11), à laquelle il consacra un petit carnet empli de motifs copiés dans les petites niches des premiers couloirs [27], et la « tombe de Belzoni » correspondant à la tombe de Séthi Ier (KV 17), découverte quelques années auparavant par le célèbre explorateur italien [28].

Comparé à ses deux précédents collègues, Robert Hay fait preuve d'une véritable originalité dans le choix et le traitement de ses sujets. L'examen de ses portefeuilles montre que, sans les ignorer, il ne s'est limité ni aux scènes les plus connues, ni aux tombeaux les plus visités. Il apparaît

24 Voir J.G. WILKINSON, *Topography of Thebes and General View of Egypt*, Londres, 1835, p. 101 ; *id.*, *Topographical Survey of Thebes* (Facsimile Reprint by John William Pye Rare Books), Brockton, 1999. Voir aussi J. ROMER, *Valley of the Kings*, p. 97-98 (= *id.*, *Vallée des Rois*, p. 135-137).

25 Voir J.G. WILKINSON, *Topography of Thebes*, p. 109-113 ; J. ROMER, *Valley of the Kings*, p. 100-101 (= *id.*, *Vallée des Rois*, p. 140-142). Notons que la connaissance de Wilkinson était nourrie de toutes les observations qu'il avait pu faire dans les tombeaux des nobles thébains, jusqu'alors peu étudiés, voir J. THOMPSON, *Sir Gardner Wilkinson*, p. 110-113 et p. 141-159.

26 Voir J. ROMER, *Valley of the Kings*, p. 103-106 (= *id.*, *Vallée des Rois*, p. 145-151).

27 Ce carnet correspond au volume portant la cote Add. MSS. 25643.

28 Pour un exemple de dessin réalisé par Burton dans la KV 17, voir E. HORNUNG, *Tal der Könige, die Ruhestätte der Pharaonen*, Zurich, Munich, 1982, fig. 8. Sur la découverte de la tombe de Séthi Ier en 1817, voir G. BELZONI, *Voyages en Égypte et en Nubie*, Présentation et commentaires de L.-A. Christophe, Paris, 1979, p. 188-198 ; A. SILIOTTI (éd.), *Belzoni's Travels. Narrative of the Operations and Recent Discoveries in Egypt and Nubia by Giovanni Belzoni*, Londres, 2001, p. 200-208 ; sur Belzoni, sa découverte et l'exposition qui s'ensuivit à Londres, voir *ibid.*, p. 21-74 ; J. ROMER, *Valley of the Kings*, p. 51-86 (= *id.*, *Vallée des Rois*, p. 75-121) ; C.H. ROEHRIG, *Explorers and Artists*, p. 34-41 ; sur le transfert de l'exposition à Paris et sa visite par Champollion, voir E. HENROTIN, « Autographes des deux Champollion », *ChronEg* 48/96, 1973, p. 266-271.

en outre que lui-même et ses collaborateurs ont employé, pour nombre de planches, le procédé nouveau de la chambre claire qui permettait à un utilisateur expérimenté d'obtenir une précision quasi photographique, tout en conservant l'aspect sensible du dessin. La méthode consistait à saisir, au moyen d'un prisme et d'un jeu de lentilles, l'image du modèle à reproduire et d'en retracer les contours d'après le reflet qu'elle formait sur la table à dessin. On conçoit aisément l'avantage que l'on pouvait tirer d'une telle invention qui fut particulièrement utilisée pour la réalisation de vues panoramiques et le rendu de perspectives architecturales [29].

Le premier des trois manuscrits de Robert Hay consacrés à la Vallée des Rois illustre parfaitement cette technique. Enregistré sous la cote Add. MSS. 29818, ce volume *grand folio* comprend un ensemble de planches offrant différentes vues en perspective de l'entrée et de l'intérieur des tombes, réalisées notamment dans les hypogées de Ramsès Ier, Ramsès IV, Ramsès VI et Ramsès VII. On remarque que certaines représentations ont été déclinées en plusieurs versions, correspondant à des variantes successives exécutées au crayon et à l'aquarelle (monochrome ou en couleur). Le tout est introduit par un splendide panorama du site de Biban al-Molouk réalisé depuis les hauteurs de la falaise qui surplombe son extrémité occidentale [30]. C'est dans ce volume que l'on trouve la très belle représentation de la salle du sarcophage de Ramsès III dont il existe trois versions différentes : la première en grisaille (fol. 28), la deuxième en couleur (fol. 29 = fig. 10), et la troisième, simplement exécutée au trait, mais revêtant un aspect plus pittoresque par la présence de personnages enturbannés (fol. 30) [31].

Le deuxième manuscrit Add. MSS. 29819 se présente sous la forme d'un volume *in-quarto* constitué d'un assemblage caractéristique de petits feuillets de notes – écrites au crayon et généralement accompagnées de croquis – alternant avec des plans ou des illustrations de plus grand format, qui peuvent être, pour certaines, rehaussées de couleurs. L'ensemble se rapporte essentiellement à la décoration des tombes de Ramsès IV, Ramsès VI, Ramsès VII et Ramsès IX, mais compte également quelques pages consacrées à des monuments plus rarement étudiés comme,

29 Sur la chambre claire ou « camera lucida » inventée par le physicien et chimiste W.H. Wollaston, voir M. KEMP, *The Science of Art. Optical Themes in Western Art from Brunelleschi to Seurat*, New Haven, Londres, 1990, p. 200-201. Simple dans son principe, cet appareil requérait néanmoins une certaine dextérité de la part de son utilisateur. Edward Lane passe pour être le premier artiste à s'en être servi en Égypte, voir A. SILIOTTI, *Egypt Lost and Found*, p. 323 et *supra*, n. 20. Le dessin qu'il fit de l'entrée de la tombe de Ramsès III (E.W. LANE, *Description of Egypt*, fig. 116) n'atteint cependant pas la qualité de celui de Robert Hay (voir J. ROMER, *Valley of the Kings*, p. 112 et *infra*, n. 34). Parmi les autres dessinateurs, on peut supposer que J. Bonomi, qui connaissait le Dr Wollaston, était particulièrement bien placé pour se servir de cet instrument, voir S. TILLETT, *Egypt itself*, p. 13-14 ; J. THOMPSON, *Sir Gardner Wilkinson*, p. 88 ; J. ROMER, *op. cit.*, p. 107 (= *id.*, *Vallée des Rois*, p. 152). Sur l'existence de dessins réalisés à l'aide de la chambre claire par le collaborateur de J.-Fr. Champollion, Salvatore Cherubini, voir M. DEWACHTER, « Nouveaux documents relatifs à l'expédition franco-toscane en Égypte et en Nubie (1828-1829) », *BSFE* 111, 1988, p. 54-55. S'ils ne figurent pas parmi les planches des *Monuments de l'Égypte et de la Nubie*, certains de ces dessins ont été en revanche utilisés pour illustrer l'ouvrage de CHAMPOLLION-FIGEAC, *L'Égypte ancienne*, Paris, 1839 (cf. M. DEWACHTER, *op. cit.*, p. 54).

30 Voir Add. MSS. 29818, fol. 1-8, partiellement reproduit dans J. ROMER, *Valley of the Kings*, p. 108-109. Pour un autre dessin extrait du même volume, mais exécuté dans la tombe de Séthi Ier (KV 17), voir *ibid.*, p. 123 (Add. MSS. 29818, fol. 26). Pour un exemple des planches consacrées aux tombes de Ramsès IV (KV 2) et Ramsès VII (KV 1), voir E. HORNUNG, *Zwei ramessidische Königsgräber : Ramses IV. und Ramses VII.*, *Theben* 11, Mayence, 1990, pl. 42 et pl. 112.

31 On devine également la silhouette de personnages esquissés sur le folio que nous reproduisons ici. Cette version en couleur (Add. MSS. 29818, fol. 29) est citée dans PM I, 2, p. 525 (cf. *supra*, n. 15). Noter qu'il existe dans ce volume une autre vue-perspective de la tombe de Ramsès III, prise cette fois dans la partie haute, et montrant les parois du deuxième couloir percées par l'ouverture des petites niches, voir Add. MSS. 29818, fol. 31-32.

par exemple, les hypogées de Mérenptah (KV 8) et Taousert-Sethnakht (KV 14), ou encore les sarcophages royaux conservés *in situ* [32]. En revanche, on n'y trouve aucun élément se rapportant à la tombe nº 11, car c'est dans le troisième portefeuille que sont regroupés les documents relatifs aux tombeaux de Séthi Ier et Ramsès III.

Ce troisième volume, qui porte la référence Add. MSS. 29820, est en effet placé sous le double signe de la « tombe de Belzoni » et de la « tombe de Bruce ». De format *grand folio*, il est composé de la même manière que le précédent volume, de sorte que l'on y rencontre la même juxtaposition de notes manuscrites, de dessins au trait et de planches aquarellées, à quoi s'ajoutent de nouvelles perspectives réalisées au moyen de la chambre claire. D'une façon générale et malgré quelques inversions, on peut considérer que la première partie du recueil concerne la KV 17 [33], tandis que la seconde traite de la KV 11 [34]. C'est dans cette seconde moitié que nous avons puisé les documents que nous publions ici, à savoir la description de la décoration ornant la partie basse de la tombe de Ramsès III (fol. 111 vº – fol. 115 rº = fig. 1-8) et la coupe longitudinale de la salle du sarcophage montrant le décor de la paroi du fond (fol. 123 = fig. 9).

Avant d'entrer dans le détail des informations fournies par ces documents, il convient de préciser quelques points formels. Il nous paraît tout d'abord important de rappeler que le matériel réuni dans les portefeuilles de Robert Hay est le fruit d'un travail collectif. Lors des séjours qu'il fit dans la Vallée des Rois, Hay était généralement accompagné de ses collaborateurs avec lesquels il s'établit notamment dans l'hypogée de Ramsès IV : situé à l'entrée du *ouadi*, celui-ci offrait par ses vastes proportions un asile commode dont le confort fut également apprécié par Champollion [35]. Si l'on peut se faire une idée du mode de vie dans les tombes, on ignore la manière exacte dont le travail se répartissait au sein de l'équipe ; peut-être qu'une étude plus poussée permettra un jour de mieux reconnaître la part qui revient à chacun des dessinateurs, mais dans l'état actuel, nous pouvons seulement affirmer que Robert Hay n'est pas l'auteur de toutes les planches [36].

32 Pour la reproduction de dessins extraits de ce manuscrit, voir E. HORNUNG, *op. cit.*, pl. 88a (KV 2) et pl. 130-131 (sarcophage de Ramsès VII) ; pour la reproduction d'une page de notes assortie de croquis, voir *ibid.*, pl. 89a (sarcophage de Ramsès IV).

33 Voir fol. 1-38 ; 41-67 ; 69-85 ; 91-92 ; 102-105 ; 108. Pour des reproductions, voir J. ROMER, *op. cit.*, face à p. 97 (Add. MSS. 29820, fol. 72) ; E. HORNUNG, *Tal der Könige*, fig. 70 et fig. 149.

34 Voir fol. 86-88 ; 93-96 ; 99-101 ; 106-107 ; 109-146. Pour des reproductions, voir J. ROMER, *op. cit.*, p. 112 (Add. MSS. 29820, fol. 126) ; E. HORNUNG, *op. cit.*, fig. 4-7 et fig. 173.

35 Voir J. ROMER, *op. cit.*, p. 110-111 (= *id.*, *Vallée des Rois*, p. 154-145). Pour une vue du campement dans la syringe, voir Add. MSS. 29818, fol. 20, reproduite dans E. HORNUNG, *Theben* 11, pl. 42. On pourra rapprocher ce tableau de la description que fait Champollion de sa propre installation dans la lettre adressée à son frère le 25 mars 1829, voir J.-Fr. CHAMPOLLION, *Lettres*, p. 246-247. On sait que Hay élut également domicile dans le tombeau de Ramsès X, voir E.W. LANE, *Description of Egypt*, p. 371.

36 Pour le nom des artistes associés à celui de Robert Hay dans la désignation générale des 49 volumes de la British Library, voir *supra*, n. 21. On sait que Hay supervisait le travail de son équipe et que certaines planches gardent encore la trace de ses corrections, voir J. THOMPSON, *Sir Gardner Wilkinson*, p. 88. Sur le contrôle étroit qu'il exerçait sur ses collaborateurs, voir le texte du contrat signé par Arundale publié dans S. TILLETT, *Egypt itself*, p. 50-52. Pour le témoignage d'Hoskins sur le travail dans les tombes, voir J. ROMER, *Valley of the Kings*, p. 112-114 (= *id.*, *Vallée des Rois*, p. 157-158). Concernant les méthodes de l'équipe et le calendrier de ses activités, on peut supposer que les journaux tenus respectivement par Hay et Bonomi pourraient livrer de précieuses informations. À cet égard, il conviendrait de vérifier la date des différents séjours de Robert Hay dans la Vallée des Rois, comme Alain Zivie a pu le faire à propos du travail réalisé par Hay dans la tombe de Pached, voir A.-P. ZIVIE, *La tombe de Pached à Deir el-Médineh (nº 3)*, *MIFAO* 99, Le Caire, 1979, p. 3, 7-11.

En revanche, on peut lui attribuer avec certitude la rédaction des notes manuscrites consignées dans les petits feuillets. Ces pages inscrites *recto verso* apparaissent, comme nous l'avons vu, dans chacun des deux derniers volumes (Add. MSS. 29819 et Add. MSS. 29820). Elles forment un ensemble qui devait appartenir à l'origine à un même carnet dont les feuilles furent par la suite détachées pour être regroupées avec les dessins lors du classement définitif de la documentation. S'il facilite aujourd'hui la consultation des manuscrits « site par site », ou en l'occurrence ici « tombe par tombe », ce nouvel assemblage nous prive de toute information sur la constitution de ce carnet et sur les circonstances de sa rédaction. Ainsi, les feuillets que nous possédons ne sont pas datés et leur numérotation n'a été faite qu'*a posteriori*, dans le cadre et selon la logique des recueils de planches où ils ont été insérés. Néanmoins, le fait que Robert Hay utilise dans ces pages le système de numérotation des tombes royales élaboré par Wilkinson en 1827 (voir *supra*) montre qu'elles furent rédigées postérieurement à cette date.

Telles qu'elles se présentent aujourd'hui, les notes de Robert Hay relatives à la tombe de Ramsès III occupent douze pages *recto verso* (Add. MSS. 29820, fol. 109 r° – fol. 120 v°). L'examen de leur contenu permet de les diviser en deux moitiés pratiquement égales. La première (fol. 109 r° – fol. 115 r°) offre une description suivie de la décoration depuis l'entrée du tombeau jusqu'à son extrémité finale ; c'est là que nous avons recueilli nos informations concernant la partie basse de l'hypogée, décrite à partir de la ligne 20 du folio 111 v°. La seconde moitié contient des indications précises sur le coloris original des sujets reproduits dans les planches. C'est ainsi que le folio 115 v°, intitulé « Colours for the view of the Great Chamber », se rapporte à notre vue de la salle du sarcophage (Add. MSS. 29818, fol. 29 = fig. 10) effectivement mise en couleur, tandis que les autres pages, portant la suscription « The Colours for the Subjects in Bruce's Tomb », ont essentiellement trait à la décoration des petites niches creusées dans les deux premiers couloirs [37].

Rédigées sur des feuillets de petit format (env. 22,5 × 16 cm), ces notes sont inscrites au crayon [38]. Elles se composent de lignes d'écriture régulières, alternant avec des croquis dont le tracé, à main levée, montre un geste tout à la fois vif et précis, qui sait en outre remarquablement saisir les particularités du dessin égyptien en respectant notamment les canons de proportion. L'écriture, fine et penchée, n'est pas dépourvue d'élégance, mais se révèle souvent peu lisible [39]. De manière générale, on ne relève aucune rature dans le texte et l'ensemble paraît exécuté d'une main très sûre. La question se pose donc de savoir si nous avons affaire à un « premier jet » remarquablement soigné ou s'il ne s'agit pas plutôt d'une version retravaillée « au propre » à partir de brouillons

37 Les notes, consignées dans ces feuillets (Add. MSS. 29820, fol. 116 r° – 120 v°), traitent successivement des niches D « the Boat Chamber », M « the Armoury », L « the Chairs' Room », G « the Colours for Niles » et F « Colours for the Snakes with draping ». Les indications relatives aux couleurs se rapportent aux planches aquarellées du même recueil, respectivement Add. MSS. 29820, fol. 93 (niche D), 133 (niche M), 136-137 (niche L), 142 (niche G). L'existence de ces notes témoigne de ce que les planches n'étaient généralement pas coloriées sur place (voir aussi à ce propos, M. DEWACHTER, *BSFE* 111, 1988, p. 54, citant une lettre de Cherubini). Sur un cas particulier de mise en couleur, après coup mais face à l'original, voir S. TILLETT, *Egypt itself*, p. 59.

38 Sur l'emploi du crayon dans le journal de Robert Hay, voir A.-P. ZIVIE, *op. cit.*, p. 9, n. 3.

39 Sur les problèmes de lecture, voir *infra*.

réalisés sur les lieux. Personnellement, nous penchons en faveur de la seconde hypothèse en raison de plusieurs formulations particulières au texte qui donnent à penser que les notes ont été rédigées après coup. Ainsi, à deux reprises, Robert Hay met en cause sa mémoire et laisse entendre qu'il n'a plus le souvenir de l'élément qu'il décrit [40] ou qu'il ne se rappelle plus l'emplacement exact du motif qu'il reproduit [41]. Si ces réflexions nous semblent exclure la possibilité d'une rédaction « à chaud », elles n'amoindrissent en rien la valeur du témoignage [42]. Non seulement l'auteur fait preuve d'une précision scrupuleuse, mais il parle manifestement en connaisseur, sachant mesurer avec justesse l'intérêt d'un décor ou établir avec pertinence les rapprochements qui s'imposent entre les différentes tombes royales.

Par leur qualité exceptionnelle, les notes de Robert Hay représentent donc un document capital pour l'étude de la tombe de Ramsès III, qui vient tout à la fois corroborer et, sur certains points, compléter les descriptions de Champollion et de Lefébure. La comparaison avec les *Notices descriptives* est d'autant plus intéressante que le témoignage de Champollion est sensiblement contemporain. L'activité de Robert Hay en Égypte s'échelonne en effet sur une période qui englobe les dates de l'expédition franco-toscane [43]. D'après ce qui a été reconstitué par son biographe, nous savons que les séjours de Hay dans la région thébaine se situent principalement dans les années 1825-1827 et 1832-1834 [44]. En l'absence d'études plus détaillées, nous ignorons à quels moments précis l'équipe de Robert Hay œuvra dans la Vallée des Rois, mais plusieurs éléments permettent d'affirmer que, parmi les dessins réalisés à Biban al-Molouk, certains le furent avant, et d'autres après le passage de Champollion sur le site. Ainsi, il apparaît clairement que la vue prise dans la tombe de Séthi Ier, montrant la double représentation du roi face à la déesse Hathor qui décorait le seuil du quatrième couloir [45], n'a pu être réalisée qu'avant son enlèvement par Champollion en 1829 [46], probablement à l'occasion du long séjour que Hay fit sur le site en 1826 [47].

40 Voir *infra*, fol. 113 r°, l. 29 : « These fig[ur]es I dont remember. »

41 Voir *infra*, fol. 113 v°, l. 22 : « The L[ef]t side of the G[rea]t wall I have forgot[ten] its place but is [...]. » Si sa mémoire est prise ici en défaut, soulignons que Hay garde en revanche parfaitement le souvenir d'autres dessins réalisés par lui, auxquels il se réfère dans sa description. Voir à ce sujet *infra*, fol. 112 r°, l. 7, 14-15 ; fol. 114 v°, l. 18-19, 27-28. Voir aussi *infra*, fol. 113 v°, l. 2-3.

42 On peut se demander si ce travail de réécriture n'est pas à mettre en parallèle – voire même en relation – avec l'entreprise de correction d'anciens dessins à laquelle Hay, séjournant à Thèbes, semble se livrer à deux reprises, à la fin de 1830 et au cours de l'hiver 1832/1833. Voir S. TILLETT, *op. cit.*, p. 48 et p. 57.

43 La chronologie établie par Tillett permet de replacer l'activité de R. Hay dans le cadre de deux expéditions successives, dont la durée s'étend de novembre 1824 à janvier 1828 pour la première, et d'octobre 1829 à mars 1834 pour la seconde (voir *ibid.*, p. 13-33 et p. 43-67). On note un décalage entre ces dates (1824-1834) et celles qui apparaissent dans la désignation collective des manuscrits de Robert Hay conservés à la British Library (1826-1838), voir *supra*, n. 21.

44 Voir S. TILLETT, *op. cit.*, p. IV-V.

45 Voir Add. MSS. 29818, fol. 26, reproduit dans J. ROMER, *Valley of the Kings*, p. 123.

46 On sait que les deux reliefs sont aujourd'hui conservés, l'un à Paris (Louvre B7), et l'autre à Florence (Museo Egizio Inv. n° 2468). Pour le premier, voir G. ANDREU, M.-H. RUTSCHOWSCAYA, Chr. ZIEGLER, *L'Égypte ancienne au Louvre*, Paris, 1997, p. 137-140. Pour le second, voir E. BRESCIANI, « L'expédition franco-toscane en Égypte et en Nubie (1828-1829) et les antiquités égyptiennes d'Italie », *BSFE* 64, 1972, p. 16, n. 40-41 ; M.C. GUIDOTTI, « Dall'Egitto a Firenze via Pisa », dans E. Bresciani (éd.), *La Piramide e la Torre*, Pise, 2000, p. 140-141. Pour un autre relief (figurant la déesse Maât) ramené de la KV 17 à Florence par I. Rosellini (Museo Egizio Inv. n° 2469), voir *ibid.*, p. 138-139 ; *Les artistes de Pharaon. Deir el-Médineh et la Vallée des Rois, Catalogue de l'exposition, Paris, Musée du Louvre 15 avril - 22 juillet 2002*, Paris, 2002, p. 194-195 (cat. n° 137).

47 La présence de Hay dans la Vallée des Rois est attestée en août 1826, alors qu'il était accompagné de Lane (voir E.W. LANE, *Description of Egypt*, p. 371), et l'on sait qu'il y prolongea son séjour jusqu'au début de l'année suivante, voir S. TILLETT, *op. cit.*, p. 27. Une indication de son journal nous apprend par ailleurs que Hay travailla au panorama de la Vallée des Rois en janvier 1834, voir A.-P. ZIVIE, *MIFAO* 99, p. 10. Sur le panorama, voir *supra*, n. 30.

Curieusement, c'est par le biais de cette malencontreuse affaire de découpe des reliefs dans la tombe de Séthi Ier que nous parvenons à établir un lien entre les deux sphères distinctes d'où émanent nos sources : l'équipe de Robert Hay dans l'entourage de Sir Gardner Wilkinson, d'une part, et les membres de l'expédition franco-toscane sous la direction conjointe de Champollion et Rosellini, d'autre part. Vu l'importance des personnages, il nous paraissait en effet intéressant de savoir si ces hommes avaient pu se rencontrer. Vérification faite, il semble que les contacts avec les Britanniques aient été très limités (ce qui n'est pas incompatible avec le fait que l'on trouve dans leur correspondance plusieurs mentions de la présence de Champollion en Égypte). Comme les dates de l'expédition franco-toscane coïncidaient avec celles du retour de Robert Hay en Grande-Bretagne, il apparaît qu'aucune relation ne pouvait s'établir de ce côté [48]. De même, il n'y eut jamais d'entrevue entre Champollion et Wilkinson, parti au moment de l'expédition pour son voyage dans le désert Oriental [49]. Quant à James Burton, il écrivit bien une lettre à Robert Hay dans laquelle est évoquée une rencontre avec Champollion à Korosko, mais il n'est pas certain que lui-même y ait véritablement participé [50].

En réalité, il semble que le seul membre du cercle à avoir eu des rapports directs avec Champollion et son équipe ait été Joseph Bonomi. Les premiers contacts se nouèrent avec Rosellini qui avait quitté la Vallée des Rois pour Gourna dès la fin mai 1829. À la date du 8 juin, son journal rapporte qu'il visita les tombes de la nécropole en compagnie de Bonomi, « un Anglais qui [était] à Thèbes pour dessiner et mesurer les monuments [51] ». Il est possible que ce soit dans les jours suivants qu'un des compagnons de Champollion, vraisemblablement Cherubini, ait fait le portrait de Bonomi découvert dans les carnets de la collection Renéaume [52]. C'est cependant dès le 13 juin qu'éclata le différend qui devait opposer le dessinateur anglais à Champollion au sujet de l'enlèvement des reliefs dans la tombe de Belzoni [53]. Il n'y a pas lieu d'épiloguer ici sur cet incident, témoin de pratiques condamnables et heureusement révolues. On regrettera seulement

48 Ce voyage de Hay (via Malte et la Crète) était en grande partie lié aux circonstances de son mariage avec une jeune esclave affranchie, Kalitza Psaraki, voir S. TILLETT, *op. cit.*, p. V et p. 34-42.

49 Voir J. THOMPSON, *Sir Gardner Wilkinson*, p. 123-126. Les deux hommes étaient indirectement en contact par le biais de leur correspondance avec Sir William Gell (1777-1836). Voir H.R. HALL, « Letters of Champollion le Jeune and of Seyffarth to Sir William Gell », *JEA* 2, 1915, p. 85 (où Champollion mentionne Wilkinson) ; *id.*, « Letters to Sir William Gell from Henry Salt, Sir J.G. Wilkinson, and Baron von Bunsen », *JEA* 2, 1915, p. 156 et p. 160 (où Wilkinson évoque l'arrivée de Champollion en Égypte et le séjour de celui-ci à Thèbes). Voir à ce sujet *infra*, n. 55.

50 On sait qu'à son retour d'Abou Simbel, Champollion croisa la route de Lord Prudhoe et du Major Felix à Korosko, le 20 janvier 1829, voir J.-Fr. CHAMPOLLION, *Lettres*, p. 224 ; G. GABRIELI (éd.), *Ippolito Rosellini e il suo giornale*, p. 142 (aucun des deux ne mentionne la présence de James Burton). Sur cet évènement, on connaît la lettre que le Major adressa à Wilkinson (voir J. THOMPSON, *op. cit.*, p. 123-124) et celle qu'écrivit James Burton à Robert Hay (voir *ibid.*, p. 124 et S. TILLETT, *op. cit.*, p. 47). Comme l'emploi du temps de Burton à cette époque rend peu probable sa présence à Korosko, il est possible que ses informations, bien que de bonne source, aient été de seconde main (voir J. THOMPSON, *loc. cit.*, n. 43, contrairement à S. TILLETT, *loc. cit.*). Pour le contenu de cette lettre, voir *infra*, n. 56.

51 G. GABRIELI (éd.), *op. cit.*, p. 180 ; voir aussi M. DEWACHTER, *BSFE* 111, 1988, p. 60. C'est également ce même jour que Champollion, L'Hôte et Cherubini, restés jusqu'alors dans la Vallée des Rois, rejoignirent le reste de l'équipe à Gourna, voir *supra*, n. 8 ; G. GABRIELI (éd.), *op. cit.*, p. 178 et p. 180.

52 Pour ce portrait, voir M. DEWACHTER, *op. cit.*, p. 60, fig. 123. Pour l'identification de Cherubini comme l'auteur des carnets de la collection Renéaume, voir *ibid.*, p. 40-44.

53 La teneur des billets qu'ils s'échangèrent à cette occasion est connue par la copie qu'en fit Bonomi dans une lettre adressée à Burton, voir S. TILLETT, *op. cit.*, p. 46 ; R.T. RIDLEY, « Champollion in the Tomb of Seti I: an Unpublished Letter », *ChronEg* 66/131-132, 1991, p. 23-30. Sur les motivations de ce geste sacrilège, voir J.-Fr. CHAMPOLLION, *op. cit.*, p. 453 et p. 456-457.

que les rapports de Champollion avec l'entourage de Wilkinson aient été entachés de cette querelle et que l'expédition franco-toscane n'ait pas fourni l'occasion d'échanges plus fructueux.

En dépit des rivalités et des réserves émises sur sa personne (on lui reproche généralement sa trop haute conscience de lui-même), le témoignage des Britanniques est cependant unanime pour saluer l'importance de l'œuvre accomplie par Champollion en Égypte et en Nubie. Le Major Felix, rencontré à Korosko, parle de « l'immensité de ses travaux », tout comme James Burton qui évoque la somme « incroyable » de dessins réunis par son équipe [54], sans parler de Wilkinson qui se fait l'écho des « merveilles » faites par Champollion dans la copie des monuments thébains [55]. Des critiques s'élèvent toutefois sur le style de ses dessins. Celles-ci nous paraissent en partie justifiées, notamment lorsque la remarque de James Burton sur les proportions parfois peu satisfaisantes des personnages se base sur une comparaison avec les dessins de Robert Hay [56]. Bien que ses propos se réfèrent aux dessins réalisés dans les temples, nous devons convenir qu'ils pourraient également s'appliquer à certains de ceux qui furent exécutés ultérieurement dans les tombeaux de la Vallée des Rois, y compris dans celui de Ramsès III.

Mais qu'importe aujourd'hui de savoir qui de Robert Hay ou de Champollion l'emporte sur le chapitre de l'élégance ? Chacun nous livre, à sa manière propre, un témoignage irremplaçable sur l'état des monuments au début du XIXe siècle. Aussi, plutôt que de soupeser le mérite respectif de leurs portefeuilles et de continuer ainsi à les opposer inutilement, est-il temps de faire enfin dialoguer ces sources en les mettant toutes deux à contribution sur le sujet qui nous occupe. N'offrant séparément qu'une vision partielle de la tombe de Ramsès III, elles gagnent en effet à être rapprochées pour s'enrichir et s'éclairer mutuellement. Jointes aux informations fournies par les *Notices* d'Eugène Lefébure, elles nous permettent ainsi de reconstituer, pour la première fois, une image complète de l'hypogée dans sa partie inférieure.

2. Transcription des notes de Robert Hay (Add. MSS. 29820, fol. 111 v° - 115 r°)

Afin de faciliter la confrontation avec l'original, nous avons choisi de faire figurer en vis-à-vis la transcription des notes et la reproduction photographique des différents folios. Comme nous l'avons indiqué auparavant, les notes de Robert Hay relatives à la partie basse de la tombe de Ramsès III occupent les folios 111 r° à 115 v°. Le texte est illustré de croquis dont la taille et l'emplacement varient : exécutés à des échelles différentes, ceux-ci adoptent des dispositions diverses, selon qu'ils sont insérés dans le corps du texte, reproduits à la suite, dessinés en marge ou encore en pleine page. La nécessité de prendre en compte leur présence dans la transcription du texte

54 J. THOMPSON, *Sir Gardner Wilkinson*, p. 124 : « (...) Champollion (...) showed us all his labors wh are immense » (Major Felix); « What they have done is incredible (...) » (Burton). Voir aussi S. TILLETT, *Egypt Itself*, p. 47.

55 J. THOMPSON, *op. cit.*, p. 123 : « Champollion still at Thebes doing wonders in copying », d'après H.R. HALL, *JEA* 2, 1915, p. 160.

56 J. THOMPSON, *op. cit.*, p. 124 : « (...) The colouring is beautiful and minute *but the Figures are not like yours* – some too lanky, some too fat, some too muscular (...) ». C'est nous qui soulignons. Voir aussi S. TILLETT, *op. cit.*, p. 47.

nous a fait adopter le parti suivant. Lorsque le dessin était véritablement solidaire du texte, nous avons reproduit son image au sein de la transcription. Dans les autres cas, nous avons seulement indiqué l'emplacement du croquis, en prenant soin de l'identifier par une lettre de l'alphabet (ex. dessin A), tout en insérant une note pour en donner une brève description.

Par ailleurs, il a fallu envisager un traitement spécifique pour les folios 112 v°, 113 r° et 114 r° où le dessin primait sur le texte : nous avons choisi d'en présenter le contenu par écrit, sans omettre de transcrire les quelques annotations figurant sur les croquis. Les folios 112 v° et 113 r° posaient en outre un problème supplémentaire dans la mesure où ils avaient servi de support commun à une même illustration s'étendant sur deux pages. La solution retenue pour ne pas les dissocier nous a fait commettre une entorse à notre règle de présentation. Au lieu de faire alterner les transcriptions et les planches, nous avons été contrainte de présenter les choses comme suit : nous avons commencé par la description de l'image reproduite sur les folios 112 v° et 113 r°, en y ajoutant la transcription du texte apparaissant sur le reste du folio 113 r°, avant de faire figurer côte à côte la reproduction des deux folios [fig. 3-4].

Concernant la transcription des notes proprement dites, nous nous sommes heurtée à un certain nombre de difficultés. Les premières sont directement liées à l'écriture de Robert Hay dont nous avons déjà évoqué le caractère peu lisible. Ces problèmes de lecture sont encore renforcés par la présence de nombreuses abréviations, l'absence fréquente de coupure entre les mots, et l'usage particulier que l'auteur fait des majuscules et de la ponctuation. En nous familiarisant avec ces manuscrits, nous avons été en mesure de lever peu à peu les obstacles, en procédant généralement par recoupement, et en nous aidant, dans certains cas, des parallèles existant chez les auteurs contemporains publiés [57]. À côté de certaines abréviations courantes [58], on relève ainsi l'emploi spécifique de contractions telles que « fig$^{(e)s}$ » et « hierog$^{(l)s}$ » pour les termes « figures » et « hieroglyph(ic)s », que l'on retrouve aussi sous la plume de Wilkinson [59]. Hay utilise par ailleurs un système d'abréviations pour la notation des couleurs dont la clé nous a été livrée par l'examen des folios se rapportant au coloris des planches (voir *supra*) et dans lequel « B^{k} », « B. », « G. » et « Y. » valent respectivement pour « Black », « Blue », « Green » et « Yellow ». En outre, le rapprochement entre différents passages du texte met en lumière le fait que la mention « B. » ou « Bel. », dans l'expression « B(el).'s Tomb », se réfère à la tombe de Belzoni, c'est-à-dire à la tombe de Séthi Ier, qui sert souvent à Hay de point de comparaison dans sa description [60]. Par souci de lisibilité, nous avons supprimé les abréviations dans notre transcription en restituant entre crochets les éléments

57 Voir par ex. E.W. LANE, *Description of Egypt*, p. xxvii-xxviii. Notre transcription doit également beaucoup à la relecture vigilante de personnes anglophones qui nous ont suggéré de très pertinentes améliorations et corrections. Nous remercions ici chaleureusement Angela Armstrong, Jen Kimpton et Jean Revez pour leur précieuse collaboration.

58 Il s'agit d'abréviations employant, pour certaines, la notation en exposant (*superscripts*) : *w^{d}* (would), *sh^{d}* (should), *w^{h}* (what / which), *L^{t}* (Left), *R^{t}* (Right), *G^{t}* (Great), *&* (and), *&c* (etc).

59 Voir H.R. HALL, *JEA* 2, 1915, p. 158 ; voir également A.-P. ZIVIE, *MIFAO* 99, p. 9, n. 7-8 ; p. 10, n. 2-3. On notera que, lorsqu'ils ne l'écrivent pas en abrégé, Wilkinson et Lane emploient le terme « hieroglyphics » (toujours au pluriel) pour désigner les hiéroglyphes, voir par ex. H.R. HALL, *op. cit.*, p. 19 ; E.W. LANE, *op. cit.*, p. 382. Voir aussi *infra*, n. 159 (à propos du folio 123).

60 Voir fol. 111 v°, l. 1, 2, 23-24 ; fol. 113 v°, l. 1 ; fol. 114 v°, l. 4, 8.

manquants [61] et rétabli, dans le même esprit, les coupures nécessaires entre les mots. En cas de lecture non assurée, nous avons fait figurer un point d'interrogation dans le texte et généralement commenté le passage litigieux dans une note.

En ce qui concerne la ponctuation, nous avons été confrontée à un phénomène paradoxal. D'un côté, on observe des endroits où la ponctuation fait curieusement défaut : il s'agit généralement de passages où l'on attendrait une marque de séparation (virgule ou point) entre différents éléments qui se trouvent, de fait, simplement juxtaposés [62]. D'autre part, on constate chez Hay l'emploi de traits de séparation horizontaux – de taille inégale – dont la présence, dans le texte descriptif, signale généralement le passage à un nouvel élément de la décoration, la longueur du trait étant le plus souvent proportionnelle à l'importance de l'articulation (changement de salle, de paroi, de registre ou de scène). Compte tenu de l'importance de ce découpage pour la compréhension du texte, il nous a paru nécessaire de le reproduire aussi fidèlement que possible, en le rendant au moyen de tirets plus ou moins longs [63]. En revanche, nous n'avons pas jugé utile de restituer la ponctuation manquante, préférant nous en tenir ici à la littéralité du texte [64]. Du reste, l'absence d'un point ou d'une virgule ne nous a pas semblé trop gênante à la lecture, puisque les phrases sont généralement courtes et que le style revêt même parfois un caractère « télégraphique ».

De façon générale, nous nous sommes efforcée de respecter l'aspect et la disposition du texte. C'est la raison pour laquelle nous avons observé un même agencement pour les lignes que nous avons pris le soin de numéroter pour chacun des folios. Outre la présence des traits de séparation (voir *supra*) et des blancs [65], nous avons également pris en compte celle des majuscules qui reviennent de manière très fréquente dans le texte, sans que leur apparition coïncide forcément avec le commencement d'une phrase. À ce propos, nous devons avouer que les principes qui régissent leur emploi nous semblent d'autant plus flous qu'il n'est pas toujours facile de faire le départ entre minuscules et majuscules dans le texte, puisque la différence réside moins dans la forme que dans la taille du caractère. Si certains cas sont douteux [66], d'autres apparaissent en revanche plus clairement, comme le « s » ou le « c » à l'initiale qui sont très souvent notés en grand caractère, indépendamment de la place du mot dans la phrase. En règle générale, nous avons retranscrit en majuscules les lettres dont la taille excédait la moyenne.

61 Nous avons également rétabli entre crochets la teneur de certains mots qui paraissent coupés à l'extrémité d'une ligne. Voir fol. 111 v°, l. 1 (*depic[ted]*) ; fol. 112 r°, l. 27 (*Cham[ber]*) ; fol. 113 v°, l. 13 (*Sna[ke]*) ; fol. 114 v°, l. 4 (*[Tomb]*).

62 Nous ne comptons pas ici le défaut de ponctuation à l'extrémité d'une ligne ou à proximité d'un dessin, puisque l'on peut considérer que le changement de ligne ou le passage du mode de l'écrit à celui du dessin introduit, dans les deux cas, un élément de séparation suffisant. Nous parlons ici de l'absence de ponctuation à l'intérieur d'une même ligne : voir par ex. fol 111 v°, l. 2 (*B[lac]ks / the*) ; *ibid.*, l. 19 (*hands / The*) ; fol. 112 r°, l. 14 (*Deitys / each*) ; fol. 113 v°, l. 8 (*hand / fox*) ; *ibid.*, l. 13 (*Caps / also* ; *following / a*) ; *ibid.*, l. 14 (*hand / fox*) ; fol. 114 v°, l. 10 (*tomb / a*) ; *ibid.*, l. 11 (*ones / 9* ; *Staff / a*) ; *ibid.*, l. 30 (*hand / the*) ; *ibid.*, l. 33 (*them /each*).

63 Pour l'emploi de « tirets » (*linking dashes*) dans les manuscrits de Lane, voir E.W. LANE, *op. cit.*, p. xxvii : « He tended to use them as an organizational device, to order elements within paragraphs. »

64 Afin de les séparer, nous nous sommes contentée d'ajouter un espace insécable entre les mots signalés à la note 62. Pour la présence d'un curieux élément de ponctuation (?), voir fol. 113 r°, l. 10, n. (r).

65 Voir notamment l'espace laissé vide au milieu de la ligne 18 du folio 113 r°.

66 Notamment pour le « m » à l'initiale.

Parmi les autres particularités, il importe de signaler l'existence de quelques mots soulignés dans le texte que nous avons reproduits comme tels dans notre transcription [67]. De même, nous avons conservé l'orthographe de Robert Hay, qui ne pose pas de problèmes spécifiques, sauf dans certains cas que nous allons détailler. Concernant les mots d'usage, on note en effet un certain flottement dans l'emploi des doubles consonnes : alors que Hay écrit « goddess » avec un seul « d » et « flagellum » avec un seul « l [68] », il met deux « l » à « usual » et parfois deux « m » au nom d'Amon [69]. Si nous avons restitué la lettre manquante dans les deux premiers cas, nous avons en revanche laissé le mot tel quel dans les deux autres. De même, nous nous sommes conformée à l'écriture particulière du mot « plane » (noté « plain » dans le texte [70]) et avons conservé la forme du mot « doorway » écrit ici en deux mots [71]. D'un point de vue grammatical, nous avons restitué la forme « I have forgot[ten] [72] » et par ailleurs relevé deux problèmes d'accord [73]. Nous avons aussi constaté des variantes dans le traitement du génitif qui prend bien la marque du « s », mais sans être toujours précédé de l'apostrophe. Là encore, nous avons choisi de suivre l'auteur et, par exemple, transcrit selon le cas « Belzoni's Tomb » ou « Belzonis Tomb ». De la même manière, nous n'avons pas cherché à rétablir le trait d'union dans les expressions formées sur les composantes « headed [74] » ou « faced [75] », telles que « man headed Deity » ou « B[lue] faced Deitys ». Parmi les autres caractéristiques du texte que nous avons respectées, on signalera également l'utilisation régulière des chiffres pour la notation des numéraux et des ordinaux.

Avant de céder la plume à Robert Hay, il convient encore d'éclaircir quelques points de terminologie. Certains des mots employés dans la description pour dépeindre la réalité égyptienne demandent en effet à être précisés. Concernant l'identification des attributs divins ou royaux, on relève ainsi les termes de « Key » ou « Key of the Nile [76] », « Crosier [77] » et « Fox Staff [78] » pour désigner respectivement la croix *ânkh*, le sceptre *héqa* et le sceptre *ouas* (ou encore le signe *ouser*). Le terme de « Cap » s'applique à la coiffure ou à la couronne des personnages représentés [79], tandis

67 Il s'agit des mots *Prisoners* (fol. 111 v°, l. 1) souligné deux fois ; *Sh[oul]d* (fol. 111 v°, l. 3), *Separately* (fol. 112 r°, l. 11), et apparemment *heels* (fol. 113 r°, l. 13) soulignés une fois. On relève, à deux autres endroits, la présence d'un trait de crayon horizontal dans l'interligne (fol. 112 r°, l. 15-16 et fol. 113 r°, l. 18-19), mais il n'est pas certain qu'il s'agisse d'un véritable soulignement car la longueur du trait ne coïncide pas avec celle des mots. Dans le doute, nous nous sommes abstenue.

68 Pour *God[d]ess*, voir fol. 111 v°, l. 26-27 ; fol. 112 r°, l. 2. Pour *flagel[l]um*, voir fol. 111 v°, l. 17. Voir aussi fol. 114 v°, l. 32 (*of[f]ering*).

69 Pour *usuall*, voir fol. 113 r°, l. 7 ; pour *Ammon*, voir *ibid.*, l. 11. Notons que cette hésitation entre les deux orthographes du nom d'Amon se retrouve chez d'autres auteurs du XIXe siècle. Voir par exemple les pages consacrées au dieu dans J.-Fr. CHAMPOLLION, *Panthéon Égyptien, collections de personnages mythologiques de l'Ancienne Égypte*, Paris, rééd., 1986.

70 Pour *plain*, voir fol. 111 v°, l. 20.

71 Pour *door way*, voir fol. 111 v°, l. 18 ; fol. 114 v°, l. 14. Pour l'orthographe « doorway », voir E.W. LANE, *Description of Egypt*, p. 372, 376, 386. On notera également l'orthographe du mot « nich[e] » commune à Hay (voir fol. 113 r°, dessin, contre fol. 114 v°, l. 32) et à Lane (*op. cit.*, p. xxviii).

72 Voir fol. 113 v°, l. 22.

73 Il s'agit d'une part de l'absence du « s » de la 3e personne dans la phrase « A Small fig[ur]e Stand[s] behind (...) » (fol. 112 r°, l. 2), omission qui s'explique sans doute parce que les mots *stand* et *behind* sont attachés dans le texte. D'autre part, on relève une erreur manifeste dans l'accord singulier « 2 fig[ur]es that *was* (...) » (fol. 113 r°, l. 34), que l'on souhaiterait corriger en « 2 fig[ur]es that *were* (...) ». Dans le premier cas, nous avons restitué le « s » manquant et, dans le second, introduit la mention « *sic* » dans le texte.

74 Voir fol. 111 v°, l. 13 ; fol. 112 r°, l. 10, 13, 27 ; fol. 113 r°, l. 6 ; fol. 113 v°, l. 7, 13 ; fol. 114 v°, l. 24. Pour la présence du trait d'union, voir par ex. E.W. LANE, *op. cit.*, p. 379 (*jackal-headed staves*).

75 Voir fol. 111 v°, l. 26, 28 ; fol. 112 r°, l. 13 ; fol. 113 r°, l. 27.

76 Voir fol. 112 r°, l. 12 ; fol. 115 r°, l. 3.

77 Voir fol. 111 v°, l. 17 ; fol. 113 v°, l. 10 ; fol. 115 r°, l. 3.

78 Voir fol. 112 r°, l. 3 ; fol. 113 v°, l. 7-8, 14 ; fol. 114 v°, l. 11, 33. Voir aussi fol. 111 v°, l. 13 (*fox headed Poles*).

79 Voir fol. 111 v°, l. 19, 29 ; fol. 113 v°, l. 13 ; fol. 114 v°, l. 1 ; fol. 115 r°, l. 4.

que le mot « Globe » fait référence au disque solaire [80]. De manière générale, l'auteur distingue les divinités d'après leur aspect physique, mais ne les nomme que très rarement. Hay utilise le terme de « Fox » pour désigner le chacal [81], et celui de « Devil » pour l'animal séthien [82]. Le nom de « Typhon » fait en principe référence à Bès [83], tandis que le nom d'Amon dans l'expression « Amons boat » désigne régulièrement le dieu solaire criocéphale parcourant dans sa barque le monde inférieur au cours des différentes heures de la nuit [84]. On soulignera enfin qu'en dehors de la tombe de Séthi Ier que Hay continue de citer d'après le nom de son découvreur, l'auteur emploie la numérotation de Wilkinson pour identifier les tombes : il en résulte que les mentions « 1st Tomb » et « 2nd Tomb » font respectivement référence aux hypogées de Ramsès VII (KV 1) et Ramsès IV (KV 2) [85].

80 Voir fol. 113 r°, l. 15 ; fol. 113 v°, l. 6.

81 Cela contrairement à Lane qui emploie le terme « jackal », voir *supra*, n. 74.

82 Voir fol. 111 r° (légende du texte 1) ; fol. 113 r°, l. 6.

83 Voir fol. 114 v°, l. 26 (se rapportant au dessin S). La même désignation est employée par Wilkinson (voir H.R. HALL, *JEA* 2, 1915, p. 158) et Champollion (voir *Notices descriptives*, I, p. 424).

84 Cette confusion repose sur l'ambiguïté qui existe, dans le contexte thébain, entre la forme animale du dieu Amon-Rê et l'aspect criocéphale du dieu solaire nocturne, empruntant l'aspect du bélier en tant que *ba* de Rê. À cet égard, il n'est pas exclu que certaines représentations, généralement comprises comme des figurations du bélier d'Amon, fassent en réalité référence au dieu solaire nocturne. Voir par ex. l'ostracon du Musée de Bruxelles, Inv. E 6431 publié dans *Les artistes de Pharaon. Deir el-Médineh et la Vallée des Rois*, p. 268-269 (cat. n° 216 c).

85 Pour *1st Tomb*, voir fol. 113 v°, l. 19 ; fol. 115 r°, l. 1 ; pour *2nd Tomb*, voir fol. 114 v°, l. 10, 33-34. Pour la numérotation des tombes, voir *supra*, n. 24.

ADD. MSS. 29820, FOL. 111 V°

as in B[elzoni']s Tomb – The Prisoners below are differently depic[ted] 1
to those in B[elzoni]'s Tomb – here there are 2 sorts of B[lac]ks [a] *the* 2
difference Sh[oul]d be drawn — on the R[igh]t side are the Mummy 3
fig[ur]es – Amon in his boat – the fig[ur]es with Muffled 4
hands – others bearing heads of men on it — about its neck – [b] *The Snake carryed having* 5
The Mummy fig[ur]e with the Chain 6
A mummy fig[ur]e with this before [c] 7

Dessin A

In a chamber Chamber on this side – 8
men hold Knives – [d] 9
others before trees [e] Dessin B *others* 10
carry Dessin C *the* *baskets* 11
on their *heads* — 12
prisoners tied to fox headed Poles 13
The large Subject of the King being between the Hawk & Ibis 14
deities [f] *–* *The Hawk has 2 curious little horns that I never* 15

Dessin D

Hierog [lyph]s to Devil fig[ur]e [h]

Texte 1

saw before – The King also offers before the 16
Deity with *bearing the Crosier & flagel[l]um –* 17
on the door *way are females with water* 18
rising from their hands The caps – – 19
On the Inclined plain [g] *is the large* 20
Snake – and the fox on the Sanctuary – 21
In the next passage are the small fig[ur]es 22
& the King on a Pedestal & Cushion as in Bel[zoni's] 23
Tomb – In the next chamber are (?) deities in 24
Sanctuaries – Ram, Lion, Crocodile, man, Fox 25
lioness God[d]ess – full faced – fox – Ibis deities, the 26
God[d]ess *finishes the L[ef]t side – on the R[igh]t is* 27
a Monkey faced one – the fox & Ibis – 3 men 28
3 females who have no distinguishing caps – 29
On the L[ef]t in next chamber a large fig[ur]e sits 30

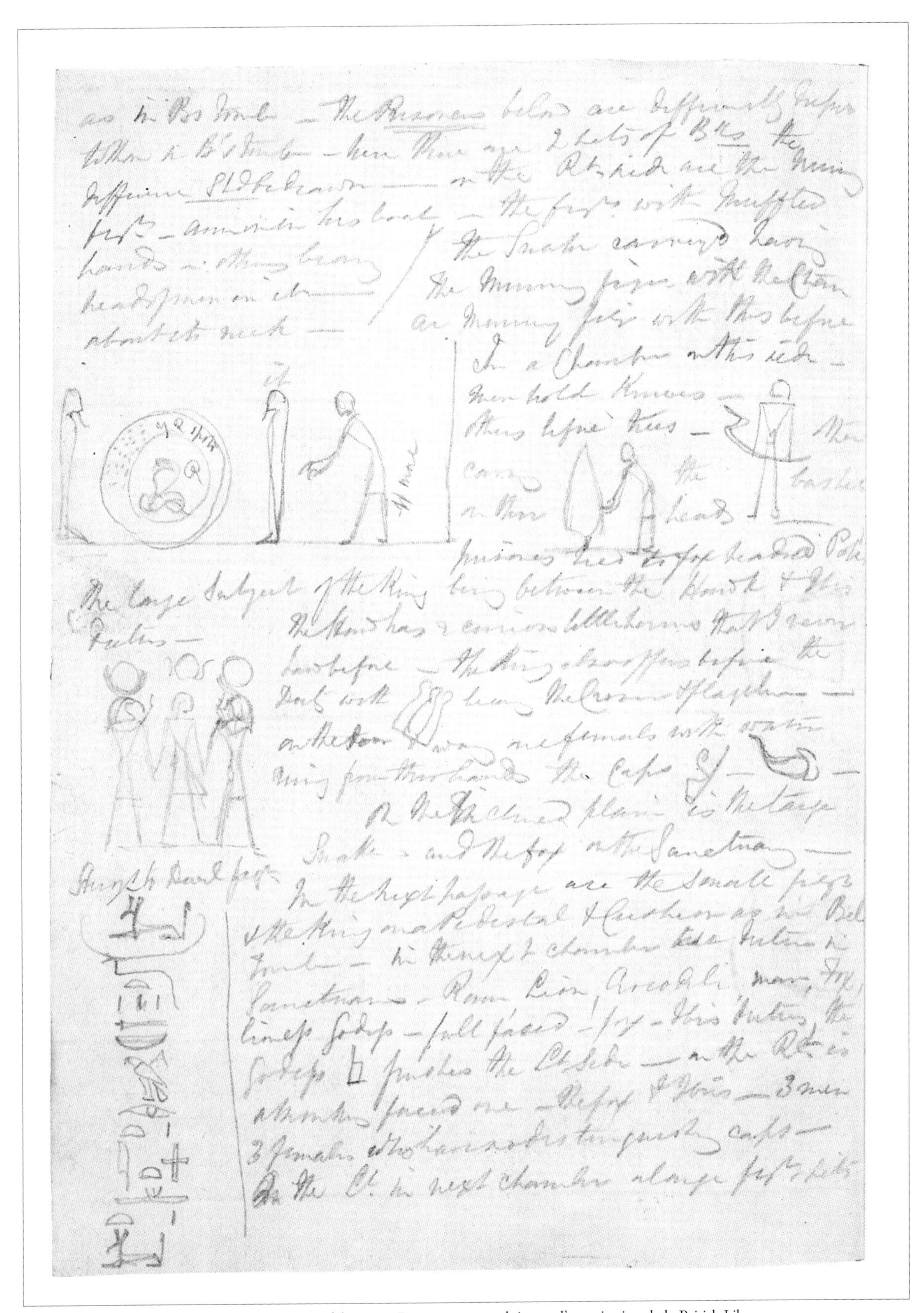

Fig. 1. Notes de Robert Hay : Add. MSS. 29820, fol. 111 v°. Document reproduit avec l'autorisation de la British Library.

ADD. MSS. 29820, FOL. 112 R°

on a Chair & holds a lizard in each hand — A Small fig[ur]e 1
Stand[s] behind his chair – a Small god & god[d]ess before him 2
with fox Staff and 2 feathers in each of their heads – the only (?) 3
Hierog[lyph]s the large fig[ur]e are below [i]*– a tablet of hierog[lyph]s* 4

Texte 2

follows with a Mummy fig[ur]e in each side wearing a 5
feather on their heads — on the End are these fig[ur]es [j] 6
the head of the Center one I have drawn [k] *—* 7

Dessin E

Cowhead [l]

— on the R[igh]t side the 8
Hawk – The Ibis, the fox and a 9
man headed Deity have hold of 10
the Kings hand Separately *offering* 11
him the Key – The last Deity 12
Has the [sign] *on the End wall sit the Ram headed & B[lue] faced* 13
Deitys each holding a Snake and a Lizard in an attitude I have 14
drawn with 2 lizards [m] *—— We now Enter the G[rea]t Chamber* 15
and under the Pillars on the R[igh]t we find the birds with 16
Mens heads & hands – the Men, naked & with front faces, in 17
the water, upright & in an horizontal position — The 18
Snake with Mummy fig[ur]es between its folds – Amons 19
boat – and Prisoners tied in different ways as noticed in same 20
Tomb – In the small chamber on this side we find the 21
same subject exactly without addition or dim[in]ution (?) that is 22
in the small chamber in the first part of the Tomb where they are 23
sowing, plowing &c, the green Crop that the men are pulling 24
joins the Corn (?) wh[at] It did not in the other. The heads are [sign] *stalks* 25
Here [n] *— Above the door on the outside sit the Hawk & Ibis* 26

Dessin F

headed Deities [o] *— On the Endwall of the G[rea]t Cham[ber]* 27
close to the door of the small one – The following [p] *–* 28

Dessin G

for the Principal 29
part of G[rea]t Wall 30
see the next Page 31

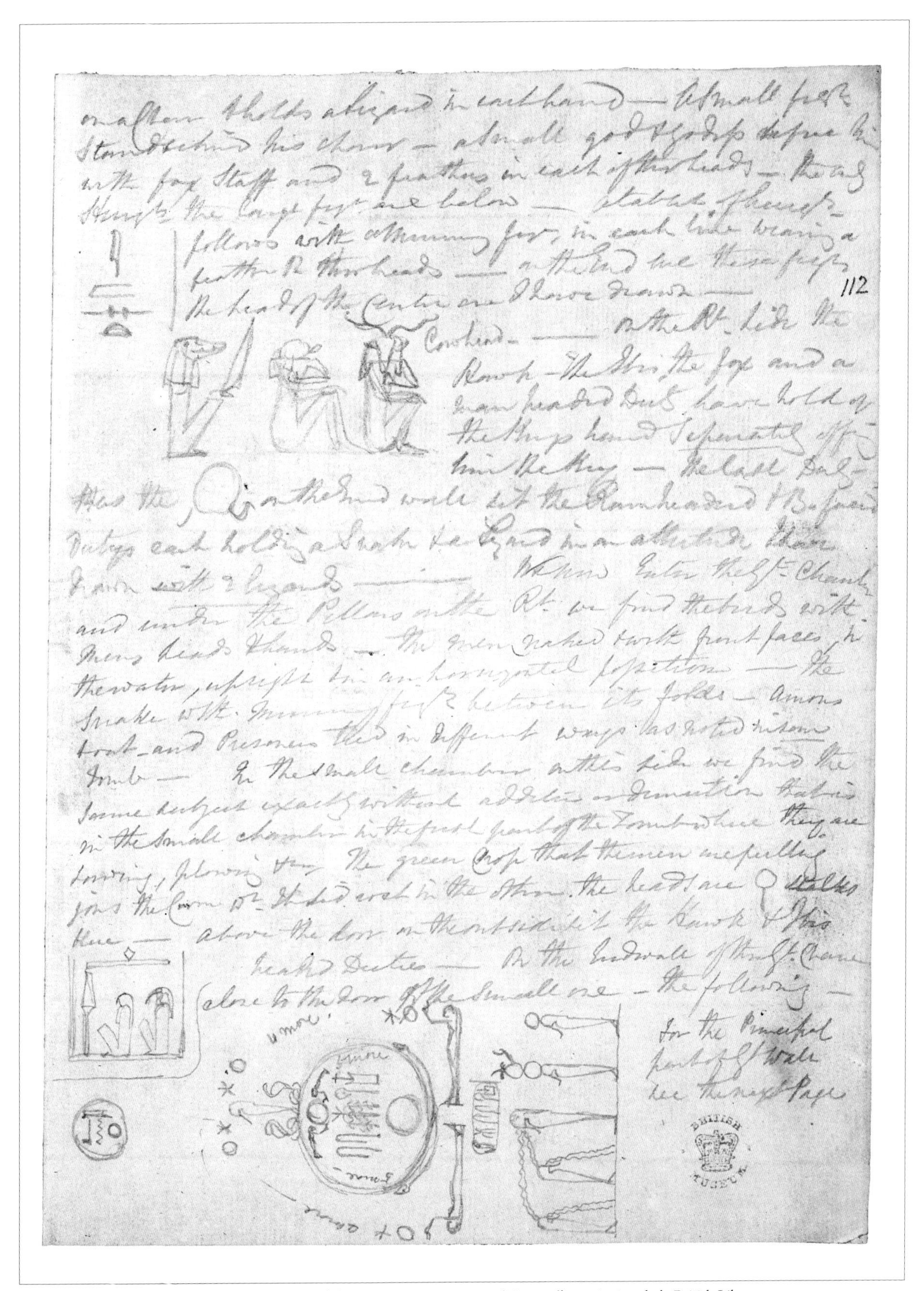

on a throne & holds a lizard in each hand — A small figure
stands behind his chair — a small god & goddess before him
with fox staff and 2 feathers in each of their heads — the [illegible]
[illegible] the large figures are below — [illegible]
follows with a Mummy figure, in each like wearing a
feather to their heads — on the End are these figures
the head of the Centre one I have drawn — 112
Cowhead — on the Rt. side the
Hawk — the Ibis, the fox and a
Ram headed Deity have hold of
the King's hand separately off
him the King — the last Deity
has the [illegible] on the End wall sit the Ramheaded & [illegible] faced
Deitys each holding a snake & a lizard in an attitude there
drawn with 2 lizards — We now Enter the 1st Chamb.
and under the Pillars on the Rt. we find the birds with
mens heads & hands — the men naked & with front faces, in
the water, upright & in an horizontal position — the
snake with Mummy figures between its folds — Amons
boat — and Prisoners tied in different ways as noted in some
tomb — In the small chamber on this side we find the
same subject exactly without addition or diminution that is
in the small chamber in the first part of the Tomb where they are
sowing, plowing &c. The green crops that the men are pulling
join the corn [illegible] in the other the heads are [illegible] stalks
blue — above the door on the outside is the Hawk & Ibis
headed Deities — On the End wall of the 1st Chamber
above to the door of the small one — the following —

For the Principal part of 1st wall see the next Page

Fig. 2. Notes de Robert Hay : Add. MSS. 29820, fol. 112 r°. Document reproduit avec l'autorisation de la British Library.

ADD. MSS. 29820, FOL. 112 V°

L'ensemble du folio est occupé par une illustration en pleine page qui est figurée non pas dans le sens de la hauteur, mais dans celui de la largeur, et se prolonge en partie sur le folio suivant. La représentation se rapporte au décor de salle du sarcophage, dans la partie qui est située sur la paroi droite au-dessous de la voûte. Ce décor est disposé sur trois registres. Le premier, au niveau supérieur, épouse la forme du cintre et présente une variante du tableau final du *Livre des Cavernes* [fig. 3, dessin H]. Sans nuire à la précision, Robert Hay en trace les grandes lignes avec une remarquable économie de moyens. S'il reproduit fidèlement les éléments les plus caractéristiques, il choisit généralement de ne représenter qu'un seul spécimen à valeur exemplaire parmi un même groupe de figures, compensant cette simplification par l'ajout de diverses annotations. On relève ainsi dans la partie centrale la mention *5 more* : se référant au groupe formé par le personnage en attitude d'adoration, le signe de l'éventail *šwt* et l'oiseau *ba*, elle permet de porter à sept le chiffre total de ces éléments sur le côté gauche, tandis que l'indication *as other side* témoigne du caractère symétrique de la composition. On retrouve une mention similaire *as on other side* à l'intérieur du triangle de droite, signe que son contenu était identique à celui du triangle de gauche. Enfin, la dernière indication *6 more* fait estimer à sept le nombre de personnages hiéracocéphales figurés à l'extrémité droite de la scène, lesquels avaient pour pendants un nombre égal d'individus criocéphales sur le côté gauche. Quant au deuxième registre, il est caractérisé par la représentation d'un immense bélier ailé aux ailes déployées [fig. 3, dessin I], dont la reproduction déborde sur le folio suivant.

ADD. MSS. 29820, FOL. 113 R°

Ce folio est divisé en deux parties. La première, à considérer horizontalement, correspond au prolongement de l'illustration qui débutait au verso du folio 112 ; la seconde, à lire verticalement, contient la suite du texte descriptif qui détaille la décoration de la salle du sarcophage. Tout comme sur le folio précédent, on constate la présence d'annotations venant préciser certains éléments du dessin. On remarque ainsi, au deuxième registre, la répétition de la mention *So* qui permet de fixer à quatre le nombre de personnages accroupis figurés au-dessous des ailes du bélier [fig. 4, dessin I (suite)]. Il en va de même au troisième registre [fig. 4, dessin J] où une indication similaire conduit à restituer un total de quatre figures féminines sur le côté droit, dont deux sont en outre accompagnées de la représentation d'un scarabée. Ces petites déesses qui regardent derrière elles et semblent jongler avec une étoile appartiennent à l'iconographie du *Livre de la Terre* (composition également connue sous le nom de la *Création du disque solaire*), tout comme la figuration du double-sphinx portant sur son dos la barque solaire sur le côté gauche. Hay signale par ailleurs la présence d'une niche, taillée dans la paroi, dont il indique les proportions : *a nich[e] about a foot broad & 18 inches high*. Cette petite cavité correspond à une niche à brique magique dont il existait une réplique sur la paroi d'en face.

<table>
<tr><td rowspan="35">Dessin I
(Suite)</td><td rowspan="35">Voir description ci-contre

Dessin J</td><td>Under the Pillars on</td><td>1</td></tr>
<tr><td>opposite to those described</td><td>2</td></tr>
<tr><td>we find – the fig[ur]e* [q] Standing</td><td>3</td></tr>
<tr><td>on the back of the Sphinx</td><td>4</td></tr>
<tr><td>with outstreched arms</td><td>5</td></tr>
<tr><td>(*Devil & hawk headed) – he</td><td>6</td></tr>
<tr><td>has his usuall attendants</td><td>7</td></tr>
<tr><td>before & behind – The</td><td>8</td></tr>
<tr><td>Snake with Sev...ly (?) heads</td><td>9</td></tr>
<tr><td>, mens [heads] & legs – [r]</td><td>10</td></tr>
<tr><td>Ammon in his boat –</td><td>11</td></tr>
<tr><td>Men & Stars, Sitting fig[ur]es</td><td>12</td></tr>
<tr><td>on their <u>heels</u> with Snakes on</td><td>13</td></tr>
<tr><td>their heads – The boat with</td><td>14</td></tr>
<tr><td>Globe a mans head in it –</td><td>15</td></tr>
<tr><td>& a Snake on one side –</td><td>16</td></tr>
<tr><td>Snake with Wings Sitting on</td><td>17</td></tr>
<tr><td>its tail man & women</td><td>18</td></tr>
<tr><td>adoring – The Snake upright</td><td>19</td></tr>
<tr><td>on mans legs – a rope to him</td><td>20</td></tr>
<tr><td>Rams, Hawks & Ibis hold</td><td>21</td></tr>
<tr><td>it — The two Snakes</td><td>22</td></tr>
<tr><td>with a Hawk sitting on a</td><td>23</td></tr>
<tr><td>ring formed by their Tails –</td><td>24</td></tr>
<tr><td>another Snake Sitting up</td><td>25</td></tr>
<tr><td>on Mans legs – 5 front</td><td>26</td></tr>
<tr><td>faced fig[ur]es hold the rope</td><td>27</td></tr>
<tr><td>that is fastened to one leg –</td><td>28</td></tr>
<tr><td>These fig[ur]es I don't remember</td><td>29</td></tr>
<tr><td>The little Chamber</td><td>30</td></tr>
<tr><td>on this side has the large</td><td>31</td></tr>
<tr><td>Cow in it - the other small</td><td>32</td></tr>
<tr><td>fig[ur]es on a Kind of door [s] but the</td><td>33</td></tr>
<tr><td>2 fig[ur]es that was (sic) attempted</td><td>34</td></tr>
<tr><td>to be carried off from</td><td>35</td></tr>
</table>

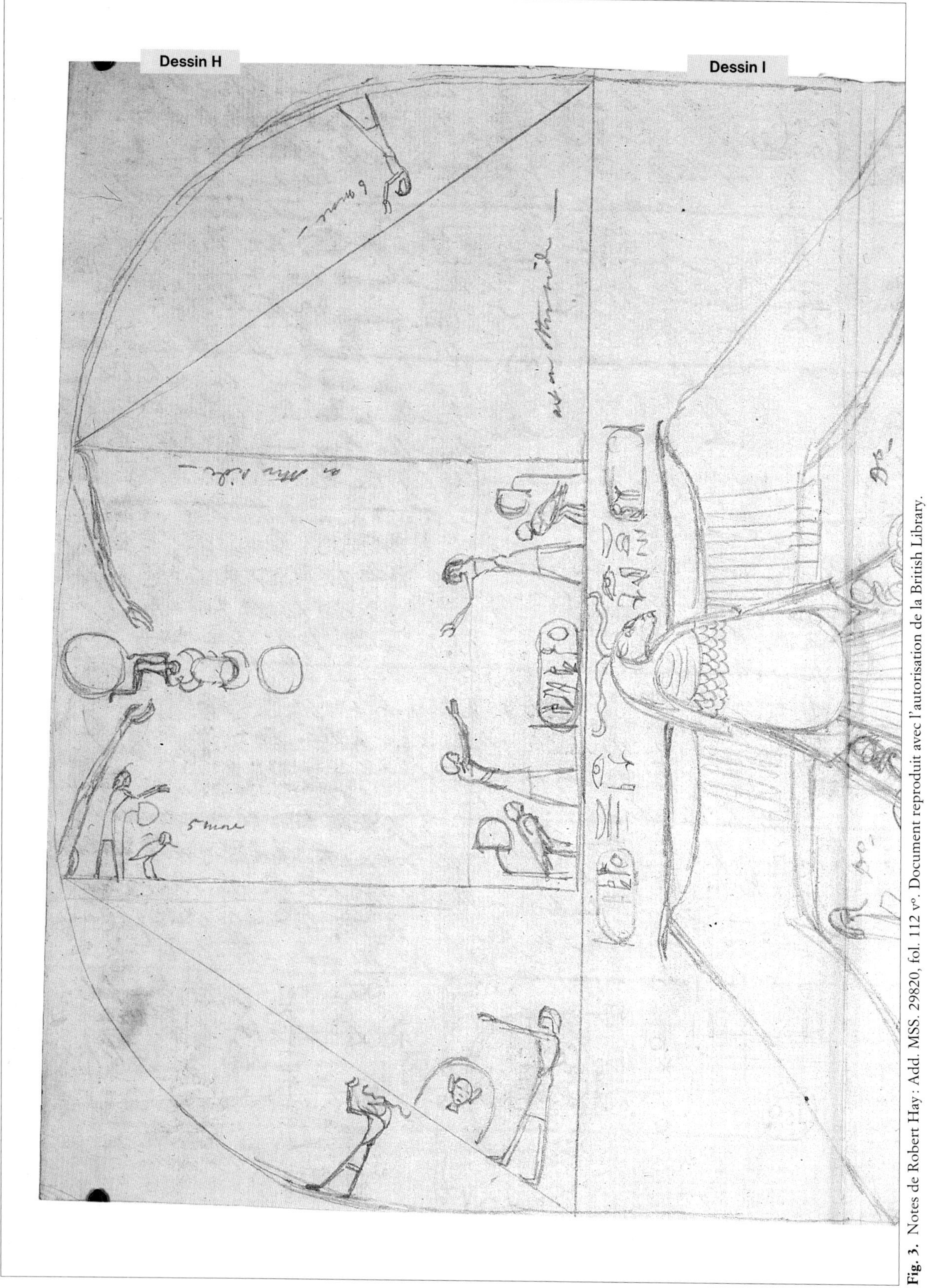

Fig. 3. Notes de Robert Hay : Add. MSS. 29820, fol. 112 v°. Document reproduit avec l'autorisation de la British Library.

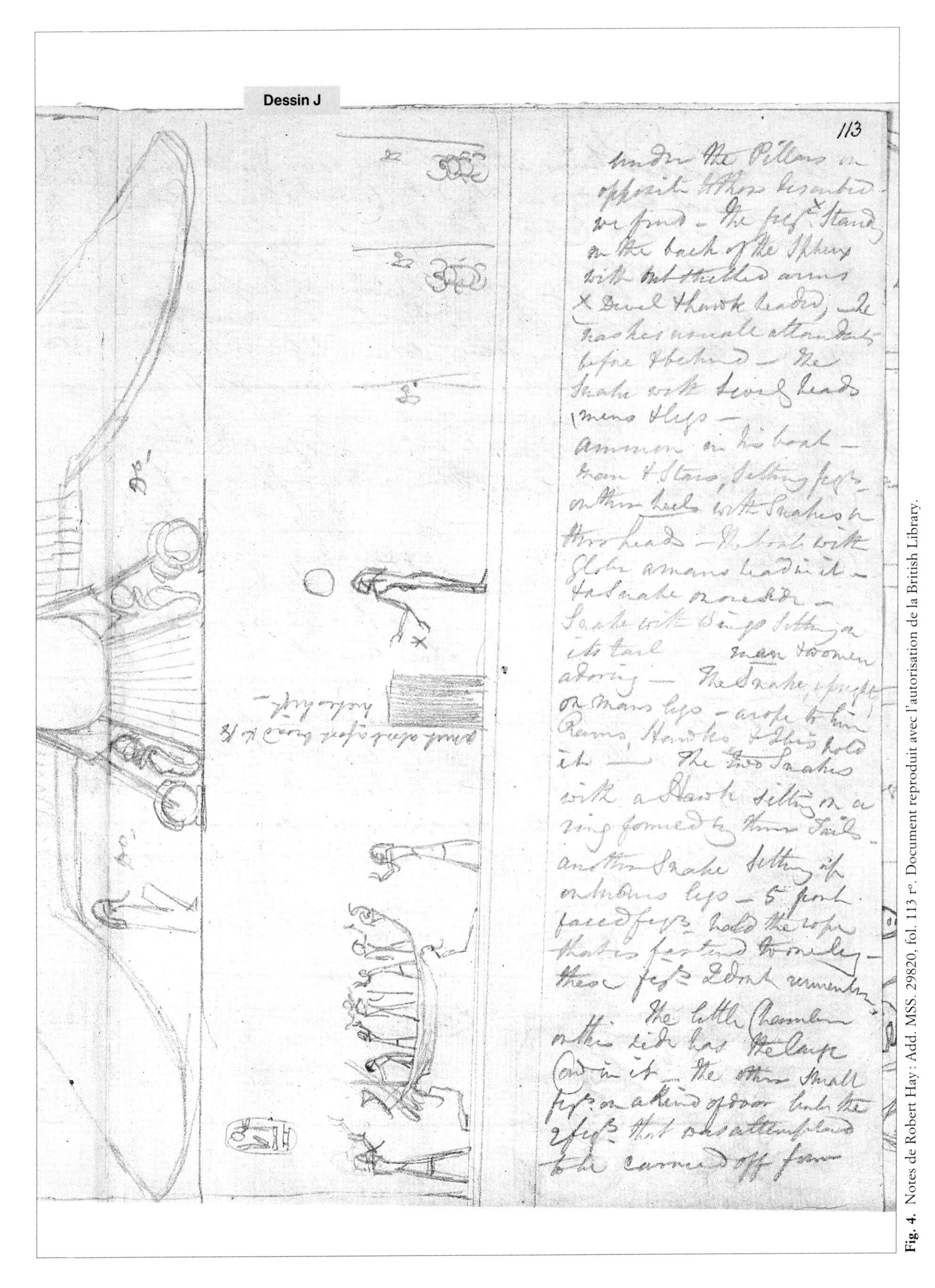

113

under the Pillars on
opposite to those described
we find – The fig.x stands
on the back of the Sphinx
with outstretched arms
& Devil & hawk headed, the
snakes usual attendants
before & behind – The
Snake with several heads
& mens legs –
Ammon in his boat –
Man & Stars, sitting figs.
on their heels with Snakes on
their heads – The boat with
Globe & mans head in it –
& a Snake on each side –
Snake with wings sitting on
its tail   man & women
adoring – The Snake upright
on mans legs – a rope to him
Rams, Hawks & Ibis hold
it – The two Snakes
with a Hawk sitting on a
ring formed by their tails –
another Snake sitting up
on mans legs – 5 front
faced figs. hold the rope
that is fastened to one leg –
these figs. I don't remember.
The little Chamber
on this side has the large
Cow in it – the other small
figs. on a kind of door under the
2 figs. that was attempted
to be carried off from

Fig. 4. Notes de Robert Hay : Add. MSS. 29820, fol. 113 rº. Document reproduit avec l'autorisation de la British Library.

ADD. MSS. 29820, FOL. 113 V°

Belzonis [Tomb] are not here – The walls are covered with Hierog[lyphs] 1
but very much destroyed – About the Cow I observed some [... ?] [t] 2
the same as I have Copied but I cannot recollect them 3
all – I daresay if compared no difference w[oul]d be found – 4
On the L[ef]t side of the G[rea]t chamber we find the 5
men with Small Globes & Stars in their hands – Men, Ram 6
& Hawk headed fig[ur]es with fox Staves – women Sitting on Snakes 7
a fig[ur]e preceeding them with a Snake in one hand fox staff 8
in the other —— Amon in his boat – Men with large 9
Crosiers – Snake with ropes about him and fastened to a 10
Crook – Baboons with large Arms in their paws – 2 fema[le] 11
& male fig[ur]es preceed – head gone —— Men with & without different 12
Caps also females – others following a fox headed fig[ur]e with a Sna[ke] 13
in one hand fox Staff in the other —— 14
In the Small chamber we find the ornamented 15
oars & the Bulls as in one of the chambers at the Entrance of 16
the tomb – Over the door, outside, are 2 baboons Seated 17
and one Standing before them looking the Same way – about as 18
Dessin K [u] *in the 1st Tomb and below 2 fig[ur]es kneeling be* 19
-fore a pole with a rams head on it – mounds 20
behind them – below are 11 fig[ur]es v —— 21
The L[ef]t side of the G[rea]t wall I have forgot[ten] its place *but is* [w] 22

Dessin L [x]

Fish
Crocodile
Fish *Crocodile* *So*

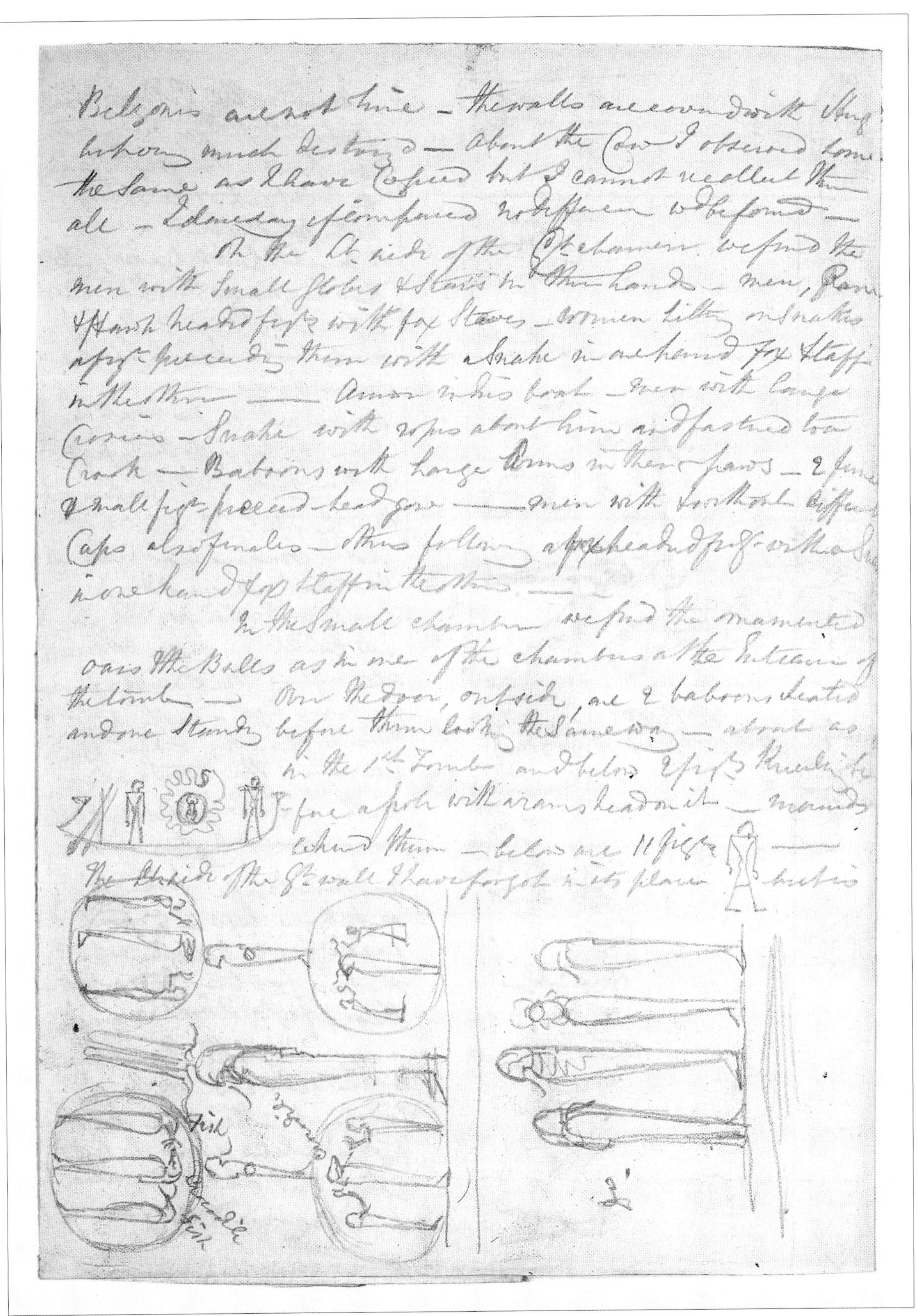
Belzoni's are not true — the walls are covered with hieroglyphics
but very much destroyed — about the Cow I observed some
the same as I have copied but I cannot recollect them
all — Wednesday I compared no difference with before —
On the Rt. side of the Gt. chamber we find the
men with small globes & stars in their hands — men, Ram
& Hawk headed figs. with fox staves — women sitting on snakes
a fig. preceding them with a snake in one hand fox staff
in the other —— Amon in his boat — men with large
crowns — Snake with ropes about him and fastened to a
Crook — Baboons with large Arms in their paws — 2 fine
& small figs. preceded head gone —— men with & without different
Caps also females — others follow a hawk headed fig. with a Snake
in one hand fox staff in the other ——
In the small chamber we find the ornamented
oars & the Bulls as in one of the chambers at the Entrance of
the tomb — Over the door, outside, are 2 baboons seated
and one standing before them looking the same way — about as
in the 1st Tomb and below 2 figs. kneeling before a pole with a rams head on it — ...
behind them — below are 11 figs ——
The Outside of the Gt. wall I have forgot in its place ...

Fig. 5. Notes de Robert Hay : Add. MSS. 29820, fol. 113 v°. Document reproduit avec l'autorisation de la British Library.

ADD. MSS. 29820, FOL. 114 Rº

La totalité du folio est occupée par un groupe de dessins adoptant une disposition verticale pour les uns, et horizontale pour les autres.

Le premier ensemble (Dessin M) correspond aux trois registres qui composent le décor de la paroi située à gauche, au-dessous de la voûte. Ces registres contiennent des scènes appartenant au *Livre de la Terre* (ou *Création du disque solaire*) dont la plus reconnaissable est sans doute celle qui représente un personnage ithyphallique engendrant les heures. Comme sur les dessins précédents, nous retrouvons ici la présence d'indications manuscrites qui servent à pallier l'absence d'éléments à caractère répétitif omis par commodité dans la représentation. Ainsi, les mentions *So* et *So fig[ur]es* notées dans le champ du registre supérieur signalent l'existence de trois autres figures à l'aspect osirien venant s'ajouter à celle dessinée par Robert Hay : le personnage momiforme couché était donc encadré de manière symétrique par deux paires d'Osiris. De même, la mention *2 more* invite à porter à trois le nombre total des divinités criocéphales, accompagnées d'une étoile, figurant au registre médian, tandis que la combinaison des indications *5 more* et *So*, inscrites de part et d'autre du personnage ithyphallique, atteste de la présence des douze déesses d'heure dans le cadre de cette scène. Enfin, les mentions *2 more* et *So fig[ur]es* apparaissant de part et d'autre, dans le champ du registre inférieur, permettent d'établir que les deux groupes de figures représentées de chaque côté se composaient en fait respectivement de trois personnages momiformes et d'un autre en attitude d'adoration. L'ensemble de ces données est d'ailleurs confirmé par la vue de la salle du sarcophage reproduite sur le folio 29 du manuscrit Add. MSS. 29818 [fig. 10] qui donne une très belle image en couleur de cette partie de la décoration.

Les autres dessins, figurés en position « couchée » au bas du folio 114 rº, se rapportent au décor de la paroi gauche, après la voûte. On distingue tout d'abord un ensemble composé de deux scènes appartenant, comme les précédentes, au *Livre de la Terre* (Dessin N). Celles-ci montrent respectivement la figuration de trois personnages enveloppés dans les replis d'un serpent et celle d'une déesse (accompagnée d'un crocodile et de deux serpents à tête humaine) qui tient dans ses mains ouvertes deux symboles solaires sous la forme d'un disque et d'un *ba* à tête de bélier. Au-dessus de ces deux scènes, on peut lire l'inscription *Close to the small chamber*. Cette mention fait référence à l'annexe W1, située à proximité, dont l'ouverture était surmontée d'une curieuse représentation (Dessin O). Il s'agit d'un groupe de dieux gardiens composé d'un vautour, d'une déesse hippopotame et d'un personnage vu de face, dont R. Hay a reproduit la silhouette, en les accompagnant de la mention *Over the little room[s] Door.*

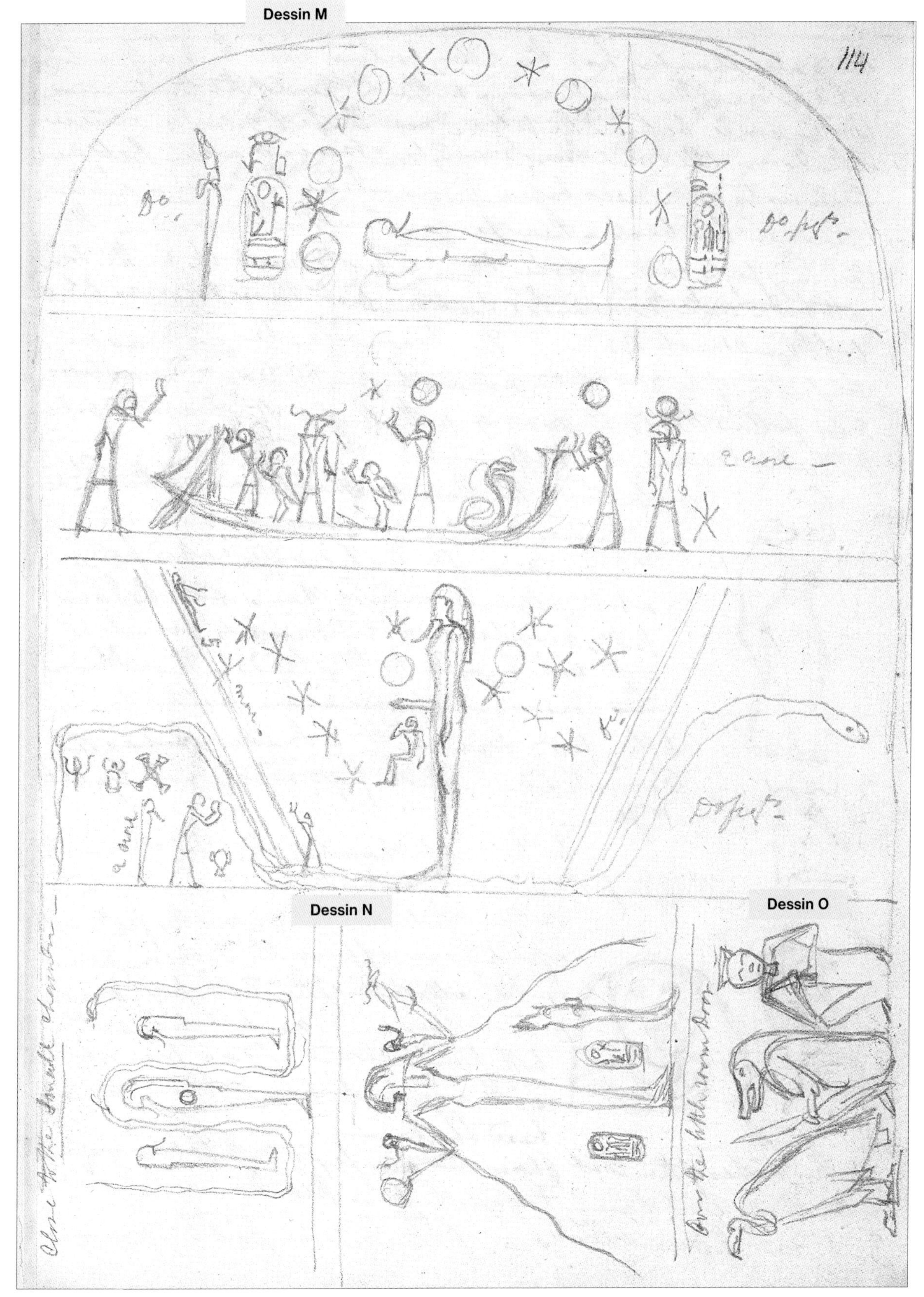

Fig. 6. Notes de Robert Hay : Add. MSS. 29820, fol. 114 r°. Document reproduit avec l'autorisation de la British Library.

ADD. MSS. 29820, FOL. 114 V°

The Small chamber has the Sitting deities with the 2 different Caps 1
noted in one of the Small rooms in the 1st part of the tomb — 2
On the wall behind the pillars are the fig[ur]es in Sanctuaries 3
with doors & the same Hierogl[yph]s may be observed as in Belzonis [Tomb]. 4
The Busts with trees before them – here the faces are Red – 5
Amon in his boat – The rope goes to a Bulls head – The 6
Mummy fig[ur]es carry a pole &c – 4 fig[ur]es meet it in the same 7
attitude with those in B[elzoni]'s Section but their hair (?) is B[lac]k & 8
to their waists B[lue] [y] – *The Twisted Snake* *as in* 9
the Section of the 2nd tomb a man before it leaning on a Staff – 10
Men follow the talken ones 9 with the fox Staff a fig[ur]e before 11
them also leaning on a Staff — 12

Dessin P

Entering the Chambers that follow on the R[igh]t side 13
of the door way we see a Monkey with a bow in 14
his hand [z] *– On the Side wall naked fig[ur]es in* 15
a Sitting attitude without Chairs – with B[lue] hair 16
B[lue] & G[reen] necklaces B[lue] & Y[ellow] Bracelets & amulets 17
[aa] *with lizards in their hands – these I have* 18
drawn [bb] *– opposite are 2 of the same* 19
Sitting fig[ur]es & one with 2 snakes – he has the 20

Dessin Q

Rams head [cc] *– These fig[ur]es are in good Egyptian* 21
Style – 22
In the next chamber the Fox & Crocodile 23
head[ed] fig[ur]es Sit with a Snake as below [dd] *– and* 24

Dessin R

Dessin S

on the R[igh]t side is a curious B[lue] fig[ur]e with 25
a front face apparently Typhon, naked, 26
& in the attitude of the little fig[ur]e drawn 27
in last room [ee] *– one fig[ur]e sits with* 28
both hands closed and one facing him 29
with a Serpent in one hand the other 30
hand Shut — 31
In the niches of the last Chamber are fig[ur]es with tables of of[f]ering 32
before them each bearing the fox Staff – As in those of the 2nd 33
Tomb with different heads – At the End we find the remains 34

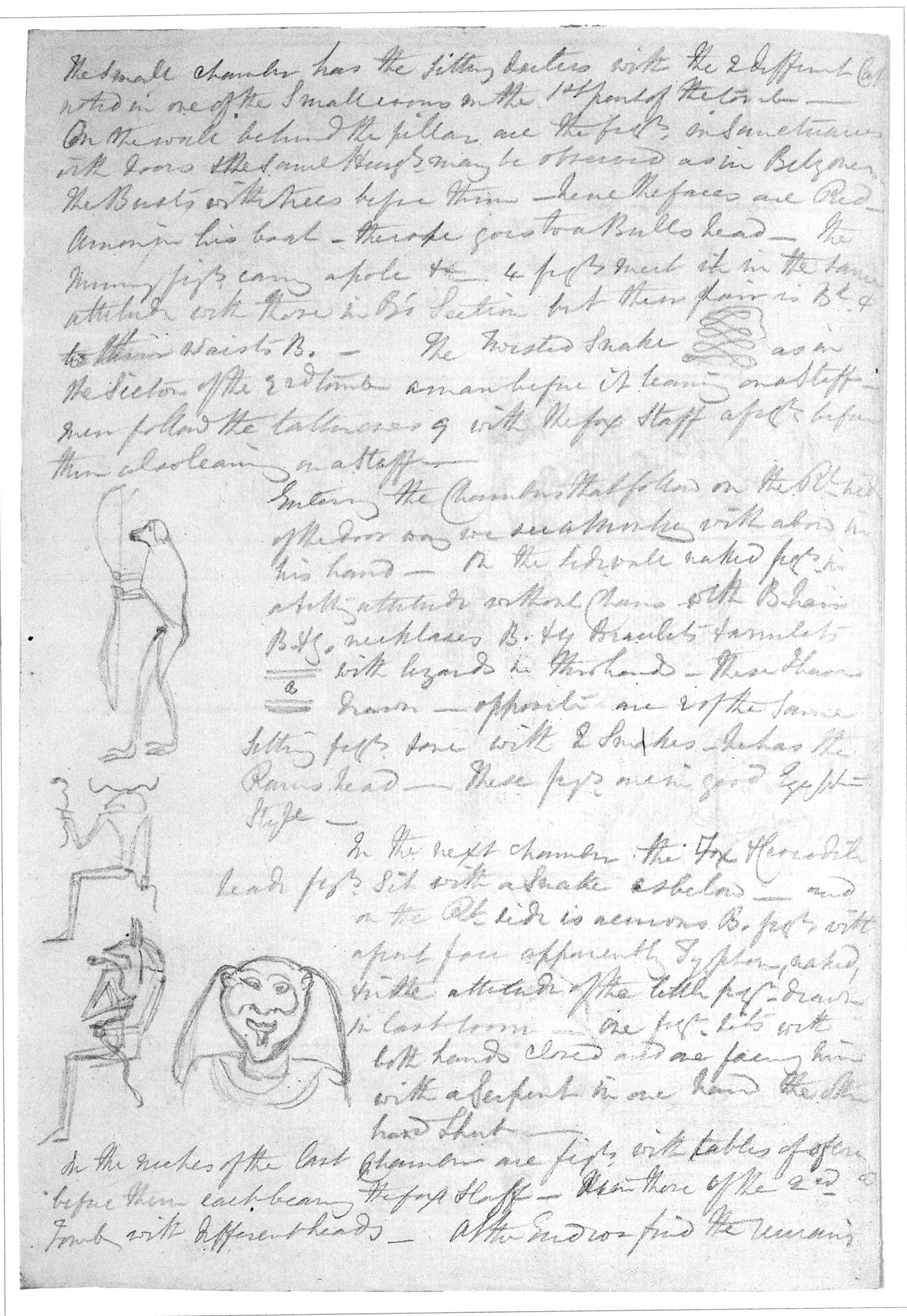

The small chamber has the sitting deities with the 2 different co-
noted in one of the small rooms on the 1st part of the tomb —
On the wall behind the pillar are the figs. in Sanctuaries
with doors & the same kings may be observed as in Belzoni
the Busts with trees before them — here the faces are Red
Amon in his boat — the rope goes to a Bulls head — the
mummy figs carry a pole & 4 figs meet it in the same
attitude with those in B's Section but these pairs is Bl. &
to their waists B. — The twisted snake as in
the Section of the 2nd tomb a man before it leaning on a staff —
men follow the tall ones 9 with the fox staff a figs. before
them also leaning on a staff —
Entering the chambers that follow on the Rt. side
of the door way we see a monkey with a bow in
his hand — On the left wall naked figs in
a sitting attitude without chains with B. hair
B & G necklaces B. & Y bracelets & armlets
with lizards in their hands — these I have
drawn — opposite are 2 of the same
sitting figs. & one with 2 snakes — he has the
Rams head — these figs are in good Egyptian
style —
In the next chamber the fox & crocodile
heads figs. sit with a snake as below — and
on the Rt. side is a curious B. figs. with
a pot face apparently Typhon, naked,
in the attitude of the little figs. drawn
in last room — one figs. sits with
both hands closed and one facing him
with a serpent in one hand the other
hand shut
In the niches of the last chamber are figs with tables of offering
before them each bearing the fox staff — As in those of the 2nd
Tomb with different heads — at the end we find the remains

Fig. 7. Notes de Robert Hay : Add. MSS. 29820, fol. 114 v°. Document reproduit avec l'autorisation de la British Library.

MSS. ADD. 29820, FOL. 115 R°

of the judgement Subject as in the 1[...?] Tomb [ff] *– The parts* 1
that I can make out are these – Parts of the head of the Sitting 2
fig[ur]e & his hands in wh[ich] are the Crosier & Key of the Nile – 3
His Cap is the same [gg] *– The Horned heads above him – the Pig* 4

Dessin T

in the boat & the monkeys with Sticks – the fox fig[ur]e Standing 5
before, a little above them, – the six fig[ur]es that 6
remain are all on level ground — [hh] 7

Hierog[lyph]s behind
the Monkey on the Tail

		Before other Monkey		*Above the fig[ur]es*
Texte 3	Texte 4 *before it*	Texte 5	Texte 6 *Before the fox*	Texte 7

Before the Deity
Texte 8

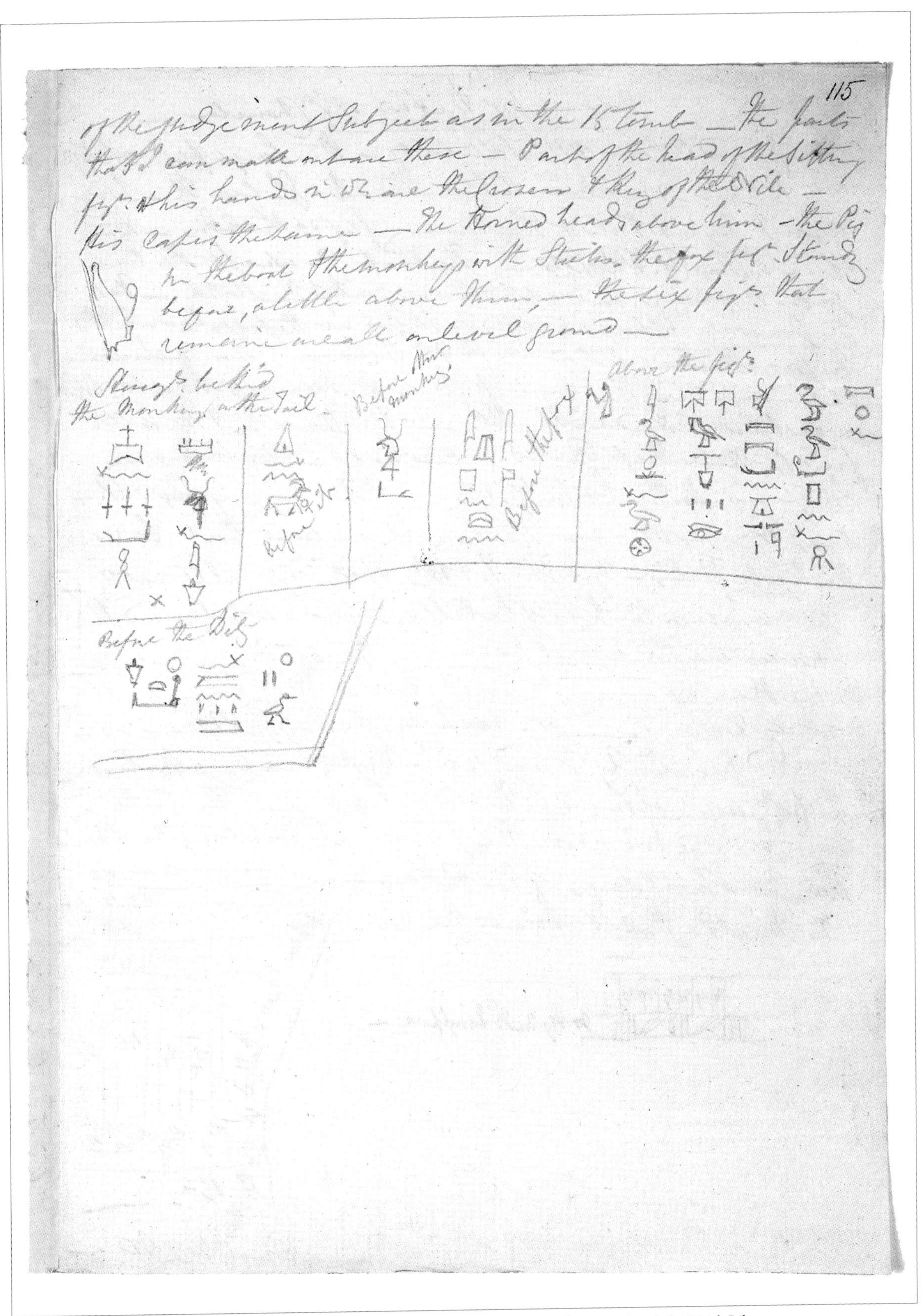

115

of the judgement Subject as in the 15 tomb — the parts that I can make out are these — Part of the head of the sitting fig.e & his hands in wh. are the crosier & key of the Nile — his cap is the same — the horned heads above him — the Pig in the boat & the monkeys with sticks, the fox fig. standing before, a little above them, — the six figs. that remain are all on level ground —

Standing behind the Monkey w the Tail

Before the monkeys

Above the figs.

Before the Deity

Fig. 8. Notes de Robert Hay : Add. MSS. 29820, fol. 115 r°. Document reproduit avec l'autorisation de la British Library.

a. Les « Noirs » ici désignés correspondent aux deux groupes de Nubiens figurés au registre inférieur de la Ve heure du *Livre des Portes*.

b. Le dessin qui est inséré dans le texte au niveau des lignes 5-7 représente un bâton fourchu avec lequel sont traditionnellement chassés les serpents. C'est l'attribut des personnages figurés à la VIe heure du *Livre des Portes* (reg. sup., 34e scène).

c. La figure momiforme évoquée ici correspond à celle qui est reproduite dans le dessin A (situé en marge des lignes 8-13) et qui est surmontée du mot « it ». Ce qui est reproduit devant elle est explicité par ce même dessin A : il s'agit d'un « trou de feu » circulaire, défendu par un cobra et encadré par une seconde figure momiforme. Ce motif appartient à l'iconographie de la VIe heure du *Livre des Portes* (reg. inf., 41e scène), tout comme les douze personnages figurés à côté en posture d'adoration, dont Hay a reproduit un spécimen, en précisant que la scène en comptait onze de plus : « 11 more ».

d. Le dessin B montre un échantillon des personnages portant des faucilles dans lesquelles Hay a vu des couteaux. Ils appartiennent à l'iconographie de la VIIe heure du *Livre des Portes* (reg. inf., 47e scène).

e. Le dessin C montre un exemple de personnages représentés devant des épis géants que Hay a identifiés comme étant des arbres. Ils appartiennent à la 46e scène du *Livre des Portes*.

f. Cette scène, montrant le roi entre les dieux Thot et Horus *ḫnty-ḫty*, est illustrée par le dessin D.

g. Ce que Hay désigne ici comme un « plan incliné » correspond à la rampe qui s'enfonce entre les piliers de la salle Q et relie la partie supérieure à la partie inférieure de la tombe. C'est à partir de ce point que la décoration est aujourd'hui perdue.

h. L'inscription hiéroglyphique intitulée « Hierog[lyph]s to Devil fig[ur]e » notée en marge [texte 1] ne se réfère directement à aucun élément décrit dans les notes. Pour son identification, voir *infra*.

i. La construction de ce passage fait difficulté. Nous pensons néanmoins que la « grande figure » doit être identique à celle déjà citée plus haut (fol. 111 v°, l. 30) et que les hiéroglyphes doivent correspondre à ceux qui sont reproduits au-dessous [texte 2]. Ces signes se rapporteraient à cette figure deux fois mentionnée dont ils noteraient le nom : *ỉmst*.

j. Ces figures sont illustrées par le dessin E.

k. La figure centrale, caractérisée par une tête de tortue, a effectivement inspiré à Hay un autre dessin conservé dans le même portefeuille, voir Add. MSS. 29820, fol. 107.

l. La mention « Cowhead. » se rapporte au dessin E et précise l'aspect de la figure de droite qui présente une tête de bovidé vue de face.

m. Pour l'attitude des personnages, Hay renvoie au dessin qu'il a réalisé de deux autres figures similaires reproduites dans la salle Y, voir Add. MSS. 29820, fol. 106 et *infra.*, fol. 114 v°, l. 15-19.

n. Ni la lecture ni le sens de ce passage ne sont entièrement assurés. D'après le contexte, la description se rapporte à l'iconographie du chapitre 110 du *Livre des Morts* dont il existait une autre version, pratiquement identique, dans la tombe (niche K). La comparaison semble porter sur la disposition respective des éléments. La mention « The green Crop (...) » pourrait se référer à la récolte du lin dont le croquis, reproduit à la ligne 25, montrerait l'extrémité supérieure des tiges. Faisant pendant au lin, le terme « Corn » désignerait le blé dans la scène voisine de la moisson.

o. Ces divinités à tête de faucon et d'ibis sont illustrées par le dessin F où elles sont précédées de la représentation d'un sceptre *sekhem* et surmontées du signe de l'offrande *hétep*.

p. Le contenu de la décoration est explicité par le dessin G. Lui-même contient des annotations : « 4 more » par deux fois (ce qui porte à douze le nombre respectif de disques et d'étoiles encadrant le disque central) et deux fois « 5 more » à l'intérieur du disque contenant le nom de Ramsès (ce qui indique que douze petites déesses y étaient reproduites).

q. L'astérisque en forme de croix renvoie à la ligne 6 où R. Hay précise l'aspect de cette figure (Devil & hawk headed).

r. D'après le contexte, ce passage se rapporte à la fin du registre supérieur de la Xe heure du *Livre des Portes*, montrant respectivement la représentation d'un serpent à plusieurs têtes (62e scène) et celle d'un autre serpent pourvu de têtes humaines (63e scène), chacun étant par ailleurs muni de pattes (voir l'aperçu de la paroi, en partie cachée par les piliers, sur le folio Add. MSS. 29820, 123, côté droit, *infra*, fig. 9). D'après les parallèles, il est certain que le mot non identifié de la ligne 9 commence par un « S », ce qui exclut la lecture « devils » à laquelle nous avions un moment pensé. Le terme le plus approprié serait « Several », mais il faut reconnaître que cette lecture s'accorde mal avec la forme des dernières lettres, présentant une « chute » caractéristique qui témoigne généralement d'une fin en « y », « ing » ou encore en « s ». La ligne 10 pose également problème, dans la mesure où elle débute avec un curieux élément de ponctuation (rendu ici par « , ») et qu'elle contient par ailleurs une forme au génitif dont le terme déterminé est manifestement sous-entendu. Le contexte pourrait néanmoins suggérer l'hypothèse suivante : on pourrait comprendre le petit trait comme un élément de rappel visant à répéter la mention « Snake with » notée à la ligne 9. Dans ces conditions, le contenu de la ligne 10 offrirait une description exacte de la 62e scène : « [Snake with] mens [heads] & legs ».

s. Du point de vue du sens, ce membre de phrase isolé se rattache à la proposition précédente, pouvant être compris comme un second complément d'objet du verbe « has » (l. 31). Ce motif correspond à la première des deux vignettes que compte le *Livre de la Vache du ciel* en dehors de la représentation de la vache.

t. Il semble que quelque chose fasse défaut à la suite du mot « some » et l'on peut se demander si cela n'est pas dû à la manière dont le bord encollé du feuillet a été fixé sur le support moderne en carton. Le fait est que d'autres mots sont manifestement coupés sur ce folio, notamment à l'extrémité des lignes 11-13. Dans le cas de la ligne 2, la situation est d'autant plus curieuse qu'une lettre « s » est apparemment inscrite en marge du manuscrit. Le sens général du passage nous invite cependant à penser qu'il est question ici des différents éléments (légendes hiéroglyphiques et/ou figures) qui environnent la représentation de la vache. Selon Hay qui avait exécuté une copie de ce motif dans la tombe de Séthi Ier (voir Add. MSS. 29820, fol. 97-98), la version de Ramsès III ne comporterait aucune différence notable.

u. Le dessin K correspond à la représentation de la barque solaire telle qu'elle apparaît à la Ire heure du *Livre des Portes*.

v. Le dessin qui est inséré dans le texte au niveau des lignes 21-22 reproduit l'aspect d'un des personnages divins sans attribut qui apparaissaient au registre inférieur de la Ire heure du *Livre des Portes*. Hay semble indiquer qu'il y avait onze figures en tout.

w. À partir de ce point, le texte de la description fait place à une série de dessins, occupant le reste du folio 113 v° et la totalité du folio 114 r°. L'hésitation que Hay manifeste concernant l'emplacement des scènes est fondée (voir *supra*, n. 41). Comme nous le montrerons plus loin, le dessin L ne se rapporte pas au décor du côté gauche de la salle du sarcophage, mais correspond à la décoration de la paroi droite après la voûte, située à proximité de l'ouverture de l'annexe X qui contient la version du *Livre de la Vache du Ciel*. Le décor de ce que Hay nomme « The L[ef]t side of the G[rea]t wall » figure en revanche sur le folio 114 r° et correspond aux trois registres superposés qui se lisent de manière verticale [fig. 6, dessin M].

x. Le dessin L, illustrant le décor de la paroi droite après la voûte (voir note précédente), montre deux scènes superposées appartenant au *Livre de la Terre*. Il est reproduit « couché » et contient différentes annotations. Celles qui se rapportent à la scène du haut précisent la nature des créatures momiformes représentées à l'intérieur des disques. Deux sont à tête de crocodile, deux autres à tête de poisson « fish ». La mention « So » notée dans la partie inférieure indique qu'il faut compter, dans ce dessin, avec la présence d'une seconde figure momiforme orientée vers la droite.

y. La lecture de ce passage n'est pas entièrement assurée, mais le sens général se dégage néanmoins comme suit : Hay s'appuie sur le parallèle formé par la version de la tombe de Séthi Ier pour décrire la scène appartenant à la IIIe heure du *Livre des Portes* (reg. méd., 11e scène), en signalant une variante dans le coloris des figures. On pourrait peut-être expliquer l'initiale curieuse du mot « hair » en supposant que Hay avait commencé par écrire le mot « face » avant de se raviser.

z. La description est illustrée par le dessin P.

aa. Le dessin qui occupe un petit espace au commencement des lignes 18-19 correspond vraisemblablement au dessin d'un des ornements mentionnés dans le texte (colliers, bracelets ou amulettes) dont Hay cherche à spécifier le coloris. La lettre « B » inscrite dans la partie centrale nous semble indiquer que l'élément le plus large du bijou était coloré en bleu, tandis que les bordures étaient de couleur jaune ou verte, ainsi que l'indique le texte.

bb. Hay fait référence ici à un dessin qu'il a réalisé de ces personnages, voir Add. MSS. 29820, fol. 106, et *supra*, n. m.

cc. La description de ce personnage est illustrée par le dessin Q.

dd. La description fait référence au dessin R qui montre un personnage à tête de chacal tenant des serpents dans les mains.

ee. La tête de cette curieuse figure est illustrée par le dessin S. Son attitude est comparée par Hay à celle d'une des figures de la salle précédente qu'il a reproduites sur le folio 106, voir *supra*, n. (bb) et *infra*, n. 207.

ff. Bien que la notation fasse problème, nous pensons que la lecture « 1st Tomb » doit s'imposer ici dans la mesure où la tombe de Ramsès VII (KV 1) présente à son extrémité une version (très abrégée) de la scène du Jugement du *Livre des Porte*s à laquelle Hay fait très certainement référence.

gg. La coiffure de la divinité est illustrée par le dessin T. Il s'agit d'Osiris coiffé de la double couronne.

hh. Le reste du folio est occupé par la copie des restes d'inscriptions cryptographiques se rapportant aux différents protagonistes de la scène du Jugement.

3. Le décor de la tombe KV 11 dans sa partie inférieure

Les notes dont nous venons de donner la transcription renferment plusieurs informations inédites sur le décor de la tombe de Ramsès III dans sa partie inférieure, aujourd'hui ruinée. Il importe donc d'en examiner le détail, afin de tenter de reconstituer les diverses composantes de l'ancien programme décoratif. Différents facteurs sont venus à l'appui de notre démarche. En premier lieu, la remarquable précision de Robert Hay a généralement facilité l'identification des éléments dont beaucoup étaient par ailleurs connus par les *Notices* de Champollion et Lefébure [tableaux 1-2]. Parmi eux, certains avaient déjà fait l'objet d'une analyse détaillée de la part de W. Waitkus qui s'était penché sur la décoration des salles T-U et Y-Y1-Z situées respectivement à l'avant et à l'arrière de la salle du sarcophage. Dans le cadre de cette étude, l'auteur avait précisément consulté les manuscrits de Robert Hay, mais en se limitant apparemment aux seules illustrations. Nous lui sommes néanmoins très redevable de son travail et partageons l'interprétation qu'il donne du programme décoratif de ces salles [86].

86 Voir W. WAITKUS, *GöttMisz* 99, 1987, p. 51-82 et *supra*, n. 15.

Concernant l'identification des éléments nouveaux, nous avons eu recours aux parallèles fournis par certaines autres tombes – notamment celles de Mérenptah (KV 8) et Taousert (KV 14), et pris par ailleurs en compte les restes de décor subsistant *in situ* dans la KV 11. En effet, si déplorable que soit leur état de conservation dans la partie inférieure, les salles ont néanmoins gardé des traces sporadiques de leur ancien décor qui apparaissent non seulement sous forme de parcelles d'enduit encore en place dans le haut des parois [87], mais également sous forme de contours incisés dans la roche aujourd'hui mise à nu. D'un point de vue technique, la présence de ces vestiges s'explique par l'emploi du relief en creux et se rencontre essentiellement aux endroits où la couche de revêtement – à présent tombée – était suffisamment mince pour être traversée par le ciseau du sculpteur [88]. Comme nos recherches nous ont conduite à nous intéresser plus particulièrement à la salle du sarcophage, c'est principalement là que nous avons pu observer ce phénomène, mais il est certain que des traces du même type pourraient également être relevées dans les autres chambres.

C'est donc en s'appuyant sur toutes ces données qu'il convient à présent d'aborder l'examen des notes manuscrites de Robert Hay. Comme nous l'avons indiqué précédemment, la description de la partie basse de la tombe de Ramsès III ne débute qu'à la ligne 20 du folio 111 v°. Ce qui précède traite de la première salle à piliers (Q) et de son annexe (R) [89]. Dans la mesure où le décor de ces deux salles est conservé, il est possible de vérifier ici la validité des propos de Robert Hay. La confrontation avec l'original fait en l'occurrence ressortir la fiabilité de sa description et la justesse de ses réflexions. Ainsi l'auteur ne manque pas de souligner la particularité frappante du décor de la première salle à piliers où la version de la Ve heure du *Livre des Portes* se caractérise par la figuration exceptionnelle de deux groupes de Nubiens dans la célèbre scène reproduisant les différents peuples de l'humanité (l. 2) [90].

Le passage suivant (l. 3-7) dépeint en quelques traits l'iconographie de la VIe heure du *Livre des Portes* qui faisait pendant sur le côté droit. On trouve ainsi énumérés, dans un certain désordre, les momies couchées (40e scène), le dieu solaire dans sa barque (37e scène) et les figures aux mains cachées porteuses du mystère de la *Douat* (38e scène). Sont cités au registre supérieur : les personnages armés de bâtons fourchus destinés chasser le serpent Apophis (34e scène) ; ceux qui

87 Voir par ex. la vue de la salle du sarcophage reproduite dans M. MARCINIAK, *EtudTrav* 12, 1983, p. 299, fig. 2. Ces restes d'enduit se décollent chaque jour davantage de la paroi et menacent à leur tour de tomber.

88 L'empreinte laissée par l'outil se double par ailleurs fréquemment de restes de polychromie, car le tracé des contours définissait un motif dont l'intérieur était évidé et peint : lorsque l'enduit était peu épais et que l'on avait atteint la surface rocheuse, la couleur s'y trouvait alors directement appliquée. Des cas similaires de traces ont été observés dans d'autres tombes de la Vallée des Rois, voir par ex. H. ALTENMÜLLER, « Zweiter Vorbericht über die Arbeiten des Archäologischen Instituts der Universität Hamburg am Grab des Bay (KV 13) im Tal der Könige von Theben », *SAK* 19, 1992, p. 21 ; O. SCHADEN, E. ERTMAN, « The Tomb of Amenmesse (KV.10) : The First Season », *ASAE* 73, 1998, p. 122-123 (avec restes de couleur). Chez Mérenptah, voir *infra*, n. 118. Pour un phénomène comparable mais observé cette fois dans un contexte de bas-relief gravé sur une couche d'enduit calcaire, voir K. WEEKS (éd.), *KV 5. A Preliminary Report on the Excavation of the Tomb of the Sons of Rameses II in the Valley of the Kings, Publications of the Theban Mapping Project* II, Le Caire, 2000, p. 55.

89 Par commodité, nous continuons à suivre PM pour la désignation des salles, voir *supra*, n. 2 et n. 37. Il est à noter toutefois qu'une « numérotation » plus rationnelle des salles a été élaborée par K. WEEKS (éd.), *Atlas of the Valley of the Kings, Publications of the Theban Mapping Project* I, Le Caire, 2000, pl. 26.

90 Sur cette scène, voir E. HORNUNG, *Das Buch von den Pforten des Jenseits nach den Versionen des Neuen Reiches*, II, *Übersetzung und Kommentar*, *AegHelv* 8, Bâle, Genève, 1980, p. 134-137 ; *id.*, *Tal der Könige*, fig. 123-125 ; M. MARCINIAK, « Les éléments nubiens du décor dans le tombeau de Ramsès III », dans M. Krause (éd.), *Nubische Studien, Tagungsakten der 5. Internationalen Konferenz der International Society for Nubian Studies. Heidelberg, 22. – 25. September 1982*, 1986, p. 151, fig. 1 ; Fl. MAURIC-BARBERIO, *Égypte. Afrique et Orient* 34, 2004, p. 27-28, fig. 14.

empoignent l'ennemi de Rê et lui font régurgiter les têtes qu'il avait avalées (35e scène); la figure momiforme d'Aken portant au cou l'extrémité une corde doublement tressée (36e scène) et deux autres figures momiformes encadrant la représentation du « trou de feu » [fig. 1, dessin A], qui sont elles-mêmes précédées de douze personnages en posture d'adoration (41e scène) [91]. Sont ensuite évoqués, le cas échéant à l'aide de croquis, les motifs principaux de la VIIe heure du *Livre* qui se poursuit dans l'annexe R : les porteurs de faucilles [fig. 1, dessin B] et les personnages représentés devant un épi géant [fig. 1, dessin C] qui appartiennent respectivement aux 47e et 46e scènes, les porteurs de corbeilles (42e scène) et les ennemis attachés aux poteaux *ouser* (45e scène) [92].

Les lignes suivantes (l. 14-17) se rapportent aux scènes divines reproduites sur les parois d'entrée de l'annexe : le roi encadré par Thot et Horus Khenty-Khéty [fig. 1, dessin D] sur le côté droit et le pharaon faisant offrande à Osiris, coiffé de la couronne *atef* et tenant dans les mains les insignes traditionnels du fouet et de la crosse, sur le côté gauche [93]. La remarque de Hay concernant la présence singulière de cornes associées au disque solaire dans la coiffure d'Horus Khenty-Khéty est pertinente, dans la mesure où l'on n'en rencontre pas d'autres exemples dans la Vallée des Rois. Il s'agit pourtant d'une iconographie bien attestée pour ce dieu qui pouvait revêtir, outre l'aspect d'un faucon solaire, celui du taureau d'Athribis [94]. Quant aux lignes 18-19, elles font référence à la décoration du passage reliant la première salle à piliers à son annexe, dont les montants sont ornés d'une représentation en vis-à-vis des déesses Neith et Selkis accomplissant le rite *nini*.

3.1. *Décor de la rampe et du couloir S*

Nous entrons enfin dans le vif du sujet avec le texte de la ligne 20 (fol. 111 v°) où il est question d'un élément architectural que Hay désigne sous le terme de « plan incliné ». Il s'agit de la rampe centrale qui s'enfonce entre les piliers de la salle Q et assure la jonction entre les deux moitiés de la tombe sans rompre la continuité de l'axe. En raison de l'inclinaison de la pente, les parois de la tranchée adoptent une forme triangulaire ; la partie la plus étroite était occupée de chaque côté par la représentation d'un serpent ailé (orienté vers le fond de la tombe) dont les replis s'adaptaient remarquablement au cadre ainsi défini [95]. Des traces encore visibles permettent de reconnaître, à droite, la figuration d'Ouadjet faisant pendant à Nekhbet sur le côté gauche [96]. Reproduite à l'aplomb de la seconde paire de piliers, une image d'Anubis couché sur son coffre leur faisait face [97], suivie de part et d'autre par une série de vingt et une colonnes de texte hiéroglyphique.

91 Pour la VIe heure du *Livre des Portes*, voir E. HORNUNG, *AegHelv* 8, p. 153-174.

92 Voir fol. 111 v°, l. 8-13. Pour la VIIe heure du *Livre des Portes*, voir E. HORNUNG, *op. cit.*, p. 175-191 ; *id.*, *Tal der Könige*, fig. 128.

93 Ces deux scènes sont reproduites dans F. ABITZ, *König und Gott : die Götterszenen in den ägyptischen Königsgräbern von Thutmosis IV. bis Ramses III.*, *ÄgAbh* 40, Wiesbaden, 1984, p. 21, fig. 10.

94 Voir P. VERNUS, *Athribis. Textes et documents relatifs à la géographie, aux cultes, et à l'histoire d'une ville du delta égyptien à l'époque pharaonique*, *BiEtud* 74, Le Caire, 1978, p. 49-50, p. 379 ; *id.*, *LÄ* I, col. 923-926, *s. v.* Chentechtai. Cf. J.-Fr. CHAMPOLLION, *Notices descriptives*, I, p. 416 (dessin).

95 Pour un exemple similaire, voir A. PIANKOFF, *The Tomb of Ramesses VI*, *BollSer* 40, 1, II, New York, 1954, pl. 63, pl. 71-72. Pour une représentation comparable, mais à échelle réduite, voir E. HORNUNG, *The Tomb of Pharaoh Seti I/Das Grab Sethos' I.*, Zurich, Munich, 1991, pl. 111/126.

96 Cf. J.-Fr. CHAMPOLLION, *loc. cit.*

97 Pour la représentation d'Anubis sur le côté gauche, voir M. MARCINIAK, *EtudTrav* 12, 1983, p. 300, fig. 3.

Ces inscriptions dont les signes étaient aiguillés de chaque côté vers l'intérieur de la tombe (à la différence de ceux appartenant à la légende d'Anubis dirigés vers l'extérieur) se déployaient à l'origine sur toute la hauteur de la paroi. Seule en subsiste aujourd'hui la partie supérieure : pour autant qu'on puisse en juger en l'état, il semble qu'hormis les deux premières colonnes construites sur un autre modèle, les autres aient régulièrement débuté par la formule caractéristique de la *Litanie de l'œil d'Horus* [98],

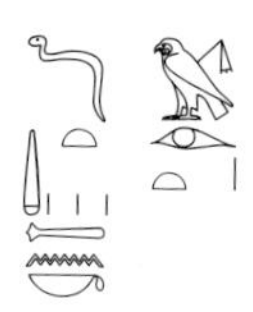

Attestée pour la première fois dans la Vallée des Rois chez Séthi Ier où elle est étroitement associée à la reproduction du *Rituel d'ouverture de la bouche* dans les quatrième et cinquième couloirs, cette composition puise en réalité sa source dans les *Textes des Pyramides* (*Pyr.* § 18-117) dont elle emprunte de nombreux extraits [99]. Malgré les problèmes d'interprétation que pose sa copie, il nous paraît difficile de ne pas rattacher au texte de cette *Litanie* l'inscription reproduite par Robert Hay en marge du folio 111 v° (texte 1). D'après les parallèles fournis par les *Textes des Pyramides* (*Pyr.* § 83c et 84a), nous proposons d'en faire la lecture suivante :

ḏd mdw sp 3 m n=k ỉrt Ḥr ỉmyt ḥ3t Stš

Paroles à prononcer trois fois : empare-toi de l'œil d'Horus qui est au front de Seth [100].

Outre la restitution des signes manquants et , cette lecture suppose un double amendement au texte de Robert Hay. En effet, il nous faut d'une part corriger le signe en , ce qui ne pose pas en soi problème, mais, d'autre part, admettre une confusion entre les signes

98 Cela, d'après nos vérifications *in situ*. Le groupe peut être interprété comme une graphie particulière de l'expression *ḏd mdw* ou bien comme une altération de la forme *ḏd mdw sp 3*. Pour la forme , voir E. EDEL, *Altägyptische Grammatik*, I, *AnOr* 34, Rome, 1955, § 611 ; A.H. GARDINER, *Egyptian Grammar*, Oxford, 1982³, § 336.

99 Voir E. HORNUNG *The Tomb of Pharaoh Seti I*, p. 20-21, pl. 107-109, 112-113, 125, 127. Il semblerait que cette composition ait été également présente chez Ramsès II et Mérenptah. Nous tenons à remercier le Professeur Hornung pour toutes les informations précieuses qu'il a bien voulu nous communiquer sur le sujet.

100 Cf. *Pyr.* § 83c : (*ḏd mdw*) *wsỉr NN m n=k ỉrt Ḥr ỉmyt ḥ3t=f; Pyr.* § 84a : (*ḏd mdw*) *wsỉr NN m ỉrt Ḥr ỉmyt ḥ3t Stš*, voir K. SETHE, *Die altägyptischen Pyramidentexte*, I, Leipzig, 1908, p. 47-48 (versions W et N). Pour ce passage, voir notamment G. RUDNITZKY, *Die Aussage über « das Auge des Horus »*, *AnAeg* 5, Copenhague, 1956, p. 50-51 ; J.G. GRIFFITHS, « Remarks on the Mythology of the Eyes of Horus », *ChronEg* 33/65, 1958, p. 193, n. 5 ; H. TE VELDE, *Seth, God of Confusion*, *ProblÄg* 6, Leyde, 1967, p. 44.

et , ce qui fait davantage difficulté. Le rendu quelque peu imprécis des premiers signes – que nous sommes en mesure de comparer avec l'original – autorise néanmoins à envisager une telle erreur et incite plutôt à l'attribuer à Robert Hay qu'au scribe égyptien. Rappelons du reste, à la décharge de Robert Hay, qu'il ignorait la lecture des hiéroglyphes [101] : cette circonstance ne l'a pas empêché d'en faire des copies relativement fidèles, mais cela lui interdisait sans doute de détecter les fautes qu'il pouvait malgré tout commettre. Si le parallèle existant dans la tombe de Séthi Ier vient conforter la lecture *ḥꜣt*, il importe de souligner que cette version, qui semble davantage s'inspirer du § 83c que du § 84a, ne fait pas mention de Seth [102].

La version de Ramsès III n'en paraît que plus originale, et c'est peut-être précisément ce qui a conduit Hay à reproduire ce passage. La manière dont il présente ce texte comme s'il s'agissait d'une légende se rapportant à une figuration du dieu Seth ne laisse cependant pas d'étonner. Pour nous être livrée à un examen minutieux des parois dans la descente conduisant de la salle Q au couloir S, nous pouvons affirmer qu'il n'existe ni trace d'un tel motif, ni même aucun emplacement susceptible de lui convenir. L'idée que Hay ait pu confondre avec l'image d'Anubis couché et supposer que le texte y faisait référence nous paraît cependant devoir être écartée. En effet, son expérience devait le prémunir d'une telle erreur et son dessin représente trop clairement l'animal séthien pour que l'ambiguïté soit possible ; de plus l'orientation des éléments s'opposait à un tel rapprochement [103]. Reste une autre hypothèse selon laquelle la « Devil fig[ur]e » pourrait en réalité correspondre à l'idéogramme de Seth, considéré tout d'abord isolément, avant que Hay ne le replace ensuite dans son contexte en recopiant l'inscription [104].

Passons à présent à la suite du texte du folio 111 v°. Les lignes 22-24 se rapportent à la décoration du quatrième couloir (S) dont les parois étaient consacrées à la reproduction du *Rituel d'ouverture de la bouche*. Hay se contente de l'évoquer très brièvement en faisant référence au parallèle existant dans la tombe de Séthi Ier. Avec des mots très simples, il parvient à caractériser l'iconographie spécifique de ce rituel dont les vignettes montrent les différentes phases. Dans chacune d'elles figurent un ou plusieurs officiants s'affairant autour de la statue royale dont le socle repose généralement sur une espèce de « coussin » de sable [105]. On devine encore quelques vestiges de ces représentations sur le côté gauche du couloir, tandis que le titre de la composition *ỉrt wpt-rꜣ* est encore lisible au commencement de la paroi [106].

101 Voir S. Tillett, *Egypt itself*, p. 13.

102 Voir E. Lefébure, *MMAF* II, 1886, Troisième partie, pl. VI (col. 27), VIII (col. 27, détruite) et XIII (col. 27) ; E. Hornung, *op. cit.*, pl. 108, 112 et 125 (détruit). Noter qu'il existe trois versions du même texte dans la tombe de Séthi Ier. Pour les *Textes des Pyramides*, voir *supra*, n. 100. On peut se demander si cette répugnance à évoquer le nom de Seth dans le cadre de la tombe n'est pas à mettre en relation avec le phénomène de transformation du nom royal observé dans les cartouches de Séthi Ier où l'idéogramme du dieu Seth est remplacé par celui d'Osiris.

103 Rappelons que sur chacune des parois, Anubis tournait le dos aux colonnes de texte appartenant à la *Litanie de l'œil d'Horus*, orientées vers l'intérieur de la tombe.

104 Dans ce cas, il faudrait admettre que la représentation de la figure séthienne dont la silhouette est partiellement entourée d'un trait de crayon [fig. 1] ne se réfèrerait pas à une quelconque représentation de Seth, mais serait en réalité identique à l'idéogramme clôturant l'inscription.

105 Cf. E. Hornung, *op. cit.*, pl. 99-107, 114-124. Sur la présence de ce petit monticule de sable, voir E. Otto, *Das ägyptische Mundöffnungsritual*, *ÄgAbh* 3, II, Wiesbaden, 1960, p. 34-36.

106 Cf. J.-Fr. Champollion, *Notices descriptives*, I, p. 417 ; E. Lefébure, *MMAF* III, 1, p. 105 et p. 118-120.

3.2. *Les salles T et U*

Les lignes suivantes (fol. 111 v°, l. 24-29) traitent de la salle T dont la présence au débouché du quatrième couloir rompt avec l'ordonnance traditionnelle des tombes royales généralement pourvues d'un cinquième corridor [107]. La transformation du plan s'explique chez Ramsès III par l'introduction d'un nouveau programme décoratif visant à placer le roi défunt au cœur d'un vaste réseau de protection s'organisant autour de la salle du sarcophage [108]. Dans ce dispositif conçu sur un mode symétrique, les salles T et U précédant la chambre funéraire font pendants aux salles Y-Y1 et Z situées à l'arrière. Leur décor était constitué d'éléments qui convergeaient en direction de la salle du sarcophage et se répondaient de part et d'autre de celle-ci. Le point commun à ces représentations était de faire figurer, à l'intérieur de chapelles individuelles ou collectives, des divinités préposées à la veille d'Osiris (salles T et Z) et des dieux à caractère « apotropaïque », encore désignés sous le nom de « génies-gardiens » (salles U et Y-Y1) [109].

Comme toujours, la description de Robert Hay va à l'essentiel. De l'iconographie de la salle T, il retient la présence des chapelles et énumère les différentes divinités selon leur caractère distinctif. La liste qu'il en donne pour le côté gauche (fol. 111 v°, l. 25-27) correspond en tout point à celle dressée par Champollion et Lefébure [110]. En revanche, l'ordre est différent pour la paroi droite dont Hay livre une vision plus globale (l. 27-29), mais on y relève le même nombre d'entités masculines et féminines, auquel s'ajoutent les trois figures à tête babouin, de chacal et d'ibis [111]. Ces deux rangées de divinités se retrouvent quasiment à l'identique chez Ramsès IV (KV 2) où elles ornent l'intérieur de deux petites niches creusées dans les parois de la salle (F), située à l'arrière de la salle du sarcophage [112]. Certaines d'entre elles étaient déjà figurées sur les parois de la chambre funéraire de Séthi II (KV 15) [113], mais dans le contexte des tombes royales, le précédent le plus anciennement attesté remontait au règne de Mérenptah avec la décoration de son troisième sarcophage, usurpé par Psousennès et retrouvé de ce fait à Tanis [114]. Le cortège divin reproduit sur le côté intérieur droit de la cuve est en effet constitué, à quelques variantes près, des mêmes divinités que celles apparaissant chez Ramsès III dans la salle T [115]. Les études ont montré que l'ensemble

107 Pour le plan des tombes royales jusqu'à Ramsès III, voir notamment F. ABITZ, *Die religiöse Bedeutung der sogenannten Grabräuberschächte in den ägyptischen Königsgräbern*, *ÄgAbh* 26, Wiesbaden, 1974, p. 14-20.

108 Voir W. WAITKUS, *GöttMisz* 99, 1987, p. 70-71.

109 Voir J. LECLANT, *Montouemhat, quatrième prophète d'Amon prince de la ville*, *BiEtud* 35, Le Caire, 1961, p. 113-134, pl. XXXIV-XLIII.

110 Voir J.-Fr. CHAMPOLLION, *op. cit.*, I, p. 417 ; E. LEFÉBURE, *op. cit.*, p. 106. La description procède depuis l'entrée vers la paroi du fond. On notera seulement la présence fautive du pluriel « Ibis deities » (fol. 111 v°, l. 26) pour désigner la 9ᵉ divinité « ibiocéphale ».

111 Voir J.-Fr. CHAMPOLLION, *loc. cit.* ; E. LEFÉBURE, *loc. cit.* Hay ne mentionne que neuf divinités pour le côté droit. La paroi droite en comptait bien dix à l'origine (tout comme à gauche), mais Champollion indique de la dernière figure était détruite. Hay ne l'a donc pas citée.

112 Les divinités figurant, chez Ramsès III, sur les côtés gauche et droit de la salle T apparaissent respectivement dans les niches gauche et droite de la salle F, chez Ramsès IV. Voir E. LEFÉBURE, *MMAF* III, 2, pl. XXXVII et pl. XXXIX ; E. HORNUNG, *Theben* 11, p. 49-50, pl. 78-80 et pl. 81-82.

113 Voir F. ABITZ, *Statuetten in Schreinen als Grabbeigaben in den ägyptischen Königsgräbern der 18. und 19. Dynastie*, *ÄgAbh* 35, Wiesbaden, 1979, p. 21 et p. 24 ; *id.*, *ÄgAbh* 40, p. 80-81.

114 Voir P. MONTET, *La nécropole royale de Tanis*, II, *Les constructions et le tombeau de Psousennès à Tanis*, Paris, 1951, p. 111-126. Le cartouche non martelé de Mérenptah subsistait sur le couvercle (*ibid.*, p. 111). Certains auteurs conservaient des doutes sur la datation de la cuve, comme Waitkus qui continuait à parler du sarcophage de Psousennès (voir *GöttMisz* 99, 1984, p. 68). Ces hésitations ont été définitivement balayées par un nouvel examen de la cuve, faisant apparaître les restes du nom de Mérenptah sous celui de Psousennès ; voir E.C. BROCK, « The Tomb of Merenptah and its Sarcophagi », dans C.N. Reeves (éd.), *After Tutankhamun, Studies in Egyptology*, Londres, New York, 1992, p. 122-140, 127 et p. 130.

115 Voir P. MONTET, *op. cit.*, p. 120-123, pl. XC et pl. XCII. Les divinités correspondant aux figures de la salle T (côté droit) se suivent exactement dans le même ordre sur le sarcophage de Mérenptah. Celles figurant sur le côté gauche s'y retrouvent en partie, mais dans un ordre différent.

de ces figures correspondait à l'un des deux groupes de divinités préposées à la veille d'Osiris qui encadrent la couche du dieu dans les différentes représentations de la scène de réveil [116].

La dernière ligne du folio 111 v° ainsi que les quinze premières lignes du folio suivant (112 r°) traitent de l'iconographie particulière de la salle U. Précédant immédiatement la salle du sarcophage, cette pièce doit être considérée, d'un point de vue typologique, comme formant l'antichambre. De fait, on y rencontrait les motifs décoratifs que l'on est en droit d'attendre dans ce type de salle, mais associés ici au thème nouveau des dieux gardiens. Témoin d'une tradition datant du règne de Thoutmosis IV, la paroi droite était ainsi consacrée à la reproduction de scènes divines montrant successivement le roi en présence d'Horus, Thot, Anubis et Atoum (fol. 112 r°, l. 8-13) [117]. Quant à la paroi gauche, elle était occupée par une version du chapitre 125 du *Livre des Morts* dont on connaît deux exemples antérieurs dans les tombes de Ramsès II (KV 7) et Mérenptah (KV 8) [118]. La description de Champollion et le croquis de Lefébure nous permettent de mieux comprendre les lignes que lui consacre Robert Hay (l. 2-6). L'ensemble se présentait sous la forme d'une vaste chapelle surmontée d'une frise où des plumes – symboles de la *Maât* – alternaient avec des cobras. À l'intérieur de ce cadre étaient représentées, sur la gauche, deux figures divines superposées, l'une masculine et l'autre féminine, portant chacune une double plume sur la tête et tenant dans leur main le sceptre *ouas* (l. 2-3). Cette double représentation était suivie, sur la droite, d'une série de quarante-deux colonnes contenant le texte de la « confession négative », dont chacune était terminée par un signe reproduisant une figure momiforme coiffée à nouveau de l'emblème de la plume (l. 4-6) [119].

À côté de ces éléments appartenant au répertoire traditionnel, la salle U renfermait un nouveau type de figuration dont la présence s'inscrivait dans le schéma de décoration mis en lumière par W. Waitkus. Ces nouveaux motifs étaient reproduits sur les parois d'entrée et les parois du fond. Ils se caractérisaient par la représentation d'êtres aux chairs souvent sombres, à l'aspect étrange et dont l'attitude n'était pas moins singulière, puisque la plupart d'entre eux serraient dans leurs poings des serpents ou des lézards. Des personnages du même genre sont connus pour apparaître à la vignette du chapitre 182 du *Livre des Morts*; associés à des génies couteliers, ils encadrent la figuration du défunt, représenté en Osiris, gisant sur un lit funéraire. On reconnaît généralement en eux des génies protecteurs susceptibles de favoriser la régénération du défunt [120]. Tout comme les préposés à la veille d'Osiris figurés dans la salle T, les dieux gardiens reproduits dans la salle

116 Voir à ce sujet J. ASSMANN, *Das Grab der Mutirdis, Grabung im Asasif 1963-1970*, VI, *ArchVer* 13, Berlin, 1977, p. 14-15, p. 90-94, fig. 41; F. ABITZ, *ÄgAbh* 35, p. 62-66; W. WAITKUS, *GöttMisz* 99, 1987, p. 68-73.

117 Pour les scènes divines, voir F. ABITZ, *ÄgAbh* 40. Pour les autres sources, voir J.-Fr. CHAMPOLLION, *Notices descriptives*, I, p. 419; E. LEFÉBURE, *MMAF* III, 1, p. 108. La description de Champollion confirme les propos de R. Hay concernant l'attitude des dieux qui tiennent le roi par la main. Une contradiction apparaît en revanche au sujet de l'orientation d'Atoum dont Hay reproduit la coiffure (fol. 112 r°, l. 13). D'après le contexte de la scène (dont les détails nous sont pourtant précisément fournis par Champollion) et les nombreux parallèles qui montrent que les divinités regardent en principe vers l'entrée de la tombe (étant dès lors tournées vers la droite sur une paroi droite), il semble qu'il faille donner ici la préférence au témoignage de Robert Hay.

118 Voir Chr. LEBLANC, « Trois campagnes de fouille dans la tombe de Ramsès II. KV.7 – Vallée des Rois – 1993/1994/1995 », *Memnonia* 7, 1996, p. 193-194; F. ABITZ, *op. cit.*, p. 66-67 (restes de décor chez Mérenptah). Pour les traces incisées, voir *supra*, n. 88.

119 Voir J.-Fr. CHAMPOLLION, *op. cit.*, p. 418; E. LEFÉBURE, *op. cit.*, p. 107. Pour les modifications apportées au texte du *Livre des Morts* 125 dans les versions des tombes royales, voir F. ABITZ, *Pharao als Gott in den Unterweltsbüchern des Neuen Reiches*, *OBO* 146, Fribourg, Göttingen, 1995, p. 174-199.

120 Voir par ex. E. HORNUNG, *Das Totenbuch der Ägypter,* Zurich, Munich, 1979, p. 520-521.

U avaient un équivalent sur le troisième sarcophage de Mérenptah, apparaissant cette fois sur l'extérieur de la cuve [121]. Il existe cependant certaines statuettes en bois bitumé, découvertes dans les tombeaux d'Horemheb (KV 57) et de Ramsès Ier (KV 16), qui constituent manifestement un précédent plus ancien à ces curieuses représentations [122].

Revenons au texte de Robert Hay. Concernant la salle U, l'auteur mentionne par deux fois la présence de génies tenant à la main des sauriens. La première figure évoquée brandit deux lézards (fol. 111 v°, l. 30 - fol. 112 r°, l. 1). L'épithète recopiée par Hay (texte 2) indique que ce génie portait le nom d'un des fils d'Horus, Amset, comme le confirme le témoignage de Champollion qui a fait un petit croquis de ce personnage accompagné de sa légende [123]. Deux autres figures, tenant cette fois un lézard et un serpent dans chaque main, sont citées plus bas (fol. 112 r°, l. 13-15) : il s'agit des divinités apparaissant sur le côté droit de la paroi du fond, dont l'une présentait une tête de bélier et l'autre un visage humain aux teintes sombres [124]. Hay a été visiblement impressionné par ce type de représentations dont il a reproduit plusieurs exemplaires figurant dans les salles Y-Y1 [125]. Mais c'est surtout le groupe de dieux gardiens représenté sur le côté gauche de la paroi du fond qui a retenu son attention [fig. 2, dessin E]. Comme d'autres visiteurs [126], il a été frappé par l'aspect de ces figures composites, et tout particulièrement par celle du génie à tête de tortue dont il réalisa un second dessin en « gros plan [127] ». Si la version du sarcophage de Mérenptah confirme bien son identité de *wnm-ḥwꜣꜣt* « Mange-pourriture [128] », elle jette en revanche un doute sur la nature de la figure voisine, identifiée par Hay comme étant pourvue d'une tête de vache. En effet, il semble que sur le sarcophage où la tête est représentée de profil, on reconnaisse plutôt les traits d'une antilope. Outre l'ambiguïté inhérente au dessin, il est possible que la mauvaise appréciation de Hay s'explique par l'état endommagé de la figure [129].

121 Voir P. MONTET, *La nécropole royale de Tanis*, II, pl. LXXXVI ; W. WAITKUS, *op. cit.*, p. 60-61.

122 Pour la liste du matériel conservé au British Museum, voir *ibid.*, p. 81-82. Pour un aperçu des objets, voir en dernier lieu A. WIESE, A. BRODBECK (éd.), *Toutankhamon. L'or de l'au-delà. Trésors funéraires de la Vallée des Rois, Catalogue de l'exposition de l'Antikenmuseum und Sammlung Ludwig de Bâle (7 avril - 3 octobre 2004)*, trad. française, Paris, 2004, p. 106-108 ; cf. *infra*, n. 128.

123 Voir J.-Fr. CHAMPOLLION, *op. cit.*, p. 418. Amset était reproduit sur la paroi d'entrée gauche de la salle U. Les épithètes conservées sur le sarcophage de Mérenptah montrent que les autres fils d'Horus pouvaient également revêtir l'aspect de ces génies-gardiens.

124 Pour le dessin de cette dernière figure, voir J.-Fr. CHAMPOLLION, *Notices descriptives*, II, p. 748.

125 Voir *supra*, n. (m) et *infra*, sur le fol. 114 v° (dessins Q et R).

126 On sait que Champollion en a exécuté un dessin (voir *Notices descriptives*, I, p. 418), mais il n'est pas le seul. Ainsi le Baron von Minutoli en avait produit une illustration dans son ouvrage intitulé *Reise zum Tempel des Jupiter Ammon in der lybischen Wüste und nach Ober-Aegypten in den Jahren 1820 und 1821* paru à Berlin en 1824 (voir *ibid.*, pl. XXI [2] et A. SILIOTTI, *Egypt Lost and Found*, p. 178). Un nouveau document, récemment publié, en donne une seconde version provenant des archives d'Alessandro Ricci, voir M.C. GUIDOTTI, dans E. Bresciani (éd.), *La Piramide e la Torre*, p. 156. On sait qu'avant de participer à l'expédition franco-toscane, A. Ricci avait été employé par W.C. Bankes et qu'il avait également accompagné le Baron von Minutoli en Haute Égypte. Or il existe une autre reproduction du même dessin dans les archives de Bankes (voir PM I, 2, p. 525). D'après l'étude de P. USICK, « The Egyptian Drawings of Alessandro Ricci in Florence. A List of Drawings from a Portofolio in the Museo Egizio di Firenze », *GöttMisz* 162, 1998, p. 76, il semblerait que ces trois dessins soient tous de la main d'Alessandro Ricci. Pour un autre dessin du même auteur, voir *infra*, n. 217.

127 Voir *supra*, n. (k).

128 Voir L. PANTALACCI, « *Wnm-ḥwꜣꜣt* : genèse et carrière d'un génie funéraire », *BIFAO* 83, 1983, p. 297-311. Pour deux statuettes à son effigie, attribuées par erreur au règne de Thoutmosis III, voir H.G. FISCHER, *Ancient Egyptian Representations of Turtles*, New York, 1968, p. 11, n. 28, pl. 3. Voir aussi *supra*, n. 122.

129 Sur les dessins de Ricci actuellement publiés (voir *supra*, n. 126), on constate en effet que le génie à tête de bovidé (ou d'antilope) est représenté avec une partie de son visage détruite. Comme les dessins de Ricci ont été réalisés au début des années 1820 et qu'ils sont donc antérieurs aux copies exécutées par Champollion et Hay, il nous faut admettre que ces deux auteurs n'ont pas tenu compte de la détérioration et qu'ils ont restitué à la figure un visage intact. Sans doute que l'échelle assez réduite de leur croquis justifiait une telle simplification. Notons que Champollion ne précise pas l'identité de l'animal. Quant à Lefébure, il parle d'une « tête de taureau » (*MMAF* III, 1, p. 108).

3.3. *La salle du sarcophage et ses annexes*

La description de la salle du sarcophage (V) et de ses quatre annexes (W, W1, W2, X) débute à la ligne 15 du folio 112 r° pour s'achever à la ligne 12 du folio 114 v°. Désignée par Hay sous le nom de « G[rea]t Chamber », la chambre funéraire de Ramsès III a été conçue sur le même modèle que celles de Mérenptah et Taousert : placée perpendiculairement à l'axe de la tombe, elle adopte un plan tripartite caractérisé par la présence d'une fosse centrale, surmontée d'un plafond voûté et encadrée en surplomb par une double rangée de piliers. La décoration qui se développait dans ce cadre se répartissait de façon très précise en fonction des différentes parois. Nous y ferons référence dans la suite de l'exposé en nous plaçant du point de vue du visiteur pénétrant dans la salle et en distinguant successivement pour chacun des côtés droit et gauche : la paroi d'entrée, la paroi latérale avant la voûte, la paroi sous la voûte, la paroi latérale après la voûte et la paroi du fond. En nous conformant à ce schéma, nous n'aurons pas de peine à suivre Robert Hay, car c'est également le parti qu'il adopte en commençant sa description par le côté droit (depuis l'entrée jusqu'au fond, en incluant les annexes W2 et X) avant de poursuivre avec le côté gauche [130].

Les lignes 15-21 du folio 112 r° traitent ainsi du décor de la paroi d'entrée droite. L'énumération de Robert Hay nous permet de reconnaître sans peine les éléments relatifs à l'iconographie de la IXe heure du *Livre des Portes* [131]. Il commence sa description par les motifs situés du côté de la porte d'entrée (qui appartenaient en réalité à la fin de la division) en procédant registre par registre. C'est ainsi qu'il dépeint successivement les oiseaux à tête humaine correspondant aux *baou* de l'île de la flamme (56e scène), les différents groupes de noyés dont les corps nus flottent dans les eaux du Noun (58e scène) et le serpent cracheur de feu abritant des personnages momiformes dans ses replis (60e scène). Négligeant les figures sans attribut du registre supérieur, Hay évoque ensuite la barque solaire (57e scène) et les ennemis diversement ligotés du registre inférieur (59e scène), condamnés à être consumés par le souffle brûlant du serpent de la 60e scène [132].

La reproduction de la IXe heure sur la paroi d'entrée droite de la salle sépulcrale s'ancrait dans une tradition bien établie, puisque la tombe de Mérenptah en donnait la première version et que l'hypogée de Taousert-Sethnakht en offre un exemplaire bien conservé dans chacune des deux salles du sarcophage (J/L) [133]. La présence de cette division chez Ramsès III est encore attestée aujourd'hui par des restes d'enduit subsistant au niveau du plafond qui nous livrent la partie supérieure des colonnes de texte se rapportant au registre supérieur. Ces vestiges d'inscription ont été pris en compte dans une étude de T. Andrzejewski datée de 1962, avant de faire l'objet d'un relevé systématique dans le cadre de la publication synoptique du *Livre des Portes* parue en

130 La seule entorse qu'il fait à cette règle résulte d'une confusion, voir *supra*, n. (w) et *infra*.

131 Pour la IXe heure du *Livre des Portes*, voir E. HORNUNG, *AegHelv* 8, p. 208-223. Pour les témoignages de Champollion et Lefébure, voir J.-Fr. CHAMPOLLION, *op. cit.*, p. 419 ; E. LEFÉBURE, *op. cit.*, p. 109. Pour le problème de la numérotation du *Livre des Portes*, voir *infra*, n. 134.

132 Nous pensons que la comparaison suggérée par Hay à propos des prisonnier ligotés doit se rapporter à la description des ennemis de la VIIe heure du *Livre des Portes* reproduits dans l'annexe à la première salle à piliers (R), voir *supra*, n. 92 (fol. 111 v°, l. 13).

133 Il ne reste plus que quelques traces de la version de Mérenptah, aujourd'hui détruite, voir E. HORNUNG, *op. cit.*, p. 208. Pour les attestations de la IXe heure du *Livre des Portes* dans la KV 14, voir *loc. cit.* ; Fl. MAURIC-BARBERIO, « Copie de texte à l'envers dans les tombes royales », dans G. Andreu (éd.), *Deir el-Médineh et la Vallée des Rois. Actes du colloque organisé par le Musée du Louvre les 3 et 4 mai 2002*, Paris, 2003, p. 183-184 ; E. HORNUNG, *Tal der Könige*, fig. 43, 114 et 116 ; K. WEEKS (éd.), *La Vallée des Rois. Les tombes et les temples funéraires de Thèbes-Ouest,* trad. française, Paris, 2001, p. 226 et p. 228-229.

1979 [134]. Hormis ces parcelles d'enduit, il ne reste pratiquement aucune trace de décor visible sur la roche dénudée, à l'exception de la silhouette bien reconnaissable d'un oiseau *ba* appartenant au registre supérieur.

À l'angle de la paroi d'entrée droite et de la paroi latérale s'ouvre l'annexe W2 à laquelle Hay consacre les lignes 21-26 du folio 112 r°. Comme nous avons eu l'occasion de le signaler plus haut, la lecture du passage n'est pas entièrement assurée [135]. Néanmoins, il ne fait pas de doute que la description de Hay fasse référence à l'iconographie du chapitre 110 du *Livre des Morts* qui dépeint le paradis agricole égyptien sous la forme du *Champ des roseaux* (*sḫt ỉꜣrw*). Il s'agissait de la seconde représentation de ce motif dans la tombe, puisque la même vignette figurait déjà dans une des petites niches (K) percées dans les parois du deuxième couloir (E) [136]. La faveur de ce thème décoratif, également présent dans le complexe osirien du temple de Médinet Habou [137], pourrait être interprétée comme une particularité spécifique au règne de Ramsès III, si les récentes fouilles de Chr. Leblanc ne venaient de nous livrer un élément d'appréciation nouveau [138]. L'identification de motifs appartenant à la vignette du *Livre des morts* 110 dans une des annexes de la salle du sarcophage de Ramsès II constitue en effet un précédent qui modifie la perception que l'on pouvait avoir de cette scène chez Ramsès III. Ainsi, la version de l'annexe W2 ne doit plus être comprise comme une simple réplique d'un motif inhabituel reproduit dans l'une des niches du deuxième couloir, mais bien comme un élément constitutif du programme décoratif de la partie basse dont il n'est pas exclu que d'autres tombes aient été destinées à être pourvues [139].

Retournons dans la salle du sarcophage. Le panneau situé au-dessus de l'ouverture de l'annexe W2 était occupé par une représentation, évoquée aux lignes 26-27 du folio 112 r°, et reproduite dans la marge [fig. 2, dessin F]. Cette combinaison de figures associant le sceptre *sekhem* à deux personnages, l'un à tête de faucon, l'autre à tête d'ibis, correspond à l'image d'un groupe de dieux gardiens portant le matricule M3 dans la nomenclature établie par W. Waitkus. Si elles se rattachent aux génies protecteurs précédemment rencontrés dans la salle U, ces figures appartiennent à une catégorie spécifique qui présente la particularité d'apparaître toujours en groupe, constitué de deux à trois entités. On dénombre six ensembles (M1-M6) qui se répartissaient, chez Ramsès III, aux quatre angles de la chambre funéraire, deux groupes montant par ailleurs la garde à l'entrée, dans le passage reliant la salle U à la salle du sarcophage. Bien qu'attestées sur le sarcophage de Mérenptah, ces figures sont davantage connues par leur représentation dans les tombeaux de la Vallée des Reines où elles apparaissent notamment chez certains fils de Ramsès III [140].

134 Voir T. ANDRZEJEWSKI, « Le Livre des Portes dans la salle du sarcophage du tombeau de Ramsès III », *ASAE* 57, 1962, p. 1-2 ; E. HORNUNG, *Das Buch von den Pforten des Jenseits nach den Versionen des Neuen Reiches*, I, *Text*, *AegHelv* 7, Bâle, Genève, 1979, p. 299-308. Andrzejewski se conforme à l'ancienne numérotation des heures qui présente un décalage d'une heure avec la nouvelle, voir à ce sujet *id.*, *AegHelv* 8, p. 23-25.

135 Voir *supra*, n. (n).

136 La version de la niche K sert de comparaison à Hay dans sa description. On en trouve une reproduction dans la *Description de l'Égypte*, *Atlas*, II, pl. 90 [2-4], qui montre bien la juxtaposition des deux scènes de récolte : arrachage du lin et moisson du blé.

137 Voir P. GRANDET, *Ramsès III. Histoire d'un règne*, Paris, 1993, p. 129 et p. 156.

138 Voir Chr. LEBLANC, « Sixième et septième campagnes de fouille dans la tombe de Ramsès II [KV.7] – Années 1998-1999 et 1999-2000 », *Memnonia* 11, 2000, p. 113.

139 Rappelons, à cet égard, que l'on ignore tout du décor des annexes, non dégagées, de la salle du sarcophage de Mérenptah. Nous n'en savons pas davantage chez Taousert où le décor est resté inachevé.

140 W. WAITKUS, *GöttMisz* 99, 1987, p. 52-59. Voir aussi F. ABITZ, *Ramses III. in den Gräbern seiner Söhne*, *OBO* 72, Fribourg, Göttingen, 1986, p. 84-93. Pour le parallèle sur le sarcophage de Mérenptah, voir P. MONTET, *La nécropole royale de Tanis*, II, pl. LXXXVIII.

L'espace compris entre l'ouverture de l'annexe W2 et de départ de la voûte constitue ce que nous nommons ici la paroi droite avant la voûte [141]. Son décor a été copié par Hay au bas du folio 112 r° [fig. 2, dessin G]. On reconnaît dans ce petit dessin finement exécuté au crayon l'équivalent de ce que Champollion a désigné comme « l'apothéose du nom de Ramsès » et auquel il a consacré une reproduction en double page dans ses *Notices* [142]. L'élément central de ce tableau était en effet formé par la représentation d'un immense disque solaire à l'intérieur duquel étaient notés, en grand, les signes formant l'inscription *rʿ-ms-sw ḥḳꜣ ỉwnw* « *Ramsès souverain d'Héliopolis* ». L'inclusion du nom royal au sein du disque témoignait naturellement de l'identification du roi au dieu solaire, mais aussi de son intégration à la course cyclique, signifiée par la présence des douze petites déesses d'heure figurées sur le pourtour [143]. Indépendamment du surcroît de signification apporté par l'ajout du nom royal, cette représentation peut être identifiée comme appartenant à la composition du *Livre de la Terre* (Partie D, scène 2).

Initialement publiée par A. Piankoff sous le nom de la *Création du disque solaire*, puis rebaptisée *Livre de la Terre* (*Buch von der Erde*) par E. Hornung qui en a proposé une nouvelle traduction, cette composition est constituée par l'ensemble des scènes formant le décor de la salle du sarcophage de Ramsès VI (KV 9) [144]. Dans la mesure où cette dernière n'était pas entièrement achevée, on ignore si l'assemblage des scènes correspond ou non à la totalité du livre dont la structure n'apparaît pas clairement. Comme il n'existe pas de parallèle en dehors de la figuration de scènes isolées (ou la reproduction de certains motifs combinés à des éléments appartenant à d'autres livres dans les versions plus tardives), la question ne peut être tranchée [145]. Mais ce qu'il importe de retenir pour notre propos, c'est que le programme décoratif de la salle du sarcophage de Ramsès III comprenait des éléments que l'on retrouvera plus tard chez Ramsès VI, réordonnés au sein d'une composition plus vaste. Champollion avait bien reconnu cette situation, mais sans juger utile de reproduire ces tableaux qui, en dehors de la variante représentée par « l'apothéose du nom de Ramsès », auraient fait double emploi avec ceux qu'il avait déjà copiés chez Ramsès VI [146]. Aussi, est-ce à Hay que revient le mérite de nous en donner un aperçu, comme nous le verrons dans les folios suivants.

141 Nous avouons que sa désignation par Robert Hay comme « the Endwall of the G[rea]t Cham[ber] » nous laisse perplexe (fol. 112 r°, l. 27).

142 Voir J.-Fr. CHAMPOLLION, *Notices descriptives*, I, p. 420, 422-423.

143 Sur le nombre des déesses d'heure, voir *supra*, n. (p). Dans la version de Ramsès VI (voir *infra*, n. 144), le disque repose au creux d'une double paire de bras, alors que le dessin de Champollion le montre entouré par un serpent rappelant par sa forme le dessin de l'Ouroboros. À l'emplacement de cette scène, aujourd'hui détruite, subsistent des restes d'enduit dans la partie supérieure. On y reconnaît le petit disque portant l'inscription *ỉtn* (reproduit par Hay à l'extrémité gauche du folio 112 r°) ainsi que les textes rétrogrades qui l'encadrent (recopiés par Champollion). En revanche, on ne relève que très peu de traces sur la surface rocheuse.

144 Voir A. PIANKOFF, *La création du disque solaire*, *BiEtud* 19, Le Caire, 1953 ; E. HORNUNG, *Ägyptische Unterweltsbücher*, Zurich, Munich, 1984², p. 423-480. Bien qu'il repose sur une désignation commune des différentes parois de la salle du sarcophage de Ramsès VI, le découpage des scènes n'est pas le même chez les deux auteurs. Nous suivons ici le découpage adopté par E. Hornung et repris dans F. ABITZ, *Baugeschichte und Dekoration des Grabes Ramses'VI.*, *OBO* 89, Fribourg, Göttingen, 1989. Le principe est le suivant : les scènes sont identifiées en fonction de leur appartenance aux différentes parois (désignées par les lettres A, B, C et D depuis la publication de A. PIANKOFF, *op. cit.*, pl. A-D) ; à l'intérieur de chacune des parois, les différents motifs sont numérotés depuis la droite vers la gauche. La partie A comprend les scènes situées sur la paroi droite de la salle (voir *id.*, *The Tomb of Ramesses VI*, pl. 113) et la partie D celles figurant sur la paroi gauche (voir *ibid.*, pl. 130). Voir aussi F. ABITZ, *op. cit.*, p. 119-120, fig. 27-28.

145 Pour de nouvelles recherches sur la structure du *Livre de la Terre*, voir *id.*, *OBO* 146, p. 135-173 ; E. HORNUNG, *Altägyptische Jenseitsbücher. Ein einführender Überblick*, Darmstadt, 1997, p. 78-85.

146 Voir J.-Fr. CHAMPOLLION, *op. cit.*, p. 420 : « Tableaux semblables à ceux qui décorent la paroi gauche de la salle funéraire de Rhamsès V » et, plus loin, « 3 ou 4 tableaux analogues à ceux de la paroi droite de Rhamsès V » (rappelons que la désignation « Rhamsès V » vaut pour Ramsès VI). Pour sa copie du *Livre de la Terre* chez Ramsès VI, voir *ibid.*, II, p. 575-623.

Le décor de la paroi droite sous la voûte est rendu par l'illustration reproduite sur les folios 112 v° et 113 r°, que nous avons déjà eu l'occasion de décrire plus haut. On y reconnaît la superposition des motifs suivants :

– une variante du tableau final du *Livre des Cavernes* [fig. 3, dessin H] ;

– une représentation du *ba* solaire sous la forme d'un gigantesque bélier ailé [fig. 3-4, dessin I] ;

– la combinaison d'éléments appartenant à deux scènes du *Livre de la Terre* [fig. 4, dessin J], montrant la barque solaire reposant sur le double sphinx Aker (Partie A, scène 2, moitié supérieure) et quatre déesses, tournées en arrière, paraissant jongler avec une étoile (Partie A, scène 3).

L'ensemble formé par ces éléments est déjà attesté dans les tombes KV 8 et KV 14. Dans les deux cas, les scènes ont trouvé un emplacement similaire, sur le côté droit de la chambre funéraire. Alors que les représentations ne sont pas conservées dans leur partie inférieure chez Mérenptah [147], elles nous sont parvenues intactes chez Taousert, où elles figurent dans la première salle du sarcophage (J) [148].

Le cliché publié par M. Marciniak montre l'état actuel de la paroi dans la tombe de Ramsès III [149]. La décoration sur enduit est conservée sur une hauteur qui équivaut à peu près à celle du tableau final du *Livre des Cavernes*. La comparaison avec le dessin de Robert Hay fait ressortir une omission concernant la matérialisation des triangles qui encadrent normalement la composition. Bien qu'un tel oubli se justifie amplement dans le cadre d'une esquisse, il mérite d'être signalé, car il pourrait induire en erreur. En effet, on observe sur ce point une différence de traitement entre les trois sources. Alors que Taousert présente une version simplifiée, réduite à la reproduction d'une seule paire de triangles pointés vers le haut, Mérenptah se conforme au schéma du *Livre des Cavernes* qui montre une combinaison curieuse de deux paires de triangles figurés tête-bêche [150]. À s'en tenir au dessin de Robert Hay, on pourrait croire que l'image de Ramsès III se rapproche de celle de Taousert, alors que ce n'est en réalité pas le cas et qu'il faut au contraire souligner la parenté des deux versions de Mérenptah et Ramsès III. Enfin, on notera

147 Voir E. HORNUNG, « Zu den Schlußszenen der Unterweltsbücher », *MDAIK* 37, 1981, pl. 38b ; *id.*, *Tal der Könige*, fig. 46 ; H. SOUROUZIAN, *Les monuments du roi Merenptah*, *SDAIK* 22, Mayence, 1989, pl. 35.

148 Voir E. HORNUNG, *op. cit.*, fig. 45 ; K. WEEKS (éd.), *La Vallée des Rois*, p. 230. Voir aussi E. LEFÉBURE, *MMAF* III, 1, pl. 67 ; J.-Fr. CHAMPOLLION, *Monuments de l'Égypte et de la Nubie*, III, 1845, pl. CCLXVI (limité au tableau final du *Livre des Cavernes* et au bélier ailé), cf. E. HORNUNG, *MDAIK* 37, 1981, fig. 8.

149 Voir M. MARCINIAK, *EtudTrav* 12, 1983, p. 299, fig. 2.

150 Pour le schéma traditionnel du tableau final clôturant le *Livre des Cavernes*, voir E. HORNUNG, *Ägyptische Unterweltsbücher*, p. 404 (d'après la version de Ramsès VI) et *id.*, *Altägyptische Jenseitsbücher*, p. 149 (d'après la version de l'Osiréion). Les triangles sont en principe bicolores : noirs du côté de la pointe et bleus, avec un tracé de lignes d'eau, dans la partie évasée (*id.*, *Tal der Könige*, fig. 45-46 et 93). On voit en eux l'évocation de la nature ténébreuse et aquatique du monde souterrain d'où émerge le soleil (*id.*, *MDAIK* 37, 1981, p. 223-224). Un exemple de figuration semblable apparaît à la IVe heure du *Livre des Portes*, dans un contexte lié non plus à la naissance du soleil, mais à celle des heures, voir *id.*, *AegHelv* 8, p. 111-114. Chez Mérenptah, Taousert et Ramsès III, la variante du tableau final du *Livre des Cavernes* se caractérise notamment par l'ajout de personnages en adoration, alternant avec la représentation d'oiseaux *ba* et de signes de l'éventail *šwt*. De tels motifs apparaissent dans l'iconographie du *Livre de la Terre* (Partie B, scène 5), aussi n'est-il pas exclu de voir dans cette variante du tableau final du *Livre des Cavernes* une combinaison d'éléments appartenant à ces deux compositions.

l'existence de la petite niche relevée par Hay sur cette paroi. Il s'agit selon toute vraisemblance d'une cavité destinée à abriter des objets rituels tels que les briques magiques, dont la présence avait échappé aux archéologues jusqu'à une époque récente [151].

Le texte de la description qui se poursuit en marge du folio 113 r° se rapporte à la paroi du fond, côté doit (l. 1-29). Robert Hay y détaille l'iconographie des trois registres du *Livre des Portes* dont il nous offre par ailleurs une vue tout à fait exceptionnelle au folio 123 [fig. 9]. Cette coupe longitudinale de la salle du sarcophage nous livre en quelque sorte un « instantané du XIXe siècle » et constitue un document unique pour l'étude de la décoration. La paroi du fond y apparaît dans toute son étendue, entrecoupée seulement par la présence des piliers. Sur le côté droit, se détachent au premier plan les images des dieux Ptah-Sokar-Osiris et Rê-Horakhty qui ornent respectivement la face antérieure (a) des piliers G et H [152]. À l'arrière-plan, on reconnaît sans peine la silhouette caractéristique des figures appartenant au *Livre des Portes*, surmontées dans chacun des registres par les colonnes de texte dont Hay a suggéré l'existence par l'esquisse de traits verticaux.

La superposition des registres à laquelle nous sommes confrontés ici est inhabituelle dans la mesure où nous avons affaire à une combinaison d'éléments appartenant à deux divisions différentes du *Livre des Portes*. En effet, les registres supérieur et inférieur de la Xe heure encadrent le registre médian de la XIe heure, selon une disposition dont on connaît un parallèle exact sur la paroi d'entrée gauche de la première salle du sarcophage (J) de Taousert [153]. La description du folio 113 r° reflète parfaitement cet état de choses. Les lignes 1-10 énumèrent différents éléments caractéristiques du registre supérieur de la Xe heure : le sphinx – surmonté d'un personnage bicéphale à l'effigie d'Horus et de Seth – entouré de deux groupes symétriques de figures (61e scène), ainsi que les serpents – dotés de plusieurs têtes et de plusieurs paires de jambes – emblématiques des 62e-63e scènes [154]. Le passage suivant (l. 11-19) se rapporte au registre médian de la XIe heure. Sont ainsi mentionnés à la suite de la barque solaire (70e scène) : les porteurs d'étoile (71e/73e scènes) ; les divinités agenouillées sur leurs talons et coiffées d'un cobra (72e scène) ; la barque contenant le visage de Rê dans son disque, lui-même associé à la représentation d'un cobra (73e scène) ; le serpent ailé dressé sur sa queue (74e scène) ; un dieu suivi de plusieurs déesses en attitude d'adoration (76e-77e scènes) [155]. Enfin, les lignes 19-29 dépeignent l'iconographie du registre inférieur

151 L'existence de cette niche et de sa contrepartie sur la paroi gauche apparaît sur le plan du Theban Mapping Project, voir K. WEEKS (éd.), *Atlas of the Valley of the Kings*, pl. 26-27. En revanche, la présence de ces deux cavités n'est pas mentionnée dans E. THOMAS, « The Four Niches and Amuletic Figures in Theban Royal Tombs », *JARCE* 3, 1964, p. 71-78.

152 La décoration des piliers de la salle du sarcophage est connue grâce à Champollion (*Notices descriptives*, I, p. 421 ; *ibid.*, II, p. 749-751) et Lefébure, (*MMAF* III, 1, p. 110-112). PM I, 2, p. 525 fait référence au témoignage de Champollion, mais commet plusieurs erreurs (pilier B : remplacer « Thot » par « Osiris » ; pilier D : remplacer « Thot » par « Chépesi ») et inversions (le décor du pilier E correspond à celui du pilier F et *vice-versa*). Pour la reconstitution du schéma de décoration des piliers, voir F. ABITZ, *ÄgAbh* 40, p. 194. À propos du pilier H, on notera enfin que sa reproduction par Hay (à l'extrême droite du folio 123) conduit également à corriger Lefébure qui évoque, manifestement à tort, la présence d'un Horakhty « criocéphale », voir E. LEFÉBURE, *op. cit.*, p. 111.

153 Voir E. HORNUNG, *Tal der Könige*, fig. 44 ; K. WEEKS (éd.), *op. cit.*, p. 226, 229. L'observation de certaines traces, sur les parois de la KV 8, nous donne tout lieu de penser qu'une même combinaison était à l'œuvre dans la salle du sarcophage de Mérenptah (débutant à l'extrémité de la paroi du fond droite et se poursuivant sur le côté droit de part et d'autre de la voûte).

154 Pour notre compréhension des lignes 9-10, voir *supra*, n. (r). Les deux serpents figuraient bien sur la paroi comme le montre la représentation du folio 123, où le premier se trouve cependant presque entièrement caché par la présence du pilier H [fig. 9]. Pour la Xe heure du *Livre des Portes* (reg. sup.), voir E. HORNUNG, *AegHelv* 8, p. 226-233.

155 Pour la XIe heure du *Livre des Portes* (reg. méd.), voir *ibid.*, p. 251-259.

de la Xe heure. Celui-ci est en réalité constitué d'une scène unique dont on peut néanmoins décomposer les éléments comme suit : une série de divinités (à tête d'homme, d'ibis, de faucon et de bélier) portant une corde fixée aux jambes d'un serpent, un faucon reposant dans la boucle formée par le corps de deux cobras adossés, un autre serpent entravé par la corde que tiennent cinq personnages représentés le visage de face (68e scène).

Les vestiges d'enduit encore en place sur la paroi permettent de reconstituer quelques bribes du texte relatif au registre supérieur de la Xe heure [156]. L'examen de la paroi rocheuse a par ailleurs livré quelques observations intéressantes. Outre la trace des jambes appartenant au serpent de la 62e scène, au registre supérieur, et celle du cartouche royal – visible sur le folio 123 – qui est inséré parmi les figures du registre inférieur de la Xe heure, nous avons pu déceler les restes d'un visage aux traits effacés dans le champ du registre médian. Il s'agit de la face de Rê dans son disque qui apparaît à la XIe heure du *Livre des Portes* (73e scène). Ce motif, évoqué par Hay à la ligne 15 du folio 113 r°, ne figure pas sur le dessin du folio 123, en raison de la présence du pilier qui fait écran [157]. Sa représentation, au centre de la paroi, devait cependant être assez marquante, puisque ce visage est le seul élément dont Lefébure ait tenu compte dans sa revue rapide du décor de la paroi du fond [158].

La fin du folio 113 r° (l. 30-35) et le début du folio 113 v° sont consacrés au contenu de l'annexe X dont Robert Hay a tracé la coupe sur le folio 123, en signalant la présence de vingt-neuf colonnes de texte sur la paroi latérale gauche [159]. Ces inscriptions appartenaient à la composition du *Livre de la Vache du Ciel* dont la tombe de Séthi Ier offrait, à défaut du premier exemplaire connu, la première version pariétale dans le cadre d'une tombe royale [160]. C'est à nouveau le parallèle fourni par la KV 17 qui sert à Hay de point de référence. Malgré certaines obscurités de la description [161], on apprend que les versions de Séthi Ier et de Ramsès III présentaient de grandes similitudes, notamment en ce qui concerne le traitement de la vignette principale, montrant la déesse céleste sous la forme d'une vache au flanc de laquelle circulaient les astres. De fait, la comparaison des copies de ce motif, exécutées par Hay dans le tombeau de Séthi Ier et par Lefébure dans celui de Ramsès III, confirme bien cette impression [162]. Une différence résidait toutefois dans l'absence

156 Voir T. ANDRZEJEWSKI, *ASAE* 57, 1962, p. 6 ; E. HORNUNG, *AegHelv* 7, p. 331-343.

157 Sur le folio 123, on aperçoit seulement la forme circulaire du disque et la courbe de la barque dépassant sur la droite du pilier H [fig. 9].

158 Voir E. LEFÉBURE, *MMAF* III, 1, p. 110. Cela est d'ailleurs à l'origine de la perplexité qu'Andrzejewski exprime face au témoignage de Lefébure. N'ayant pour sa part relevé que les restes du texte appartenant au registre supérieur de la Xe heure, il ne s'explique pas la présence de cet élément appartenant à la XIe heure. Voir T. ANDRZEJEWSKI, *op. cit.*, p. 6, n. 1. Pour le témoignage de Champollion (qui détaille seulement l'iconographie du registre supérieur de la Xe heure), voir J.-Fr. CHAMPOLLION, *Notices descriptives*, I, p. 420.

159 Voir *infra*, fig. 9 : « 29 lines of Hieroglyphics ». L'annexe X étant disposée perpendiculairement à la salle du sarcophage, le panneau reproduit par Hay dans sa coupe correspond à la paroi située sur le côté gauche du point de vue du visiteur pénétrant dans la pièce. Voir *infra*, n. 162.

160 La première attestation de ce livre apparaît sur l'une des chapelles de Toutânkhamon. Voir à ce sujet C. MAYSTRE, « Le Livre de la Vache du Ciel dans les tombeaux de la Vallée des Rois », *BIFAO* 40, 1941, p. 53-115 ; E. HORNUNG, *Der ägyptische Mythos von der Himmelskuh. Eine Ätiologie des Unvollkommenen, OBO* 46, Fribourg, Göttingen, 1982.

161 Voir *supra*, n. (s) et n. (t).

162 Voir Add. MSS. 29820, fol. 97-98 (reproduit dans E. HORNUNG, *Tal der Könige*, fig. 149 ; *id.*, *OBO* 46, fig. 2) et E. LEFÉBURE, *op. cit.*, pl. 61. Dans les deux tombes, la représentation de la vache figurait sur la paroi du fond de l'annexe (chez Ramsès III, sa présence ne se devine plus qu'aux restes des cornes formant une sorte de croissant de couleur bleue). Lefébure a donné un relevé complet du décor de l'annexe X (*op. cit.*, pl. 59-63) qui confirme par ailleurs la présence de 29 colonnes de texte sur la paroi gauche, voir *supra*, n. 159. Sur la version de Ramsès III, voir également l'étude contemporaine d'É. NAVILLE, « L'inscription de la destruction des hommes dans le tombeau de Ramsès III », *TSBA* 8, 1885, p. 412-420, pl. 1-3.

d'une des deux autres vignettes appartenant à la composition [163]. Si la plus grande, montrant le roi figuré de part et d'autre d'un pilier central, était bien reproduite [164], il manquait en effet la plus petite. Cette dernière, reproduisant un couple de divinités soutenant le ciel, figurait en revanche chez Séthi Ier où des vandales modernes avaient tenté de l'arracher à la paroi [165].

C'est avec l'évocation de l'annexe X que Robert Hay achève sa description du côté droit de la salle du sarcophage. Pourtant, si l'on passe en revue l'ensemble du décor, on s'aperçoit qu'un élément manque à l'appel. En effet, il semble que la paroi droite après la voûte n'ait pas été prise en compte puisque, au dessin retraçant les représentations de la paroi sous la voûte (fol. 112 v° – 113 r°), succède immédiatement la description de la paroi du fond (fol. 113 r°, l. 1-29). C'est que ce pan de décoration, reproduit au bas du folio 113 v° [fig. 5, dessin L], a été associé par erreur au côté gauche de la chambre funéraire. Robert Hay éprouvait du reste un embarras visible à replacer ces éléments dans un contexte qui n'était pas le leur, avouant ne pas se souvenir de leur position exacte (folio 113 v°, l. 22). Par chance, nous possédons un dessin de Lefébure qui permet de se faire une idée exacte de la situation [166]. Sur cette illustration, clairement associée par son titre au côté droit de la paroi après la voûte, on reconnaît sans peine les motifs recopiés par Hay (dessin L). On retrouve en effet, dans la partie supérieure, la représentation d'un grand personnage momiforme, coiffé de la couronne d'Andjty, placée au centre de quatre disques reliés verticalement entre eux par le dessin d'une figure plus petite. Au-dessous sont représentés cinq personnages momiformes, diversement orientés, dont l'un présente une face de scarabée en guise de visage. Ces deux représentations superposées appartiennent au *Livre de la Terre* et correspondent respectivement aux scènes 4 et 5 de la partie A [167]. D'après le croquis de Lefébure, ces deux scènes sont situées sur le panneau qui jouxte l'ouverture de l'annexe X, cette dernière étant elle-même surmontée par l'image d'un groupe de dieux gardiens (M4) [168].

La description du côté gauche de la salle du sarcophage commence à la ligne 5 du folio 113 v°, avec l'évocation de la paroi d'entrée (l. 5-14). Celle-ci est consacrée à la reproduction de la XIIe heure du *Livre des Portes* dont Robert Hay recense méthodiquement les différents éléments en procédant registre par registre. Au niveau supérieur, il inventorie successivement les porteurs de disque et d'étoile (82e-83e scènes), les divinités à tête d'homme, de bélier et de faucon qui arborent un sceptre *ouas* (84e-86e scènes), les déesses assises sur les replis d'un serpent, précédées d'un personnage à tête de crocodile qui tient un sceptre *ouas* d'une main et un serpent de l'autre (87e scène). Au registre médian, il énumère, à la suite de la barque solaire (88e scène), les personnages porteurs du sceptre *héqa* faisant face au serpent Apophis maintenu enchaîné par des cordes fixées à des crochets (89e scène), les babouins brandissant un poing en signe d'acclamation (90e scène) et les

163 Pour la structure des différentes versions du *Livre de la Vache du ciel*, voir le schéma comparatif de C. MAYSTRE, *op. cit.*, p. 54-55.

164 Voir E. LEFÉBURE, *op. cit.*, pl. 63. Par sa structure symétrique, l'image de cette vignette pouvait effectivement évoquer celle d'une porte, voir fol. 113 r°, l. 33.

165 Voir E. HORNUNG, *The Tomb of Pharaoh Seti I*, pl. 158.

166 Voir E. LEFÉBURE, *op. cit.*, pl. 58 (bas) : « Paroi droite. Après la voûte ».

167 Voir E. HORNUNG, *Altägyptische Jenseitsbücher*, p. 434-436 ; F. ABITZ, *OBO* 89, p. 120, fig. 28. À la différence de Lefébure, Hay détaille le contenu des disques de la scène 4, reproduisant les figures qui sont, pour certaines, reproduites la tête en bas et dotées d'un aspect singulier. D'après les parallèles, il semblerait que les têtes identifiées par Hay comme étant celles de poisson ou de crocodile, correspondent en réalité à des têtes de musaraigne.

168 Voir W. WAITKUS, *GöttMisz* 99, 1987, p. 55-56, fig. 1.

trois figures, deux féminines et une masculine, qui clôturent la représentation (91e scène). Enfin, l'aperçu plus général qu'il donne du registre inférieur fait cependant ressortir la présence d'une série de dieux et de déesses, figurés tête nue ou coiffés des couronnes de Haute et de Basse Égypte (92e-98e scènes), précédant quatre figures (99e scène), elles-mêmes suivies d'un personnage à tête de chat – et non de chacal – tenant un sceptre *ouas* dans une main et un serpent dans l'autre (100e scène) [169].

Tout comme les précédents extraits du *Livre des Portes*, la XIIe heure ne fait pas sa première apparition sur les parois de la chambre funéraire de Ramsès III. Deux exemples plus anciens sont attestés chez Mérenptah et Taousert, figurant chacun à un emplacement similaire, c'est-à-dire sur la paroi d'entrée gauche de la salle du sarcophage [170]. De toutes les divisions du *Livre des Portes* présentes dans la salle sépulcrale de la KV 11, la XIIe heure est celle dont il subsiste le plus de vestiges. Hormis les restes d'inscriptions relevés au registre supérieur et médian, T. Andrzejewski avait déjà signalé la trace de quelques éléments iconographiques encore visibles, tout comme E. Hornung qui avait par ailleurs très largement complété les données du texte [171]. L'examen de la paroi nous a effectivement conduite à identifier, en plus des parcelles d'enduit encore en place, la présence de nombreuses traces de décor imprimées dans la roche dont les contours étaient d'autant plus aisés à discerner qu'ils étaient généralement soulignés par des restes de couleurs. On reconnaît ainsi, au registre supérieur, la silhouette de divers personnages figurés dans l'attitude de la marche, qui se détachaient à l'origine sur un fond jaune. Les uns correspondent aux porteurs de disque et d'étoiles (82e-83e scènes), les autres aux porteurs de sceptres *ouas* (84e scène). Plus loin, la roche a gardé l'empreinte de trois déesses en position assise, dont le siège est formé par les replis d'un serpent (87e scène). Au-dessous de la ligne de partage qui sépare les registres supérieur et médian, il est possible d'observer de nouvelles traces de signes se rapportant à la scène d'Apophis, tandis que l'on peut par ailleurs deviner le tracé des entraves qui maintenaient prisonnier au sol l'éternel ennemi de Rê (89e scène). Enfin, on distingue au registre inférieur les restes d'une couronne rouge qui, d'après son emplacement, devait coiffer l'un des personnages de la 94e scène.

Après la paroi d'entrée gauche, la description de Hay se poursuit avec l'évocation de l'annexe W (folio 113 v°, l. 15-17). À l'instar de l'annexe W2 dont elle constitue le pendant, cette pièce-satellite renfermait la représentation d'une vignette du *Livre des Morts* dont il existait une autre version dans l'une des petites niches du deuxième couloir. Tandis que le décor de l'annexe W2 reproduisait la vignette du chapitre 110 (attestée par ailleurs dans la niche K), celui de l'annexe W était

169 Pour la XIIe heure du *Livre des Portes*, voir E. HORNUNG, *AegHelv* 8, p. 266-288. Pour les babouins du registre médian, voir D. KURTH, « Zum Pfortenbuch, 12. Stunde, 90. Szene », *GöttMisz* 105, 1988, p. 49-54. Pour les témoignages de Champollion et Lefébure, voir J.-Fr. CHAMPOLLION, *Notices descriptives*, I, p. 419-420 ; E. LEFÉBURE, *MMAF* III, 1, p. 109.

170 La première version (KV 8) est aujourd'hui totalement détruite et ne se trouve pas mentionnée parmi les sources recensées pour la publication synoptique du *Livre des Portes* (voir E. HORNUNG, *op. cit.*, p. 14). Les traces bien reconnaissables des babouins de la 90e scène, subsistant sous la forme de contours incisés dans la roche, témoignent cependant de sa présence sur la paroi d'entrée gauche. La version de la KV 14 apparaît dans la seconde salle du sarcophage (L) où textes et figures sont seulement notés en dessin préparatoire, voir *ibid.*, p. 17 et p. 266.

171 Voir T. ANDRZEJEWSKI, *ASAE* 57, 1962, p. 3-4 ; E. HORNUNG, *op. cit.*, p. 266 et *id.*, *AegHelv* 7, p. 377-382 (reg. sup., version RIII2) ; p. 386-391 et p. 394 (reg. méd.) ; p. 396-398 (reg. inf.). Pour la version RIII1, voir *infra*, n. 198.

consacré au chapitre 148, également figuré dans la niche H [172]. L'iconographie traditionnelle est en principe caractérisée par la présence de quatre gouvernails, mis en relation avec les différents points cardinaux, et par la reproduction de sept vaches divines accompagnées de leur taureau. Les décorateurs de la niche H avaient pris quelques libertés avec ces chiffres : ayant divisé chacun des trois panneaux principaux en six compartiments, ils avaient porté à dix-huit le nombre total d'éléments et ainsi reproduits neuf vaches, deux taureaux et sept avirons de gouverne. Si l'on en croit les observations de Lefébure, il semblerait que le total des éléments ait été encore plus élevé dans la version de l'annexe W, puisque l'auteur y dénombre pour le moins onze vaches, six taureaux et sept « rames [173] ». Compte tenu de ces particularités, il n'est donc pas surprenant que Hay parle des taureaux au pluriel dans le bref passage qu'il consacre à la décoration de cette salle (l. 16) [174].

Les deux lignes suivantes (folio 113 v°, l. 17-18) ont trait au tableau qui figure au-dessus de l'ouverture de l'annexe W. L'ensemble formé par les deux babouins assis et le singe figuré debout correspond au groupe de dieux gardiens M2, selon la typologie élaborée par W. Waitkus [175]. Contrairement à certaines versions qui montrent le singe tenant un arc à la main, il semble que cet animal ait été dépourvu de tout attribut dans la représentation de la salle du sarcophage de Ramsès III. C'est du moins ce qui ressort des témoignages croisés de Hay et Lefébure qui ne mentionnent ni l'un ni l'autre la présence d'un tel objet [176]. Cela serait d'ailleurs conforme à l'aspect que revêt ce groupe de génies-gardiens sur le sarcophage de Mérenptah, où le singe figurant à côté des deux babouins est représenté les mains vides [177]. À l'image des groupes M3 et M4 précédemment rencontrés sur le côté droit de la chambre funéraire, le groupe M2 était reproduit à l'intérieur d'un édicule en forme de chapelle.

L'espace compris entre l'ouverture de l'annexe W (surmontée par la figuration des dieux gardiens M2) et la paroi cintrée située au-dessous de la voûte correspond à ce que nous désignons ici comme la paroi gauche avant la voûte. Ce panneau était orné d'une représentation que Robert Hay décrit dans les dernières lignes du folio 113 v° (l. 18-21). Son identification s'avère déterminante pour l'établissement du programme décoratif de la salle du sarcophage de Ramsès III, car les seules informations relatives à cette paroi dont nous disposions jusqu'ici semblaient irréductiblement contradictoires [178]. Or les indications fournies par Robert Hay permettent non seulement de se

172 Pour l'annexe W2, voir *supra*. Pour le décor des niches H et K du deuxième couloir (E), voir PM I, 2, p. 520-521 ; Fl. MAURIC-BARBERIO, *Égypte. Afrique et Orient* 34, 2004, p. 19-20. Notons que les niches H et K (situées respectivement à gauche et à droite du couloir E) présentent une même disposition symétrique de part et d'autre du corridor que les annexes W et W2 qui s'ouvrent respectivement sur les côtés gauche et droit de la chambre funéraire, à l'angle des parois d'entrée et des parois latérales.

173 Voir E. LEFÉBURE, *op. cit.*, p. 112. D'après sa description, il semblerait que les trois panneaux principaux aient cette fois été divisés en huit compartiments (dont deux abîmés sur la paroi gauche), auxquels seraient venus s'ajouter deux autres compartiments sur la paroi d'entrée gauche. Le nombre total d'éléments aurait été de vingt-six, dont vingt-quatre semblent avoir été encore visibles à l'époque de Lefébure.

174 Il n'en va pas de même de Champollion. À propos du décor de l'annexe W, celui-ci parle seulement des « 7 vaches » et du « taureau noir », comme s'il rétablissait de lui-même le chiffre canonique de la vignette traditionnelle. Voir J.-Fr. CHAMPOLLION, *Notices descriptives*, I, p. 421.

175 Voir W. WAITKUS, *GöttMisz* 99, 1987, p. 53-55, fig. 1.

176 Voir E. LEFÉBURE, *op. cit.*, p. 109.

177 Voir P. MONTET, *La nécropole royale de Tanis*, II, pl. LXXXVI. Pour une autre représentation de singe brandissant un arc, voir *infra*, fol. 114 v° (dessin P).

178 Il s'agit des données fournies respectivement par E. LEFÉBURE, *op. cit.*, p. 109 et T. ANDRZEJEWSKI, *op. cit.*, p. 4-5. Prenant manifestement acte de leur incompatibilité, E. Hornung n'a pas retenu ces témoignages et, dans le doute, s'est abstenu de tout commentaire sur l'aspect initial de ce pan de décoration.

faire une idée précise de la décoration, mais également de concilier les témoignages de Lefébure et d'Andrzejewski, par le parallèle qu'elles suggèrent avec la tombe de Mérenptah. De plus, nous avons eu la satisfaction de constater que les données de Robert Hay trouvaient une confirmation définitive dans l'observation des traces subsistant *in situ*.

Examinons donc le contenu des lignes 18-21, illustrées par le dessin K [fig. 5, fol. 113 v°]. Ce dernier offre une image de la barque solaire, caractérisée par la présence d'un disque enveloppé dans les replis d'un serpent protecteur, qui inclut en son centre la figuration d'un scarabée. Il s'agit d'un aspect particulier de la barque solaire qui est spécifique à la Ire heure du *Livre des Portes* (2e scène) [179]. La suite de la description affermit ce diagnostic en évoquant la présence des deux personnages agenouillés face à un poteau criocéphale (3e scène), ainsi que l'image de la montagne (associée à celle d'un groupe de divinités sans attribut) qui correspond à la figuration de l'horizon occidental habité par les dieux du désert (4e scène) [180]. De ce point de vue, le témoignage de Robert Hay corrobore entièrement celui de Lefébure qui évoquait « le début du Livre de l'Enfer, où se trouve l'entrée du disque entouré d'un serpent (...) dans la montagne qui communique avec l'enfer [181] ». L'identification de la Ire heure se voit encore confirmée par l'analogie établie avec la tombe n° 1. Selon le système de numérotation mis en place par Wilkinson, celle-ci correspondait à la tombe de Ramsès VII (KV 1) qui ne contient précisément du *Livre des Portes* que les deux premières heures reproduites sur le côté gauche du premier couloir [182].

La manière dont Hay semble suggérer – par l'emploi de l'expression « about as » – que le parallèle n'est toutefois pas rigoureusement identique constitue pour nous une indication supplémentaire. Si la version de Ramsès VII adopte pour la Ire division du *Livre des Portes* la structure symétrique qui consiste dans la reproduction en miroir des deux moitiés de l'horizon occidental formant respectivement les 1re et 4e scènes, il existe en effet d'autres versions qui s'écartent de ce schéma, en limitant la figuration de la Ire heure à la seule représentation des 2e, 3e et 4e scènes. Or il s'agit précisément des exemplaires connus par les sarcophages de Mérenptah et de Ramsès III, auxquels s'ajoute la version très abîmée de la tombe de Mérenptah située sur la paroi gauche avant la voûte [183]. Dès lors, nous avons tout lieu de penser que la version de la Ire heure du *Livre des Portes*, figurant à un emplacement analogue chez Ramsès III, avait été construite sur le même modèle. En outre, la comparaison établie entre les deux versions pariétales des tombes KV 8 et

179 Il semble que l'on puisse reconnaître l'esquisse de cette barque sur la vue générale de la salle du sarcophage reproduite au folio 29 (Add. MSS. 29818), cf. *infra*, fig. 10. Le détail y apparaît sur le panneau correspondant à la paroi gauche avant la voûte, figurant entre la reproduction du pilier A et celle de la paroi gauche sous la voûte (paroi cintrée).

180 Pour la Ire heure du *Livre des Portes*, voir E. HORNUNG, *AegHelv* 8, p. 29-44. Les divinités de la 4e scène sont en principe au nombre de douze, mais il peut arriver que leur nombre soit réduit, comme dans la version de la tombe de Ramsès VII où l'on n'en compte que dix, voir *infra*, n. 182. Le chiffre de « onze », avancé par Hay à la ligne 21 du fol. 113 v°, ne doit donc pas surprendre.

181 E. LEFÉBURE, *op. cit.*, p. 109. C'est sans doute sur la base de ce témoignage que la présence initiale d'une version de la Ire heure dans la KV 11 avait été évoquée par C. MAYSTRE, A. PIANKOFF, *Le Livre des Portes*, I, *texte*, *MIFAO* 74, 1, Le Caire, 1939, p. 1, n. 1. Les auteurs en signalaient l'entière destruction.

182 Pour la Ire heure du *Livre des Portes* dans la KV 1, voir E. HORNUNG, *Theben* 11, pl. 101.

183 Pour ces versions de la Ire heure, voir *id.*, *AegHelv* 8, p. 30. Pour les sarcophages de Mérenptah, voir C. MAYSTRE, A. PIANKOFF, *op. cit.*, p. 3 ; E.C. BROCK, dans N.C. Reeves (éd.), *After Tutankhamun*, p. 125, 126 et p. 130 (*abbreviated form of the opening vignette/gateway of the* Book of Gates). Pour le sarcophage de Ramsès III (intérieur de la cuve), voir E. DE ROUGÉ, *Notice des monuments exposés dans la galerie d'antiquités égyptiennes, salle du rez-de-chaussée et palier de l'escalier sud-est au Musée du Louvre*, Paris, 1877^6^, p. 175. Sur le sarcophage de Ramsès III, voir aussi *infra*, n. 194-195.

KV 11 nous livre la clé du problème soulevé par Andrzejewski. Celui-ci avait en effet relevé, dans la partie supérieure du panneau, des vestiges d'inscription qu'il ne lui semblait « pas possible d'apparenter (...) au tableau initial qui, d'après Lefébure, se trouvait à cet endroit [184] ». Or il se trouve que ces restes de signes peuvent être mis en relation avec le texte qui surmonte la représentation de la barque de la Ire heure dans la tombe de Mérenptah et qui a été identifié par E. Hornung comme appartenant au registre médian de la IXe heure du *Livre des Portes* [185]. Il en résulte une nouvelle similitude entre les tombes KV 8 et KV 11 dont les programmes décoratifs s'avèrent décidément très voisins.

Les observations auxquelles nous avons pu nous livrer *in situ* nous ont apporté une preuve tangible de la présence de la Ire heure du *Livre des Portes* dans la salle du sarcophage de Ramsès III. La surface rocheuse conserve en effet la trace d'un profil appartenant à une figure dotée d'une perruque et d'une barbe postiche. Celle-ci est tournée vers la gauche et offre la caractéristique d'être reproduite avec une épaule en avant. Or cette attitude correspond précisément à la posture des deux personnages en adoration qui se tiennent agenouillés devant le poteau criocéphale (fol. 113 v°, l. 20), l'orientation de la figure la désignant comme celle de droite. L'existence de ce motif qui se rapporte indiscutablement à l'iconographie de la Ire heure nous semble de nature à accréditer définitivement la véracité des témoignages de R. Hay et E. Lefébure. Quant au choix de reproduction de cet élément initial du *Livre des Portes*, il doit s'apprécier en fonction de son contexte. De ce point de vue, il est nécessaire de rappeler que la représentation de la Ire heure, sur la paroi gauche avant la voûte, faisait immédiatement suite à la figuration de la XIIe heure sur la paroi d'entrée [186]. Une telle juxtaposition nous semble trop remarquable pour être fortuite : reproduire côte à côte l'*alpha* et l'*omega* de la composition ne devait pas seulement permettre d'évoquer la totalité du livre, mais bien plus encore illustrer la continuité ininterrompue du cycle solaire auquel le roi défunt, placé au centre de la salle, était invité à participer pour l'éternité.

Reprenons le cours de la description de Robert Hay. Après l'évocation de la Ire heure du *Livre des Portes*, le texte fait place à une série de dessins qui occupent respectivement la fin du folio 113 v° (dessin L) et la totalité du folio 114 r° [fig. 6, dessins M-O]. Comme nous l'avons signalé plus haut, la mise en relation du dessin L avec le côté gauche de la salle est erronée, puisque les deux tableaux dont il est composé se rapportent en réalité au décor de la paroi droite avant la voûte (voir *supra*). En revanche, les illustrations du folio 114 r° se réfèrent bien à la décoration du côté gauche de la chambre sépulcrale et se répartissent en trois groupes correspondant respectivement au décor de la paroi sous la voûte (dessin M), à celui de la paroi gauche après la voûte (dessin N) et au panneau surmontant l'ouverture de l'annexe W1 (dessin O) [187].

184 T. ANDRZEJEWSKI, *ASAE* 57, 1962, p. 5. Rappelons que dans l'ancienne numérotation du *Livre des Portes*, le « tableau initial » équivaut à la Ire heure, voir *supra*, n. 134.

185 Voir E. HORNUNG, *AegHelv* 7, p. 309-311 (M) ; *id.*, *AegHelv* 8, p. 14 et p. 208. Le signe 𓋇 reproduit par Andrzejewski (*op. cit.*, p. 4) au commencement des deux premières colonnes correspond à l'idéogramme *sṯꜣ* qui apparaît effectivement à deux reprises au commencement du texte du registre médian de la IXe heure : *sṯꜣ nṯr pn ʿꜣ ỉn nṯrw dꜣtyw (...) sṯꜣ=sn rʿ*.

186 Pour la XIIe heure du *Livre des Portes*, voir *supra*, n. 169. La XIIe heure s'achevait sur la reproduction de la 12e porte. On notera qu'à la différence de Champollion, Hay omet régulièrement d'évoquer les portes associées à la reproduction des différentes heures du *Livre*.

187 Pour la description de ces scènes, voir *supra*.

Le décor de la paroi située au-dessous de la voûte s'organisait en trois registres superposés. Dans le cintre figurait la reproduction d'une momie couchée, entourée d'une série d'étoiles et de disques disposés en demi-cercle, le tout encadré par une double paire de personnages osiriens. Ce motif peut être identifié comme appartenant au *Livre de la Terre* (Partie A, scène 2, moitié inférieure). Il en va de même des deux autres scènes figurant aux registres inférieur et médian, montrant l'image de la barque solaire associée à plusieurs divinités criocéphales et celle du personnage ithyphallique – qui engendre les heures – placée au centre d'un trapèze dont la forme est soulignée par les sinuosités d'un serpent (Partie A, scène 7). Tout comme la combinaison d'éléments figurant au-dessous de la voûte sur le côté droit (voir *supra*, dessins H-J), l'ensemble formé par les scènes reproduites en face, sur le côté gauche (dessin M), apparaissait déjà à l'identique chez Mérenptah et Taousert (salle J) [188].

Outre le recours aux parallèles et le relevé des vestiges *in situ* [189], nous disposons d'un atout majeur pour la connaissance de l'aspect initial de la décoration dans cette partie de la salle du sarcophage. Il s'agit en l'occurrence de l'extraordinaire vue qui est reproduite au folio 29 du manuscrit Add. MSS. 29818 [fig. 10]. Exécuté au moyen de la chambre claire, et rehaussé de couleurs, ce document nous offre une perspective de la chambre funéraire prise depuis le côté droit de la fosse centrale en direction de son extrémité gauche : on y reconnaît sans peine le décor de la paroi cintrée, tel qu'il apparaît sur le dessin M, précédé par la reproduction des piliers sur lesquels repose la voûte. Ceux-ci étaient décorés de scènes divines disposées de telle sorte que le couple formé par le roi et la divinité se trouvait dissocié, chacun des protagonistes étant reproduit sur une face différente. On identifie ainsi au premier plan les dieux Chou et Ptah-Sokar-Osiris (qui ornaient respectivement les faces d et a du pilier G), et l'on distingue, sur l'autre rangée située du côté de l'entrée, les silhouettes adossées d'Osiris et d'Horus (pilier C, faces c/d), ainsi que celles du roi faisant offrande à Osiris (pilier B, faces c/d) et à Atoum (pilier A, faces c/d) [190].

La mise en couleur du folio fait bien ressortir le fond jaune de la salle du sarcophage sur lequel se détachaient les différents éléments de la décoration. Notons que les parties aquarellées sur le dessin correspondent uniquement aux piliers et aux parois situées sur le côté gauche de la salle (c.-à-d. la paroi cintrée, flanquée de ses deux petits côtés). Le plafond voûté, de même que les banquettes constituant le pourtour de la fosse, sont restés quant à eux à l'état d'esquisse. Est-ce à dire qu'ils n'étaient pas décorés ? Le traitement de ces éléments par Robert Hay semble en tout cas rejoindre les observations consignées par Eugène Lefébure qui spécifiait, à propos de la voûte, qu'elle « ne parai[ssai]t pas avoir été peinte » et précisait, au sujet du « soubassement sur lequel s'appuient les piliers », qu'on n'y voyait « pas de trace de peinture, si ce n'est à la corniche [191] ». Cela

188 Pour la version – abîmée – de Mérenptah, voir E. HORNUNG, *Tal der Könige*, fig. 94. Pour celle – intacte – de Taousert, voir E. LEFÉBURE, *MMAF* III, 1, pl. 67 ; E. HORNUNG, *op. cit.*, fig. 48 ; K. WEEKS (éd.), *La Vallée des Rois*, p. 230-231 (vue générale à comparer à celle fournie par Add. MSS. 29818, fol. 29 ; cf. *infra*, fig. 10).

189 L'enduit s'étant bien conservé dans la partie supérieure de la paroi, le motif de la momie couchée figuré dans la lunette (*Livre de la Terre* A, 2, moitié inf.) est encore visible aujourd'hui : on peut en deviner l'emplacement sur la vue de la salle du sarcophage reproduite dans K. WEEKS (éd.), *op. cit.*, p. 239.

190 Pour les piliers de la salle du sarcophage, voir *supra*, n. 152.

191 E. LEFÉBURE, *op. cit.*, p. 112. Notons que Champollion ne traite pas du plafond de la KV 11 dans ses *Notices*.

semblerait donc indiquer que le décor de la salle du sarcophage de Ramsès III différait sur ce point de celui de la tombe de Taousert (salle J) où les banquettes servent de support à la reproduction d'une frise d'objets, tandis qu'une représentation astronomique s'y déploie sur la voûte [192].

Suite à l'effondrement de la voûte chez Ramsès III, nous ne sommes plus en mesure de vérifier les propos de Lefébure concernant l'aspect apparemment anépigraphe du plafond. Comme son témoignage s'est avéré jusqu'à présent fiable, nous serions plutôt tentée d'y souscrire ici, non sans mentionner toutefois un détail relevé sur le folio 29 du manuscrit Add. MSS. 29818 de R. Hay [fig. 10]. On observe en effet, au centre de la voûte, la présence d'un tracé rectiligne. S'il ne s'agit pas d'une simple ligne de construction du dessin moderne, on peut se demander s'il ne faudrait pas y reconnaître la ligne de partage séparant les deux moitiés du plafond astronomique. En supposant, avec Lefébure, que la voûte n'ait pas été peinte, il ne serait cependant pas exclu qu'elle ait reçu l'amorce d'un tracé préparatoire indiquant à tout le moins les grands axes [193]. Quoi qu'il en soit, le folio 29 nous renseigne plus généralement sur l'état de conservation de la salle du sarcophage qui avait déjà subi quelques dommages à l'époque de Robert Hay. On constate ainsi que certaines portions de la voûte s'étaient détachées et gisaient sur le sol sous la forme de fragments éparpillés, tandis que deux piliers (A/C) avaient déjà été entamés, le pilier C semblant avoir été victime d'une découpe peu naturelle. On signalera enfin l'absence notable du sarcophage, enlevé quelques années auparavant par Belzoni [194]. Placé autrefois au centre de la fosse, il présentait une orientation particulière, n'étant plus disposé de manière perpendiculaire comme chez Mérenptah et Taousert, mais s'alignant désormais sur l'axe de la tombe [195].

192 Voir K. WEEKS (éd.), *op. cit.*, p. 230-231. Depuis son apparition dans les tombes royales chez Séthi Ier (Annexe N), l'élément architectural de la banquette a généralement été associé à la reproduction de frises d'objets. Voir E. HORNUNG, *The Tomb of Pharaoh Seti I*, pl. 180-186 ; Chr. LEBLANC, *Memnonia* 7, 1996, p. 196, pl. LVII B. La salle du sarcophage de Mérenptah était également dotée d'une banquette faisant le tour de la fosse, mais en raison de son mauvais état de conservation, il est impossible de déterminer aujourd'hui si l'ensemble avait été ou non décoré à l'origine. En revanche, les restes d'un plafond astronomique sont bien attestés dans la KV 8 (vestiges notamment visibles sur le cliché de K. WEEKS (éd.), *op. cit.*, p. 220). Voir aussi note suivante.

193 L'intention de doter la salle du sarcophage de Ramsès III d'un plafond astronomique peut non seulement être déduite de l'existence de parallèles dans les tombes de Mérenptah et Taousret, mais également de la présence de deux versions de ce type de décor dans le temple de Médinet Habou, voir O. NEUGEBAUER, R.A. PARKER, *Egyptian Astronomical Texts*, III, *Decans, Planets, Constellations and Zodiacs*, *Brown Egyptological Studies* 6, Londres, 1969, p. 22-24, 26-28 ; pl. 8-11.

194 Voir en dernier lieu, P. WILSON, « Rameses III, Giovanni Belzoni and the Mysterious Reverend Browne », dans P. Starkey, N. el-Kholy (éd.), *Egypt through the Eyes of Travellers*, Durham, 2002, p. 45-56. Rappelons que la cuve se trouve aujourd'hui au musée du Louvre (enregistrée sous le numéro d'inventaire D1), tandis que le couvercle est conservé au Fitzwilliam Museum de Cambridge (E. 1.1823). Voir E. DE ROUGÉ, *Notice des monuments*, p. 173-176 ; C. BOREUX, *Musée national du Louvre, département des antiquités égyptiennes, guide – catalogue – sommaire*, I, Paris, 1932, p. 109-110, pl. X. Comparé à la décoration des sarcophages attestée à partir du règne de Ramsès IV, le décor du sarcophage de Ramsès III – empruntant notamment au *Livre de l'Amdouat* et au *Livre des Portes* – a été jugée archaïque par certains auteurs qui voient en lui un monument initialement réalisé pour l'un de ses prédécesseurs, Séthi II ou Amenmès. Voir A. DODSON, « Was the Sarcophagus of Ramesses III begun for Sethos II ? », *JEA* 72, 1986, p. 196-198 ; B. MOJSOV, « A Royal Sarcophagus Reattributed », *BES* 11, 1991/92, p. 47-55. Nous sommes personnellement beaucoup plus réservée sur ce point, et pensons que le caractère « anachronique » du décor pourrait davantage s'expliquer par l'influence du modèle de Mérenptah qui nous semble également à la source du programme décoratif de la chambre sépulcrale. À cet égard, il convient de rappeler le phénomène très intéressant de répétition de la Ire heure du *Livre des Portes*, apparaissant sur la paroi gauche avant la voûte et sur les différents sarcophages dans la KV 8 et la KV 11. Voir *supra*, n. 183.

195 L'orientation du sarcophage nous est connue par le plan de la KV 11 dressé par les savants de Bonaparte, voir *Description de l'Égypte*, *Atlas*, II, pl. 78 [en bas]. Sur le réalignement des sarcophages royaux à la XXe dynastie, voir R.H. WILKINSON, « Symbolic Location and Alignment in New Kingdom Royal Tombs and their Decoration », *JARCE* 31, 1994, p. 83 et p. 86.

Revenons à présent au contenu du folio 114 r°. À la suite du dessin M se rapportant au décor de la paroi cintrée, nous trouvons le dessin N qui reproduit les scènes figurant sur la paroi gauche après la voûte. Il s'agit de deux tableaux superposés montrant, pour le premier, trois personnages momiformes enveloppés dans les replis d'un serpent et, pour le second, la représentation d'une déesse qui élève dans ses mains deux symboles solaires (le *ba* criocéphale et le disque). Cette divinité – qui est par ailleurs accompagnée d'un crocodile et encadrée par la figuration de deux serpents androcéphales accomplissant un geste d'adoration au moyen des bras dont ils étaient dotés – peut être mise en relation avec l'iconographie du *Livre de la Terre* (Partie D, scène 3) [196], contrairement aux personnages du premier tableau dont nous ne sommes pas parvenue à identifier l'origine. La représentation de ces deux scènes dans les feuillets de Robert Hay trouve un parallèle exact dans les *Notices* de Lefébure [197]. Si elle pèche par la qualité du dessin, cette seconde source offre l'avantage de nous donner la copie des textes d'accompagnement. Or ceux-ci s'avèrent en réalité correspondre à des extraits appartenant à la XIIe heure du *Livre des Portes*, sans que nous puissions actuellement nous expliquer la signification de telles citations hors contexte [198]. L'autre mérite du croquis de Lefébure consiste dans le fait qu'il illustre l'emplacement du dessin O, reproduit par Hay à l'extrémité du folio 114 r°, en nous livrant un schéma de disposition des éléments à proximité de l'annexe W1. La représentation du groupe formé par le vautour, l'hippopotame et le personnage vu de face y apparaît bien sur le panneau situé au-dessus de l'ouverture de cette petite chambre, conformément aux indications de Robert Hay. Il s'agit d'une nouvelle figuration de dieux gardiens (groupe M1) occupant, comme les précédentes, un des angles de la chambre funéraire [199].

Le cours du texte reprend, au folio 114 v°, avec l'évocation du décor de l'annexe W1 (l. 1-2). Comme dans le cas des annexes W et W2 ornées de motifs ayant un équivalent dans les niches du deuxième couloir (E), l'annexe W1 présente une décoration constituée d'éléments attestes par ailleurs dans la niche J. Celle-ci est caractérisée par la reproduction de douze Osiris assis, coiffés en alternance de deux types de couronne qui empruntent chacune à la couronne *atef*. Dans son témoignage extrêmement concis, Robert Hay parvient à saisir les traits essentiels de la décoration dont Eugène Lefébure donne, quant à lui, une description plus détaillée [200]. D'après le décompte qu'il fait des figures, il semblerait qu'une variante se soit introduite dans la version du décor reproduit dans l'annexe W1, où seuls dix Osiris sont recensés (contre douze dans la niche J). Venant apparemment en compensation des figures manquantes, Lefébure signale la présence de deux figurations de « chacal sur l'enseigne », ainsi que la double reproduction du motif du lotus servant de support à la reproduction des quatre fils d'Horus.

196 Voir E. HORNUNG, *Ägyptische Unterweltsbücher*, p. 464. Notons que la paroi rocheuse conserve la trace de cette déesse : on peut encore reconnaître l'emplacement de sa perruque soulignée de bleu, la forme de son bras droit fléchi et la silhouette du serpent dressé qui se détache en noir sur le même côté.

197 Voir E. LEFÉBURE, *MMAF* III, 1, pl. 58 (haut).

198 L'appartenance de ces textes à la XIIe heure avait déjà été reconnue par *ibid.*, p. 109. Le contenu de ces inscriptions a été pris en compte dans l'édition synoptique du *Livre des Portes* et reproduit dans E. HORNUNG, *AegHelv* 7, p. 377-379 (82e scène), p. 379-380 (83e scène), p. 386-387 (88e scène). Il s'agit de la version RIII1. Pour la version RIII2, correspondant au texte de la XIIe heure reproduite sur la paroi d'entrée gauche, voir *supra*, n. 171.

199 Voir W. WAITKUS, *GöttMisz* 99, 1987, p. 52-53, fig. 1. Pour le parallèle du sarcophage de Mérenptah, voir P. MONTET, *La nécropole royale de Tanis*, II, pl. LXXXIV.

200 Voir E. LEFÉBURE, *op. cit.*, p. 113. Cf. J.-Fr. CHAMPOLLION, *Notices descriptives*, I, p. 421.

La suite du texte (fol. 114 v°, l. 3-12) fait référence au décor de la paroi du fond, côté gauche, avec lequel s'achève la description de la salle du sarcophage. L'ensemble du panneau était consacré à la reproduction de la IIIe heure du *Livre des Portes*, dont le folio 123 nous livre un remarquable aperçu [fig. 9]. La description de Robert Hay procède registre par registre et établit des analogies avec deux autres versions de cette même division du *Livre* figurant dans les tombes de Séthi Ier (KV 17) et Ramsès IV (KV 2) [201]. L'auteur évoque ainsi les deux groupes de figures apparaissant au registre supérieur : les momies se régénérant au contact de la lumière solaire entrant par les battants ouverts de leurs chapelles (9e scène) et les personnages emmaillotés dont les bustes émergent du lac où croissent les épis d'orge dont ils se nourrissent (10e scène). Au registre médian, il dépeint en quelques mots le motif curieux de la « barque de la terre » : il s'agit d'un objet oblong, reposant sur les épaules de personnages momiformes, dont les extrémités sont ornées d'une tête de taureau happant d'un côté le câble de l'embarcation solaire et le régurgitant de l'autre (11e scène). À cet ensemble font face quatre figures engoncées dans leurs bandelettes dont l'aspect coloré différait de celui de leurs homologues reproduits tout en blanc chez Séthi Ier (12e scène). Vient enfin la description du registre inférieur se composant de deux scènes : la première est centrée sur la représentation du serpent Apophis, lové dans ses nombreux replis, précédée de la figure d'Atoum s'appuyant sur un bâton et suivie de neuf personnages sans attribut (13e scène) ; la seconde est caractérisée par la figuration de neuf divinités arborant le sceptre *ouas*, elles-mêmes placées sous les ordres d'un chef prenant appui sur un bâton de commandement (14e scène) [202].

Contrairement aux précédentes divisions du *Livre des Portes* reproduites dans la chambre sépulcrale de Ramsès III, la IIIe heure ne connaît pas de parallèle dans les salles du sarcophage des tombes de Mérenptah et Taousert. Grâce à la très belle reproduction du folio 123 [fig. 9], nous avons été en mesure d'identifier les vestiges de cette décoration subsistant sur la paroi du fond, côté gauche. Outre les fragments d'enduit, conservés dans la partie supérieure, qui restituent les onze premières colonnes du texte de la 9e scène [203], nous avons retrouvé la trace de plusieurs éléments iconographiques ayant laissé leur empreinte sur la paroi rocheuse. Ainsi peut-on notamment reconnaître, dans le champ du registre supérieur, l'épais contour soulignant de noir la forme des deux dernières chapelles dont les portes s'ouvrent sur le profil d'une momie peinte en rouge ; elles voisinent avec l'extrémité arrondie du lac de feu (également en rouge) d'où surgissent deux bustes acéphales (10e scène). Mais les traces les plus significatives, relevées au registre inférieur, concernent la représentation d'Apophis dont on peut suivre le tracé sinueux du corps depuis la pointe de la queue jusqu'à la tête reproduite au ras du sol. L'épithète du serpent (*ʿꜣpp*) et celle de son pourfendeur Atoum (*[ỉ]tm*) sont conservées, de même que quelques bribes d'inscriptions appartenant aux colonnes de texte qui les surmontent.

201 Voir E. HORNUNG, *The Tomb of Pharaoh Seti I*, pl. 139-142 ; *id.*, *Theben* 11, pl. 62-63.

202 Pour la IIIe heure du *Livre des Portes*, voir *id.*, *AegHelv* 8, p. 75-98. Le besoin qu'éprouve Hay de faire référence à la représentation d'Apophis dans la KV 2 (fol. 114 r°, l. 10), au lieu de poursuivre son analogie avec la version de la IIIe heure dans la KV 17, s'explique sans doute par le fait que l'image du serpent présente des replis beaucoup plus nombreux chez Ramsès IV que chez Séthi Ier. Pour les témoignages de Champollion et Lefébure, voir J.-Fr. CHAMPOLLION, *op. cit.*, p. 420 ; E. LEFÉBURE, *op. cit.*, p. 110.

203 Voir T. ANDRZEJEWSKI, *ASAE* 57, 1962, p. 5. Cf. E. HORNUNG, *AegHelv* 7, p. 50-52 où le texte de la version de Ramsès III a été apparemment omis.

3.4. *Les salles Y-Y1 et Z*

La fin du texte de Robert Hay se rapporte au décor des salles Y, Y1 et Z situées à l'arrière de la salle du sarcophage. Creusées dans le prolongement de l'axe de la tombe, ces trois salles en enfilade constituent en réalité deux unités architecturales (Y-Y1 et Z) qui forment la contrepartie des salles T et U précédant la chambre sépulcrale. Comme nous avons déjà eu l'occasion de le mentionner plus haut, ces pièces avaient été dotées d'un programme décoratif conçu de telle sorte que les salles T et Z, d'une part, et U et Y-Y1, d'autre part, se répondaient deux à deux de part et d'autre de la salle du sarcophage. Tandis que les premières renfermaient la figuration de divinités préposées à la veille d'Osiris, les secondes contenaient des représentations de génies-gardiens à l'aspect souvent étrange [204]. La description qu'en donne R. Hay se décompose en trois parties consacrées respectivement aux salles Y (fol. 114 v°, l. 13-22), Y1 (*ibid.*, l. 23-31) et Z (*ibid.*, l. 32-34).

La revue des différents éléments débute avec l'évocation d'une figure apotropaïque reproduite sur le côté droit du passage conduisant à la salle Y (l. 13-15). Il s'agit de la représentation d'un singe tenant un arc dans ses mains, dont l'illustration apparaît en marge des lignes 13-20 [fig. 7, dessin P]. Cette image concorde parfaitement avec le dessin du même motif exécuté par Champollion [205]. L'intérêt de croiser les données fournies par les différents auteurs s'affirme tout particulièrement ici, car leurs témoignages se complètent mutuellement. Ainsi, c'est grâce aux indications de Champollion que nous pouvons situer avec précision l'emplacement des personnages décrits par Hay. La majorité des figures reproduites dans les salles Y-Y1 présentait une attitude doublement caractéristique : serrant dans leurs poings des serpents ou des lézards (selon une particularité commune aux figures de la salle U), elles affectaient d'être assises tout en étant dépourvues de siège. On a généralement vu, dans cette curieuse position, une allusion au processus de régénération, en l'interprétant soit comme l'expression d'une phase intermédiaire de redressement, soit comme une référence au hiéroglyphe de l'enfance [206]. De fait, il s'avère qu'un certain nombre de figures, reproduites dans cette attitude, sont représentées nues. C'est le cas des personnages évoqués aux lignes 15-19, qui apparaissaient sur la paroi droite de la salle Y et auxquels Hay avait consacré un dessin spécifique [207]. Sur la paroi gauche figuraient trois autres personnages « assis dans le vide », les deux premiers à tête humaine et le dernier à tête de bélier [fig. 7, dessin Q] [208].

Toujours à gauche, mais dans la salle suivante (Y1), étaient reproduits quatre personnages dans la même attitude, qui différaient néanmoins par leur visage : le premier avait une tête d'homme, les deux suivants – tenant pour l'un des serpents [fig. 7, dessin R], pour l'autre un couteau – montraient

204 Voir *supra*, salles T et U. Rappelons que l'identification de ce programme décoratif est due à l'étude de W. Waitkus. Pour l'examen des salles Y-Y1, voir W. WAITKUS, *GöttMisz* 99, 1987, p. 61-64 ; pour la salle Z, voir *ibid.*, p. 71. Notons que toutes ces divinités étaient figurées dans des chapelles : collectives pour les génies-gardiens et individuelles pour les préposés à la veille d'Osiris.

205 Voir J.-Fr. CHAMPOLLION, *op. cit.*, p. 421, qui précisait en outre que le pelage de l'animal était vert, contrastant avec un postérieur rouge.

206 Voir W. WAITKUS, *op. cit.*, p. 72, n. 110.

207 Add. MSS. 29820, fol. 106, voir *supra*, n. (bb). À côté de ces deux figures assises dans le vide, était reproduit un autre petit personnage, également nu, que Champollion (*op. cit.*, p. 421) dépeint ainsi : « un petit homme vert, corps de face, tête de profil, pieds en raccourci ». Voir aussi E. LEFÉBURE, *op. cit.*, p. 114.

208 Lefébure évoque par erreur la présence de « trois androcéphales » précédant « un criocéphale » (*loc. cit.*). Ce chiffre de « trois » est contredit par Hay et Champollion qui parlent seulement de deux hommes à cet endroit. Voir J.-Fr. CHAMPOLLION, *loc. cit.*

une tête de chacal, tandis que le dernier arborait une tête de crocodile [209]. Le décor de la paroi droite était composé de plusieurs éléments dont, une fois n'est pas coutume, Hay ne retrace pas très clairement l'ordonnance. D'après le témoignage de Champollion et Lefébure, plus explicites sur ce point, on sait que deux nouveaux personnages assis dans le vide ornaient l'extrémité de la paroi. L'un tenait un serpent [210], alors que l'autre était apparemment figuré les poings fermés à proximité d'un objet non identifié que Champollion qualifie dubitativement de « panier d'œufs [211] ». L'ensemble était précédé de la figure dont Hay a reproduit le visage au dessin S [fig. 7]. Ses traits rappellent sans équivoque la face grimaçante de Bès, désigné sous le nom de « Typhon » par Hay et Champollion. Son corps nu, aux chairs teintées d'un bleu-vert, était également reproduit de face, mais curieusement doté d'une poitrine féminine [212]. Le parallèle fourni par le sarcophage de Mérenptah permet d'identifier une représentation particulière du génie *ʿnḫ-m-fnṯ(w)* « Celui qui se nourrit de vers », que l'on retrouve notamment, aux côtés de son collègue « Mange-pourriture », dans le cadre du chapitre 144 du *Livre des Morts* [213].

Dans la dernière salle (Z), les parois étaient creusées de niches à l'intérieur desquelles étaient figurées différentes divinités : enfermées séparément dans des chapelles de type *pr-nw* et placées chacune devant un autel chargé d'offrandes, elles arboraient comme insigne le sceptre *ouas*. Toutes ces particularités avaient suggéré à Hay une comparaison pertinente avec le décor des niches apparaissant à l'arrière de la salle du sarcophage dans la tombe de Ramsès IV (KV 2), où les divinités présentaient toutefois un visage différent (fol. 114 v°, l. 33-34). On se souvient que ces dernières constituaient la réplique des divinités reproduites chez Ramsès III dans la salle T, l'ensemble étant déjà connu par la version du sarcophage de Mérenptah (intérieur de la cuve, cortège de droite) [214]. Grâce aux indications livrées par Champollion et Lefébure [215], il nous est possible d'identifier les divinités représentées dans la salle Z. Les épithètes conservées correspondent en effet à celles des personnages composant le cortège divin reproduit sur le côté intérieur gauche

209 Voir aussi *ibid.*, p. 424 et E. LEFÉBURE, *op. cit.*, p. 114-115. À propos du premier personnage à tête humaine, non mentionné par Hay, on signalera une légère discordance entre les témoignages de Champollion et Lefébure. Le premier rapporte en effet que l'homme tenait des serpents, tandis que le second en parle en disant qu'il tenait « un lézard d'une main et un serpent de l'autre » (voir *ibid.*, p. 114).

210 Là encore, les témoignages de Champollion et Lefébure diffèrent, le premier parlant d'un seul serpent (J.-Fr. CHAMPOLLION, *loc. cit.*), et le second en en évoquant deux (E. LEFÉBURE, *op. cit.*, p. 115). L'indication de R. Hay à propos d'une figure « with a Serpent in one hand the other hand Shut » (fol. 114 v°, l. 30-31) permet de trancher en faveur de Champollion. Ce que Hay laisse entendre de l'orientation de ce personnage en écrivant qu'il faisait face à l'autre figure assise (*ibid.*, l. 28-29) n'est en revanche pas confirmé par les autres sources.

211 J.-Fr. CHAMPOLLION, *loc. cit.* Cet objet, dessiné par Champollion et Lefébure (voir E. LEFÉBURE, *loc. cit*), n'est pas mentionné par Robert Hay. Ce curieux motif qui, d'après les croquis des deux premiers auteurs, affectait une forme rectangulaire surmontée d'éléments ovoïdes apparaît également sur le sarcophage de Mérenptah, voir P. MONTET, *La nécropole royale de Tanis*, II, pl. LXXXIV ; W. WAITKUS, *GöttMisz* 99, 1987, p. 64, n. 78. Pour Champollion, cet objet était « tenu » par le personnage « assis en l'air » ; pour Lefébure, il était simplement reproduit devant lui. Cette seconde interprétation recouperait davantage le témoignage de Hay qui, sans parler de l'objet, évoque la présence d'une figure assise aux mains fermées (fol. 114 v°, l. 28-29).

212 La nudité du corps est mentionnée par Hay (l. 26) et Lefébure (*op. cit.*, p. 115) ; la couleur est bleue selon Hay (l. 25) et verte selon Champollion (*op. cit.*, p. 424) et Lefébure (*loc. cit.*). La représentation du corps de face (également mentionnée par Lefébure) inspire à Hay la comparaison avec l'autre petite figure nue, reproduite dans la salle Y (voir *supra*, n. 207). L'aspect féminin de la figure est souligné par Champollion et Lefébure.

213 Voir P. MONTET, *op. cit.*, pl. LXXXIV ; L. PANTALACCI, *BIFAO* 83, 1983, p. 299, n. 3 ; Ch. LEITZ (éd.), *LÄGG* 2, *OLA* 111, Louvain, 2002, p. 142-143. Dans sa documentation, Leitz ne recense qu'un seul cas de figuration de *ʿnḫ-m-fnṯ(w)* doté d'une poitrine féminine : il s'agit précisément de la représentation du sarcophage de Psousennès (= Mérenptah), dont la version de Ramsès III fournirait donc un nouvel exemple. Pour « Mange-pourriture » (dessin E), voir *supra*, n. 128.

214 Voir *supra*, n. 112 et n. 115.

215 Voir J.-Fr. CHAMPOLLION, *op. cit.*, p. 424 ; E. LEFÉBURE, *op. cit.*, p. 115-116.

de la cuve de Mérenptah, l'aspect des figures étant par ailleurs globalement concordant [216]. Les niches de la salle Z étaient donc consacrées au second groupe de préposés à la veille d'Osiris, qui faisait pendant au premier figuré dans la salle T [217].

La suite du texte de Robert Hay (fol. 114 vº, l. 34 – fol. 115 rº, l. 1-7) qui s'achève avec la reproduction de diverses inscriptions à caractère cryptographique (textes 3-8) se rapporte à la Scène du Jugement d'Osiris qui clôturait la décoration de la tombe de Ramsès III. Reproduite à l'extrémité de la salle Z, cette scène extraite du *Livre des Portes* n'était connue jusqu'à présent que par la copie de Lefébure, dont le dessin hachuré reflétait déjà l'état dégradé de la paroi [218]. Les notes de Robert Hay nous apprennent que ces dommages étaient anciens et que la situation n'était guère meilleure à son époque. En effet, les restes de figures que Hay parvient à détailler correspondent en tout point aux éléments iconographiques retracés par Lefébure. On trouvait ainsi, sur la gauche, les vestiges de la représentation d'Osiris – ceint de la double couronne [fig. 8, dessin T] et armé de la crosse associée à la croix *ânkh* – surmontés des quatre têtes d'antilope reproduites la tête en bas [219]. À droite se détachait l'image bien connue du porc dans la barque, chassé par deux singes armés de bâton, à laquelle faisait face la figure isolée d'Anubis [220]. Venaient enfin, dans la partie inférieure, les restes de six personnages alignés dont Hay spécifie qu'ils étaient tous reproduits au niveau du sol (fol. 115 rº, l. 7). Cette précision n'est pas anodine, si l'on considère que ces figures (en principe au nombre de neuf) apparaissent dans les autres versions sur les degrés de l'escalier conduisant à l'estrade d'Osiris. Le fait que tous ces personnages aient été représentés sur le même plan dans la tombe de Ramsès III constitue donc une variante notable dont le dessin de Lefébure fait également état.

216 Voir P. MONTET, *op. cit.*, pl. XC et pl. XCII. On constate cependant quelques variantes dans l'iconographie et l'ordre de succession des figures. Ainsi, l'androcéphale *kkw* ne présente pas, sur le sarcophage de Mérenptah, l'attribut des cornes de bélier dessinées, chez Ramsès III, par Champollion et Lefébure. De même, l'ophiocéphale *ḥȝbs* de la version de Ramsès III apparaît sous les traits d'un homme à tête d'ibis dans la version de Mérenptah.

217 On peut s'étonner de ce que Hay – qui avait reconnu la parenté du décor dans les salle U et Y-Y1 et établi le parallèle entre les divinités figurées chez Ramsès III (salle Z) et Ramsès IV (salle F) – n'ait pas fait le rapprochement entre le décor des salles T et Z. Il est possible que ce soit la différence d'échelle entre les représentations, reproduites d'un côté sur toute la hauteur de la paroi (salle T) et de l'autre à l'intérieur de petites niches (salle Z), qui ait faussé la comparaison. Malgré les difficultés que pose son identification exacte, il convient de signaler l'existence d'un dessin d'Alessandro Ricci qui pourrait se rapporter au décor de ces salles, voir M.A. GUIDOTTI, dans E. Bresciani (éd.), *La Piramide e la Torre*, p. 157 ; P. USICK, *GöttMisz* 162, 1998, p. 87, nº 109. Celui-ci montre en effet la représentation d'une divinité au visage vu de face, qui tient un sceptre *ouas* et une croix *ânkh*, et se trouve reproduite à l'intérieur d'une chapelle où figure un autel garni d'offrandes. Si le motif de l'autel est bien caractéristique de l'iconographie de la salle Z, la divinité au visage représenté de face ne se rencontre en principe que dans le groupe de préposés à la veille d'Osiris figuré dans la salle T (voir *supra*, fol. 111 vº, l. 26). Dès lors, on peut se demander si le dessinateur n'a pas combiné ici des éléments provenant de deux salles différentes. Pour un autre dessin de Ricci réalisé dans la KV 11, voir *supra*, n. 126.

218 Voir E. LEFÉBURE, *op. cit.*, p. 116, pl. 64. Notons que cette Scène du Jugement (aujourd'hui totalement détruite) a été curieusement omise par Champollion.

219 Pour la Scène du Jugement d'Osiris (= 33e scène du *Livre des Portes*), voir E. HORNUNG, *AegHelv* 8, p. 143-152.

220 Dans la figure du porc semblent s'incarner les forces contraires à la Maât qui, révélées à l'occasion du Jugement, doivent recevoir leur châtiment. C'est à ce seul motif que se limitait la reproduction de la Scène du Jugement dans la tombe de Ramsès VII (KV 1) à laquelle Hay semble faire référence (fol. 115 rº, l. 1), voir E. HORNUNG, *Theben* 11, pl. 112-113, 128 et *supra*, n. (ff). La seule autre version pariétale connue dans la Vallée des Rois à l'époque de Robert Hay correspondait à l'exemplaire de la tombe de Ramsès VI (KV 9), reproduit notamment dans la *Description de l'Égypte, Atlas*, II, pl. 83 [1] et dans J.-Fr. CHAMPOLLION, *Monuments de l'Égypte et de la Nubie,* III, pl. CCLXXII. Deux nouveaux exemplaires sont apparus depuis, chez Horemheb (KV 57) et Ramsès II (KV 7), voir E. HORNUNG, *AegHelv* 8, p. 10 et p. 13 ; Chr. LEBLANC, « Cinquième campagne de fouille dans la tombe de Ramsès II [KV.7] - 1997-1998 », *Memnonia* 9, 1998, p. 87, pl. IX.

Si la confrontation des deux sources ne fait pas ressortir d'éléments nouveaux en ce qui concerne l'iconographie, il en va autrement des textes. La copie des inscriptions faite par Robert Hay apporte en effet quelques signes supplémentaires par rapport au relevé de Lefébure, sur lequel s'était fondé jusqu'à présent l'établissement du texte de la Scène du Jugement pour la version de Ramsès III [221]. Ces nouveaux signes – qui apparaissent essentiellement dans les textes 3, 4 et 8 – sont à peu près conformes à ceux que l'on rencontre dans les autres versions [222]. On constate également que les copies de Hay et Lefébure restituent un texte assez semblable, même si l'on peut relever çà et là quelques divergences [223]. D'une manière générale, il n'est pas facile d'évaluer la portée exacte de ces « variantes », dans la mesure où nous n'avons plus les moyens de distinguer entre ce qui pourrait réellement correspondre à une graphie particulière de l'original et ce qui doit plus probablement résulter d'une erreur de copie [224]. À ces problèmes s'ajoutent encore les difficultés d'interprétation propres au texte cryptographique, dont ni la lecture ni l'attribution des légendes aux différents protagonistes ne sont entièrement assurées. Dans ces conditions, il nous paraît préférable de ne pas entrer ici dans le détail des inscriptions et de nous contenter d'en proposer les équivalences suivantes, d'après la publication synoptique du *Livre des Portes*.

	Hornung, *AegHelv* 7, 1979	**Hornung, *AegHelv* 8, 1980**
Texte 3 (colonne gauche)	p. 196	p. 149 légende du singe dans la barque
Texte 3 (colonne droite)	p. 196 légende du porc	p. 147-148 légende réattribuée à Anubis
Texte 6	p. 196 légende du porc	p. 149 légende réattribuée au singe dans la barque (début)
Textes 4-5	p. 196	p. 149 légende du singe dans la barque (suite)
Texte 7	p. 197-198	p. 149 légende des *akhou* figurés devant Osiris
Texte 8	p. 198	p. 150 texte inscrit au-dessus du porteur de la balance

221 Voir E. HORNUNG, *AegHelv* 7, p. 192-199 ; *id.*, *AegHelv* 8, p. 19.

222 Parmi les « variantes », on signalera dans le texte n° 4 la présence du signe [hiéroglyphe] au lieu du signe [hiéroglyphe] apparaissant dans les autres versions. Voir *id.*, *AegHelv* 7, p. 196.

223 Parmi les différences, on remarquera l'orientation divergente des signes [hiéroglyphe], tournés vers la gauche dans la copie de Robert Hay (textes 3 et 5) et vers la droite dans celle de Lefébure (*op. cit.*, pl. 64). On observe par ailleurs des dissemblances dans le dessin des hiéroglyphes représentant des oiseaux, ainsi que plusieurs disparités dans le texte n° 7, où Hay semble notamment avoir confondu les signes [hiéroglyphe] et [hiéroglyphe] (E. HORNUNG, *op. cit.*, p. 197).

224 Nous avons vu plus haut, avec le texte n° 1, que le rendu de Robert Hay revêtait un caractère plutôt approximatif. En effet, si sa familiarité avec le dessin égyptien était grande, sa connaissance des hiéroglyphes restait assez sommaire. Voir *supra*, n. 101.

4. Conclusion

Il ressort de l'examen des manuscrits de Robert Hay que leur consultation est indispensable pour qui veut se faire une idée exacte du décor de la tombe de Ramsès III dans sa partie inférieure. Sans parler du caractère exceptionnel ou même inédit de certaines informations, on relève en effet dans ces documents quantité de renseignements permettant de compléter les données fournies par les *Notices* de Champollion et Lefébure. Bien souvent, c'est la combinaison des trois sources qui s'avère seule susceptible de faire toute la lumière sur un point précis de la décoration. Il convient donc d'insister sur la complémentarité de nos sources, mais également sur leur concordance. Hormis quelques rares cas de divergence portant sur des points de détail, nous n'avons jamais constaté de contradiction flagrante entre les auteurs. À cet égard, il importe de réhabiliter le témoignage trop souvent négligé d'Eugène Lefébure, dont la validité nous a été régulièrement confirmée par le contenu des manuscrits de Robert Hay.

Concernant le décor de la tombe de Ramsès III dans sa partie basse, aujourd'hui ruinée, il est désormais possible d'en reconstituer la totalité du programme grâce au croisement des données livrées respectivement par chacun des auteurs. Selon les hasards de la conservation, il arrive que leurs propos soient en outre corroborés par la présence de vestiges *in situ* : restes d'enduit subsistant dans le haut des parois ou traces d'incision encore visibles sur la surface rocheuse. Ainsi établi sur ces bases nouvelles, l'inventaire des différents éléments nous a conduite à identifier trois types de composantes décoratives :

– les premières appartiennent au répertoire traditionnel, en vigueur depuis les règnes de Séthi Ier ou Ramsès II, et comprennent notamment le *Rituel d'ouverture de la Bouche* dans le quatrième couloir, le chapitre 125 du *Livre des Morts* et les scènes divines dans l'antichambre, ainsi que le *Livre de la vache du ciel* et la vignette du chapitre 110 du *Livre des Morts* dans les annexes de la chambre sépulcrale ;

– les deuxièmes sont concentrées dans la salle du sarcophage et s'inspirent très largement du programme élaboré pour Mérenptah, ultérieurement repris par Taousert. Y figurent plusieurs heures du *Livre des Portes* (montrant notamment la juxtaposition remarquable du début et de la fin de la composition), le tableau final du *Livre des Cavernes* et l'image du bélier ailé, auxquels s'ajoute un certain nombre de scènes appartenant au *Livre de la Terre* ;

– les troisièmes composantes constituent une nouveauté dans la décoration pariétale des tombes royales : elles correspondent à la figuration des divinités préposées à la veille d'Osiris dans les salles T et Z, ainsi qu'à la reproduction des dieux gardiens dans les salles U et Y-Y1, sans oublier les génies M1-M6 qui sont non seulement représentés à l'entrée mais également aux angles de la chambre funéraire.

Sachant que les éléments décoratifs appartenant à cette dernière catégorie figuraient déjà sur l'un des sarcophages de Mérenptah (usurpé par Psousennès), il nous semble légitime d'en conclure que la conception du décor réalisé dans la tombe de Ramsès III reposait en grande partie sur un modèle préalablement élaboré pour Mérenptah. De ce point de vue, il n'est pas exclu que de nouvelles recherches menées dans la KV 8 conduisent un jour à révéler d'autres analogies avec la KV 11.

Hay, *Add. MSS.* 29820, fol.	Identification de la salle	Identification de la décoration
111 v°, l. 1-3	salle à piliers Q côté gauche	*Livre des Portes*, V^e^ heure (scène 30)
111 v°, l. 3-7	salle à piliers Q côté droit	*Livre des Portes*, VIe heure : scènes 40, 37-38, 34-35 et 41 (= **dessin A**)
111 v° l. 8-10	annexe R parois gauche et droite	*Livre des Portes*, VIIe heure : scènes 47 (= **dessin B**) et 46 (= **dessin C**)
111 v°, l. 10-13	annexe R paroi du fond	*Livre des Portes*, VIIe heure (scènes 42 et 45)
111 v°, l. 14-16	annexe R paroi d'entrée droite	Scène divine montrant le roi figuré entre Thot et Horus Khenty-Khéty (= **dessin D**)
111 v°, l. 16-17	annexe R paroi d'entrée gauche	Scène divine montrant le roi face à Osiris
111 v°, l. 18-19	embrasure du passage conduisant à l'annexe R	Représentation des déesses Neith et Selkis
111 v°, l. 20-21	rampe	Représentation de Nekhbet et Ouadjet sous forme de serpents ailés faisant face à la figuration d'Anubis ; *Litanies de l'œil d'Horus* (*cf.* **texte 1**)
111 v°, l. 22-24	couloir S	*Rituel d'ouverture de la bouche*
111 v°, l. 24-27	salle T côté gauche	Divinités préposées à la veille d'Osiris
111 v°, l. 27-29	salle T côté droit	Divinités préposées à la veille d'Osiris
111 v°, l. 30 ; 112 r°, l. 1-2 ; 3-4	salle U paroi d'entrée gauche	Dieu gardien (nommé *imst* = **texte 2**) accompagné d'un petit personnage
112 r°, l. 2-3 ; 4-6	salle U paroi latérale gauche	Texte et vignette du chapitre 125 du *Livre des Morts*
112 r°, l. 6-7	salle U paroi du fond gauche	Dieux gardiens (= **dessin E**)
112 r°, l. 8-13	salle U paroi latérale droite	Scènes divines
112 r°, l. 13-15	salle U paroi du fond droite	Dieux gardiens
112 r°, l. 15-21	salle du sarcophage V paroi d'entrée droite	*Livre des Portes*, IXe heure (scènes 56, 58, 60, 57 et 59)
112 r°, l. 21-26	annexe W2	Vignette du chapitre 110 du *Livre des Morts*
112 r°, l. 26-27	salle du sarcophage V au-dessus annexe W2	Groupe de dieux gardiens M3 (= **dessin F**)
112 r°, l. 27-28	salle du sarcophage V paroi droite avant voûte	Scène du *Livre de la Terre* (D, 2 = **dessin G**) servant à « l'apothéose du nom de Ramsès »
112 r°, l. 29-31 ; 112 v° ; 113 r°	salle du sarcophage V paroi droite sous voûte	Tableau final du *Livre des Cavernes* (= **dessin H**) ; représentation du bélier ailé (= **dessin I**) ; scènes du *Livre de la Terre* (A, 2 sup. et A, 3 = **dessin J**).
113 r°, l. 1-29	salle du sarcophage V paroi du fond droite	*Livre des Portes*, X^e^ et XIe heures (scènes 61, 62-63, 70, 71-73, 74, 76-77 et 68)
113 r°, l. 30-35 ; 113 v°, l. 1-4	annexe X	*Livre de la Vache du ciel*
113 v°, l. 5-14	salle du sarcophage V paroi d'entrée gauche	*Livre des Portes*, XIIe heure (scènes 82-83, 84-86, 87, 88, 89, 90, 91, 92-98 et 99-100)
113 v°, l. 15-17	annexe W	Vignette du chapitre 148 du *Livre des Morts*
113 v°, l. 17-18	salle du sarcophage V au-dessus annexe W	Groupe de dieux gardiens (M2)

Tableau 1. Identification de la décoration dans la partie inférieure de la tombe Ramsès III d'après les notes de Robert Hay.

Hay, *Add. MSS.* 29820, fol.	Identification de la salle	Identification de la décoration
113 v°, l. 18-21	salle du sarcophage V paroi gauche avant voûte	*Livre des Portes*, Ire heure : scènes 2 (= **dessin K**), 3 et 4
113 v°, l. 22	salle du sarcophage V paroi droite (*et non gauche*) après voûte	Scènes appartenant au *Livre de la Terre* (A, 4 et 5 = **dessin L**)
114 r°	salle du sarcophage V paroi gauche sous voûte	Scènes appartenant au *Livre de la Terre* (A, 2 inf. et A, 7 = **dessin M**)
114 r°	salle du sarcophage V paroi gauche après voûte (près de l'annexe W1)	Deux scènes dont une appartenant au *Livre de la Terre* (D, 3) = **dessin N**
114 r°	salle du sarcophage V au-dessus annexe W1	Groupe de dieux gardiens M1 (= **dessin O**)
114 v°, l. 1-2	annexe W1	Représentation des Osiris
114 v°, l. 3-12	salle du sarcophage V paroi du fond gauche	*Livre des Portes*, IIIe heure (scènes 9, 10, 11, 12, 13 et 14)
114 v°, l. 13-15	embrasure droite du passage conduisant à la salle Y	Dieu gardien (= **dessin P**)
114 v°, l. 15-19	salle Y (côté droit)	Dieux gardiens
114 v°, l. 19-22	salle Y (côté gauche)	Dieux gardiens (cf. **dessin Q**).
114 v°, l. 23-24	salle Y1 (côté droit)	Dieux gardiens (cf. **dessin R**)
114 v°, l. 24-31	salle Y1 (côté gauche)	Dieux gardiens (cf. **dessin S**)
114 v°, l. 32-34	salle Z niches latérales	Divinités préposées à la veille d'Osiris
114 v°, l. 34 ; 115 r°, l. 1-7	salle Z paroi du fond	*Livre des Portes*, scène 33 (Jugement d'Osiris) cf. **dessin T** et **textes 3-8**.

Tableau 1. (Suite).

Hay, ***Add. MSS.* 29820, fol.**	**Champollion,** ***Notices*, I-II, 1844-1871**	**Lefébure,** ***MMAF* III, 1, 1889**
111 v°, l. 1-3	I, p. 413, l. 14-18 (cf. *Monuments* III, pl. CCLIV, 2 et pl. CCLVII, 2)	p. 102, l. 18-20
111 v°, l. 3-7 ; dessin A	I, p. 413, l. 14-15	p. 102, l. 21-24 ; p. 103, l. 1-7
111 v°, l. 8-13 (dessins B-C)	I, p. 415, l. 15-19 ; 23-24 ; p. 416, l. 1	p. 104, l. 12-20
111 v°, l. 14-16 ; dessin D	I, p. 416, l. 2-5	p. 104, l. 21-22
111 v°, l. 16-17	I, p. 415, l. 12-14	p. 104, l. 10-11
111 v°, l. 18-19	I, p. 416, l. 1 6-10	p. 104, l. 6-9
111 v°, l. 20-21	I, p. 416, l. 11-15	p. 105, l. 1-11
111 v°, l. 22-24 ; texte 1	I, p. 416, l. 24-25 ; p. 417, l. 1-2	p. 105, l. 19 ; p. 118-120
111 v°, l. 24-29	I, p. 417, l. 10-20	p. 106, l. 4-23
111 v°, l. 30 ; 112 r°, l. 1-2 ; 3-4 ; texte 2	I, p. 418, l. 4-7	p. 107, l. 14-16
112 r°, l. 2-3 ; 4-6	I, p. 418, l. 8-16	p. 107, l. 18-19 (dessin) ; p. 108, l. 1-3
112 r°, l. 6-7 ; dessin E ; *ibid.*, fol. 107	I, p. 418, l. 16-18 (dessin)	p. 108, l. 8-9
112 r°, l. 8-13	I, p. 419, l. 2-10	p. 108, l. 5-6
112 r°, l. 13-15 (parallèle, cf. *ibid.*, fol. 106)	I, p. 419, l. 11-13 ; II, p. 748 (dessin)	p. 108, l. 9-12
112 r°, l. 15-21	I, p. 419, l. 23-25	p. 109, l. 19-20
112 r°, l. 21-26	I, p. 421, l. 7-8	p. 113, l. 13-16
112 r°, l. 26-27 ; dessin F		p. 109, l. 21-24
112 r°, l. 27-28 ; dessin G	I, p. 420, l. 24-25 ; p. 422-423 (dessin)	p. 110, l. 1-3 et texte hiéroglyphique
112 r°, l. 29-31 ; 112 v° (dessins H-I) ; 113 r° (suite dessin I, dessin J)	I, p. 420, l. 20-23 (parallèle chez Taousert, cf. *Monuments* III, pl. CCLXVI)	p. 110, l. 4-6 (parallèle chez Taousert, cf. *ibid.*, pl. 67, côté droit)
113 r°, l. 1-29 ; *ibid.*, fol. 123 (côté droit)	I, p. 420, l. 15-19 (dessin A)	p. 110, l. 15-17
113 r°, l. 30-35 ; 113 v°, l. 1-4	I, p. 421, l. 8-9	p. 113, l. 17-21 ; pl. 59-63
113 v°, l. 5-14	I, p. 420, l. 1-4	p. 109, l. 2-4
113 v°, l. 15-17	I, p. 421, l. 6-7	p. 112, l. 8-22
113 v°, l. 17-18		p. 109, l. 5-9
113 v°, l. 18-21 ; dessin K		p. 109, l. 9-11
113 v°, l. 22 ; dessin L	I, p. 420, l. 23-24	p. 110, l. 7 ; pl. 58 (bas)
114 r° (dessin M) ; cf. *Add. MSS.* 29818, fol. 28-30	I, p. 420, l. 6-9	p. 109, l. 12-13 (parallèle chez Taousert, cf. *ibid.*, pl. 67, côté gauche)
114 r° (dessins N-O)		p. 109, l. 14-19 ; pl. 58 (haut)
114 v°, l. 1-2	I, p. 421, l. 9-10	p. 113, l. l-12
114 v°, l. 3-12 ; *ibid.*, fol. 123 (côté gauche)	I, p. 420, l. 10-13	p. 110, l. l 2-14
114 v°, l. 13-15 ; dessin P	I, p. 421, l. 13-14 (dessin A)	p. 114, l. 3
114 v°, l. 15-19 ; *ibid.*, pl. 106	I, p. 421, l. 15-19	p. 114, l. 8-12
114 v°, l. 19-22 ; dessin Q	I, p. 421, l. 20-22	p. 114, l. 4-7
114 v°, l. 23-24 ; dessin R	I, p. 424, l. 5-7	p. 114, l. 20-21 ; p. 115, l. 1-2
114 v°, l. 24-31 ; dessin S	I, p. 424, l. 1-4	p. 115, l. 3-7 (dessin)
114 v°, l. 32-34	I, p. 424, l. 11-19 (dessins A-B)	p. 115, l. 11-24 ; p. 116, l. 1-8
114 v°, l. 34 ; 115 r°, l. 1-7 ; dessin T ; textes 3-8		p. 116, l. 10 ; pl. 64

Tableau 2. Table de concordance entre les trois sources évoquant le décor de la partie inférieure de la tombe de Ramsès III (la notation des lignes dans les *Notices* de Champollion et Lefébure est donnée à titre indicatif).

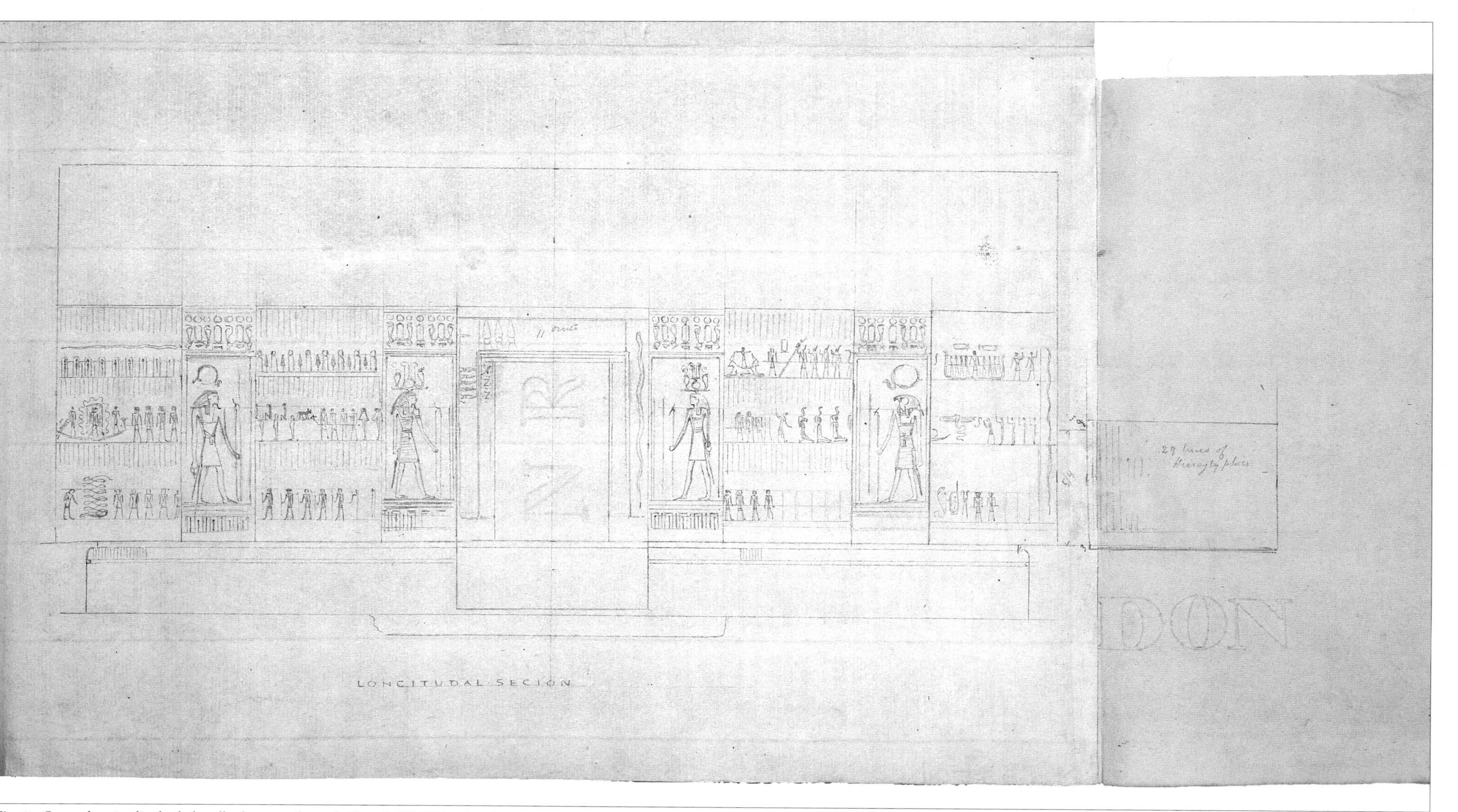

Fig. 9. Coupe longitudinale de la salle du sarcophage de Ramsès III (KV 11) et de son annexe X montrant le décor des piliers et de la paroi du fond. Dessin de Robert Hay : Add. MSS. 29820, fol. 123. Document reproduit avec l'autorisation de la British Library.

Fig. 10. Vue en couleur de la salle du sarcophage de Ramsès III (KV 11) montrant le décor des piliers et de la paroi gauche sous la voûte.
Dessin aquarellé de Robert Hay : Add. MSS. 29818, fol. 29. Document reproduit avec l'autorisation de la British Library.

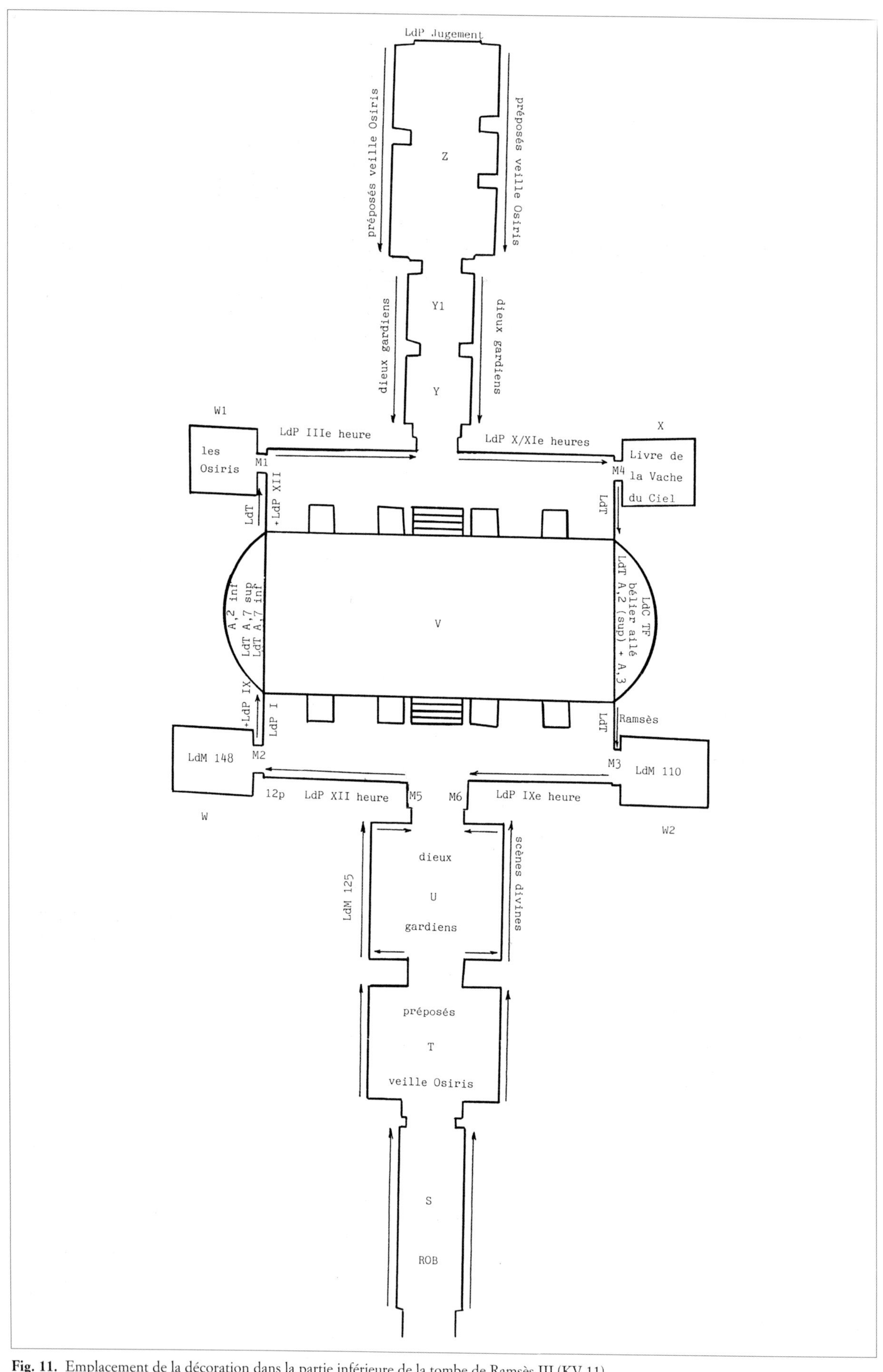

Fig. 11. Emplacement de la décoration dans la partie inférieure de la tombe de Ramsès III (KV 11).
Plan réalisé d'après K. Weeks (éd.), *Atlas of the Valley of the Kings*, Le Caire, 2000, pl. 26 (désignation des salles d'après PM ; LdC = Livres des Cavernes, LdM = Livre des Morts, LdP = Livre des Portes, LdT = Livre de la Terre, 12p = 12^e^ porte, ROB = Rituel d'ouverture de la bouche).

Jean Clédat et le site de Béda : données nouvelles sur une découverte protodynastique dans le Sinaï septentrional

Cédric MEURICE, Yann TRISTANT

NÉES à la fin du XIXe siècle des découvertes effectuées dans la région de Nagada où des milliers de tombes présentant des caractéristiques inédites dans la civilisation égyptienne furent mises au jour, les études sur le passé préhistorique de l'Égypte se développèrent pendant les premières années du XXe siècle avec la découverte des grands sites de Badari, Mahasna, Abydos et Hiérakonpolis. Si la reconnaissance d'une période dite prédynastique se fit rapidement dans le sud du pays, il fallut attendre les années trente et les fouilles de H. Junker à Merimdé Beni Salâmé sur la bordure occidentale du delta du Nil, et celles de M. Amer et I. Rizkana à Maadi, dans la banlieue du Caire, pour que le nord du pays se découvre à son tour un passé aussi lointain. Pourtant, et par le plus grand des hasards, Jean Clédat avait déjà contribué quelques années auparavant à écrire une page de l'histoire de la région avant l'époque pharaonique.

Après avoir été l'inventeur du monastère de Baouît en Moyenne-Égypte, Jean Clédat (1871-1943), ancien membre de l'Institut français d'archéologie orientale, fut un infatigable explorateur de la région de l'isthme de Suez, encore totalement inconnue au début du XXe siècle [1]. Nommé directeur des fouilles archéologiques de la Compagnie universelle du canal maritime de Suez, l'archéologue s'est trouvé confronté avec le passé très ancien de l'Égypte lorsqu'on lui confia en 1910 des fragments de poterie provenant du site de Béda [fig. 1], dans le Sinaï septentrional [2].

Cédric Meurice, musée du Louvre, département des Antiquités égyptiennes, section copte, Paris.
Yann Tristant, Centre d'anthropologie, UMR 8555 du Cnrs, Toulouse. Nous voudrions remercier ici le département des antiquités égyptiennes du musée du Louvre, section copte, représenté par Marie-Hélène Rutschowscaya et Dominique Bénazeth, pour l'accès aux archives de Jean Clédat et l'autorisation de publier ces documents inédits, Mamdouh Hussein Hassan, directeur du musée d'Ismaïlia, et Afaf Ibrahim Awad Allah, conservatrice du musée d'Ismaïlia, pour la consultation des registres d'inventaire et des objets, Béatrix Midant-Reynes pour ses conseils, Alain Lecler, pour ses clichés. Qu'ils trouvent ici l'expression de notre plus grande gratitude.

1 *L'Égypte en Périgord. Dans les pas de Jean Clédat – Exposition, musée du Périgord, Périgueux, 16 mai-15 septembre 1991*, Paris, 1991.

2 J. CLÉDAT, « Les vases de El-Béda », *ASAE* 13, 1913, p. 115-121.

Les recherches menées à partir de la récente donation des archives Clédat [3] faite par la fille de l'archéologue au musée du Louvre [4] ont permis de reconsidérer la nature et les conditions de la découverte des vases de Béda à la lumière de documents inédits.

Après une première campagne prometteuse sur le site de Mahemdia, au début de l'année 1909, J. Clédat retourne à l'extrémité occidentale du lac Bardaouil en février 1910. À la fin du mois, accompagné du topographe Gayet, ils partent à la découverte des environs du lac [5], puis suivent le tracé de la ligne télégraphique récemment installée et se rendent à Qasr Gheit sur les informations des habitants de Catieh. Quelques semaines après leur retour sur le site, le 2 avril, alors que la confiance est totale entre les Bédouins et J. Clédat, on apporte à l'archéologue un chapiteau byzantin provenant d'el-Gels et un vase accompagné de fragments, provenant de « Béda ».

Cinq ou six vases entiers mais brisés en les sortant de terre ont été découverts [6]. Un seul était encore intact [fig. 2]. Après un rapide examen, le vase et les fragments se révèlent appartenir à une très haute antiquité. J. Clédat est devant une contradiction d'importance : après avoir multiplié les constats sur l'appauvrissement archéologique du Nord du Sinaï lors de son exploration autour du lac Bardaouil (culture du riz autour de Mahemdia, rôle destructeur de la mer, récolte du sel, développement des cultures de *doura* et de pastèques sur les îlots du lac, implantation de la ligne télégraphique coupant en deux plusieurs sites, fouilles clandestines), il découvre que la région peut écrire une nouvelle page de son histoire au cours de transformations qui devraient plutôt contribuer à détruire son passé. Les objets ont été découverts lors de la plantation de palmiers dattiers, en un lieu, que rien ne prédisposait à devenir le but d'une quelconque exploration de l'archéologue, dénommé « Béda », mot signifiant, selon ses propres précisions, « créer, inventer, exceller dans ce qu'on fait [7] ». Un lieu qui, *a priori*, n'offre aucun passé et dont le nom seul ne peut aider à le localiser. Le caractère exceptionnel de la trouvaille repousse toujours plus loin les débuts historiques de cette partie de l'Égypte, que J. Clédat avait jusqu'alors rapidement fixés au règne de Ramsès II. Il reste cependant sceptique, non sur le lieu et les conditions de la découverte, car il est familiarisé avec ce genre de circonstances, mais plutôt sur l'itinéraire des vases : n'ont-ils pas été déplacés de leur lieu d'origine ? Le Nord du Sinaï peut-il abriter un passé aussi lointain ? L'archéologue doit vérifier par lui-même les affirmations du Bédouin. Le 4 avril 1910, il se met en route.

Béda est alors pour la première fois placé sur une carte géographique [8]. J. Clédat localise le site à six heures ou à une journée de chameau de Mahemdia, suivant les sources consultées, un peu au nord de la ligne télégraphique et de la route de Syrie, à l'aplomb du *gebel* Alareis et du *gebel*

3 Cf. C. MEURICE, *Les travaux de Jean Clédat en Égypte et en Nubie (1900-1914)*, thèse de doctorat, université Paris IV-Sorbonne, juin 2003.

4 Ces documents sont conservés au département des Antiquités égyptiennes du musée du Louvre, section copte, sous le numéro d'inventaire E27427.

5 J. CLÉDAT, « Notes sur l'isthme de Suez – Autour du lac de Baudouin », *ASAE* 10, 1910, p. 209-237.

6 J. Clédat n'a jamais réellement su le nombre exact de vases trouvés par les Bédouins. Selon les sources consultables, le chiffre varie entre quatre et six vases. L'origine même du bris des vases est controversée.

7 J. CLÉDAT, *Isthme de Suez III* (carnet manuscrit inédit), p. 81.

8 *Id.*, *ASAE* 10, 1910, carte A, « El-Béda-Poteries ». La seconde mention, reprise de J. Clédat mais fautivement, car placée trop au nord-est, fut l'œuvre du géologue Jules Couyat-Barthoux en 1913 (« Carte de l'isthme de Suez, topographique, archéologique et géologique, dressée sur l'initiative de la Compagnie universelle du canal maritime de Suez sous la présidence du prince A. d'Arenberg », dans *MIE* 5, Le Caire, 1922).

Lagieh [fig. 3]. Partant de Mahemdia, il doit en premier lieu croiser les deux routes qui joignent l'ancienne cité caravanière de Catieh à Port-Saïd, puis une troisième, la plus occidentale d'entre elles, reliant Catieh et Roumaneh à la même ville. De ce point à Béda, J. Clédat est face à une région dénudée où les repères géographiques sont constitués essentiellement par les discrets campements de Bédouins, les palmeraies, les puits et les plus hautes dunes, dont les ascensions souvent difficiles lui servent pour avoir des vues d'ensemble sur la région. Les premières d'entre elles sont le *gebel* Alareis et Abou Ganid : J. Clédat suit une direction sud-est depuis qu'il a quitté le repère formé par les routes. Il gagne la palmeraie d'Abou Diouk, puis la route reliant Qantara à Kheit-Saleh et le *gebel* El-Lissan. Au nord de la palmeraie d'El-Khaçaneh, il découvre un cimetière d'époque arabe enclos de murs dont les tombes très sommaires sont couvertes par des branches de palmiers plantées au sol. Plus au sud, une autre tombe plus développée, celle du Cheikh Saba al-Fil, marque l'approche de la palmeraie de Béda. Du site, la vue sur le *gebel* Lagieh, reconnaissable aisément à l'époque à sa forme pyramidale, marque un deuxième repère, montré par plusieurs photographies de J. Clédat [fig. 4]. Les arbres fruitiers, bien espacés les uns des autres, sont plantés en ligne, au creux d'une dune. C'est à une centaine de mètres au sud du groupe principal, que le vase complet et trois tessons incisés ont été trouvés [fig. 5]. D'autres fragments récemment brisés et retrouvés à même le sol lors de sa découverte du site confirment pour J. Clédat leur provenance. C'est là l'unique remarque qu'il fait de Béda en ce 4 avril 1910, où aucun sondage, ni aucune fouille n'est pratiquée. Pressé par le temps, il veut poursuivre son itinéraire en rejoignant la ligne télégraphique et calculer la distance qui la sépare de la palmeraie.

Après Béda, couplé avec l'autre jeune palmeraie d'El-Kheit, au sud, Clédat arrive en vue des deux palmeraies de Bir en-Nouss, de la ligne télégraphique [fig. 6], de la route joignant Qantara à El-Arish et enfin de la palmeraie d'El-Gesouah, dont l'exploration ne lui donne finalement aucun renseignement précis. Immédiatement au nord de Bir en-Nouss, se trouve le *gebel* Réhémi, lui aussi reconnaissable à sa forme pyramidale, mais également à la présence de huttes constituées de branches de palmiers : Béda se trouve par conséquent encadré par deux massifs présentant une forme à peu près similaire, une zone qui elle-même se situe près de la rencontre entre la ligne télégraphique et une grosse palmeraie, halte importante pour le ravitaillement en eau des hommes et des montures [9]. Il s'attache à reconnaître les plus hautes dunes de la région, à leur donner un nom et à cerner la palmeraie de Béda dans cet environnement par nature changeant [10]. Il étudie parallèlement les dispositifs mis en place par les Bédouins, pour protéger des vents parfois violents de la région les campements et les palmeraies. Béda donne bientôt son nom aux environs immédiats protégeant le groupe de palmiers : le *gebel* El-Béda.

9 J. CLÉDAT, *Isthme de Suez IV* (carnet manuscrit inédit), p. 5-7.

10 *Ibid.*, p. 9-22.

À la fin de la campagne de Mahemdia, à la mi-avril 1910, il retourne à Ismaïlia et confie le vase et les fragments au Service du domaine de la Compagnie, qui gère les trouvailles de l'archéologue en l'absence de musée. Avant d'être déposé dans ce lieu provisoire de conservation, il est possible que J. Clédat ait apporté le vase jusqu'au Caire pour le montrer à Gaston Maspero, à moins qu'il se soit contenté d'une simple photographie :

Monsieur le Président,

À la suite d'un entretien eu avec M. Maspero et aussi avec mes amis, il résulte que les vases trouvés tout dernièrement à une journée sud de Mahemdiah au lieu nommé Bédah sont d'époque archaïque ainsi que je l'avais supposé tout d'abord. Mais l'importance de la découverte au point de vue des recherches que nous poursuivons était telle, que je n'osais prendre tout seul une affirmation sans avoir vu mes collègues à ce sujet. Ainsi dès aujourd'hui, nous reculons considérablement notre champ d'étude pour l'isthme de Suez. Jusqu'ici nos recherches et les trouvailles faites antérieurement à celles-ci ne nous avaient donné jusqu'à ce jour que des monuments qui n'étaient pas antérieurs à la XIXe dynastie, c'est-à-dire de Ramsès II, je parle pour l'isthme de Suez proprement dit. Le plus grand nombre de monuments appartenaient à l'époque saïte et surtout grecque et romaine. Du fait de cette découverte récente nous remontons aux premières dynasties. Cela nous fait entr'voir une civilisation dans l'isthme très ancienne ce qui nous permettra de recueillir des monuments de toutes époques. En outre cette trouvaille résout un problème géologico-historique qui voudrait que, à une époque relativement moderne, et pour satisfaire à certaines exigences géographiques, anciennes naturellement, une partie de l'isthme fut couverte par la mer Méditerranée et la mer Rouge. La découverte de monuments archaïques dans cette région fait rejeter du coup cette thèse...

Lettre de Jean Clédat écrite au président du conseil d'administration
de la Compagnie universelle du canal maritime de Suez,
le prince Auguste d'Arenberg, en date du 9 mai 1910
(Centre des Archives nationales du monde du travail, Fonds Suez, *1995060 1707/1/4*)

L'archéologue est ensuite aussitôt appelé à remplir d'autres missions pour le compte de la Compagnie ou celui du prince d'Arenberg. Ce n'est que treize mois plus tard, après avoir fait une demande auprès du Service des antiquités que le Comité d'égyptologie examina lors de sa séance du 6 avril 1911, que J. Clédat eut la permission d'entreprendre des fouilles sur le site de Béda. L'archéologue profite alors d'un emploi du temps moins agité. Désirant compléter pour sa partie occidentale sa connaissance des sites bordant la ligne télégraphique, il se rend à Béda en partant de Qantara au mois de mai 1911. Il a en main la carte de l'ingénieur des télégraphes A.H. Paoletti [11]. Son carnet manuscrit *Isthme de Suez IV* expose son trajet le long de ce repère et les détails du voyage [12]. Une fois arrivé sur le site de Béda, les travaux sont expliqués dans un carnet à part, *El-Béda 1911. Qasr-Gheit*, source principale de sa future publication.

11 A.H. PAOLETTI, « La route d'El Kantara à El Arich et Rafaa », *BSRGE* VIe série, n° 3, 1903, p. 103-109, avec une carte.

12 J. CLÉDAT, *Isthme de Suez IV* (carnet manuscrit inédit), p. 5-7.

C'est au sud de la zone des travaux qu'il installe son campement le 9 mai 1911 [fig. 7]. Le jour suivant est consacré à la compréhension de la géographie environnante et à l'achat de plusieurs objets que les Bédouins des environs lui apportent. La fouille du site sur une superficie autorisée de 200 m de long sur 50 m de large, ne concerne que les alentours immédiats de la zone où les vases ont été découverts. Elle ne dure que deux jours, les 11 et 12 mai, avant un départ pour Qasr Gheit. Ils sont occupés à creuser plusieurs sondages à intervalles réguliers dans un sable pur, à des profondeurs oscillant entre 1 et 3 m, les vases eux-mêmes ayant été trouvés à 0,50 m de profondeur. Pour le creux de la cuvette, la difficulté majeure est la rencontre immédiate avec la nappe phréatique très peu profonde, celle-là même qui, associée à la qualité du sol, a permis le développement de la palmeraie. La quinzaine d'hommes engagée par l'archéologue trouve, hormis des traces de foyers assez fréquentes à diverses profondeurs, d'autres fragments de céramique et de nombreux silex. Un fragment de pâte de verre de couleur bleu et jaune, que J. Clédat date de l'époque arabe, et plusieurs ossements de faune complètent cette moisson qu'il juge décevante [13].

La découverte de Béda a une signification importante, puisqu'elle se situe sur la voie caravanière qui relie la Palestine et l'Égypte par le Sinaï septentrional, à l'époque où les premières relations commerciales entre les deux pays commencent pleinement à se développer. Les recherches préhistoriques récentes menées dans le delta oriental du Nil et la partie septentrionale du Sinaï ont montré que ce secteur, voie de passage naturelle entre l'Asie du Sud-Ouest et l'Afrique, a joué un rôle particulier pendant la préhistoire et la protohistoire. Dans cette région d'interface aride, entre les marais luxuriants du Delta égyptien et les zones boisées du littoral palestinien, les plus anciens vestiges d'une occupation humaine remontent au Paléolithique [14], puis aux IXe et VIIIe millénaires, avec les sites PPNA (Pré-poterie néolithique A) et PPNB (Pré-poterie néolithique B) découverts dans le Nord-Est du Sinaï [15]. À la fin du VIIe millénaire, l'introduction en Égypte, et sur le continent africain, de l'orge, du blé, du mouton et de la chèvre, suit de plusieurs millénaires l'apparition d'une économie de production au Proche-Orient. Une occupation beaucoup plus intensive de la région est attestée pendant le Chalcolithique et le Bronze ancien I (fin du IVe/début du IIIe millénaire), tandis que les échanges et les contacts culturels entre l'Égypte et le Proche-Orient s'intensifient. Les sites d'el-Omari et de Maadi montrent que vers 3800 av. J.-C., un réseau d'échanges commerciaux s'était déjà développé avec le Proche-Orient, et que peut-être des négociants s'étaient implantés dans le sud du Delta (maisons semi-souterraines de Maadi, lames de couteaux en silex, objets en cuivre, etc.) [16]. Des liens privilégiés entre le Delta et le sud du Levant sont ensuite attestés pendant la deuxième moitié

13 *Id.*, *El-Béda. 1911. Qasr-Gheit* (carnet manuscrit inédit), p. 1-2.

14 O. BAR YOSEF, « The Stone Age of the Sinai Peninsula », dans M. Liverani, A. Palmieri, R. Peroni (éd.), *Studi di Paletnologia in onore di Salvatore M. Puglisi*, Rome, 1985, p. 107-122 ; I. GILEAD, « Paleolithic Sites in Northeastern Sinai », *Paléorient* 10/1, 1984, p. 135-142.

15 O. BAR YOSEF, J.L. PHILLIPS (éd.), *Prehistoric Investigations in Gebel Maghara, Northern Sinai*, *Qedem* 7, Jérusalem, 1977 ; O. BAR YOSEF, « Neolithic Sites in Sinai », *ErIsr* 15, 1981, p. 1-6 ; *id.*, « The "Pre Pottery Neolithic" Period in the Southern Levant » dans J. Cauvin, P. Salaville (éd.), *Préhistoire du Levant, Colloques internationaux du Cnrs* 598, Paris, 1981, p. 555-569 ; E. OREN, « Pre-Pottery Neolithic Sites in Southern Sinai », *BiblArch* 45/1, 1982, p. 9-12.

16 I. RIZKANA, J. SEHEER, *Maadi III. The Non-Lithic Small Finds and the Structural Remains of the Predynastic Settlement*, *ArchVer* 80, Mayence, 1989, p. 52-55 et p. 75.

du IVe millénaire à Minshat Abou Omar [17], Tell al-Iswid[18], Tell Ibrahim Awad [19] et Bouto [20], avec la présence de céramiques cananéennes, de vaisselle en cuivre et d'outils en silex de facture levantine. Des empreintes de sceaux portant les noms de quatre rois de la Ire dynastie (Djet, Den, Andjiib et Semerkhet) retrouvées à En Besor et Tel Erani confirment encore les contacts entre les deux régions [21].

Les vases de Béda ont été identifiés par J. Clédat comme des productions attribuables à la Ire dynastie. Quatre vases étaient incisés d'un *serekh* et trois d'entre eux comportaient un double faucon au-dessus de celui-ci. L'archéologue décrit le récipient complet comme une « jarre au galbe pur, à forte panse, au col court et trapu, aux anses ondulées et modelées à la partie la plus renflée [22] » [fig. 2]. Cet exemplaire mesure 58 cm de hauteur pour un diamètre maximum de 26 cm, un diamètre à l'ouverture de 13 cm et un fond de 9 cm. Un *serekh* surmonté de deux faucons est incisé sur la partie supérieure de la panse, accompagné de deux traits obliques [fig. 8].

Parmi les trois autres tessons confiés à J. Clédat [fig. 5], deux comportent un *serekh* anonyme incisé surmonté d'un double faucon, et accompagné à droite, comme sur le vase complet, d'un signe ou d'une marque ; le troisième récipient était gravé d'un *serekh* plein, accompagné lui aussi d'un signe sur la droite. Les signes qui jouxtent les *serekhs* sont tous différents, et si de nombreux cas de *serekhs* pleins sans faucon sont attestés dans la documentation archéologique [23], aucun ne présente une marque comparable à celles de Béda. En 1981, les chercheurs de la Munich East Delta Expedition, qui travaillaient alors à Minshat Abou Omar, ont étudié la jarre de Béda déposée au musée d'Ismaïlia depuis 1934, date de sa fondation [24]. La localisation des fragments de vases demeure toujours inconnue [25], et la photographie que J. Clédat a prise en 1910 constitue désormais le seul témoignage de leur existence.

17 K. KROEPER, « Latest Findings from Minshat Abu Omar », dans S. Schoske (éd.), *Akten des vierten internationalen ägyptologen Kongresses, München, 1985*, vol. 2, *BSAK* 2, Hambourg, 1988, p. 219 ; *id.*, « Palestinian Ceramic Imports in Pre- and Protohistoric Egypt », dans P. de Miroschedji (éd.), *L'urbanisation de la Palestine à l'âge du bronze ancien*, *BAR* 527, Oxford, 1989, p. 407-422.

18 E.C.M. VAN DEN BRINK, « A Transitional Late Predynastic – Early Dynastic Settlement Site in the Northeastern Nile Delta, Egypt », *MDAIK* 45, 1989, p. 67, n. 14.

19 W.M. VAN HAARLEM, « A Tomb of the First Dynasty at Tell Ibrahim Awad », *OMRO* 76, 1996, p. 7-12 ; *id.*, « Les fouilles de Tell Ibrahim Awad : Résultats récents », *BSFE* 141, 1998, p. 18.

20 D. FALTINGS, « Ergebnisse der neuen Ausgrabungen in Buto. Chronologie und Fernbeziehungen der Buto-Maadi-Kultur neu überdacht », dans H. Guksch, D. Polz (éd.), *Stationen. Beiträge zur Kulturgeschichte Ägyptens Rainer Stadelmann gewidmet*, Mayence, 1998, p. 39-45.

21 A.R. SCHULMAN, « On the Dating of Egyptian Seal Impressions from 'En Besor' », *JSSEA* 13,4, 1983, p. 250 ; J.M. WEINSTEIN, « The Significance of Tell Areini for Egyptian-Palestinian Relations at the Beginning of the Bronze Age », *BASOR* 256, 1984, p. 61-67.

22 *Ibid.*, p. 119.

23 Cf. E.C.M. VAN DEN BRINK, « The Incised Serekh-Signs of Dynasties 0-1, Part I : Complete Vessels », dans J. Spencer (éd.), *Aspects of Early Egypt*, Londres, 1996, p. 140-173 ; *id.*, « The Pottery-Incised Serekh-Signs of Dynasties 0-1, Part II : Fragments and Additional Complete Vessels », *Archéo-Nil* 11, 2001, p. 23-100 ; A. JIMÉNEZ-SERRANO, « The First *Serekhs* : Political Change and Regional Conventions », dans Z. Hawass, L. Pinch Brock (éd.), *Egyptology at the Dawn of the Twenty-first Century, Proceedings of the Eighth International Congress of Egyptologists, Cairo, 2000*, vol. 1, Le Caire, 2003, p. 242-251.

24 Le vase porte le numéro d'inventaire Ismaïlia 997. Il est marqué sur la lèvre de la mention « Béda » au crayon, probablement de la main de J. Clédat, et sur la panse à l'encre noire du numéro « 1928 », correspondant à l'inventaire du fouilleur. La panse du récipient présente des traces de restauration.

25 Aucune mention n'est faite de ces pièces dans les registres du musée d'Ismaïlia. Il est probable que ces tessons incisés ne sont jamais entrés dans les collections du musée. Cf. H.G. FISCHER, « Varia Aegyptiaca. 8. A First Dynasty Wine Jar from the Eastern Delta », *JARCE* 2, 1963, p. 45, n. 4 ; L. KRYZANIAK, « Recent Archaeological Evidence on the Earliest Settlement in the Eastern Nile Delta », dans L. Krzyzaniak, M. Kobusiewicz (éd.), *Late Prehistory of the Nile Basin and the Sahara, Proceedings of the International Symposium, Dymaczewo near Poznan, 11-15 September. 1984*, Poznan, 1989, p. 280.

La jarre complète découverte à Béda peut être rapprochée par sa forme d'un type de récipient connu sur différents sites prédynastiques, comportant deux ou quatre anses ondulées. Il s'agit en effet d'une jarre allongée, munie de deux anses de type *Wavy-handle*, à col court, avec lèvre en bourrelet et fond plat (type 75s de la typologie de Petrie pour le cimetière de Tarkhan [26]). Cette catégorie de récipient apparaît sur le sol égyptien pendant la phase Nagada II. Son origine, à rechercher en Palestine, témoigne d'une intensification des relations commerciales avec le Levant [27]. De par la forme du récipient et le type du *serekh* incisé, la découverte de Béda peut être rattachée à la phase Nagada IIIB-C, vers 3200-3100 av. J.-C., correspondant au début de la Ire dynastie [28].

E.C.M. Van den Brink a bien montré l'intérêt d'une étude fine des *serekhs* incisés sur les jarres pour la chronologie de l'époque protodynastique et la compréhension de ses dynamiques culturelles [29]. Certains chercheurs ont émis l'hypothèse d'une origine septentrionale des *serekhs* [30], argument rejeté par S. Hendrickx qui rappelle que les plus anciennes attestations de *serekhs* proviennent de jarres cylindriques découvertes à Abydos [31]. Dans le cas qui nous intéresse ici, la majorité des jarres comparables à celle de Béda et qui présentent un *serekh* incisé sur leur panse proviennent du Delta égyptien et du Sinaï septentrional [32] [fig. 9]. Deux exemplaires du cimetière de Toura [33] comportent un *serekh*, tous deux anonymes. L'un est accompagné d'un signe curviligne à droite ; l'autre est surmonté de deux faucons, accompagné à gauche d'un signe en forme de « P ». Une jarre de Rafia [34] du même type et deux récipients provenant de Tarkhan sont incisés d'un *serekh*, le premier exemplaire de Tarkhan accompagné d'un signe *ḥḏ* sur le côté gauche, le second surmontant un signe non identifié [35]. Le *serekh* surmonté de deux faucons incisés sur la panse du vase complet de Béda, et sur deux autres tessons retrouvés, n'a que quatre parallèles connus en dehors du site [fig. 10]. Ils proviennent du Sinaï septentrional [36], du site de Tell Ibrahim Awad [37], du cimetière de Toura [38] et de l'habitat d'Adaïma [39]. Il est intéressant de remarquer de quelle manière les corps des faucons représentés sur le vase complet de Béda et sur l'un des récipients brisés ont été décorés de points incisés dans la pâte du vase avant cuisson. Seuls les *serekhs* provenant de Toura et

26 W.M.Fl. PETRIE, G.A. WAINWRIGHT, A.H. GARDINER, *Tarkhan I and Memphis IV*, *BSAE-ERA* 23, Londres, 1913, pl. 68.

27 R. AMIRAN, J. GLASS, « An Archaeological Petrographical Study of 15 W-Ware Pots in the Ashmolean Museum, *Tel Aviv* 6, 1979, p. 54-59.

28 E.C.M. VAN DEN BRINK, dans *Aspects of Early Egypt*, p. 141, 152-153.

29 *Ibid.*, p. 140-173 ; *id.*, *Archéo-Nil* 11, p. 23-100.

30 A. JIMÉNEZ-SERRANO, « The Origin of the Palace-Façade as Representation of Lower Egyptian Elites », *GöttMisz* 183, 2001, p. 71-81 ; E.C.M. VAN DEN BRINK, « Some Comments in the Margins of *The Origin of the Palace-Façade as Representation of Lower Egyptian Elites* », *GöttMisz* 183, 2001, p. 99-111.

31 S. HENDRICKX, « Arguments for an Upper Egyptian Origin of the Palace-Façade and the Serekh during Late Predynastic – Early Dynastic times », *GöttMisz* 184, 2001, p. 93.

32 E.C.M. VAN DEN BRINK, dans *Aspects of Early Egypt*, p. 141.

33 H. JUNKER, *Bericht über die Grabungen der Kaiserlichen Akademie der Wissenschaften in Wien, auf dem Friedhof in Turah. Winter 1909-1910*, *DAWW* 56, Vienne, 1912, p. 46.

34 R. GOPHNA, « A Protodynastic Jar from Rafiah », *MHABull* 12, 1970, p. 54.

35 Ce *serekh* est attribué par W. Kaiser à l'Horus Narmer. Cf. W. KAISER, G. DREYER, « Umm el-Qaab. Nachuntersuchungen im frühzeitlichen Königsfriedhof. 2. Vorbericht », *MDAIK* 38, 1982, p. 263, fig. 14, nº 39.

36 E.D. OREN, « Early Bronze Age Settlement in Northern Sinai : A Model for Egypto-Canaanite Connections », dans P. de Miroschedji (éd.), *L'urbanisation de la Palestine à l'âge du Bronze Ancien*, *BAR* 527, Oxford, 1989, p. 393 et fig. 6,1.

37 E.C.M. VAN DEN BRINK, « Preliminary Report of the Excavations at Tell Ibrahim Awad, Seasons 1988-1990 », dans E.C.M. Van den Brink (éd.), *The Nile Delta in Transition : 4th.-3rd. Millenium B.C., Proceedings of the Seminar held in Cairo, 21.-24. October 1990, at the Netherlands Institute of Archaeology and Arabic Studies*, Tel Aviv, 1992, p. 52, fig. 8.1.

38 Cf. *supra*, n. 33.

39 Inv. AD98.0178 ; E.C.M. VAN DEN BRINK, *Archéo-Nil* 11, p. 36, fig. 21 ; A. JIMÉNEZ-SERRANO, « Chronology and Local Traditions : the Representation of Power and the Royal Name in the Late Predynastic Period », *Archéo-Nil* 13, 2003, p. 112.

d'Adaïma, précédemment cités, présentent la même caractéristique technique, témoignant sinon d'une origine identique, au moins d'une tradition commune. Certains chercheurs ont d'ailleurs suggéré de voir dans ce type de *serekh* surmonté de deux faucons le nom d'un roi de la fin du Prédynastique, peut-être installé en Basse-Égypte [40].

Le matériel lithique, mis au jour par J. Clédat près de l'emplacement des vases, n'apporte malheureusement aucun complément d'information à la découverte de Béda. Les photographies de l'archéologue [fig. 11] montrent une série d'éclats en silex dont la taille intentionnelle semble le plus souvent douteuse. Parmi les pièces taillées, un éclat de type Levallois s'apparente au Paléolithique, tandis que les autres pièces (nucléus, pièces bifaciales, etc.) peuvent tout aussi bien se rattacher au néolithique qu'à l'époque prédynastique. Le matériel lithique ramassé à Béda ne peut donc pas être sérieusement associé aux vases.

Le contexte archéologique de la documentation exceptionnelle de Béda n'a en fait jamais été précisément défini. Le site se trouve maintenant dans une région fortement marquée par les conflits armés de la guerre des Six Jours et de la guerre du Ramadan/du Kippour, dans une zone qui n'a pas encore été démilitarisée ni débarrassée de toutes les mines et autres engins explosifs qui y ont été disséminés. Les prospections entreprises, entre 1990 et 1992, dans les environs du site de Béda, sur la bordure du Sinaï septentrional ont permis de mieux comprendre le paléo-environnement de la région. Après l'annonce d'une série de projets visant à construire un nouveau canal [41], une mission franco-égyptienne dirigée par D. Valbelle, alors professeur à l'université de Lille, a entrepris trois campagnes de prospection dans la région orientale du Delta et le Nord du Sinaï [42], avec le soutien de l'Institut suisse pour l'histoire de l'architecture et des antiquités et l'Institut français d'archéologie orientale du Caire. Les recherches préhistoriques, dirigées par I. Caneva, de l'université de Rome « La Sapienza », ont été concentrées dans la région dunaire située à l'est du canal de Suez, entre la ville de Qantara et le village de Balouza [43] [fig. 1]. Les études géomorphologiques ont montré que la zone côtière remonte à des formations deltaïques récentes, excluant la possibilité de retrouver des vestiges préhistoriques en surface [44]. Les recherches se sont donc concentrées au sud de la ligne côtière marquée par la transgression flandrienne, autour de 6000 av. J.-C. [45], à l'emplacement d'une zone déjà explorée dans les années 1970 par une mission israélienne [46].

40 T. VON DER WAY, *Untersuchungen zur Spätvor- und Frühgeschichte Unterägyptens*, *SAGA* 8, Heidelberg, 1993, p. 101 ; G. DREYER, *Umm el-Qaab I. Das prädynastische Königsgrab U-j und seine frühen Schriftzugnisse*, Mayence, 1998, p. 173-180 ; *Id.*, « Ein Gefäß mit Ritzmarke des Narmer », *MDAIK* 55, 1999, p. 1-6.

41 SAE, « Projet de sauvetage des sites antiques du Nord-Sinaï », *DiscEg* 24, 1992, p. 7-12.

42 D. VALBELLE, F. LE SAOUT, M. CHARTIER-RAYMOND, M. ABDEL-SAMIE, Cl. TRAUNECKER, G. WAGNER, J.-Y. CARREZ-MARATRAY, P. ZIGNANI, « Reconnaissance archéologique à la pointe orientale du Delta. Rapport préliminaire sur les saisons 1990 et 1991 », *CRIPEL* 14, 1992, p. 11-22 ; M. CHARTIER-RAYMOND, Cl. TRAUNECKER, « Reconnaissance archéologique à la pointe orientale du Delta. Campagne 1992 », *CRIPEL* 15, 1993, p. 45-71.

43 I. CANEVA, « Predynastic Cultures of Lower Egypt : The Desert and the Nile », dans E.C.M. Van den Brink (éd.), *The Nile Delta in Transition*, p. 217-224 ; *id.*, *CRIPEL* 15, p. 37-43 ; *id.*, « Survey in Northwestern Sinai », dans L. Krzyzaniak, K. Kroeper, M. Kobusiewicz (éd.), *Interregional Contacts in the Later Prehistory of Northeastern Africa, Proceedings of the International Symposium, Dymaczewo near Poznan, 8th-12th September 1992*, Poznan, 1996, p. 303-309.

44 B. MARCOLONGO, « Évolution du paléo-environnement dans la partie orientale du Delta du Nil depuis la transgression flandrienne (8000 B.P.) par rapport aux modèles de peuplement anciens », *CRIPEL* 14, 1992, p. 23-31.

45 I. CANEVA, dans L. Krzyzaniak, K. Kroeper, M. Kobusiewicz (éd.), *Interregional Contacts*, p. 37.

46 E.D. OREN, « The Overland Route Between Egypt and Canaan in the Early Bronze Age », *IEJ* 23, 1973, p. 198-205.

L'absence de toute installation préhistorique dans cette région est attribuée à un modèle d'installation humaine très faible, qu'un système de dunes, hautes de plus de 20 m et longues de 100 m environ, encore actives, orientées nord-est/sud-est, avec un front nord-ouest/sud-ouest concave, a fait disparaître. Dans la périphérie orientale de Qantara, les dunes sont moins élevées, inactives, couvertes d'une faible végétation, disposées en cordons orientés sud-ouest/nord-est, parallèles à la direction du vent. Le complexe présente des vallées interdunaires vidées et érodées par le vent, où des découvertes prédynastiques étaient plus probables. C'est d'ailleurs là que J. Clédat situe Béda, et que l'exploration israélienne a localisé des sites prédynastiques, à l'est de Bir el-Abd [47]. Des palmeraies, des champs de melons ou de pastèques exigeant des installations d'irrigation complexes, de nombreuses routes creusées à travers les dunes ou dans les espaces interdunaires, caractérisent une intervention humaine très marquée, accentuant encore les difficultés d'identification des installations. Le matériel archéologique recueilli en surface montre malgré tout une succession ininterrompue d'établissements humains, sans qu'aucune stratigraphie ne soit toutefois visible dans les dépôts [48].

Douze sites ont été repérés dans les espaces interdunaires, le long de la pente nord-occidentale des cordons sableux ou sur le fond des vallées. Ils se caractérisent par des concentrations de poteries en surface, atypiques et mal conservées. Il s'agit de tessons de céramique de très petites dimensions, érodés par le vent et le sable, dont la couleur, l'engobe ou l'éventuel décor sont altérés. Les objets en pierre sont rares. Le matériel prédynastique est absent sous sa forme classique, mais selon les archéologues une partie de la poterie grossière rougeâtre identifiée sur les sites pourrait être attribuée à des populations locales contemporaines du prédynastique égyptien. Les ossements et les restes botaniques sont absents. La présence ponctuelle en surface de coquilles d'escargots, attestées sur les sols humides des campements humains dans les régions désertiques après leur abandon, constitue les traces indirectes d'occupations humaines. Aucune structure domestique n'a été repérée. Dans certains cas, un dépôt sableux sous-jacent, brun et compact, apparent grâce à l'érosion éolienne, pourrait peut-être marquer un sol d'occupation prédynastique, précédant la formation dunaire actuelle. Le site d'Abou Zedl est le seul à avoir livré de l'industrie lithique (deux lamelles en silex), ainsi qu'un tesson de céramique grise. Sa forme sinueuse pourrait le rapprocher d'une production prédynastique [49]. C'est dans les zones où le système dunaire fossile est préservé que se concentrent les sites les plus anciens. Le vent du sud-ouest qui déplace progressivement les dunes récentes ne peut plus influencer les dunes fossiles, qui présentent leur profil et non pas leur face, et dénude les espaces interdunaires, découvrant les vestiges anciens [50].

47 *Id.*, dans P. de Miroschedji (éd.), *L'urbanisation de la Palestine*, p. 389-405.

48 I. Caneva, *CRIPEL* 15, 1993, p. 38-40 ; *id.*, dans L. Krzyzaniak, K. Kroeper, M. Kobusiewicz (éd.), *Interregional Contacts*, p. 305.

49 *Id.*, *CRIPEL* 15, p.1993, p. 41.

50 *Ibid.*, p. 38.

Lors de ses investigations dans la région de l'isthme de Suez entre 1904 et 1914, J. Clédat a ramassé quelques outils ainsi que des éclats de silex près d'Ismaïlia et de Péluse [fig. 12]. Ces découvertes, malheureusement trop peu nombreuses pour être vraiment significatives, signalent toutefois une occupation de la bordure du Delta oriental depuis le Paléolithique (éclat Levallois découvert à Béda) jusqu'à l'époque prédynastique (éléments de couteaux). La découverte qu'il a effectuée sur le site de Béda est restée jusque dans les années 1960 la seule attestation d'une présence égyptienne à l'époque protodynastique dans la partie Nord-Ouest du Sinaï.

C'est l'une des grandes avancées des recherches menées ces dernières décennies dans le Delta oriental du Nil et le Sinaï septentrional que d'avoir révélé des centaines de sites archéologiques témoignant d'une occupation protodynastique de la région concernée, et de relations continues entre le IVe millénaire et le milieu du IIIe millénaire. Ces résultats sont le fruit des prospections effectuées de 1967 à 1980 dans la région du Sinaï septentrional par B. Rothenberg et surtout E.D. Oren, dans le cadre des travaux de l'université Ben Gourion du Négev [51]. Les recherches ont été concentrées le long de la côte méditerranéenne du Sinaï, entre Gaza et le canal de Suez [fig. 1]. Elles ont permis la localisation d'environ deux cent cinquante sites préhistoriques s'échelonnant du Chalcolithique récent à l'âge du Bronze ancien II, avec du matériel se rattachant aussi bien aux productions cananéennes qu'égyptiennes [52].

Au Chalcolithique récent (entre 4000 et 3500 av. J.-C.) appartiennent des campements saisonniers situés pour la plupart dans la région d'el-Arish au Ouadi Ghazzeh. Ils ont livré de la céramique palestinienne en grande quantité, quelques tessons de poterie égyptienne, des figurines palestiniennes en forme de « violon [53] », un fragment de palette et des petits objets en cuivre [fig. 13a]. Ces occupations constituent les témoignages des premiers contacts établis entre l'Égypte et le Proche-Orient. Le Bronze ancien I (3500-3000 av. J.-C.), qui voit les premières attestations de la domestication de l'âne [54] et la possibilité de transporter des marchandises sur de longues distances, marque le début de relations commerciales régulières entre les deux régions [fig. 13b]. Les établissements saisonniers repérés par E.D. Oren ont fourni une poterie majoritairement égyptienne, correspondant à des productions contemporaines des cultures de Basse-Égypte et de la phase Nagada II-III dans la vallée du Nil. Elle se caractérise par les formes les plus courantes du répertoire céramique de Maadi, au sud du Caire, ou de celui de Minshat Abou Omar, dans le Delta oriental. Le matériel lithique comprend des couteaux de type *rippled-flake*, des grands racloirs, des lames dites « cananéennes », des éléments de faucilles et des pointes de flèches transversales [55]. La poterie cananéenne comprend quelques rares exemplaires de bols et de vases à cuire, et un grand

51 E.D. OREN, dans P. de Miroschedji (éd.), *L'urbanisation de la Palestine*, p. 389-405 ; E.D. OREN, I. GILEAD, « Chalcolithic Sites in Northeastern Sinai », *Tel Aviv* 8, 1981, p. 25-44.

52 E.D. OREN, *IEJ* 23, p. 198-205.

53 E.D. OREN, I. GILEAD, *Tel Aviv* 8, p. 33, fig. 9, 14 ; P. DE MIROSCHEDJI, « Les Égyptiens au Sinaï du Nord et en Palestine au Bronze ancien », dans D. Valbelle, Ch. Bonnet (éd.), *Le Sinaï durant l'Antiquité et le Moyen Âge. 4000 ans d'histoire pour un désert, Actes du colloque « Sinaï », UNESCO, 19 au 21 septembre 1997*, Paris, 1998, p. 21-22, fig. 5.

54 E. OVADIA, « The Domestication of the Ass and Pack Transport by Animals : A Case of Technological Change », dans O. Bar-Yosef, A. Khazanov (éd.), *Pastoralism in the Levant : Archaeological Materials in Anthropological Perspective*, Madison, Wisconsin, 1992, p. 19-28.

55 E.D. OREN, *IEJ* 23, p. 203.

nombre de jarres de stockage à anses ondulées, probablement utilisées pour le transport des produits commerciaux [56]. Ce sont plusieurs centaines de ces types de jarres palestiniennes qui ont été mises au jour dans la tombe U-j du cimetière d'Abydos [57]. Il faut aussi noter sur ces sites du Sinaï la présence de vaisselles en albâtre, en marbre et en diorite, ainsi qu'une quantité importante de cuivre – plusieurs kilogrammes – dans la zone située entre el-Arish et Bir Mazar [58]. Tout ce matériel provient de petits établissements comprenant des foyers, des structures de stockage, associés à des restes d'installations en pierre et en briques crues, qui auraient pu servir de sites relais sur le parcours caravanier [59]. Avec le Bronze ancien II (3000-2500 av. J.-C.), correspondant en Égypte à la dynastie 0 et au début de la Ire dynastie, on assiste au développement de véritables comptoirs égyptiens en Palestine [60] [fig. 13c-d].

C'est dans ce contexte d'échanges que toute l'importance du site de Béda se dessine. La découverte de vases intacts installés les uns à côté des autres évoque *a priori* une sépulture plutôt qu'un secteur d'habitat. Mais l'absence de corps, d'une quelconque installation funéraire ou d'autre matériel associé aux vases élimine l'hypothèse d'une tombe, même isolée. Le site ne correspond pas non plus à un habitat. Rien ne prouve que les foyers que J. Clédat a identifiés à l'emplacement de la découverte de Béda sont contemporains des vases, et la quasi-absence de matériel archéologique (tessons de poterie, outils en silex, faune, etc.) ou de structures domestiques ne correspond de toute manière pas à la description d'une zone domestique. Les vases de Béda évoquent plutôt un dépôt.

Les phénomènes de dépôts sont connus dans la vallée du Nil à l'époque archaïque : sur le site de Gîza, au sud du Caire, neuf poteries entières, dont les formes sont caractéristiques de l'époque prédynastique, et plus particulièrement des cultures de Basse-Égypte, avaient été installées verticalement dans une couche sableuse. Aucun reste osseux, ni perturbation stratigraphique, ne permet d'identifier ce dépôt comme une sépulture, et la présence de seulement quelques tessons de poterie permet difficilement de conclure, comme l'ont fait les inventeurs du gisement, à la présence d'un secteur d'habitat [61]. Lors des fouilles effectuées sur le site de Sedment, à une centaine de kilomètres au sud du Caire, W.M.Fl. Petrie et G. Brunton identifièrent au début des années vingt un ensemble de cent soixante-quinze fosses, dont seules quelques-unes contenaient du matériel céramique. Les archéologues ont attribué ces vases à la IXe dynastie, probablement parce que les fosses ressemblaient à des *Pan Graves*, et que les formes des récipients se rapprochaient de celles du Groupe C de Nubie [62]. Conservés dans la collection Petrie à l'University College de Londres, les récipients découverts à Sedment ont été réétudiés par B. Williams. Selon lui, ces vases, dont

56 *Id.*, dans P. de Miroschedji (éd.), *L'urbanisation de la Palestine*, p. 400.

57 U. Hartung, *Umm el-Qaab II. Importkeramik aus dem Friedhof U in Abydos (Umm el-Qaab) und die Beziehungen Ägyptens zu Vorderasien im 4. Jahrtausend*, *ArchVer* 92, Mayence, 2001.

58 E.D. Oren, dans P. de Miroschedji (éd.), *L'urbanisation de la Palestine*, p. 400.

59 *Id.*, *IEJ* 23, p. 202 ; *id.*, dans P. de Miroschedji (éd.), *L'urbanisation de la Palestine*, p. 392 ; P. de Miroschedji, dans D. Valbelle, Ch. Bonnet (éd.), *Le Sinaï*, p. 24.

60 *Ibid.*, p. 27.

61 A. El-Sanussi, M. Jones, « A Site of the Maadi Culture near the Giza Pyramids », *MDAIK* 53, 1997, p. 242.

62 W.M.Fl. Petrie, G. Brunton, *Sedment* I, *BSAE-ERA* 34, Londres, 1924, p. 9.

certains contenaient encore des grains de blé, se rattachent plutôt par leurs formes et leur technique à la tradition des cultures de Basse-Égypte [63]. Dans le désert libyque, une quarantaine de dépôts de céramiques constitués de tubes ou anneaux coniques ouverts des deux côtés (« *Clayton-Rings* ») et de disques perforés (« *Clayton-disques* ») sont datés de la fin du Prédynastique [64]. Ces découvertes éloignées de plusieurs centaines de kilomètres de l'oasis la plus proche, ont été mises en relation avec des traversées du désert et un commerce supposé sur les pistes caravanières, même si la fonction de ces objets reste encore énigmatique [65].

L'intérêt du dépôt de Béda est d'être lui aussi situé sur une route caravanière, entre l'Égypte et le Levant, préfiguration de ce qui deviendra à l'époque pharaonique les « Chemins d'Horus [66] », série de comptoirs et de forteresses sur la piste qui relie le Delta du Nil au sud de la Palestine, et dont l'étymologie puise selon A.H. Gardiner dans les voyages que les premiers rois thinites, les Horus, commandaient entre ces deux contrées. Les *serekhs* découverts dans la région du Sinaï septentrional constituent les témoignages de ce transit de marchandises contrôlé par les souverains des premières dynasties, à un moment où le commerce du cuivre et de la turquoise depuis le Sinaï méridional connaît un développement important [67] et que l'huile et le vin deviennent les produits prisés de l'élite égyptienne [68]. Dissimulées ou bien oubliées, les jarres incisées de Béda trahissent l'existence d'une étape sur la route caravanière du Sinaï, un relais intermédiaire entre les centres urbains du Delta oriental et les installations plus importantes du Nord-Sinaï.

Devant l'académie des Beaux-Arts, le prince d'Arenberg exposa les résultats des fouilles de la Compagnie en octobre 1911. Ce discours, rédigé par J. Clédat, n'oublie pas Béda, dont les trouvailles associant le bel objet au document historique de premier plan, démontrent pour ceux qui voulaient encore l'ignorer, l'utilité de la participation de la Compagnie à la reconstitution du passé de l'Égypte. Les quatre fragments répertoriés, sans pour autant proposer sous une forme « primitive » quatre nouveaux noms de rois, associent le Sinaï avec le reste de l'Égypte dans une même entité géographique, même si J. Clédat reste prudent sur les conclusions à tirer de cette trouvaille. Dépassant le cadre historique, la découverte lui permet d'envisager un éclairage géologique nouveau : le rivage de la Méditerranée, si souvent observé pendant ses travaux à Mahemdia ou el-Guels, n'a pas changé depuis le début des temps historiques. La rencontre du site concourt à lui faire explorer avec précision l'ensemble du tracé de la ligne télégraphique, à lui faire varier ses itinéraires pour se rendre d'un point à un autre et à développer ses études sur les habitants

63 B. WILLIAMS, « Notes on a Prehistoric Cache Fields of Lower Egyptian Tradition at Sedment », *JNES* 41, 1982, p. 213-221.

64 D. DARNELL, « Gravel of the Desert and Broken Pots in the Road : Ceramic Evidence from the Routes between the Nile and the Kharga Oasis », dans R.F. Friedman (éd.), *Egypt and Nubia. Gifts of the Deserts*, Londres, 2002, p. 156-177.

65 H. RIEMER, « Trouvailles prédynastiques et des premières dynasties du désert de l'Ouest et libyque », *Archéo-Nil* 12, 2002, p. 95-100.

66 A.H. GARDINER, « The Ancient Military Road between Egypt and Palestine », *JEA* 6, 1920, p. 99-116 ; D. VALBELLE, « La (les) route(s)-d'Horus », dans C. Berger, G. Clerc, N. Grimal (éd.), *Hommages à Jean Leclant*, *BiEtud* 106/4, Le Caire, 1994, p. 379-386.

67 R. AMIRAN, I. BEIT-ARIEH, Y. GLASS, « The Interrelationship between Arad and Sites in Southern Sinai in the Early Bronze Age II », *IEJ* 23, 1973, p. 193-197 ; O. ILAN, M. SEBBANE, « Copper Metallurgy, Trade and the Urbanization of Southern Canaan in the Chalcolithic and Early Bronze Age », dans P. de Miroschedji (éd.), *L'urbanisation de la Palestine à l'âge du bronze ancien*, *BAR* 527, Oxford, 1989, p. 148-163.

68 À l'exemple des sept cents jarres à vin découvertes dans la tombe U-j d'Abydos. Cf. U. HARTUNG, *Umm el-Qaab II*.

des régions traversées ; celle de la région de Catieh et de Bir el-Abd allait bientôt donner quelques pages originales, dans une documentation le plus souvent attachée aux vestiges matériels et aux seules observations de terrain. Béda lui sert aussi également d'introduction et d'expérience à la vie bédouine. Dans son étude des conditions du développement économique du territoire syro-égyptien (et plus particulièrement du *Djifar*), et de la transformation des parties fertiles du Nord-Sinaï en culture et en lieu de vie, Béda représente une chance pour J. Clédat : il a trouvé des traces de la première civilisation égyptienne dans une région qui ne se prêtait pas, a priori, à ce genre de découverte et il a rendu hommage aux Bédouins pour leurs travaux de mise en valeur des terrains. Béda lui a ainsi permis d'écrire la première page de son *Étude géographique et historique de la province orientale d'Égypte* [69], une rédaction finalement abandonnée de l'histoire de l'isthme de Suez et du Nord-Sinaï. En plus de son article publié, J. Clédat conserva de ce voyage aux confins de l'histoire égyptienne, beaucoup d'interrogations et une fiche manuscrite [fig. 14], où le site est représenté par son symbole, le vase complet.

69 J. CLÉDAT, *Étude géographique et historique de la province orientale d'Égypte*, manuscrit inédit, musée du Louvre.

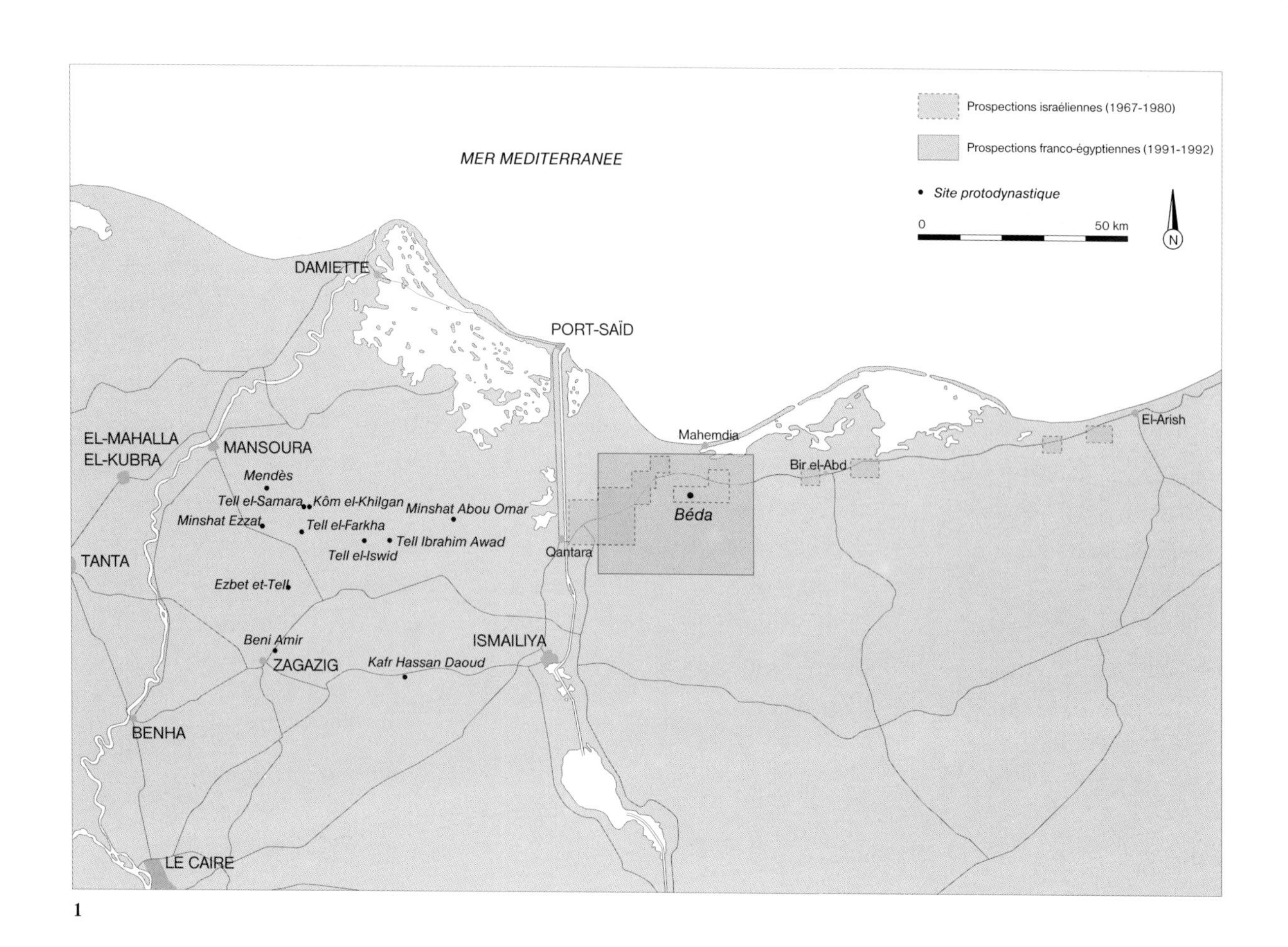

1

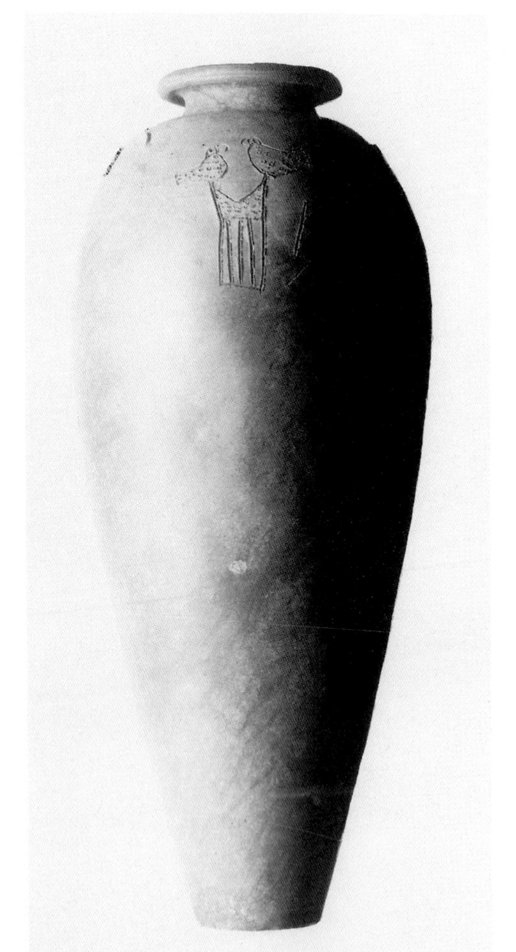

2

Fig. 1. Localisation du site de Béda, des principaux sites protodynastiques du Delta oriental et des prospections menées dans le Sinaï septentrional (d'après I. Caneva, *CRIPEL* 15, 1993, p. 38, fig. 1).

Fig. 2. Jarre complète découverte à Béda (tirage d'après plaque de verre. Fonds Jean Clédat, musée du Louvre).

Fig. 3. Schéma de localisation du site de Béda, (d'après J. Clédat, *ASAE* 13, 1913, p. 117, fig. 1).

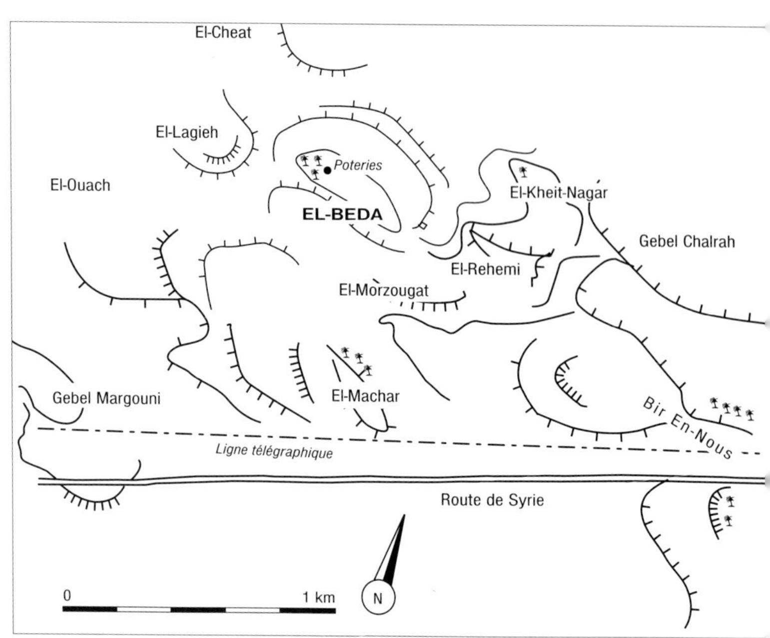

3

Fig. 4. Vue des sondages de J. Clédat au sud de la palmeraie de Béda en mai 1911 (tirage d'après plaque de verre. Fonds Jean Clédat, musée du Louvre).

Fig. 5. Tessons incisés découverts à Béda (tirage d'après plaque de verre. Fonds Jean Clédat, musée du Louvre).

Fig. 6. Vue de la ligne télégraphique et de la partie sud de la palmeraie de Bir en-Nouss (tirage d'après plaque de verre. Fonds Jean Clédat, musée du Louvre).

Fig. 7. Vue générale de la palmeraie de Béda avec le campement de Clédat au sud (tirage d'après plaque de verre. Fonds Jean Clédat, musée du Louvre).

Fig. 8. Détail du *serekh* incisé sur le vase complet de Béda, (Cliché A. Lecler, Ifao).

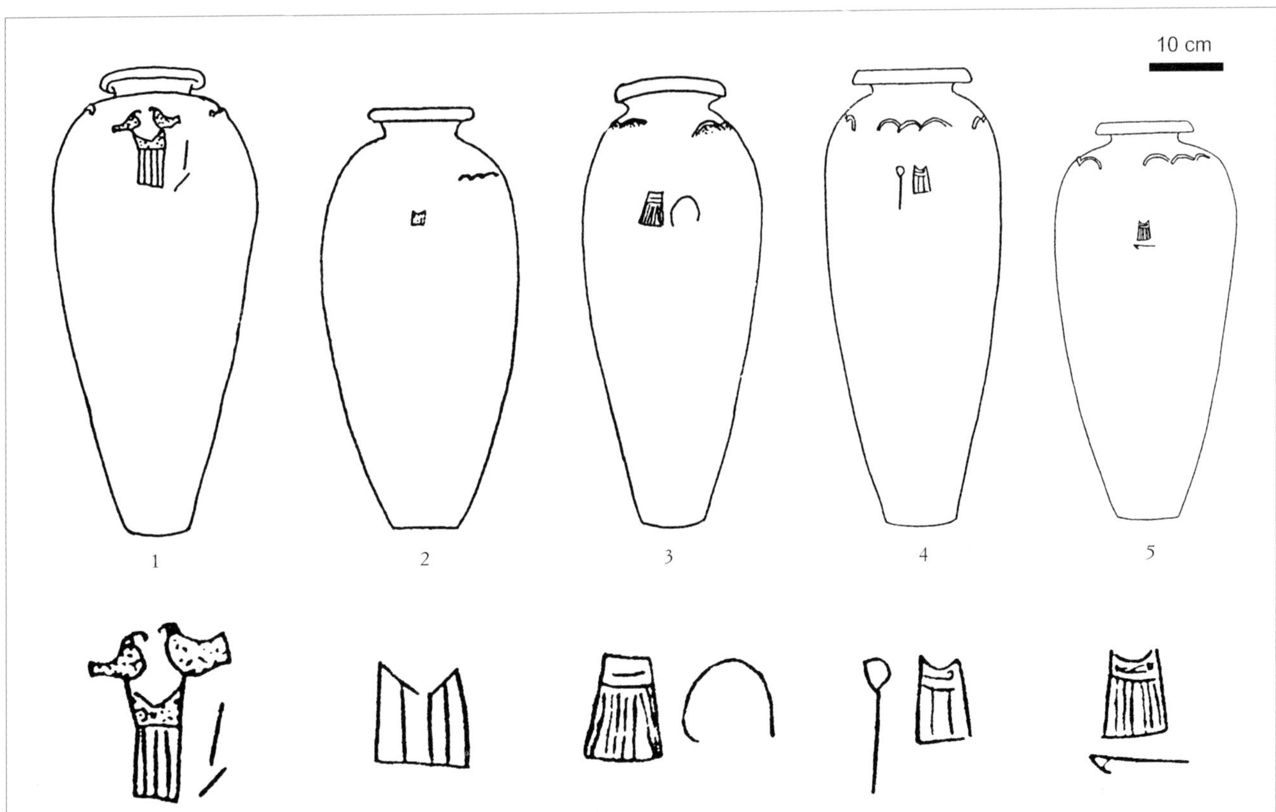

Fig. 9. *Serekhs* incisés découverts sur des jarres du même type que celle de Béda :

1. Béda.
2. Rafia.
3. Toura (inv. 16.g.9).
4. Tarkhan (inv. 1702).
5. Tarkhan (inv. 1100), (d'après E.C.M. Van den Brink, dans *Aspects of Early Egypt*, fig. 1 et 2).

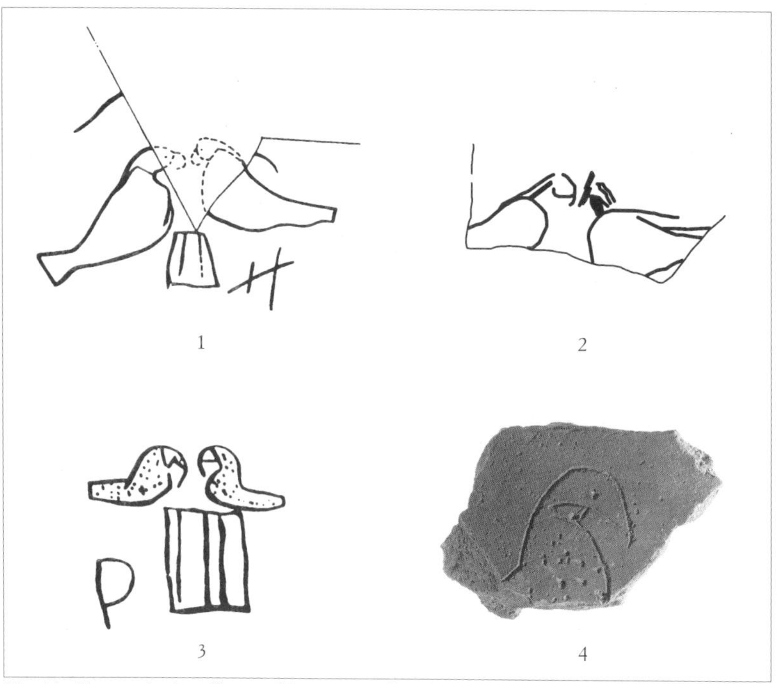

Fig. 10. Tessons incisés d'un *serekh* surmonté d'un double faucon :
1. Sinaï. 3. Toura.
2. Tell Ibrahim Awad. 4. Adaïma
(d'après A. Jiménez-Serrano, *Archéo-Nil* 13, p. 112 ; n° 4 : cliché A. Lecler, Ifao).

Fig. 11. Matériel lithique découvert à Béda (tirage d'après plaque de verre. Fonds Jean Clédat, musée du Louvre).

Fig. 12. Matériel lithique ramassé par J. Clédat dans la région de l'Isthme de Suez (tirage d'après plaque de verre. Fonds Jean Clédat, musée du Louvre).

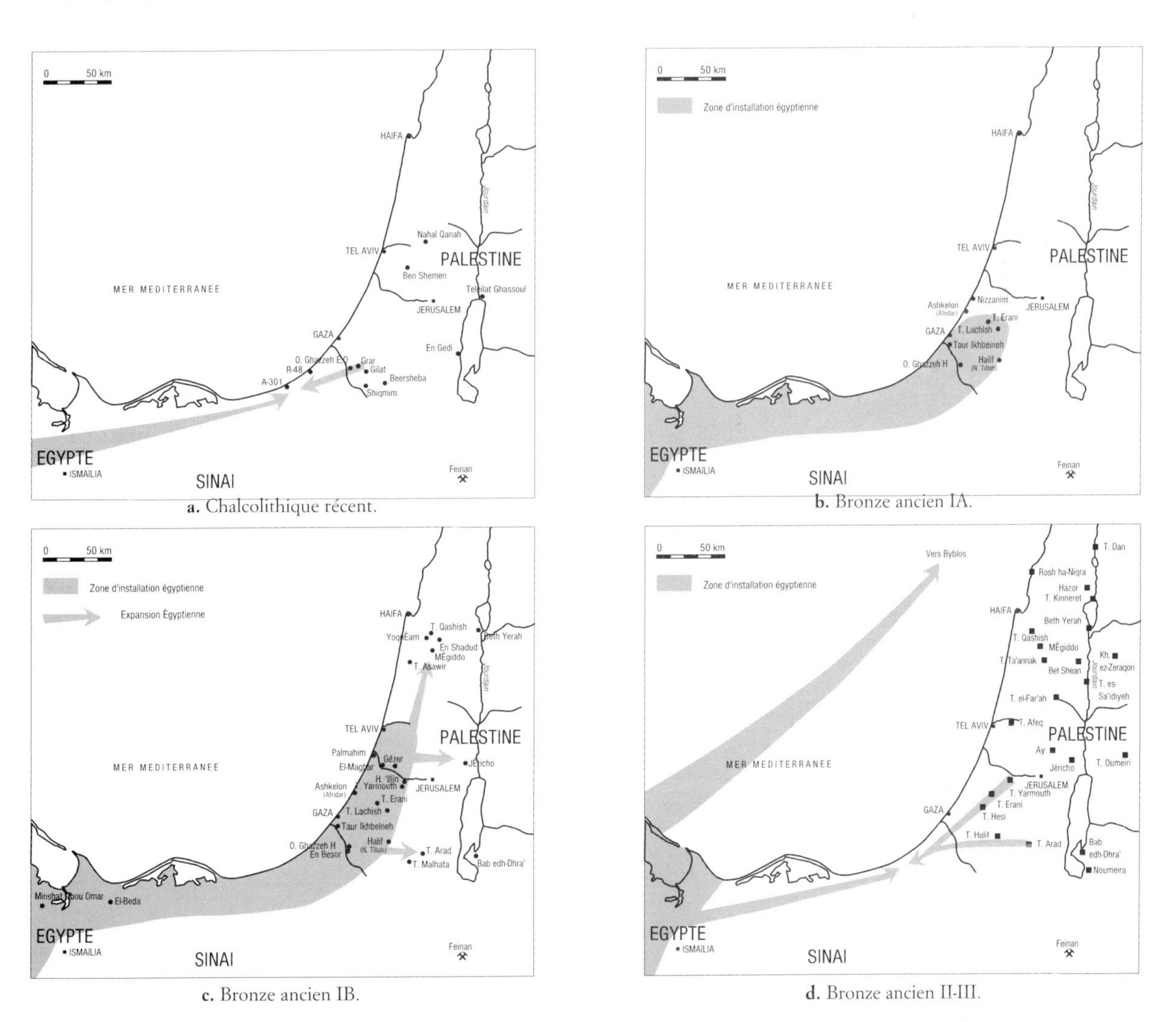

a. Chalcolithique récent.

b. Bronze ancien IA.

c. Bronze ancien IB.

d. Bronze ancien II-III.

Fig. 13. Cartes des relations égypto-palestiniennes dans le Sinaï septentrional (d'après P. de Miroschedji, dans *Le Sinaï*, fig. 2, 6, 7 et 18).

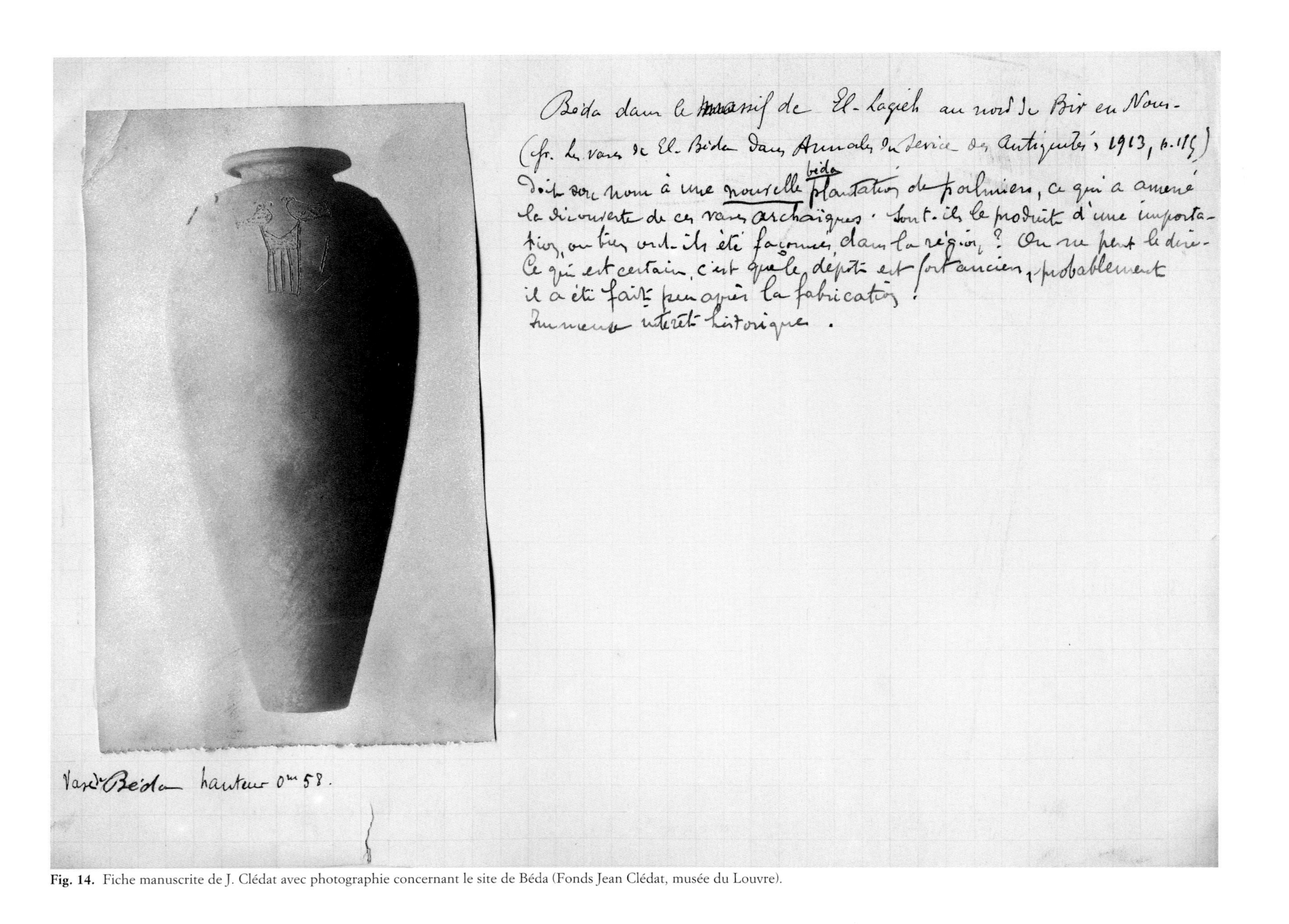

Béda dans le massif de El-Lagieh au nord de Bir en Nous-
(cfr. Le vase de El-Béda dans Annales du Service des Antiquités, 1913, p. 115)
doit son nom à une nouvelle béda plantation de palmiers, ce qui a amené
la découverte de ces vases archaïques. Sont-ils le produit d'une importa-
tion, ou bien ont-ils été façonnés dans la région ? On ne peut le dire.
Ce qui est certain, c'est que le dépôt est fort ancien, probablement
il a été fait peu après la fabrication !
Immense intérêt historique.

Vase de Béda hauteur 0m 58.

Fig. 14. Fiche manuscrite de J. Clédat avec photographie concernant le site de Béda (Fonds Jean Clédat, musée du Louvre).

Zwei spätdemotische Zahlungsquittungen aus der Zeit des Domitian

Abd-el-Gawad MIGAHID

Der vorliegende Aufsatz behandelt zwei neue spätdemotische *iw*-Urkunden, von deren Art bisher etwa 20 Exemplare publiziert worden sind[1].

P. Vindob. D 6833[2]

[Abb. 1-3]

Soknopaiu Nesos | H. × B. = 28 cm max. × 25 cm max. | (Domitian), Jahr 8 (88 / 89 n. Chr.)

Äußere Beschaffenheit

Der dunkelbraune Papyrus ist von schlechter Qualität. Eine senkrechte Klebung („join"), die sich von der oberen bis zur unteren Kante des Papyrus hinzieht, zeigt deutlich zwei miteinander verbundene Blätter. Im Gegensatz zum rechten Blatt des Papyrus sind auf dem linken Teil zahlreiche Lücken vorhanden, von denen sich mindestens zwei große Lücken innerhalb der Schriftzone befinden. Außerdem besteht das linke Blatt des Papyrus aus zwei

1 Publizierte Zahlungsquittungen der Römerzeit aus dem Fajjum sind: P. Mil. Vogliano dem. 26 (ed. BRESCIANI/P. PESTMAN, *Papyri della Università degli Studi di Milano* – P. Mil. Vogliano – vol. Terzo, Milano 1965, S. 181ff.); Pap. Berlin P 23503 (ed. K.-Th. ZAUZICH, *Enchoria* 1, 1971, S. 29ff.); Pap. Berlin P 15505, P 15593 + P 23721, P 23501 (ed. ders., Enchoria 2, 1972, S. 65ff.); Pap. Berlin P 15685, P 15667, P 8932 Verso (ed. ders., *Enchoria* 7, 1977, S. 158ff.); P. Vindob. D 6344 (ed. F. HOFFMANN, *Enchoria* 21, 1994, S. 13ff.); P. Vindob. D 6512 (A) (ed. A. G. MIGAHID, *BIFAO* 98, 1998, S. 292 ff., Abb. 1 A); P. Vindob. D 6014 (ed. ders., *BIFAO* 99, 1999, S. 357ff.); P. Vindob. D 6819 (ed. ders., *ZÄS* 128, 2001, S. 142ff.); P. Vindob. D 6850 (ed. ders., *BIFAO* 102, 2002, S. 285ff.); P. Vindob. D 6857, D 6861 (ed. ders., *ZÄS* 129, 2002, S. 61ff.); P. Vindob. D 6845 (ed. ders., *ZÄS* 129, 2002, S. 122ff.); P. Vindob. D 6823, D 6824 (ed. ders., *BIFAO* 103, 2003, S. 341ff.); P. Vindob. D 6828 (ed. ders., *ZÄS* 132, 2005, im Druck). Ein weiterer Text (P. Louvre 10350) befindet sich in einer veralteten Publikation bei E. *Revillout*, *Mélanges sur la métrologie, l'économie politique et l'histoire de l'Ancienne Égypte*, Paris 1895, S. 183 (ohne Photo).

2 Hermann Harrauer, dem Direktor der Papyrussammlung der Österreichischen Nationalbibliothek, danke ich für die Publikationserlaubnis und die Bereitstellung der Photographien der beiden Stücke. Mein Würzburger Kollege Günter Vittmann, der meine Vorliebe für spätdemotische Urkunden und speziell für die Zahlungsquittungen kennt, hat liebenswürdigerweise zu meinem Gunsten auf die Veröffentlichung der vorliegenden Stücke verzichtet. Ich möchte ihm an dieser Stelle ein herzliches Dankeschön sagen. Außerdem verdanke ich ihm einige hilfreiche Hinweise, die im folgenden und im einzelnen deutlich werden.

fragmentarischen Stücken, die offensichtlich getrennt waren. Die moderne Klebung erfolgte leider versetzt und ist sehr irreführend, denn die Zeilenfolge des linken oberen Stückes (speziell die der oberen vier Zeilen) stimmt nicht mit der des rechten Teiles des Papyrus überein. Des weiteren zeigt die Zeilenfolge, dass die ursprüngliche Schriftrichtung eindeutig schräg nach links oben hinneigend war[3]. Darüber hinaus findet sich stellenweise Schriftabrieb. Man beachte außerdem 7 senkrechte Falten des Papyrus ; beim ersten Gebrauch scheint sich der Papyrus wahrscheinlich waagrecht aufgerollt zu haben. Die Schrift verläuft parallel zur Faser auf dem Recto, das Verso ist unbeschrieben. Der Text ist mit schwarzer Russtinte aufgetragen.

TRANSKRIPTION

[1] *ỉw (n-dr.t) ⌜nb⌝ wʿb.w (sic) ḥry šy wꜣḏ-wr ⌜nꜣ⌝-nfr-ỉr-šty nꜣ wʿb.w (nꜣ) mr-[šn.w nꜣ ḥm-ntr.w] Sbk-nb-pay pꜣ ntr ʿꜣ ʾIs.t-(nꜣ)-⌜nfr-ỉr⌝-* [2] *s.t tꜣ ỉn-ntr.t ʿꜣ.t pꜣ 5 sꜣ.w wʿ sp ⌜nꜣ⌝ (nty) ḏd (n) Ḥr Ḫtbꜣ [Stꜣ.ṯ]=⌜w-tꜣ-w⌝ty pꜣ sḫ nꜣ wʿb.w ḥꜣ.t-sp 8.t Ḳw-* [3] *ḳny ʿ.w.s. Ḳsl{ḳ}s ʿ.w.s. pꜣ ntr mḥe*
mḥ=k (ṯ=n) tw=k m⌜try⌝ ḥꜣty=n (n nꜣ) ḥḏ.w{w} pꜣ ḥmt ỉ.ỉr ỉy n-⌜drt=k⌝ [4] *ḥr-r-ḥr=w{w} ḥnʿ (nꜣ) ỉḥ ỉ.ỉr ỉy n-dr.t=k ḫr-ḥr=w{w} ⌜ḥn⌝ʿ(?) [pꜣ] [ḥḏ] ḥꜣ.t [pꜣ] ⌜ḥḏ⌝ pḥ ỉ.⌜ỉr ỉy n-dr.t=k⌝ ḫr-ḥr=w ḥnʿ (pꜣ) nḥṯ* [5] *pꜣy ḏy.w{w} 4.t ỉ.ỉr (ỉy) n-dr.t=k ḫr-ḥr=w{w} ḥnʿ (nꜣ) šš.w [ỉ.ỉr] (ỉy) ⌜n-dr.t=k ḫr-ḥr=w⌝ pḥ ⌜tꜣy⌝ [ỉbd-x ...] sw ⌜21⌝(?) hn(-r) ỉbd-2 šmw sw 21 r.sḫ⌝* [6] *Ḫtbꜣ sp-2 ʿpp ḫr tꜣ ỉḥy nꜣ ⌜wʿb.w⌝ ⌜Ḥr-pa-ỉs.t⌝ Ḥr-pyt ⌜H⌝[r]⌜y=w⌝*
[7] *Ḫtbꜣ Stꜣ.ṯ=w-tꜣ-wty sp-2 Mꜣʿ-rʿ*
[8] *Ḫtbꜣ Pa-nꜣ.w-mꜣ(y.w) Hry=w*
[9] *Stꜣ.ṯ=w-tꜣ-wty sp-2 (pꜣ) ʿꜣ*
[10] *Pa-gš sp-2 Ḥr-pyt*
[11] *Stꜣ Pa-nꜣ.w-nfr-ỉmy Stꜣ*

ÜBERSETZUNG

[1] *Zahlungsquittung (aus der Hand) des Herrn der Reinheit, dem Obersten des Sees vom See Nephersatis, der Priester, (der) Lesonis-[Priester, der Propheten] des Soknopaios, des großen Gottes, (und) der Isis-Nepher-* [2] *ses, der großen Göttin, von den fünf Phylen auf einem Mal, derer, (welche) sagen (zu) Horos, (Sohn) des Satabus, (Sohnes) des [Sto]toetis, dem Schreiber der Priester (im) Regierungsjahr 8 des Ḳw-* [3] *ḳny L.H.G., des Kaisers L.H.G., des erobernden Gottes :*
'Du hast (uns) vollbezahlt. Du hast unser Herz zufriedengestellt (mit den) Geldern (und) dem Kupfer, die aus deiner Hand gekommen sind [4] *dafür, zusammen mit (den) Rind(ern), die aus deiner Hand gekommen sind dafür, zusammen mit [dem] Vorschuss (und) [dem] Nachschuss, die aus deiner Hand gekommen sind dafür, zusammen mit (der) Steuer* [5] *jener vier Schiffe, die aus deiner Hand (gekommen) sind dafür, zusammen mit (den) Krügen, [die] aus deiner Hand (gekommen) sind dafür, eingeflossen vom [Monat x der Jahreszeit x], Tag 21 (?) bis (zum) zweiten Monat des Sommers, Tag 21'.*

3 Neben einem originalgetreuen Faksimile (Abb. 2) zeigt eine weitere modifizierte Pause am Schluss, wie der Text aussehen sollte (Abb. 3).

Geschrieben hat |6 *Satabus, (Sohn) des Gleichnamigen, (Sohnes) des Apophis für die Sache der Priester (im Auftrag des) Harpaesis, (Sohn) des Harpagathes, (Sohnes) des Herieus.*
|7 *Satabus, (Sohn) des Stotoetis, (Sohnes) des Gleichnamigen, (Sohnes) des Marres.*
|8 *Satabus, (Sohn) des Panomieus, (Sohnes) des Herieus.*
|9 *Stotoetis, (Sohn) des Gleichnamigen (des) Älteren.*
|10 *Pakysis, (Sohn) des Gleichnamigen, (Sohnes) des Harpagathes.*
|11 *Stꜣ, (Sohn) des Panephrymmis, (Sohnes) des Stꜣ.*

KOMMENTAR

1. Der Schreiber hat versehentlich *wꜥb.w* „Priester" statt *wꜥb* „Reinheit" geschrieben.

1. Zum Ausdruck *ỉn-ntr.t*, s. M. Smith, *Enchoria* 13, 1985, S. 111-114.

1-2. Man beachte die Verteilung des Namens der Göttin Isis-Nepherses über zwei Zeilen.

2-3. Der hier ebenfalls über zwei Zeilen verteilte Name des herrschenden Kaisers *Ḳwḳny* ist sehr problematisch. Auch wenn das zweite *ḳ* in seinem Namen überflüssig wäre (vgl. etwa Z. 3 : *Ḳsl{ḳ}s* für *Ḳsls* ! ![4]), bleibt das Problem ungelöst, wer mit *Ḳwḳny* bzw. *Ḳw{ḳ}ny* gemeint ist. G. Vittmann, dem ich nur unter großem Vorbehalt folgen möchte, schlug mir jedoch die Lesung „*Qwtny ;* d. h. *Qw<m>tny*" vor. Er bemerkte dazu : „Domitian ist sicher gemeint".

Zieht man aber spätdemotische Personenlisten des 1. Jahrhunderts heran, würde man einen weiteren Vorschlag machen dürfen, wer auch mit *Ḳwḳny* bzw. *Ḳw{ḳ}ny* in Frage kommen könnte. Bei P. Vindob. D 6799, III, 1-2 (unveröffentlicht), höchstwahrscheinlich aus der Zeit des Tiberius, handelt es sich um eine umfangreiche Liste über Bevölkerungsstatistik aus Soknopaiu Nesos. Dort findet sich nämlich ein Name „*Ḫtbꜣ*, Sohn des *ꜥpp*", in der darauffolgenden Zeile steht der Name seines gleichnamigen Sohnes, so : *Ḫtbꜣ pꜣy=f šr*, „*Ḫtbꜣ*, sein Sohn". Wäre der eben genannte Sohn mit unserem Schreiber identisch, dann wäre *Ḳwḳny* bzw. *Ḳw{ḳ}ny* ohne Phantasie wohl mit Tiberius zu verbinden[5]. Doch hier lassen sich einige erhebliche Fragen stellen : Was sollte dann *Ḳwḳny* bzw. *Ḳw{ḳ}ny* bedeuten ? Handelt es sich hier bloß um einen Rufnamen, mit dem die römerzeitlichen Ägypter den Kaiser Tiberius benannt haben könnten ? Und dürften Notare überhaupt einen solchen Rufnamen in staatlichen Dokumenten benutzen ? Oder handelt es sich doch um den Rufnamen eines anderen römischen Kaisers als Tiberius oder Domitian ?

3. Die Schreibung des Wortes *ḥḏ.w{w}* weist offensichtlich eine überflüssige Pluralendung auf, eine Eigentümlichkeit des Schreibers, die oft in unserer Urkunde vorkommt.

3. Die Lesung „der eigenwilligen Schreibung für *ḥmt* 'Kupfer'" verdanke ich G. Vittmann.

4. Die Lesung *ỉḥ* „Rind" verdanke ich auch G. Vittmann.

4. Die zusammengesetzte Präposition *ḥr-r-ḥr=w{w}* wiederholt sich wieder einmal auf gleicher Zeile mit dem gleichen überflüssigen *{w}* sowie in Z. 5.

4 Zur Titelform *Ḳsls*, vgl. P. Vindob. D 6344, Z. 5 (s. hier Anm. 1). In diesem Zusammenhang möchte ich die Gelegenheit nutzen, in P. Vindob. D 6512 (B + C) (s. hier Anm. 1) den Namen des Kaisers Claudius statt Tiberius zu korrigieren.

5 Dann wäre unsere Quittung die dritte Urkunde aus der Zeit des Tiberius nach Pap. Berlin P 15593 + P 23721 und P 23501 (s. hier Anm. 1).

4. Zur Lesung und Bedeutung der Wendung *[pꜣ] [ḥḏ] ḥꜣ.t [pꜣ] ⸢ḥḏ⸣ pḥ* „der Vorschuss (und) der Nachschuss", s. P. Vindob. D 6845, Z. 2 und D 6861, Z. 3 (s. hier Anm. 1).

4. Die Lesung des Wortes *nḫṱ* „Steuer" (vgl. Pap. Berlin P 15685, Z. 5 ; s. hier Anm.1) war mir zwar von vornherein klar, aber die am Schluss der Zeile stehenden zwei Zeichen sind mir zusammengeraten ; darauf hat mich G. Vittmann verwiesen.

5. Man beachte auch hier die überflüssige Pluralendung bei *ḏy.w* „Schiffe".

5. Leider ist das Determinativ des sicher gelesenen Wortes *šš.w* dem starken Schriftabrieb zum Opfer gefallen. Trotzdem wird man vermuten dürfen, dass mit *šš.w* wohl „Krüge" (*Glossar* S. 523) gemeint sind.

5. Dem Zusammenhang nach wird *pḥ* „einfließen" bedeuten, auch wenn es nach *Glossar* S. 137f. eigentlich „ankommen" und „eintreffen" heißt. Eine Lesung *bnr*, an die ich zunächst dachte, statt *pḥ*, halte ich für völlig ausgeschlossen, zumal eine solche Lesung keinen Sinn gibt. Vielmehr liegt hier eine graphische Differenzierung zwischen *pḥ* in Verbindung mit *ḥḏ* im Sinne von „Nachschuss" und *pḥ* „einfließen". Die Steuergelder, die der Schreiber erwähnt hat, mussten wohl also in Raten innerhalb eines bestimmten Zeitraumes „eingeflossen" sein.

5. Weil *hn(-r)* hinter der Lücke vorkommt, ist die Lesung des vor der Lücke stehenden Wortes *⸢ṯꜣy⸣* trotz starker Zerstörung gesichert. In der großen Lücke dürfte deshalb nicht mehr als die Angaben über den Monatsnamen, die Jahreszeit und das Tagesdatum gestanden haben.

5. Die Schreibung *sw 21* ist sehr merkwürdig. Die Lesung ist deshalb nicht ganz sicher.

6. Das Wort *ỉḫy* „Sache, Habe, Besitz" (*Glossar* S. 42) wird zum zweiten Mal in dieser Textgattung gebraucht. Die Lesung des danach fast gänzlich abgeriebenen Wortes *⸢wꜥb.w⸣* verdanke ich G. Vittmann[6].

6. Die Lesung des ersten Namens als *⸢Ḥr-pa-ỉs.t⸣* ist wegen der starken Beschädigung nicht absolut sicher. Zu seiner Person, s. weiter unten meine 'Bemerkungen zum Inhalt'.

11. Zum Namen *Stꜣ*, s. P. Vindob. D 6454, II, 5 (*BIFAO* 103, 2003, S. 341).

BEMERKUNGEN ZUM INHALT

Der aus Soknopaiu Nesos stammende P. Vindob. D 6833 enthält Namen von insgesamt 8 Personen, deren Funktion und Stellung im einzelnen zu gliedern ist :

Die Zahlungsempfänger

Die Kontrahentenpartei A (die Zahlungsempfänger bzw. die Aussteller der Urkunde) wird innerhalb der Einleitungsformel nicht namentlich genannt. Sie sind „die *wꜥb*-Priester, die Lesonis-Priester und die Propheten des Soknopaios, des großen Gottes, (und) der Isis-Nepherses, der großen Göttin, von den fünf Phylen auf einem Mal" mit einem unbekannten Oberpriester (?) an ihrer Spitze. Dieser, der ebenfalls nicht genannt wird, ist mit dem Titel „Herr der Reinheit, dem

6 Für die ganze Verbindung *tꜣ ỉḫy nꜣ wꜥb.w* verweist mich G. Vittmann dankenswerterweise auf P. Vindob. D 6512 A, x+5, wo statt *tmy qnb* (*BIFAO* 98, 1998, S. 292) *tꜣ ⸢ỉ⸣ḫy* transkribiert werden sollte.

Obersten des Sees vom See Nephersatis“ angeführt. Doch mir scheint es sich bei den Unterschriften von fünf Personen, mit denen die Urkunde endet, um die Namen eines fünfköpfigen Kollegiums der Priesterschaft des Gottes Soknopaios und der Göttin Isis-Nepherses zu handeln. Sie haben die Urkunde jeweils eigenhändig unterschrieben.

Die Einzahler

Bei der Kontrahentenpartei B handelt es sich um eine einzige, zahlungspflichtige Person, einen gewissen „Horos, (Sohn) des Satabus, (Sohnes) des [Sto]⌈toe⌉tis, den Schreiber der Priester“. Doch seine Funktion als „der Schreiber der Priester“ (*pꜣ sẖ nꜣ wʿb.w*) läßt erhebliche Zweifel daran aufkommen, ob er tatsächlich der Besitzer der besteuerten vier Schiffe und damit der Zahlungspflichtige war. Vielmehr scheint es sich bei dem genannten Einzahler, „dem Schreiber der Priester“, eher um einen Verwalter einer anderen Person zu handeln, der u. a. „jene vier Schiffe“ (*pꜣy ḏy.w 4.t*) gehört haben. Eben darum glauben wir annehmen zu können, dass jene Schiffe mit der Person *⌈Ḥr-pa-ỉst⌉ Ḥr-pyt ⌈Ḥ⌉[r]⌈y=w⌉* zusammenzubringen sind. Denn der Bezug auf diese Person schließt sich unmittelbar an die Unterschrift des Urkundenschreibers an und gibt Aufschluss über seine Stellung als Schiffsbesitzer, wie im folgenden Wortlaut deutlich wird :

r.sẖ NN ẖr tꜣ ỉẖy nꜣ ⌈wʿb.w⌉ ⌈Ḥr-pa-ỉs.t⌉ Ḥr-pyt ⌈H⌉[r]⌈y=w⌉
„Geschrieben hat NN für die Sache der ⌈Priester⌉ (im Auftrag des) Ḥr-pa-ỉst Ḥr-pyt Hry=w“

Der Schreiber

Als achte und letzte Person unseres Textes ist also der Schreiber der Urkunde zu nennen, der Satabus, (Sohn) des Gleichnamigen, (Sohnes) des Apophis genannt wird. Er trägt den Titel *pꜣ sẖ nꜣ wʿb.w* „Schreiber der Priester“.

Die Zahlungen und ihre Art

In folgender Tabelle seien in Transkription und Übersetzung die einzelnen Zahlungen sowie die Daten zusammengestellt :

Nr.	Zeile	Die Zahlungen	Daten
1	3	*(nꜣ) ḥḏ.w{w} pꜣ ḥmt* *„(Die) Gelder (und) das Kupfer“.*	*ḥꜣ.t-sp 8.t Ḳwḳny … … ⌈tꜣy⌉* *[ỉbd-x …] sw ⌈21⌉(?) hn(-r) ỉbd-2 šmw sw 21* *„Regierungsjahr 8 des Ḳwḳny … … ⌈vom⌉* *[Monat x der Jahreszeit x], Tag ⌈21⌉ bis* *(zum) zweiten Monat des Sommers, Tag 21“*
2	4	*(nꜣ) ỉḥ* *„(Die) Rind(er)“.*	
3	4	*[pꜣ] [ḥḏ] ḥꜣ.t [pꜣ] ⌈ḥḏ⌉ pḥ* *„[Der] Vorschuss (und) [der] Nachschuss“.*	
4	4-5	*(pꜣ) nḥṯ pꜣy ḏy.w{w} 4.t* *„(Die) Steuer jener vier Schiffe“.*	
5	5	*(nꜣ) šš.w* *„(Die) Krüge“.*	

Die verschiedenen Zahlungen, die keinerlei Beträge nennen, betreffen „Geld (und) Kupfer" (*ḥḏ pꜣ ḫmt*) und eine unbekannte Zahl von „Rind(ern)" (*iḫ*) sowie die Steuer für vier Schiffe (*ḏy.w 4.t*). Ob es sich hier um „Lastschiffe" oder „Fischerboote" handelt, also nicht um „Fähren", wie bei Pap. Berlin P 15505 (s. hier Anm. 1), ist mir unklar. Mit „dem Vorschuss und dem Nachschuss" (*pꜣ ḥḏ ḥꜣ.t pꜣ ḥḏ pḥ*) sind offenbar jene nicht genannten Beträge gemeint, die sowohl in Geld als auch in Naturalien geleistet wurden. Sie erfolgten auch in unbekannten Raten. Zu den Zahlungen gehören aber auch „Krüge" (*šš.w*). Sie werden erstmals in einer spätdemotischen Steuerquittung erwähnt. Welche „Krüge" der zahlungspflichtige Schiffsbesitzer zusätzlich als Steuer leisten bzw. liefern musste, und in welcher Menge die „Krüge" gewesen waren und was sich hinter der Bezeichnung „Krüge" verbirgt, geht leider aus dem ziemlich knapp gehaltenen Text nicht hervor.

Der genaue Zeitraum, in dem die Zahlungen geleistet wurden, bleibt leider unbekannt, weil die betreffende Datumsangabe im Papyrus zum Teil zerstört ist. Doch die erhaltenen Worte „vom ... bis zum ..." (*tꜣy ... ḥn-r ...*) sowie jene formelhafte Wendung „der Vorschuss und der Nachschuss" weisen deutlich darauf hin, dass die Zahlungen in Raten erfolgt haben müssen. Der Zeitabstand zwischen Zahlungsbeginn und -ende dürfte keineswegs mehr als ein Jahr beansprucht haben, weil die Platzverhältnisse, wo sich jetzt die Lücke befindet, nicht mehr Angaben über das Regierungsjahr des herrschenden Kaisers zulassen als die des Monats und der Jahreszeit und des Tages. Ob zwischen dem Zahlungsbeginn und -ende weitere Teilzahlungen erfolgten, darüber gibt der Text keine Auskunft. Doch dürften m. E. zwischen dem Zahlungsbeginn und -ende mehrere Teilzahlungen geleistet worden sein, die in unserer Urkunde nicht ausdrücklich quittiert werden. Ob diese bereits separat bei der jeweiligen Zahlung quittiert worden sind, ist unbekannt.

Wie die Steuer heißt oder wie sie bezeichnet wird, dafür gibt der Text keine Auskunft. Es wird lediglich *nḫṱ* „Steuer" erwähnt. Deshalb scheint mir dieses Wort ein Sammelbegriff für alle möglichen Steuerarten gewesen zu sein, bis auf jene Steuern, die mit dem Handwerk-Gewerbe zu tun hatten, wie etwa die Gewerbesteuer der Weber[7] oder der Wäscher[8].

Unsere Urkunde, die keine konkrete Zahlungen bzw. Zahlen nennt, ist somit als eine Art Erklärung zu verstehen, in der die Kontrahentenpartei A der Kontrahentenpartei B den Empfang aller Steuerzahlungen bestätigt. Das erinnert deutlich an P. Vindob. D 6845, D 6857 und D 6861 (s. hier Anm. 1), in denen auch keine konkreten Zahlen bzw. Zahlungen erwähnt sind.

7 Vgl. P. Vindob. D 6857 (s. hier Anm. 1).
8 Vgl. P. Vindob. D 6828 (s. hier Anm. 1).

P. Vindob. D 6837

[Abb. 4]

Soknopaiu Nesos — H. × B. = 22 cm max. × 15 cm max. — 18.7.89 – 20.03.90 n. Chr.

Äußere Beschaffenheit

Der mittelbraune Papyrus Vindob. D 6837 enthält einige unbedeutende kleine und größere Lücken. Der linke Rand ist jedoch so schwer abgebrochen, dass dadurch Textverlust an wichtigen Stellen entstanden ist. Der Papyrus scheint außerdem aus einem hochformatigem Blatt herausgeschnitten worden zu sein, weil eindeutig kleine Tintenreste an der oberen und rechten Kante zu sehen sind. Es handelt sich um Palimpsest. Die Schrift verläuft parallel zur Faser auf dem Recto, das Verso ist unbeschrieben. Zu beachten ist der schräge Verlauf der Schriftzeilen, besonders im unteren Abschnitt. Die vergleichsweise gut lesbare Schrift, die viele Ligaturen aufweist, ist flüssig. Der Text ist mit schwarzer Russtinte aufgetragen.

TRANSKRIPTION

|[1] *ỉw n-dr.t nb wꜥb ḥry šy wꜣḏ-wr ⸢nꜣ-nfr-ỉr-⸣* |[2] *šty.t nꜣ wꜥb.w nꜣ mr-šn.w nꜣ ḥm-ntr.w Sbk-nb-Pay pꜣ ntr ꜥꜣ* |[3] *ꜣIs.t-nꜣ.w-nfr-ỉr-s.t tꜣ ỉn-ntr.t ꜥꜣ.t pꜣ 5 sꜣ.w wꜥ* |[4] *sp nꜣ nty ḏd (n) Stꜣ.ṱ=w-tꜣ-wty H̱tbꜣ Ḥr-pyt Pꜣ-⸢nꜣ⸣-mꜣy.w* |[5] *ḥnꜥ H̱tbꜣ Ḥr-pyt H̱tbꜣ Ḥr-pyt Pꜣ-nꜣ-mꜣy.w*

⸢tw⸣[=tn] ⸢n=n⸣ |[6] *ḥḏ sp-2 12 tꜣ pše.t ḥḏ sp-2 6 r ḥḏ sp-2 12 ꜥn ẖr pꜣy ⸢...⸣ [...]* |[7] *.. pꜣ tꜣy(?) Pꜣy-šy ḥnꜥ tꜣ ẖny(.t) šfṱ Pꜣ-sy-Ḥr* |[8] *ḥꜣ.t-sp 9.t Tywmtns Ḳysrs pꜣ Sbsṱn G[rm]nḳ⸢s⸣* |[9] *pꜣ ntr nty mḫṱ šp-s=n n-dr.t=tn r ḥꜣte(=n) mtry n.⸢ỉm=w s⸣[ẖ]* |[10] *ỉbd-3 šmw sw 24 sẖ H̱tbꜣ Stꜣ.ṱ=w-tꜣ-wty (pꜣ) sẖ nꜣ wꜥb.w*

|[11] ***wḥm*** *tpy {ỉbd-2} ꜣẖ.t sw 4 ḥḏ sp-2 4 tꜣ pše.t ḥḏ sp-2 2 r ḥḏ sp-2 4 ⸢ꜥn⸣ šp-s=⸢n⸣* |[12] *n-dr.t=tn r ḥꜣte(=n) mtry n.ỉm=w sẖ H̱tbꜣ Stꜣ.ṱ=w-(tꜣ)-w⸢ty⸣ (pꜣ) ⸢sẖ nꜣ w⸣[ꜥb.w]*

|[13] ***wḥm*** *ỉbd-2 ꜣẖ.t sw 4 ḥꜣ.t-sp 10.t tw n=n Ḥr-pyt H̱tbꜣ Ḥr-pyt ẖr <pꜣ wꜥb> H̱tbꜣ* |[14] *pꜣy=f šr ⸢ḥḏ⸣ sp-2 (tbn) 2 tꜣ pše.t ḥḏ sp-2 tbn 1 r ḥḏ sp-2 2 ꜥn šp-⸢s=n⸣ [n-dr.t=]* |[15] *tn (r) ḥꜣty=y mtre n.ỉm=w sẖ H̱tbꜣ Stꜣ.ṱ=w-tꜣ-wty (pꜣ) sẖ* |[16] *⸢nꜣ wꜥb.w⸣*

wḥm *tpy pr.t sw 21 tw n=n pꜣ wꜥb H̱tbꜣ ḥḏ sp-2 (tbn) 2* |[17] *tꜣ pše.t ḥḏ sp-2 tbn 1 r ḥḏ sp-2 2 ꜥn šp-s=n n-drt=tn r* |[18] *ḥꜣty=y mtre n.ỉm=w sẖ tpy pr.t sw 21 sẖ H̱tbꜣ Stꜣ.ṱ=w-tꜣ-⸢w⸣[ty] <pꜣ sẖ nꜣ wꜥb.w>*

|[19] ***wḥm*** *ỉbd-2 pr.t sw 1 (tw) Ḥr-pyt H̱tbꜣ ẖr sw 11 ḥḏ sp-2 tbn 1*

wḥm *[sw] ⸢ꜥrky⸣(?) tw n=n pꜣ wꜥb <H̱tbꜣ> ḥḏ sp-2* |[20] *tbn 1 (r) mḥ ꜥꜣ ⸢ḥḏ sp-2 2 tꜣ⸣ p[še.t] ⸢ḥḏ sp-2 tbn⸣ 1 r ḥḏ sp-2 2 ꜥn sẖ H̱tbꜣ Stꜣ.ṱ=w-* |[21] *[t3-wt]y (pꜣ) sẖ [nꜣ] wꜥb.w*

wḥm *ỉbd-3 pr.t sw 6 sw 9 tw pꜣ wꜥb <H̱tbꜣ> ḥḏ sp-2 4 tꜣ ⸢pše.t⸣* |[22] *ḥḏ sp-2 2 r ḥḏ sp-2 4 ꜥn sẖ H̱tbꜣ Stꜣ.ṱ=w-tꜣ-wty (p3) ⸢sẖ nꜣ wꜥb.w⸣*

|[23] ***wḥm*** *tw H̱tbꜣ Ḥr-pyt ḥḏ sp-2 4 tꜣ pše.t ḥḏ sp-2 2 r ḥḏ sp-2 4 ꜥn šp-s=n* |[24] *n-dr.t=tn r ḥꜣt=n mtre n.ỉm=w sẖ H̱tbꜣ Stꜣ.ṱ=w-tꜣ-wty (pꜣ) ⸢sẖ⸣ nꜣ wꜥb.w*

|[25] ***wḥm*** *<ỉbd-3 pr.t> sw 24 ḥḏ sp-2 tbn 1 tꜣ pše.t ḥḏ sp-2 ḳt 4 ḳt r ḥḏ sp-2 tbn 1 ꜥn ⸢sẖ⸣ [H̱tbꜣ Stꜣ.ṱ=w-tꜣ-]*
|[26] *wty (pꜣ) sẖ nꜣ wꜥb.w*

ÜBERSETZUNG

[1] *Zahlungsquittung aus der Hand des Herrn der Reinheit, dem Obersten des Sees vom See Nepher-* [2] *satis, der Priester, der Lesonis-Priester, der Propheten des Soknopaios, des großen Gottes,* [3] *(und) der Isis-Nepherses, der großen Göttin, von den fünf Phylen auf einem* [4] *Mal, derer, welche sagen (zu) Stotoetis, (Sohn) des Satabus, (Sohnes) des Harpagathes, (Sohnes) des Panomieus,* [5] *und Satabus, (Sohn) des Harpagathes, (Sohnes) des Satabus, (Sohnes) des Harpagathes, (Sohnes) des Panomieus:*

'Ihr habt uns gegeben [6] *12 Silbergeld, die Hälfte ist 6 Silbergeld, macht 12 Silbergeld wiederum, für jenes ⸢...⸣[...]* [7] *des Weidegrases (?) von Pꜣy-šy, zusammen mit den Einkünften des ... von Pꜣ-sy-Ḥr* [8] *(im) Jahr 9 des Kaisers Domitian, des Sebastos Ge[rm]anikus* [9] *des erobernden Gottes. Wir haben es aus eurer Hand empfangen, indem (unser) Herz damit zufrieden ist'. Geschrieben* [10] *im 3. Monat des Sommers, Tag 24. Geschrieben hat Satabus, (Sohn) des Stotoetis, (der) Schreiber der Priester.*

[11] ***Wiederholung(szahlung)****, 1. Monat der Jahreszeit der Überschwemmung, Tag 4: 4 Silbergeld, die Hälfte ist 2 Silbergeld, macht 4 Silbergeld wiederum. Wir haben es empfangen* [12] *aus eurer Hand, indem (unser) Herz damit zufrieden ist. Geschrieben hat Satabus, (Sohn) des Stotoetis, (der) Schreiber der Pries[ter].*

[13] ***Wiederholung(szahlung)****, 2. Monat der Jahreszeit der Überschwemmung, Tag 4, Jahr 10: Gegeben hat uns Harpagathes, (Sohn) des Satabus, (Sohnes) des Harpagathes für <den wꜥb-Priester> Satabus,* [14] *seinen Sohn: 2 (Pfund) Silbergeld, die Hälfte ist 1 Pfund Silbergeld, macht 2 Silbergeld wiederum. Wir haben es [aus] eurer [Hand] empfangen,* [15] *(indem) mein Herz damit zufrieden ist. Geschrieben hat Satabus, (Sohn) des Stotoetis, (der) Schreiber* [16] *der Priester.*

Wiederholung(szahlung)*, 1. Monat des Winters, Tag 21: Gegeben hat uns der wꜥb-Priester, Satabus 2 (Pfund) Silbergeld,* [17] *die Hälfte ist 1 Pfund Silbergeld, macht 2 Silbergeld wiederum. Wir haben es aus eurer Hand empfangen, indem* [18] *mein Herz damit zufrieden ist. Geschrieben im 1. Monat des Winters, Tag 21. Geschrieben hat Satabus, (Sohn) des Stotoe[tis], <der Schreiber der Priester>.*

[19] ***Wiederholung(szahlung)****, 2. Monat des Winters, Tag 1: (Gegeben) hat Harpagathes, (Sohn) des Satabus, für Tag 11, 1 Pfund Silbergeld.*

Wiederholung(szahlung)*, letzter (?) [Tag]: Gegeben hat uns der wꜥb-Priester, <Satabus> Silbergeld* [20] *Pfund 1, um zu komplettieren 2 Silbergeld, die Hälf[te] ist 1 Silbergeld, macht 2 Silbergeld wiederum. Geschrieben hat Satabus, (Sohn) des Stoto-* [21] *[etis], (der) Schreiber [der] Priester.*

Wiederholung(szahlung)*, 3. Monat des Winters, Tag 6 (und) Tag 9: Gegeben hat der wꜥb-Priester <Satabus> 4 Silbergeld, die Hälfte ist* [22] *2 Silbergeld, macht 4 Silbergeld wiederum. Geschrieben hat Satabus, (Sohn) des Stotoetis, (der) Schreiber der Priester.*

[23] ***Wiederholung(szahlung)****: Gegeben hat Satabus, (Sohn) des Harpagathes 4 Silbergeld, die Hälfte ist 2 Silbergeld, macht 4 Silbergeld wiederum. Wir haben es empfangen* [24] *aus eurer Hand, indem unser Herz damit zufrieden ist. Geschrieben hat Satabus, (Sohn) des Stotoetis, (der) Schreiber der Priester.*

[25] ***Wiederholung(szahlung)****, <3. Monat des Winters>, Tag 24: Silbergeld Pfund 1, die Hälfte ist Silbergeld Kite 4 (und 1) Kite, macht Silbergeld Pfund 1 wiederum. Geschrieben hat [Satabus], (Sohn) des [Stoto]-* [26] *etis, (der) Schreiber der Priester.*

KOMMENTAR

3. Zum Ausdruck *ỉn-ntr.t*, s. M. Smith, *Enchoria* 13, 1985, S. 111-114; vgl. dazu den hier behandelten P. Vindob. D 6833, 2.

6. Das Wort nach *pꜣy* ist so stark zerstört, dass außer einem beschädigten *s* am Wortanfang kaum Zeichen mehr übriggeblieben sind. Doch endete das Wort vermutlich mit einem Pflanzendeterminativ, von dem nur schwache Spuren erhalten sind. Ob noch ein weiteres Wort danach gestanden haben könnte, muss dahingestellt bleiben.

7. Das kleine nicht gelesene Zeichen am Zeilenanfang dürfte ein Determinativ des vermutlich am Ende der vorhergehenden Zeile verlorengegangenen Wortes sein.

7. Die Lesung *tꜣy* ist nicht ganz sicher. Auch die Bedeutung wird dadurch nicht klarer. Eine sehr ähnliche Schreibung, die auch mit dem gleichen Pflanzendeterminativ versehen ist, findet sich jedoch bei S. V. Wångstedt, in: *Or Su* 18, 1969, S. 95 („eine Art Kraut“). Dass unsere Stelle auch hier mit „Kraut“ zu übersetzen ist, halte ich deshalb für nicht unwahrscheinlich. Doch ich würde dieses Wort lieber – unter großem Vorbehalt – mit „Weidegras“ o. ä. übersetzen. Eine Bedeutung „Brot“ (*Glossar* S. 600) ist völlig ausgeschlossen[9].

7. Zum Ortsnamen *Pꜣy-šy* (= ⲠⲀϢⲀⲒ? = إبشاي, *Abschây*[10]), vgl. auch Pap. Berlin P 17678, II, 8 (unveröffentlicht, s. *Enchoria* 7, 1977, S. 196). Als weitere arabische Form, wie etwa das seltsame إبشواي *Abschwây*, an das ich zunächst gedacht habe, schließt auch G. Vittmann aus etymologischen Gründen aus.

7. Zum Wort *ḫny(.t)* in der Bedeutung „Einkünfte“ vgl. P. Vindob. D 6845, 3 (s. hier Anm. 1) und D 6788, Kol. I, 2, 12, 17 (unveröffentlicht).

7. Die Bedeutung des Wortes *šft̂*[11], das demotisch bisher nicht belegt ist, ist mir unklar. G. Vittmann verweist mich aber auf *šfd* 'chest' (Det.) und 'book' (Det.) bei Lesko, *Dict.* III. 148 (umschreibt jeweils *šfdỉꜣ* und *šfdw*; für *šfdw*, vergleiche man *Wb* III, S. 461 (*šfdw*, „Papyrus; Buchrolle, Buch“).

7. Zu dem Datum hier sowie den anderen Daten in unserer Urkunde und ihren julianischen Entsprechungen, s. unten meine 'Bemerkungen zu den Zahlungen'.

7. Zum Titel *pꜣ Sbst̠n* in dieser Form s. *Enchoria* 7, 1977, S. 165 (Bemerkung zu f).

9. Man beachte in diesem Text die Weglassung des überflüssigen *y* im Anschluss an *šp⸗*, das der Schreiber vor knapp zehn Jahren im Pap. Berlin P 8932 Verso oft geschrieben hat[12].

13. Zur Person *Ḥr-pyt Ḫtbꜣ Ḥr-pyt*, die zwar auch in Z. 19 erscheint, jedoch ohne den Namen des Großvaters, s. weiter unten meine 'Bemerkungen zum Inhalt'.

13. Zur Person des *Ḫtbꜣ*, die auch an anderen Stellen den Titel *pꜣ wꜥb* trägt, s. weiter unten meine 'Bemerkungen zum Inhalt'.

9 Vgl. *Enchoria* 12, 1984, S. 90.

10 Vgl. J. Quaegebeur, *Le dieu égyptien Shaï dans la religion et l'onomastique* (*OLA* 2), Leuven, 1975, S. 199.

11 Meine frühere Lesung *šfty* ist nicht ganz korrekt, wie G. Vittmann dazu bemerkt hat.

12 Vgl. *Enchoria* 7, 1977, S. 162ff.; vgl. dazu P. Vindob. D 6344 (*Enchoria* 21, 1994, S. 14f.).

14. Die Lesung *šr* verdanke ich G. Vittmann.

15. Mit *ḥꜣty=y* folge ich dem Lesungsvorschlag von G. Vittmann. Zunächst habe ich hier *ḥꜣty(=n)* gelesen.

18. Zur Ergänzung *pꜣ sẖ nꜣ wʿb.w* vgl. die Parallelstellen in unserem Text.

19. Warum keine Zahlung im Anschluss an das erste Datum *ỉbd-2 pr.t sw 1* erfolgt, ist mir unklar.

19. Der Schreiber hat offenbar *tw* vergessen.

19. Die Lesung als *ẖr* ist nicht absolut sicher, weil es stark verkleinert geschrieben ist.

19. Die Stelle nach *wḥm* ist leider stark verblasst. Mit sehr großer Wahrscheinlichkeit handelt es sich hier um ein Tagesdatum. Eine Lesung *⌜ʿrḳy⌝* gebe ich deshalb unter großem Vorbehalt.

21. Die Monatstage *sw 6 sw 9* sind in dieser Reihenfolge recht auffällig. Deshalb habe ich zunächst den Zusammenhang so herstellen wollen : *(tꜣy) sw 6 (ḥn-r) sw 9*. Doch ich vermute, daß es sich beim ersten Datum *sw 6* um die hier vorhandene Einzahlung handelt. Mit dem zweiten Tagesdatum *sw 9* ist sehr wahrscheinlich die darauffolgende Einzahlung (Z. 23) gemeint, die zwar mit *wḥm* beginnt, in der jedoch das Datum der Einzahlung fehlt. Es hat den Anschein, dass der Schreiber die Abwaschung von *sw 9* vermeiden wollte.

25. Die Einzahlungsformel sowie das Datum sind vom Schreiber unklug verkürzt geschrieben. Weil die Zahlung hier wie die 7. Ratenzahlung (Z. 21), also am gleichen Monat und in der gleichen Jahreszeit erfolgte, hat der Schreiber wohl auf die genannten Angaben verzichtet.

BEMERKUNGEN ZUM INHALT

Der vorliegende P. Vindob. D 6837 ist die dritte *ỉw*-Urkunde aus der Regierungszeit des Kaisers Domitian und die zweite, die uns bisher von demselben Monographen bekannt ist[13]. Die Abschnitte, in die sich die Urkunde nach ihrem Inhalt gliedern läßt, werden im folgenden besprochen.

Die Zahlungsempfänger

Die Kontrahenten A (die Zahlungsempfänger bzw. Aussteller der Urkunde), die nicht namentlich genannt werden, sind „die *wʿb*-Priester, die Lesonis-Priester und die Propheten des Soknopaios, des großen Gottes, (und) der Isis-Nepherses, der großen Göttin, von den fünf Phylen auf einem Mal“ mit einem unbekannten Oberpriester (?) an ihrer Spitze. Dieser, der ebenfalls nicht genannt wird, ist mit dem Titel „Herr der Reinheit, dem Obersten des Sees vom See Nephersatis“ angeführt.

13 Die erste veröffentlichte Urkunde aus der Zeit des Domitian ist Pap. Berlin P 8932 Verso (s. hier Anm. 1). Erwähnt wurde P. Vindob. D 6837 in der Zusammenstellung der gleichartigen Berliner-Urkunden bei K.-Th. ZAUZICH, *Enchoria* 7, 1977, S. 164 (Bemerkungen zu a und b); S. 165 (Bemerkung zu f); S. 166 (Bemerkungen zum Inhalt) und S. 196.

Die Einzahler

Die Kontrahenten B (die Einzahler bzw. zahlungspflichtigen Personen) sind zwei namentlich genannte Personen, die mir in verwandtschaftlichem Verhältnis zueinander zu stehen scheinen. Es handelt sich um einen Mann namens Stotoetis (hier mit B 1 bezeichnet) und seinen Neffen namens Satabus (hier mit B 2 abgekürzt). Die Verwandtschaftsverhältnisse der Kontrahenten B 1 und B 2 ergeben sich aus dem Text heraus :

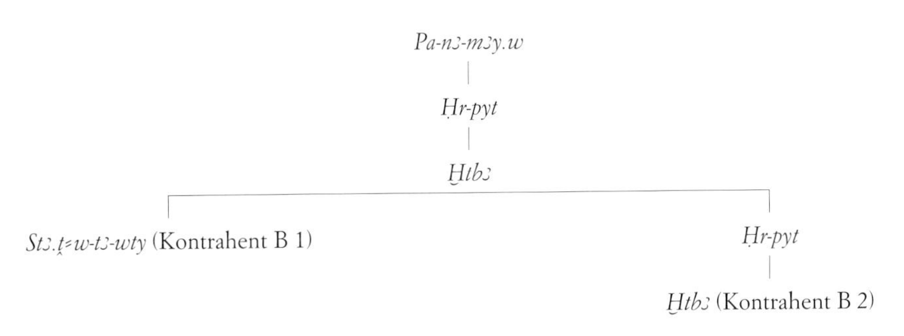

Der Kontrahent B 1, die erste zahlungspflichtige Person *Stꜣ.ṯ=w-tꜣ-wty* ist offenkundig mit dem in Pap. Berlin P 8932 Verso erwähnten Kontrahenten identisch. Dort erscheint er allerdings als einziger Einzahler. Außerdem fungiert er dort als *wꜥb*-Priester. Der Kontrahent B 2, die zweite zahlungspflichtige Person *Ḫtbꜣ*, ist uns jedoch bisher unbekannt gewesen.

Neben den eben genannten zwei Einzahlern (B 1 und B 2) treten außerhalb des vollen Protokollformulars der ersten Zahlung (Z. 1-10) weitere Namen auf, die ebenfalls als Einzahler fungieren. Es handelt sich um folgende drei Namen :

a. *Ḥr-pyt*, (Sohn) des *Ḫtbꜣ*, (Sohnes) des *Ḥr-pyt*, (Sohnes des *Pa-nꜣ-mꜣy.w*) von Z. 1 ist eben offensichtlich mit der in Z. 13 (mit Großvatersnamen) und Z. 19 (ohne Großvatersnamen) genannten Person gleichzusetzen. In beiden Fällen (Z. 13 und Z. 19) erscheint er als Einzahler. In Z. 13 wird er allerdings für die Einzahlung von einer anderen Person namens *Ḫtbꜣ*, bei dem es sich um seinen eigenen Sohn handelt, beauftragt :

– *tw n=n Ḥr-pyt Ḫtbꜣ Ḥr-pyt ḫr Ḫtbꜣ pꜣy=f šr* (Z. 13-14)
– *(tw) Ḥr-pyt Ḫtbꜣ* (Z. 19)

b. Der eben genannte *Ḫtbꜣ*, der als Auftraggeber für die Einzahlung fungiert, ist die zweite Person, die außerhalb des vollen Protokollformulars der ersten Zahlung (Z. 1-10) auftritt. Er erscheint teils nur mit seinem Titel als *wꜥb*-Priester (ohne Namen) und teils nur mit seinem Namen (ohne seinen Titel) und teils mit Namen und Titel zusammen. In allen Fällen (ohne den Vatersnamen oder den Großvatersnamen) ist er selbst Einzahler bzw. Auftraggeber für die Einzahlung :

– *tw n=n Ḥr-pyt Ḫtbꜣ Ḥr-pyt ḫr Ḫtbꜣ pꜣy=f šr* (Z. 13-14)
– *tw n=n pꜣ wꜥb Ḫtbꜣ* (Z. 16)
– *tw n=n pꜣ wꜥb* (Z. 19)
– *tw pꜣ wꜥb* (Z. 21)

c. Beim dritten Namen außerhalb des vollen Protokollformulars der ersten Zahlung (Z. 1-10) handelt es sich um einen gewissen *Ḫtbꜣ Ḥr-pyt,* der ebenfalls als Einzahler erscheint :
– *tw Ḫtbꜣ Ḥr-pyt* (Z. 23)

Nun erheben sich berechtigte Fragen : Wer sind diese drei Namen bzw. Personen, von denen zwei den ersten Namen Σαταβοῦς haben ? Und in welchem Verhältnis stehen alle drei Namen bzw. Personen zu den vorhin genannten Steuerzahlern (B 1 und B 2), die innerhalb des vollen Protokollformulars der ersten Zahlung (Z. 1-10) erscheinen ?

Die Zahlungen werden wie am Anfang gesagt von zwei Kontrahenten geleistet, nämlich von einem gewissen *Stꜣ.ṯ=w-tꜣ-wty* (Kontrahent B 1) und seinem Neffen *Ḫtbꜣ* (Kontrahent B 2). Das steht fest. Ziehen wir den vorhin genannten Berliner Papyrus heran, der unserer Urkunde weitgehend ähnelt, wobei der Zahlungspflichtige dort mit unserem Kontrahenten B 1 identisch ist, und es sich außerdem um den gleichen Schreiber handelt, könnten wir versuchsweise diese Fragen beantworten.

Im genannten Berliner Papyrus leistet eine andere Person für *Stꜣ.ṯ=w-tꜣ-wty* und in seinem Auftrag bei einer der Ratenzahlungen die Steuerzahlung. Wollen wir das auch auf unseren Text ausdehnen, dann muss es sich beim ersten Namen *Ḥr-pyt Ḫtbꜣ* um den Vater handeln, der von dessen Sohn *Ḫtbꜣ* beauftragt wurde, für ihn die dritte (Z. 13) und fünfte (Z. 19) Ratenzahlung zu begleichen.

Folgerichtig muss der eben genannte *Ḫtbꜣ*, also der zweite Name (!), der ebenfalls als *pꜣ wʿb* bzw. *pꜣ wʿb Ḫtbꜣ* erwähnt wird und zweimal als Auftraggeber für die Steuerzahlungen erscheint, mit dem Kontrahenten B 2 identisch sein.

Weiterhin handelt es sich beim dritten Namen *Ḫtbꜣ Ḥr-pyt* ebenfalls um *pꜣ wʿb Ḫtbꜣ*, also wiederum um den Kontrahenten B 2, der hier allerdings nur mit seinem Vatersnamen gekennzeichnet ist. Diese verschiedenartige Nennung des Kontrahenten B 2, die ziemlich verwirrend erscheint, kann man sich bei unserem Schreiber gut vorstellen, wenn man letztendlich die einzelnen Varianten übersichtlicher zusammenstellt :

– *Ḫtbꜣ Ḥr-pyt Ḫtbꜣ Ḥr-pyt Pa-nꜣ-mꜣy.w* (Z. 5)
– *Ḫtbꜣ* (Z. 13)
– *pꜣ wʿb Ḫtbꜣ* (Z. 16)
– *pꜣ wʿb* (Z. 19 und 21 ! !)
– *Ḫtbꜣ Ḥr-pyt* (Z. 23)

Der Schreiber

Als weitere Person in unserem Text ist schließlich also der Schreiber der Urkunde zu nennen, der *Ḫtbꜣ* heißt und als „Schreiber der Priester“ (*sẖ nꜣ wʿb.w*) tituliert wird. Er hat die jeweiligen Zahlungen mit seiner eigenhändigen Unterschrift quittiert. Unser Schreiber ist auch derjenige, der knapp zehn Jahre vor der Niederlegung unserer Urkunde (um 81 n. Chr.) den Pap. Berlin P 8932 Verso abgefasst hat. Hier wie dort kennen wir ihn also als denselben Monographen charakterisiert sowohl durch seine Eigentümlichkeit beim Schreiben als auch durch seine Fehler.

Die Zahlungsarten

Der vorliegende P. Vindob. D 6837 aus dem 9./10. Regierungsjahr des Kaisers Domitian (89/90 n. Chr.) stellt eine umfangreiche aus Soknopaiu Nesos stammende, spätdemotische *ỉw*-Urkunde dar. Es handelt sich um mehrere Zahlungen, die in einer Urkunde quittiert werden. Nur bei der ersten Zahlung wird das volle Protokollformular (Z. 1-10) mit den Ausstellern der Urkunde (Kontrahentenpartei A) und den Zahlungspflichtigen (Kontrahentenpartei B1+B2), vollständig geschrieben. Die Auflistung der weiteren Zahlungen, die wohl 8 Ratenzahlungen aufweisen, folgt stark verkürzt.

Die in Transkription folgende tabellarische Übersicht will deshalb die verschiedenen Daten aller hier vorkommenden Zahlungen und die Einzahler und die einzelnen Beträge sowie den Zeitabstand der jeweiligen Teilzahlungen zueinander zusammenstellen und somit leichter erfassen:

Lfd. Nr.	Zeile	Datum			Abstand zu voriger Zahlung	Einzahler	Betrag
		Ägypt. Datum		Julian. Datum			
1	6-10	*ḥꜣ.t-sp 9.t*	*ỉbd-3 šmw sw 24*	18.7.89	0 Tag	B 1 *ḥnꜥ* B 2	*ḥḏ 12*
2	11	<*ḥꜣ.t-sp 10.t*>	*tpy ꜣḫ.t sw 4*	1.9.89	45 Tage	<B 1 *ḥnꜥ* B 2>	*ḥḏ 4*
3	13	<*ḥꜣ.t-sp 10.t*>	*ỉbd-2 ꜣḫ.t sw 4*	1.10.89	30 Tage	*Ḥr-pyt Ḫtbꜣ Ḥr-pyt* für <*pꜣ wꜥb*> *Ḫtbꜣ*	*ḥḏ 2*
4	16	<*ḥꜣ.t-sp 10.t*>	*tpy pr.t sw 21*	16.1.90	107 Tage	*pꜣ wꜥb Ḫtbꜣ*	*ḥḏ 2*
5.a	19	<*ḥꜣ.t-sp 10.t*>	*ỉbd-2 pr.t sw 1*	26.1.90	10 Tage	–	–
5.b	19	<*ḥꜣ.t-sp 10.t*>	<*ỉbd-2 pr.t*> *sw 11*	5.2.90	10 Tage	*Ḥr-pyt Ḫtbꜣ*	*ḥḏ 1*
6	19-20	<*ḥꜣ.t-sp 10.t*>	<*ỉbd-2 pr.t*> *[sw] ⌜ꜥrḳy⌝ ?*	24.2.90	19 Tage ?	*pꜣ wꜥb* <*Ḫtbꜣ*>	*ḥḏ 1*
7	21-23	<*ḥꜣ.t-sp 10.t*>	*ỉbd-3 pr.t sw 6*	2.3.90	6 Tage ?	*pꜣ wꜥb* <*Ḫtbꜣ*>	*ḥḏ 4*
8	21-23	<*ḥꜣ.t-sp 10.t*>	<*ỉbd-3 pr.t*> *sw 9*	5.3.90	3 Tage	*Ḫtbꜣ Ḥr-pyt*	*ḥḏ 4*
9	25	<*ḥꜣ.t-sp 10.t*>	<*ỉbd-3 pr.t*> *sw 24*	20.03.90	15 Tage	(B 1 *ḥnꜥ* B 2)	*ḥḏ 1*
Summe							***ḥḏ 31***

Die Zahlungen erfolgten also mit sehr unregelmäßigen Zeitabständen voneinander. Bemerkenswert ist auch, dass der Abstand der vierten Zahlung zur vorhergehenden ca. *3,5* Monate (107 Tage) beträgt, was bisher in keinem Dokument dieser Art der Fall war. Hingegen ist der kürzeste Zeitraum zweier Raten hintereinander nur drei Tage. Die Zahlungen erfolgten sonst nach einem vollen Monat oder *1,5* Monaten, in zwei weiteren Fällen nach zehn Tagen. Der Zeitraum zwischen der allerersten und allerletzten Zahlung beträgt 245 Tage. Dem ägyptischen Kalender nach haben also die Einzahler sämtliche Zahlungen weit über ein halbes Jahr hinweg geleistet, genau acht Monate und ein Tag, vom 24. Ephiphi des 9. Regierungsjahres des Kaisers Domitian bis zum 24. Phamenoth seiner 10. Regierungszeit, also vom 18.7.89 bis zum 20.03.90 n. Chr.

Die Summe der jeweiligen Zahlungen, die unterschiedlich hoch sind, beträgt insgesamt 31 Silbergeld. Doch auf eine Summierung der verschiedenen Zahlungen, die der moderne Leser als Ergebnis einer Zusammenrechnung von mehreren Steuerzahlungen in einer Urkunde erwartet, ist der Schreiber hier nicht eingegangen. Bei den Ratenzahlungen bildet die allererste Teilzahlung, die 12 Silbergeld beträgt, knapp 40 % der Gesamtsumme, also über ein Drittel des Geldbetrages. Die allerletzte Teilzahlung beträgt jedoch nur 1 Silbergeld.

Die Zahlungen betreffen offensichtlich die Steuer aus zwei Lokalitäten. Es handelt sich um *Pꜣy-šy* und *Pꜣ-šy-Ḥr*, die offenbar mit Soknopaiu Nesos sowohl administrativ als auch steuerlich verbunden waren. Aus dem ersten Ort ist leider wegen einer Lücke an einer sehr wichtigen Stelle im Papyrus die Bezeichnung des besteuerten Gutes verlorengegangen. Doch ein weiteres Wort, das sich daran anschließt, dürfte darauf hinweisen, es handle sich dabei wohl um die Nutzung des Weidelandes von *Pꜣy-šy*[14]. Dies bleibt allerdings nur eine reine Vermutung, weil Lesung und Übersetzung dieses Wortes (*tꜣy*? „Weidegras?“) nicht absolut sicher sind. Aus dem zweiten Ort *Pꜣ-sy-Ḥr* ist ebenfalls von den „Einkünften“ (*ẖny.t*) eines weiteren besteuerten Gutes die Rede. Doch die genaue Bedeutung bzw. Übersetzung der quittierten Steuer bzw. des besteuerten Gutes (*šft̂*) ist unbekannt.

14 Vgl. etwa meine Bearbeitung des P. Vindob. D 6824 in *BIFAO* 103, 2003, S. 335.

Abb. 1. P. Vindob. D 6833 (© Österreichische Nationalbibliothek).

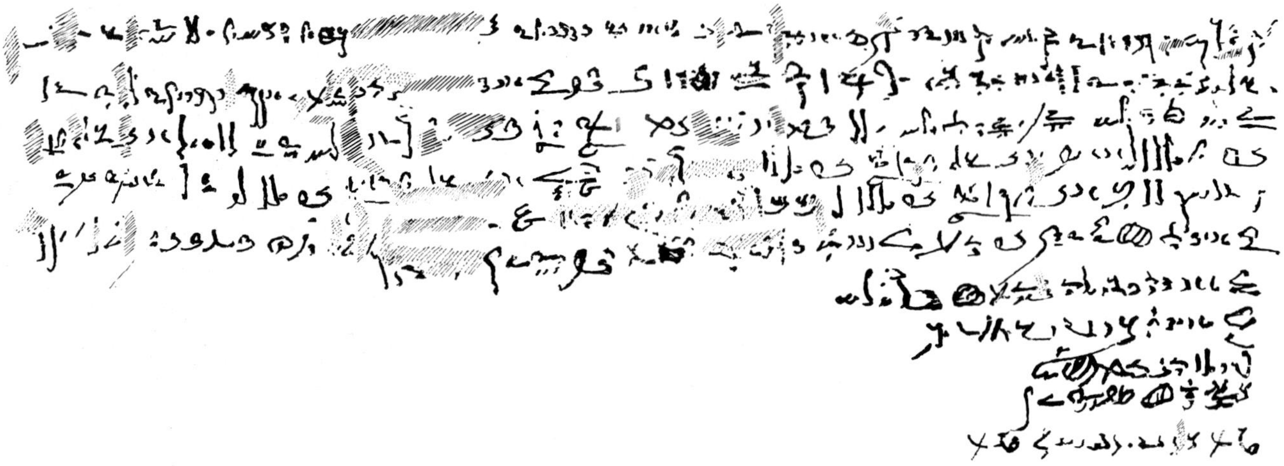

Abb. 2. P. Vindob. D 6833. Faksimile.

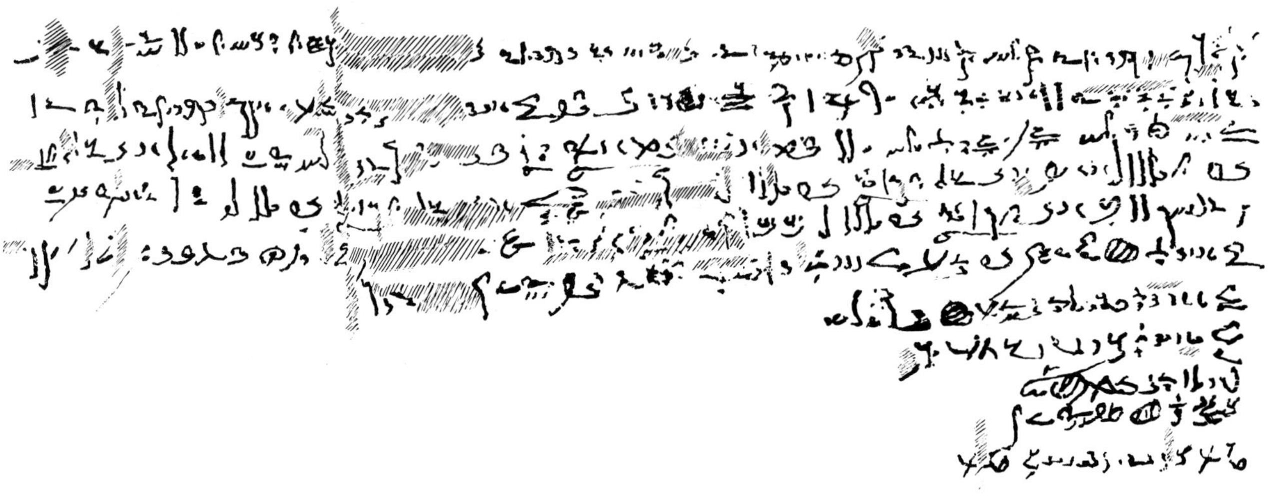

Abb. 3. P. Vindob. D 6833. Eine verbesserte bzw. modifizierte Faksimile, die die moderne Klebung des Papyrus nicht berücksichtigt.

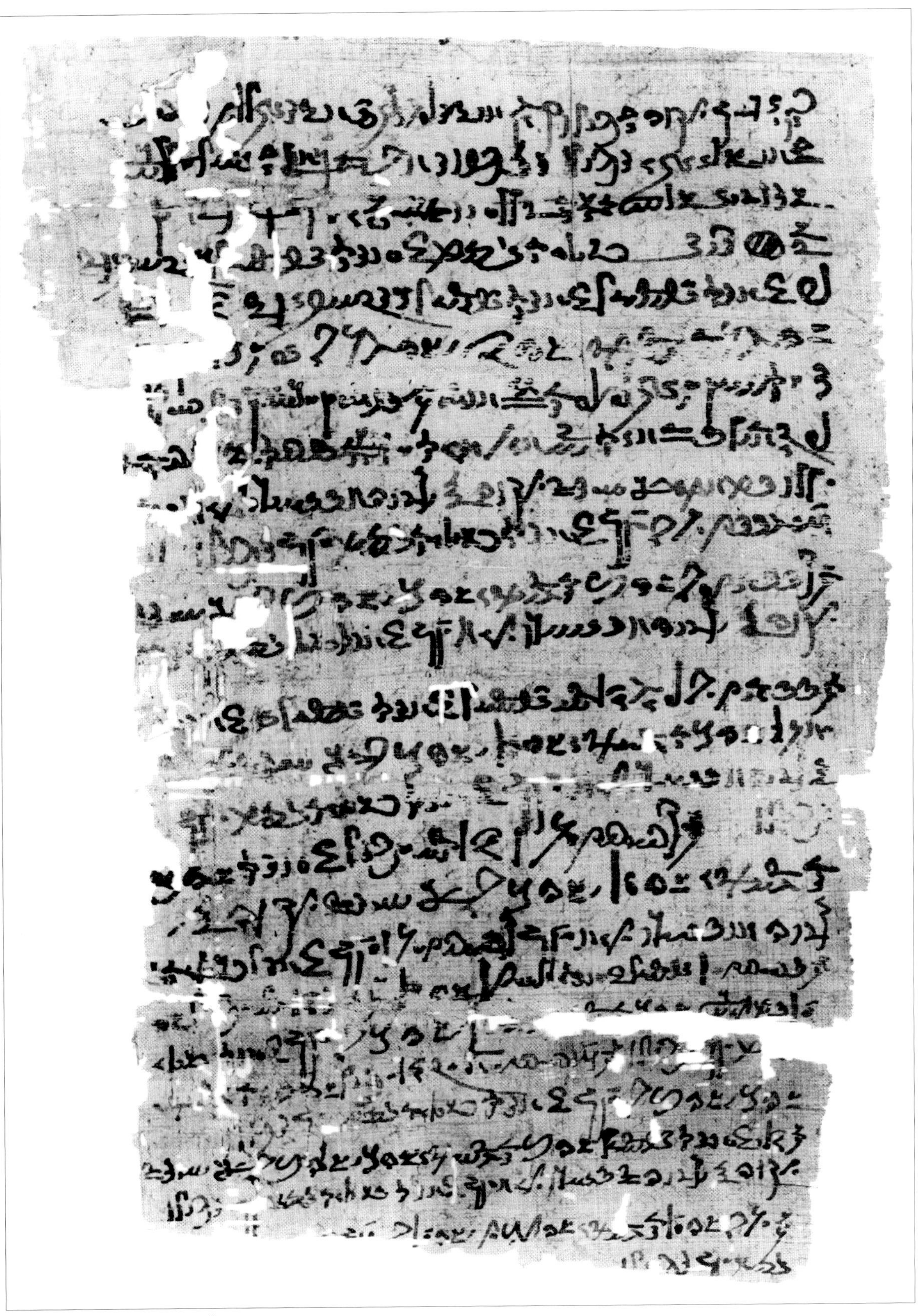

Abb. 4. P. Vindob. D 6837 (© Österreichische Nationalbibliothek).

Une stèle commémorant la construction par l'empereur Auguste du mur d'enceinte du temple de Montou-Rê à Médamoud

Jean REVEZ

SITUÉ à quelques kilomètres au nord-est de Karnak sur la rive orientale du Nil, le site de Médamoud fut principalement consacré au culte du dieu hiéracocéphale Montou (représenté aussi sous les traits d'un taureau), ou Montou-Rê à partir du Nouvel Empire [1]. Souvent accompagné au cours de l'époque gréco-romaine de sa parèdre Rattaouy et de leur fils Harprê, Montou-Rê était perçu comme une divinité guerrière adorée non seulement à Médamoud, mais aussi à Ermant, Karnak-Nord et Tôd. À travers le contrôle de ces quatre lieux situés stratégiquement autour de Karnak, le dieu pouvait ainsi exercer son contrôle sur l'univers [2].

Bien que l'occupation du site de Médamoud remonte au moins à la Première Période intermédiaire, la majeure partie des vestiges du temple date de l'époque gréco-romaine, dont le propylône connu sous le nom de porte de « Tibère » et le vaste mur d'enceinte de briques crues qui entourait le site sacré. Le but du présent article est de réexaminer la date de construction et les dimensions de ce mur d'enceinte, à la lumière d'un document qui, à ma connaissance, est inédit.

1 Je tiens à remercier chaleureusement Nicolas Grimal, ancien directeur de l'Ifao, et son successeur actuel, Bernard Mathieu, de m'avoir accordé l'autorisation de consulter les archives de l'Institut. Je suis aussi redevable à B. Mathieu d'avoir aimablement mis à ma disposition le personnel efficace de l'Ifao pour faciliter mes recherches. Que soient ici remerciés en particulier Rémi Desdames, responsable des relations avec le Conseil suprême des antiquités, Nadine Cherpion, archiviste et Alain Lecler, photographe. Je suis très reconnaissant envers Mamdouh Eldamaty, conservateur en chef du Musée du Caire, et son assistante, Elham Salah, de m'avoir donné accès, à l'été 2002, à la stèle du Caire BN 311, rangée dans les réserves du musée. L'aide octroyée, à divers titres, par Jean-Luc Fissolo, François Leclère et Christophe Thiers, a été également fort appréciée. Enfin, j'aimerais témoigner toute ma reconnaissance à Philippe Collombert, de l'université de Genève, qui a eu la très grande gentillesse de m'informer de l'endroit où la stèle était actuellement emmagasinée. Malheureusement, pour des raisons indépendantes de ma volonté et malgré mon déplacement au Caire à l'été 2004, je n'ai pu faire les dernières vérifications de la transcription sur place, les autorités égyptiennes ayant dû fermer précipitamment l'accès aux réserves à ce moment-là.

2 Voir à ce sujet, É. DRIOTON, « Les quatre Montou de Médamoud, palladium de Thèbes », *ChronEg* 12, 1931, p. 259-270 ; J. QUAEGEBEUR, « Les quatre dieux Min », dans U. Verhoeven, E. Graefe (éd.), *Religion und Philosophie im Alten Ägypten. Festgabe für Philippe Derchain zu seinem 65. Geburtstag am 24. Juli 1991, OLA* 39, Louvain, 1991, p. 253-268.

1. L'exploration du site de Médamoud et le dégagement du grand mur d'enceinte par F. Bisson de La Roque

Le site de Médamoud fut fouillé de 1925 à 1932 par l'Institut français d'archéologie orientale (Ifao) et le musée du Louvre, sous la supervision de F. Bisson de La Roque [3]. Cl. Robichon et A. Varille lui succédèrent de 1933 à 1939 [4]. Aucune fouille archéologique n'eut lieu sur le site depuis, mais la porte de « Tibère [5] » et une partie d'un temple érigé par les premiers Ptolémées furent l'objet de restitutions sur papier [6].

Trois murs d'enceinte d'époques différentes furent dégagés par l'équipe française, dont les datations respectives furent déterminées d'après la profondeur des fondations des murs et la typologie de la céramique mise au jour au niveau des assises inférieures de ces structures [7] [fig. 1].

Une partie d'un mur de briques crues fut exhumée à l'ouest du temple. D'une épaisseur de 9 mètres, ce tronçon daterait du Moyen Empire, selon Bisson de La Roque [8]. Le plus petit des murs d'enceinte, érigé vraisemblablement au Nouvel Empire, toujours d'après l'archéologue, mesurait environ 109,50 mètres le long de son axe nord-sud et 100 mètres sur son axe ouest-est [9]. La

3 Sept volumes détaillés et richement illustrés ont été consacrés aux fouilles du site : F. BISSON DE LA ROQUE, *Rapport préliminaire des fouilles de Médamoud (1925-1932)*, *FIFAO* 3-9, 1926-1933. *Id.*, « Les fouilles de l'Institut français à Médamoud », *RdE* 5, 1946, p. 25-44.

4 CL. ROBICHON, A. VARILLE, « Médamoud. Fouilles du Musée du Louvre, 1938 », *ChronEg* 14, 27, 1939, p. 82-87 ; *id.*, « Médamoud. Fouilles de l'Institut français d'Archéologie orientale », *ChronEg* 14, 28, 1939, p. 265-267 ; les périodes d'occupation les plus anciennes du site ont fait l'objet d'un ouvrage succinct : *id.*, *Description sommaire du temple primitif de Médamoud*, *RAPH* 11, Le Caire, 1940.

5 D. VALBELLE, « La porte de Tibère à Médamoud. L'histoire d'une publication », *BSFE* 81, 1978, p. 18-26 ; *id.*, « La porte de Tibère dans le complexe religieux de Médamoud », *Hommages à la mémoire de Serge Sauneron* I. *BiEtud* 81, Le Caire, 1979, p. 73-85.

6 Dans Ch. SAMBIN, « Les portes de Médamoud du musée de Lyon », *BIFAO* 92, 1992, p. 147-184, pl. 14-21, l'auteur étudie les portes de Ptolémée III et de Ptolémée IV remontées et exposées au musée des Beaux-Arts de Lyon qui, à l'origine, devaient appartenir à l'édifice élevé au sud-ouest du grand temple du Nouvel Empire (*ibid*, p. 171-172). Des blocs, datés du règne de Ptolémée II et découverts pour la plupart en remplois dans le mur-pylône du grand temple, devaient également se rattacher à cet ensemble. Voir Ch. SAMBIN, J.-Fr. CARLOTTI, « Une porte de fête-*sed* de Ptolémée II remployée dans le temple de Montou à Médamoud », *BIFAO* 95, 1995, p. 383-457. Un résumé de ces études est offert dans Ch. SAMBIN, « Médamoud et les dieux de Djémé sous les premiers Ptolémées », dans S.P. Vleeming, *Hundred-Gated Thebes. Acts of a Colloquium on Thebes and the Theban Area in the Graeco-Roman Period*, *Papyrologica Lugduno-Batava* 27, Leyde, New York, Cologne, 1995, p. 163-168.

7 F. BISSON DE LA ROQUE, *Rapport sur les fouilles de Médamoud (1930)*, *FIFAO* 8/1, Le Caire, 1931, p. 39-43 et pl. IV pour une approche synthétique de l'étude des enceintes sacrées qui entouraient le site.

8 *Id.*, *Rapport sur les fouilles de Médamoud (1929)*, *FIFAO* 7/1, Le Caire, 1930, p. 9-15, pl. I. *Id.*, *FIFAO* 8/1, p. 39-43, pl. IV.

9 Ces dimensions donnent le pourtour extérieur du mur d'enceinte et tiennent compte des 6 m d'épaisseur des murs latéraux. *Id.*, *Rapport sur les fouilles de Médamoud (1928)*, *FIFAO* 6/1, Le Caire, 1929, p. 1-2 ; 10-13, pl. I ; *id.*, *FIFAO* 8/1, 1931, p. 3-4 ; 25-29 ; 39-43, pl. IV. Bien que cette remarque dépasse largement le cadre de cet article, notons toutefois que la datation de ces murs respectivement au Moyen et au Nouvel Empire par F. Bisson de La Roque s'avère quelque peu problématique, en l'absence de textes commémoratifs qui s'y réfèrent. Le degré de profondeur d'une tranchée de fondation n'est pas nécessairement un critère fiable de datation pour un mur épais, puisque le creusement des fondations peut entraîner la destruction de couches d'occupation plus anciennes. De plus, le mur de briques crues de Médamoud, daté au Nouvel Empire par Bisson de La Roque, présenterait des assises courbes, une caractéristique qui n'apparaît généralement qu'à partir de la XXXe dynastie, d'après J.-C. GOLVIN, O. JAUBERT, E. S. HEGAZY, D. LEFUR, M. GABOLDE, « Essai d'explication des murs “assises courbes”. À propos de l'étude de l'enceinte du grand temple d'Amon-Rê à Karnak », *CRAIBL*, 1990, p. 926-927 ; 944-946 ; J.-C. GOLVIN, « Enceintes et portes monumentales des temples de Thèbes à l'époque ptolémaïque et romaine », dans S. P. Vleeming, *Hundred-Gated Thebes*, p. 41. Ce mur n'est cependant pas recensé dans le tableau de synthèse des murs d'enceinte figurant dans *CRAIBL*, 1990, p. 944-946. Quelques rares cas de murs d'enceinte de briques crues à assises courbes antérieurs à la XXXe dynastie sont certes attestés, comme par exemple le mur d'enceinte intérieur d'époque saïte à Tell el-Balamun (A. J. SPENCER, *Excavations at Tell el-Balamun*, Londres, 1996, p. 26-32) ou le mur intermédiaire de Tanis (information aimablement transmise par P. Brissaud), mais il est vrai qu'il s'agit là d'exceptions qui confirment la règle. Pour terminer, le problème de datation des murs d'enceinte de Médamoud, qui mérite assurément un réexamen à la lumière des dernières recherches faites dans ce domaine, se complique par le fait que l'enceinte attribuée au Nouvel Empire par F. Bisson de La Roque, dans son *Rapport sur les fouilles de Médamoud (1930)*, *FIFAO* 8/1, 1931, pl. IV, semble correspondre à celle datée du Moyen Empire d'après le plan fourni par C. ROBICHON, A. VARILLE, *Description sommaire du temple primitif de Médamoud*, 1940, p. IX.

construction du plus récent et important mur d'enceinte remonte à l'époque gréco-romaine [10]. Sa face extérieure mesurait approximativement 184,40 mètres le long de l'axe est-ouest du site (incluant l'épaisseur des murs latéraux) [11], tandis qu'une portion du mur construit sur l'axe nord-sud a pu être dégagée sur une distance de 130 mètres. F. Bisson de La Roque n'a malheureusement pas pu restituer la longueur totale du mur originel sur ce dernier axe, les *sebbakhin* ayant démantelé les constructions anciennes dans le secteur nord du site, à l'époque où cette section de Médamoud se transforma en terre agricole [12]. Aucune structure n'a été découverte sous les fondations du mur *temenos* qui n'est aujourd'hui plus visible [13].

2. La stèle 2/4/80/1 du Musée du Caire et le problème de la datation du grand mur d'enceinte de Médamoud

2.1. *Description physique et contenu de la stèle* [fig. 2]

En 1969, un large fragment d'une stèle commémorative de Ptolémée III fit son apparition sur le marché des antiquités de Louqsor [14]. La provenance de cette pièce était inconnue, mais certains égyptologues l'identifièrent comme étant la stèle commémorant la construction du mur d'enceinte gréco-romain à Médamoud.

Le fragment, dont seule la moitié inférieure est préservée, montre le roi Ptolémée III faisant des offrandes à Montou-Rê et à une autre déesse se tenant debout derrière le dieu, que l'on peut identifier à Rattaouy. Les trois lignes de texte gravées dans le registre du bas, tout comme la scène d'ailleurs, sont typiques du genre commémoratif :

> (ligne 1) *Le roi de Haute- et Basse-Égypte (l'héritier des dieux philadelphes, l'image vivante de Rê, l'élu d'Amon), le fils de Rê (Ptolémée, vivant à jamais, l'aimé de Ptah). Il a fait son monument pour son père Montou-Rê, le maître de Thèbes, le taureau* (ligne 2) *qui réside à Médamoud, un grand mur de briques (crues) d'excellente main-d'œuvre de (durée) éternelle. Sa longueur est de 300 coudées et sa largeur de [200] coudées.* (ligne 3) *Jamais depuis les temps immémoriaux une telle chose n'est arrivée ; aussi a-t-il été récompensé en vie, stabilité et prospérité, étant apparu comme roi de Haute- et Basse-Égypte sur le trône de Horus comme Rê éternellement* [15].

10 *Id.*, *Rapport sur les fouilles de Médamoud (1927)*, *FIFAO* 5/1, 1928, p. 5-7 ; *id.*, *FIFAO* 6/1, p. 1-2 et p. 7-9 ; *id.*, *FIFAO* 7/1, 1930, p. 1 et p. 6 ; *id.*, *FIFAO* 8/1, p. 1-3 et p. 39-43, pl. IV.

11 La longueur du mur sur sa surface intérieure est de 172 m (*id.*, *FIFAO* 6/1, p. 9 ; *id.*, *FIFAO* 8/1, p.42, pl. IV) ; à ce chiffre s'ajoutent l'épaisseur du mur latéral est (5m ; *id.*, *FIFAO* 6/1, p. 8) et ouest (7m 40 ; *id.*, FIFAO 7/1, p. 6), ce dernier étant plus large du fait de la présence de la porte de « Tibère » et de la poterne sur ce versant.

12 *Id.*, *FIFAO* 6/1, p. 7. Voir la carte du site avant les fouilles pour l'emplacement des terres cultivées, *id.*, *Rapport sur les fouilles de Médamoud (1925)*, *FIFAO* 3/1, Le Caire, 1926, pl. I.

13 Soit que ces murs ont été remblayés après avoir été dégagés (*id.*, *FIFAO* 6/1, p. 12, n. 1), soit qu'ils ont été ultérieurement détruits.

14 Cl. Traunecker, « Une stèle commémorant la construction de l'enceinte d'un temple de Montou », *Karnak* 5, 1970-1972, 1975, p. 141-158 ; M. Saleh, « A Building Inscription of Ptolemaios III », *MDAIK* 37, 1981, p. 417-419, pl. 62 ; S. Aufrère, *Le propylône d'Amon-Rê-Montou à Karnak-Nord*, *MIFAO* 117, Le Caire, 2000, p. 20-25.

15 La seule photo publiée de la stèle se trouve dans M. Saleh, *op. cit.*, pl. 62. Pour des fac-similés du monument qui comportent des variantes dans la transcription du texte, voir Cl. Traunecker, *op. cit.*, p. 142, et M. Saleh, *op. cit.*, p. 417.

Comme le veut le genre commémoratif, le texte précise le nom du roi responsable de la construction du mur d'enceinte et celui de la divinité à qui il est dédié. Dans le cas qui nous occupe, il s'agit respectivement de Ptolémée III (qui a régné au cours du IIIe siècle avant J.-C.) et de Montou-Rê, « le maître de Thèbes, le taureau qui réside à Médamoud ». Ce type d'inscription fournit également des renseignements précieux au sujet de la dimension du mur d'enceinte. Nous apprenons ainsi que celui-ci mesurait 300 coudées de long ; sa largeur n'y est malheureusement que partiellement indiquée. En effet, seuls les deux premiers chiffres subsistent dans le texte ; ils permettent de déterminer que le mur atteignait au moins 200 coudées le long de l'axe nord-sud. Une question vient immédiatement à l'esprit : la stèle de Ptolémée III commémore-t-elle la construction du mur d'enceinte gréco-romain de Médamoud ? Les avis sont à cet égard partagés, selon que telle ou telle hypothèse de restitution du texte altéré, dans la section qui traite des dimensions originelles du mur, soit privilégiée.

2.2. *La thèse de Claude Traunecker*

Cl. Traunecker fut le premier à publier la stèle en 1972. Bien que conscient que les épithètes divines de Montou-Rê faisant référence à Médamoud puissent désigner ce site comme le lieu d'érection du mur d'enceinte auquel la stèle fait allusion, il remarque que l'expression « Montou-Rê, le maître de Thèbes, le taureau qui réside à Médamoud » apparaît également dans le temple de ce dieu à Karnak-nord [16]. D'après lui, le chiffre [200] dans le cadrat], *wsḫ.<f> mḥ [200]*, « <sa> largeur est de [200] coudées » doit être remplacé par] [300]. Or, en accordant une valeur habituelle de 52 ou 53 cm à la coudée, le total d'environ 157 m coïncide bien davantage avec les données archéologiques concernant les dimensions du mur *temenos* de Karnak-Nord, que celles de Médamoud [17]. Les fouilles menées par Cl. Robichon à Karnak-Nord ont en effet montré que le mur d'enceinte était de forme plus ou moins carrée et que la longueur moyenne d'un mur oscillait entre 156 m et 159 m [18], ce qui est tout de même plus proche des 157 m mentionnés dans la stèle. Le propylône situé dans la partie septentrionale du site ne porte-t-il pas en outre les cartouches de Ptolémée III, qui en aurait établi aussi bien le programme décoratif que vraisemblablement sa construction [19] ? Ce fait renforce la thèse selon laquelle le mur d'enceinte de Karnak-Nord, érigé de part et d'autre de la porte monumentale, daterait de l'époque ptolémaïque [20].

2.3. *La thèse de Mohammad Saleh*

Près d'une décennie après la publication initiale du document par l'égyptologue strasbourgeois, M. Saleh fit également l'étude de la stèle commémorative de Ptolémée III, enregistrée entre-temps au musée du Caire sous le numéro temporaire 2/4/80/1 [21]. La disparité entre les chiffres figurant

16 Cl. TRAUNECKER, *op. cit.*, p. 154, d'après G. LEGRAIN, « Notes sur le dieu Montou », *BIFAO* 12, 1916, p. 87 ; voir maintenant, S. AUFRÈRE, *op. cit.*, p. 175, sur le quatrième tableau du montant est de la face nord du propylône.

17 Cl. TRAUNECKER, *op, cit.*, p. 155-158.

18 Voir respectivement les mesures données par Cl. Traunecker (*ibid.*, p. 156), d'après un plan fourni par l'IGN, et celles obtenues d'après le plan dessiné cette fois par Cl. ROBICHON, *Karnak-Nord III* (1945-1949), *FIFAO* 23, Le Caire, 1951, pl. L.

19 S. AUFRÈRE, *op. cit.*, p. 20, p. 25.

20 Voir aussi J.-Cl. GOLVIN, E.-S. HEGAZY, « Essai d'explication de la forme et des caractéristiques générales des grandes enceintes de Karnak », *CahKarn* 9, 1993, p. 148 ; J.-C. GOLVIN, « Enceintes et portes monumentales des temples de Thèbes à l'époque ptolémaïque et romaine », dans S.P. Vleeming, *Hundred-Gated Thebes*, p. 34.

21 M. SALEH, *op. cit.*, p. 417-419, pl. 62.

dans la stèle et les découvertes sur le terrain à Médamoud laissa l'auteur certes perplexe, mais il passa outre à cette objection, avançant que « the measurements stated on the stela are round figures only ; what was more important here is the statement of building the wall by king Ptolemy III [22] ».

2.4. *La thèse de Sydney Aufrère*

Dans son étude publiée en 2000 intitulée *Le propylône d'Amon-Rê-Montou à Karnak-Nord*, S. Aufrère pense également que le texte commémoratif de la stèle de Ptolémée III découverte sur le marché des antiquités de Louqsor fait allusion à l'élévation du grand mur d'enceinte de Médamoud [23]. Son argumentation repose cependant sur un terrain assez fragile, puisqu'elle se fonde entre autres sur des restitutions non seulement textuelles, mais aussi archéologiques. D'après lui, le premier chiffre signalé dans la stèle (300 coudées ou 157 m) fait référence à la largeur du temple, et non pas à sa longueur, comme on le croyait jusqu'alors, de sorte que le tronçon de 130 m subsistant sur l'axe nord-sud du site aurait mesuré 300 coudées, s'il avait été conservé entièrement [24]. Quant au second chiffre cité dans le texte, il faudrait le restituer comme étant 329 coudées, ce qui équivaudrait à environ 172 m dans le système métrique, soit la taille du mur dégagé sur son axe est-ouest, moins l'épaisseur des deux murs perpendiculaires à ce dernier [25].

Bref, en l'absence d'un indice formel qui puisse déterminer avec assurance la provenance exacte de la stèle 2/4/80/1, rien ne permettait de trancher définitivement dans un sens ou dans un autre. Nous verrons cependant dans la section suivante, qu'à la lumière de la stèle inédite du musée du Caire BN 311, l'hypothèse de Cl. Traunecker s'avère être la plus probable [26].

3. La stèle inédite du musée du Caire BN 311

3.1. *Circonstances de la découverte*

Au cours d'un séjour au Caire en 1994, j'ai eu accès au journal de fouilles inédit de Médamoud, conservé dans la salle des archives de l'Ifao. Je suis alors tombé par hasard sur une petite photo de 7 cm sur 4 cm qui montrait une stèle de commémoration, enregistrée sous le numéro d'inventaire 8668. Exhumé durant les fouilles de 1935-1936, le monument avait été découvert « le long du mur pylône, niveau supérieur, à deux mètres de la porte de Tibère, au sud », d'après la notice inscrite dans le journal [fig. 3]. Bien que le cliché fût trop petit pour que le texte puisse être lu de manière assurée, il n'en était pas moins clairement question de la construction du grand mur d'enceinte gréco-romain de Médamoud.

22 *Ibid.*, p. 419. Il est vrai que l'auteur, n'ayant pu avoir connaissance de l'article de Cl. Traunecker, ne pouvait donc être au courant des conclusions tirées de l'étude de ce dernier.

23 S. AUFRÈRE, *op. cit.*, p. 20-25.

24 *Ibid.*, p. 23-24.

25 *Ibid*, p. 24. L'auteur semble hésiter entre deux restitutions possibles pour ce passage, puisque quelques paragraphes plus haut dans la même page, le chiffre à restituer dans la stèle de Ptolémée III est 345, et non pas 329.

26 Bien que douteuse, on ne peut cependant pas totalement écarter l'hypothèse que cette stèle fasse allusion à la construction d'un mur d'enceinte encore non identifié à Médamoud.

Hormis un bref paragraphe dans un article sur Médamoud publié il y a quelques années [27], aucune mention de cette stèle ne figure, à ma connaissance, dans la littérature égyptologique. Cela n'a pas de quoi surprendre, étant donné qu'A. Varille et Cl. Robichon, qui dirigeaient désormais les fouilles à Médamoud après que F. Bisson de La Roque eut été assigné à Tôd, semblaient davantage intéressés à étudier les vestiges du site remontant à la Première Période intermédiaire et publiés en 1940 [28], qu'à ceux datant de l'époque gréco-romaine, découverts quelques années plus tôt.

Notons également que la stèle reproduite sur la photo des archives de l'Ifao n'avait pas été localisée jusqu'à l'été 2002, lorsqu'un collègue et ami, Ph. Collombert, me fit savoir qu'il avait aperçu par hasard ladite stèle dans les réserves du Musée du Caire. Le fait que la stèle n'a pas été enregistrée dans le musée avant octobre 1959 [29], soit près d'un quart de siècle après sa découverte, et qu'elle n'a de surcroît été inventoriée ni dans le Journal d'entrée ni dans le Catalogue général, mais plutôt dans le registre peu connu des Basement Numbers (sous le numéro 311), peut expliquer dans une certaine mesure pourquoi la stèle n'a pas été recouvrée jusqu'à récemment.

3.2. *Description de la stèle* [fig. 4]

La stèle de grès mesure 52 cm de hauteur, 39 cm de largeur et 9 cm d'épaisseur. La face arrière du monument ainsi que la partie arrière du rebord ne sont que grossièrement taillées, signes que la stèle était encastrée dans la paroi extérieure du mur d'enceinte de briques crues, très vraisemblablement à côté de la porte de Tibère. Il est plus que probable que d'autres copies de la même stèle ont dû exister, puisque plusieurs exemplaires d'une stèle de commémoration de Tibère ont été découverts dans le temple de Mout à Karnak-Sud [30].

La face décorée de la stèle du Caire BN 311 comprend trois registres.

Dans la partie supérieure, le cintre arrondi est orné d'un disque solaire ailé flanqué de deux *uraei* retombants, le motif des plumes étant schématiquement évoqué sur les ailes par une série de quatre contours.

La partie médiane de la stèle, encadrée par le signe du ciel dans sa partie supérieure, et par le sceptre *wȝs* sur chacun de ses deux bords latéraux, illustre une scène d'offrandes. Un roi se tient debout, à droite, et fait face à une triade divine, à gauche. Les légendes identifient le monarque à l'empereur romain Auguste, tandis que les dieux sont, de droite à gauche, Montou-Rê, un dieu-enfant (vraisemblablement Harprê) et Rattaouy.

27 J. REVEZ, « Medamud », dans K. Bard (éd.), *Encyclopedia of the Archaeology of Ancient Egypt*, Londres, New York, 1999, p. 479. Les chiffres avancés dans cet article sont différents de ceux proposés dans la présente étude, étant donné que je n'avais pas tenu compte de la variabilité de la valeur de la coudée. De plus, je m'étais fié aux dimensions données par F. Bisson de La Roque, qui avait effectué ses calculs en mesurant la face interne des murs, et non pas leur pourtour extérieur.

28 Cl. ROBICHON, A. VARILLE, *Description sommaire du temple primitif de Médamoud*, *RAPH* 11, 1940.

29 La stèle a été enregistrée le 5 octobre 1959, d'après le Medamoud Register no. 1 (Miscellaneous No. 1-1615), p. 13, se trouvant au Musée.

30 Stèle Amsterdam APM 7763 (anciennement La Hague Scheurleer S.543) ; W. VAN HAARLEM, *Allan Pierson Museum Amsterdam, fasc. 1 : Selection from the Museum*, *CAA*, 1986, p. 1,60-1,62) ; Berlin 14401 (A. ERMAN, « Geschichtliche Inschriften aus dem Berliner Museum », *ZÄS* 38, 1900, p. 123-126) ; BM 1052 et BM 1053 (British Museum, *A Guide to the Egyptian Collections in the British Museum*, London, 1909, p. 277, pl. LI et LII).

Le souverain, coiffé du *pschent* et vêtu d'un pagne à devanteau triangulaire qui lui arrive aux genoux, effectue le geste d'offrir des vases-*irp* au dieu qui est devant lui [31].

La divinité Montou-Rê, représentée de manière hybride par un corps humain et une tête de faucon, porte un simple pagne, derrière lequel pend, comme c'est le cas pour le pharaon, la traditionnelle queue cérémonielle. Son cou est paré d'un collier sans motif apparent ; sa tête est surmontée de la couronne à double plume droite encadrant un disque solaire. Il tient le signe *ânkh* serré dans sa main droite qui pend le long de son corps, tandis que de sa main gauche, il offre le sceptre *wꜣs* au roi.

Derrière la divinité hieracocéphale, le dieu-enfant Harprê se tient debout. Représenté de petite taille entre ses parents, il porte de manière caractéristique le doigt à sa bouche et la mèche de l'enfance lui pend sur le côté droit du visage ; il porte une ample tunique qui couvre un corps vraisemblablement nu ; son front est ceint d'une couronne *atef* sur laquelle repose un disque solaire. S'agit-il de la couronne *ḥmḥm ?* Il est difficile de conclure, car cette partie de la scène est très difficilement lisible.

Enfin, dans la partie extrême gauche de la scène, la déesse Rattaouy porte une robe qui la couvre jusqu'aux chevilles ; sa tête est ceinte de la couronne hathorique (coiffe ornée d'un vautour, lui-même surmonté d'une paire de cornes contenant un uræus solaire). De sa main droite, elle tient la clé de vie ; son bras gauche est replié vers le haut, sa main ouverte en guise de protection

La facture du bas-relief n'a rien d'exceptionnel. Comme c'est souvent le cas à l'époque romaine, les personnages sont représentés avec une tête disproportionnée par rapport au reste du corps et, hormis le modelé de certaines parties anatomiques comme les genoux ou le ventre pendant, les graveurs ne se sont pas soucié de rendre les détails avec précision. Les textes dans cette partie de la stèle ne brillent pas par leur qualité esthétique, les signes hiéroglyphiques, grossièrement modelés, ne présentant souvent pas de contours nets.

Le registre inférieur de la stèle est occupé par quatre lignes de textes hiéroglyphiques orientés de gauche à droite. Le texte, comme d'ailleurs le reste du monument, est dans l'ensemble bien conservé, sauf peut-être les coins inférieurs de la stèle. S'il ne présente aucun problème majeur sur le plan de la lecture, le texte, par la piètre qualité de la gravure dans certains cadrats où les signes sont entassés, peut parfois poser problème [32]. Sur le plan linguistique, la langue utilisée est de l'égyptien de tradition ; seuls quelques signes hiéroglyphiques adoptent une forme tardive (par exemple le signe , utilisé dans la titulature du pharaon au registre médian ou le signe , lignes 2 et 4, utilisé avec la valeur *m*).

31 Sur ce type d'offrande, M.-C. POO, *Wine and Wine Offering in the Religion of Ancient Egypt*, Londres, New York, 1995.

32 Je pense notamment au premier cartouche du pharaon et aux deuxième et troisième cadrats de la deuxième ligne.

3.3. *Transcription, translittération et traduction du texte*

Dans le registre supérieur :

– sous le disque ailé

Bḥdty nṯr ꜥꜣ nb pt

le Béhédite, le grand dieu, le maître du ciel.

– de part et d'autre des deux uræi

dỉ(w) ꜥnḫ

doué de vie.

Dans le registre médian :

– devant le pharaon, en haut

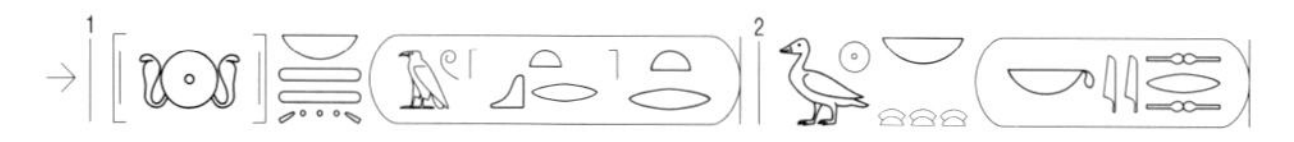

Nsw bỉty nb tꜣwy (ꜣwtqrtr) sꜣ Rꜥ nb ḫꜥw (kysrs)

Le roi de Haute- et Basse-Égypte, le maître des deux terres (Auguste), le fils de Rê, le maître des couronnes (César) ;

– devant le pharaon, en bas

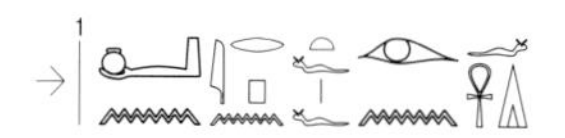

ḥnk n ỉrp n ỉt.f ỉr.n.f dỉ ꜥnḫ

offrande de vin pour son père afin qu'il fasse don de la vie ;

– derrière le pharaon

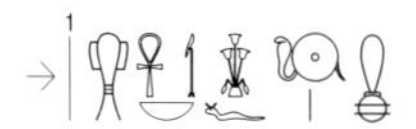

sꜣ ꜥnḫ wꜣs nb ḥꜣ.f mỉ Rꜥ

Toute protection, vie et pouvoir sont autour de lui comme Rê ;

– devant Montou-Rê, en haut

Mnṯ(w)-Rꜥ nb Wꜣst kꜣ ḥry-ỉb Mꜣdt

Montou-Rê, le maître de la Thébaïde, le taureau qui réside à Médamoud ;

– devant Montou-Rê, en bas

di.⟨i⟩ n.k ḥnk nb rʿ nb

<Je> te donne toutes sortes d'offrandes chaque jour ;

– au-dessus de Harprê

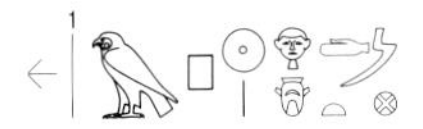

Ḥr-pꜣ-Rʿ ḥry-ib Mꜣdt

Harprê, celui qui réside à Médamoud ;

– devant Rattaouy, en haut

Rʿt-tꜣwy ḥry(t)-tp Wꜣst ḥry(t)-ib Mꜣdt

Rattaouy, celle qui est à la tête de la Thébaïde et qui réside à Médamoud ;

– devant Rattaouy, en bas

di.⟨i⟩ n.k ntt m tꜣwy rʿ nb

<Je> te donne ce qu'il y a dans le Double Pays chaque jour.

Dans le registre inférieur :

Nswt bity nb tꜣwy (Awtkrtr)| sꜣ Rʿ nb ḫʿw (Kysrs)| ʿnḫ(w) ḏt ir.n.f mnw.f

Le roi de Haute- et Basse-Égypte, le maître du Double Pays (Auguste), le fils de Rê, le maître des couronnes (César), puisse-t-il vivre éternellement ! Il a fait son monument.

a. Les trois grains de sable du mot *tꜣ* sont gravés verticalement.

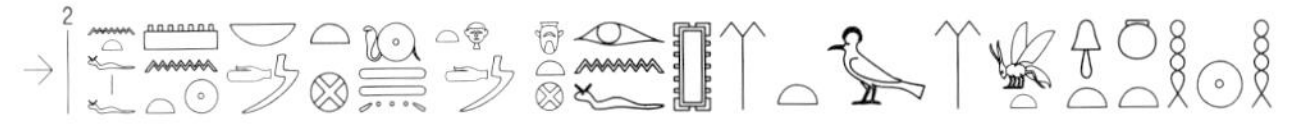

n it.f Mnt(w)-Rʿ nb Mꜣdt Rʿt-tꜣwy ḥry(t)-ib Mꜣdw ir n.f inb m ḏbt m kꜣt mnḫt nt ḥḥ

pour son père, Montou-Rê, le maître de Médamoud, et Rattaouy qui réside à Médamoud, (l'acte de) faire pour lui un mur de briques (crues) d'excellent travail d'éternité.

ꜣw.f mḥ 336 wsḫ.f mḥ 336 ỉsw

Sa longueur est de 336 coudées et sa largeur de 336 coudées. Comme récompense

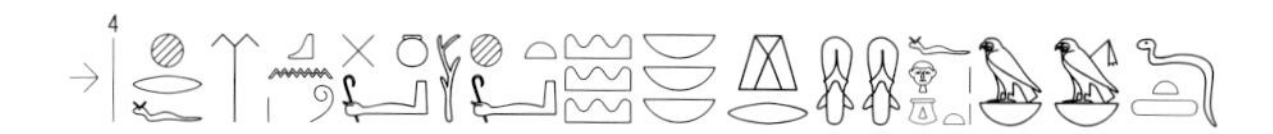

ḥr.f m qnw nḫt ḫꜣswt nbw(t) ẖr ṯbty.f ḥr nst nbwy ḏt

de sa part : bravoure et puissance, tous les pays étrangers étant sous ses sandales alors qu'il est sur le trône des deux maîtres pour l'éternité ! »

4. Intérêt historique du document

4.1. *Une nouvelle datation pour le grand mur d'enceinte de Médamoud*

Le texte commémoratif de la stèle du Caire BN 311 est intéressant sur le plan historique, à plus d'un titre.

À la lumière de l'inscription de la stèle du Caire BN 311 et de l'absence totale d'ambiguïté quant à sa provenance, le doute ne plane plus sur le fait que l'érection du grand mur d'enceinte en briques crues de Médamoud doit être attribuée à Auguste [33], l'empereur romain qui a régné sur l'Égypte entre 30 avant J.-C. et 14 après J.-C., et non pas Ptolémée III, qui vécut deux siècles plus tôt.

Par ailleurs, des blocs inédits, ayant vraisemblablement appartenu à une embrasure de la porte de « Tibère », portaient des cartouches d'Auguste sous ceux de son successeur [34]. Cela montre que la décoration de la porte de « Tibère » remonte au moins au règne de son prédécesseur [35]. Il semble en fait plus que probable qu'Auguste a non seulement commencé à décorer la porte, mais l'a aussi élevée. En effet, il est plus logique de concevoir que la porte et le mur d'enceinte qui repose contre elle aient été tous deux érigés par Auguste, que d'assumer que la porte a d'abord été construite par un roi ptolémaïque dont il ne reste de traces ni archéologiques ni textuelles [36], puisque le mur fut ensuite bâti à l'époque romaine. Quoi qu'il en soit, on doit désormais écarter l'hypothèse répandue selon laquelle Tibère serait le constructeur de la porte ou propylône qui porte son nom [37].

33 D'après J.-Cl. GRENIER, *Les titulatures des empereurs romains dans les documents en langue égyptienne*. Bruxelles, 1989, les titres de (Autocrator) et (César) sont repris par de nombreux empereurs romains, Auguste est le seul à employer ceux-ci à l'exclusion de tout autre nom.

34 Cf. les commentaires émis par D. Valbelle, citée dans *ibid*, p. 12 (g).

35 Sur le dégagement de cette porte, F. BISSON DE LA ROQUE, *FIFAO* 7/1, p. 1-6.

36 La présence d'un bloc de remploi au nom de Ptolémée VI dans les fondations à l'angle sud-est de la porte de « Tibère » n'indique pas nécessairement qu'une porte de même nature ait été élevée à cet endroit (*id.*, *FIFAO* 7/1, p. 3). Des blocs ramessides, remployés également dans la porte de « Tibère », proviendraient ainsi du temple de Séthi Ier à Gournah. P. BRAND, *The Monuments of Seti I. Epigraphic, Historical & Art Historical Analysis*, *ProbÄg* 16, Leyde, 2000, p. 191.

37 Cf. par exemple, D. ARNOLD, *Temples of the Last Pharaohs*, New York, Oxford, 1999, p. 248.

D'un point de vue pratique, la raison pour laquelle Auguste aurait érigé le mur d'enceinte et son propylône s'expliquerait du fait que le mur d'enceinte du « Nouvel Empire » (voir *supra,* n. 9) ne devait plus pouvoir contenir les nouvelles constructions élevées par les derniers Ptolémées dans la section occidentale du site. En effet, Ptolémée VIII fit élever une cour à portiques et Ptolémée XII une série de kiosques, projets qui rendirent vraisemblablement nécessaires la construction d'un nouveau mur d'enceinte qui puisse englober ces structures [38].

Sur le plan politique, il se peut qu'Auguste ait voulu sciemment laisser sa marque dans la zone du temple élargie par les derniers Ptolémées, dans un souci de légitimité et de continuité avec la dynastie précédente [39]. En effet, Auguste apposa ses cartouches sur les parois des kiosques où étaient gravés ceux de Ptolémée XII et peut-être de Cléopâtre VII [40], à proximité du propylône de « Tibère » et du mur ouest de l'enceinte.

4.2. *Nouvelles données concernant les dimensions originelles du mur d'enceinte*

La stèle Caire BN 311 est un bel exemple de la manière dont un texte historique vient confirmer des données archéologiques. Rappelons que l'équipe française dirigée par F. Bisson de La Roque avait dégagé le mur d'enceinte d'Auguste sur une longueur totale de 184,40 m, le long de l'axe est-ouest du temple. Or, notre stèle mentionne que cette longueur correspondait à 336 coudées. Si on estime que la valeur habituelle d'une coudée au Nouvel Empire varie entre 52 et 53 cm, une coudée pouvait atteindre jusqu'à 54 cm à partir de la Basse Époque [41]. Si nous attribuons aux 336 coudées de la stèle du Caire BN 311 une valeur de 54 cm chacune, nous obtenons un total de 181,44 m, un chiffre qui correspond de très près aux dimensions du mur dégagé par Bisson de La Roque dans son rapport de fouilles.

On ignorait en outre la longueur totale du mur d'enceinte de briques crues à Médamoud le long de son axe nord-sud, étant donné que seul un tronçon de 130 m avait échappé aux destructions causées par le débordement des terres arables sur la partie occidentale du site. Nous pouvons désormais restituer la longueur de ce mur à environ 182 m, puisque la stèle du Caire BN 311 signale que le mur d'enceinte d'Auguste était de forme carrée, chaque côté mesurant 336 coudées [42].

38 Cette hypothèse supposerait que le mur-pylône et les kiosques situés devant (PM V, 139-140), érigés vraisemblablement à la fin de l'époque ptolémaïque et décorés principalement sous les Romains, devaient alors servir d'entrée principale au temple. Des saillants aménagés dans le mur d'enceinte de briques crues, de part et d'autre des constructions gréco-romaines, permettaient aussi d'avoir accès à l'intérieur du temple. F. BISSON DE LA ROQUE, *FIFAO* 8/1, p. 25-29, pl. IV.

39 Sur la politique adoptée par Auguste après sa conquête de l'Égypte, G. HÖLBL, « Ideologische Fragen bei der Ausbildung der römischen Pharaos », dans M. Schade-Busch (éd.), *Wege öffnen. Festschrift für Rolf Gundlach zum 65. Geburtstag, ÄAT* 35, 1996, p. 98-109. *Id., Altägypten im Römischen Reich. Der römische Pharao und seine Tempel* I. *Römische Politik und altägyptische Ideologie von Augustus bis Diocletian, Tempelbau in Oberägypten,* Mayence, 2000, p. 9-24; J.-Cl. GRENIER, « L'empereur et le pharaon », dans *Musée d'Archéologie méditérranéenne. Égypte romaine, l'autre Égypte*, 1997, p. 38-40.

40 PM V, 139. É. DRIOTON, *Rapport sur les fouilles de Médamoud (1926), Les inscriptions, FIFAO* 4/2, p. 17-42; Ch. SAMBIN, « Cléopâtre VII à Médamoud », *BIFAO* 99, 1999, p. 397-409.

41 Voir l'exemple de la chapelle d'Achôris devant le premier pylône à Karnak, datant de la XXIXe dynastie, J. LAUFFRAY, *La chapelle d'Achôris à Karnak* I. *Les fouilles, l'architecture, le mobilier et l'anastylose*, Paris, 1995, p. 23-24; le kiosque de Taharqa à Karnak, J.-Fr. CARLOTTI, « Contribution à l'étude métrologique de quelques monuments du temple d'Amon-Rê à Karnak », *CahKarn* 10, 1995, p. 82; Sur la métrologie à l'époque romaine, D. ARNOLD, *Temples of the Last Pharaohs*, New York, Oxford, 1999, p. 229-230.

42 En ceci, la forme générale de l'enceinte de Médamoud serait sensiblement la même que celle de Karnak-Nord, les deux temples étant par ailleurs reliés par une voie processionnelle. Cf. A. CABROL, *Les voies processionnelles de Thèbes, OLA* 97, Louvain, 2001, p. 647-648.

Conclusion

L'étude de la stèle commémorative du musée du Caire BN 311 rapporte des faits totalement nouveaux sur la datation et la dimension du grand mur d'enceinte de briques crues de Médamoud entourant le site dédié à Montou-Rê. Outre de corroborer et de compléter les observations faites sur le terrain par les différentes équipes françaises qui ont fouillé à Médamoud au début du siècle dernier, elle met un terme, dans l'état actuel des sources, au débat concernant la datation de ce mur, en identifiant l'empereur Auguste comme son constructeur.

À ma connaissance, ce document est l'unique stèle de commémoration datée du règne d'Auguste, alors que de nombreux exemplaires sont connus de l'époque de Tibère [43]. Dans plusieurs des copies qu'il fit graver, Tibère mentionne qu'il a complété et embelli plusieurs monuments de son prédécesseur, notamment dans le domaine de Mout à Karnak-Sud où le mur d'enceinte fut endommagé, apparemment emporté par une crue particulièrement forte [44]. Médamoud est un autre site où les deux premiers empereurs romains à avoir régné en Égypte sont intervenus de manière active sur le plan architectural.

43 Cf. Cl. TRAUNECKER, *op. cit.*, p. 146-148, pour une liste de stèles commémoratives, mise à jour par Chr. THIERS, « Civils et militaires dans les temples. Occupation illicite et expulsion », *BIFAO* 95, 1995, p. 509, note 85. Une étude des stèles de commémoration du règne de Tibère est en cours de préparation par Ph. Collombert.

44 Stèle Amsterdam APM 7763, lignes 2 et 4 : « Il a effectué de grands travaux sur les monuments de son père (César), [...] un grand mur (d'enceinte) entourant son sanctuaire vénérable (celui de Mout) », W.M. VAN HAARLEM, *Allard Pierson Museum, Amsterdam, Selection from the collection*, fasc. I, 1986, p. 1, 60-1, 62 ; Stèle BM 1053, lignes 3-5 : « une grande enceinte entourant ses sanctuaires [...] sur les grands travaux de son père (César), alors qu'une grande crue de sa Majesté les avait renversés et qu'il compléta tous les travaux efficacement », British Museum, *A Guide to the Egyptian Collections in the British Museum*, Londres, 1909, p. 277, pl. LII ; Stèle Berlin 14401, lignes 3-4 : « il compléta les travaux sur le mur d'enceinte [...] qu'avait construit son père autour du temple de Mout [...], alors qu'il avait trouvé qu'une inondation l'avait détruit », A. ERMAN, « Geschichtliche Inschriften aus dem Berliner Museum », *ZÄS* 38, 1900, p. 124-125. Pour une étude d'ensemble des constructions et des restaurations menées sous le règne de Tibère, cf. H. DE MEULENAERE, « L'œuvre architecturale de Tibère à Thèbes », *OLP* 9, 1978, p. 69-73. Sur la topographie de la vallée du Nil et le problème de la montée de la nappe phréatique, L. GABOLDE, « L'inondation sous les pieds d'Amon », *BIFAO* 95, 1995, p. 244f. L'hypothèse selon laquelle l'œuvre architecturale de Tibère serait en outre le fruit de sa volonté de restaurer des monuments endommagés par les révoltes qui éclatèrent en Thébaïde, au moment de la conquête de l'Égypte par Auguste, a été soulevée par E. ERMAN, *op. cit.*, p. 125-126, mais réfutée par Chr. THIERS, *op. cit.*, p. 511.

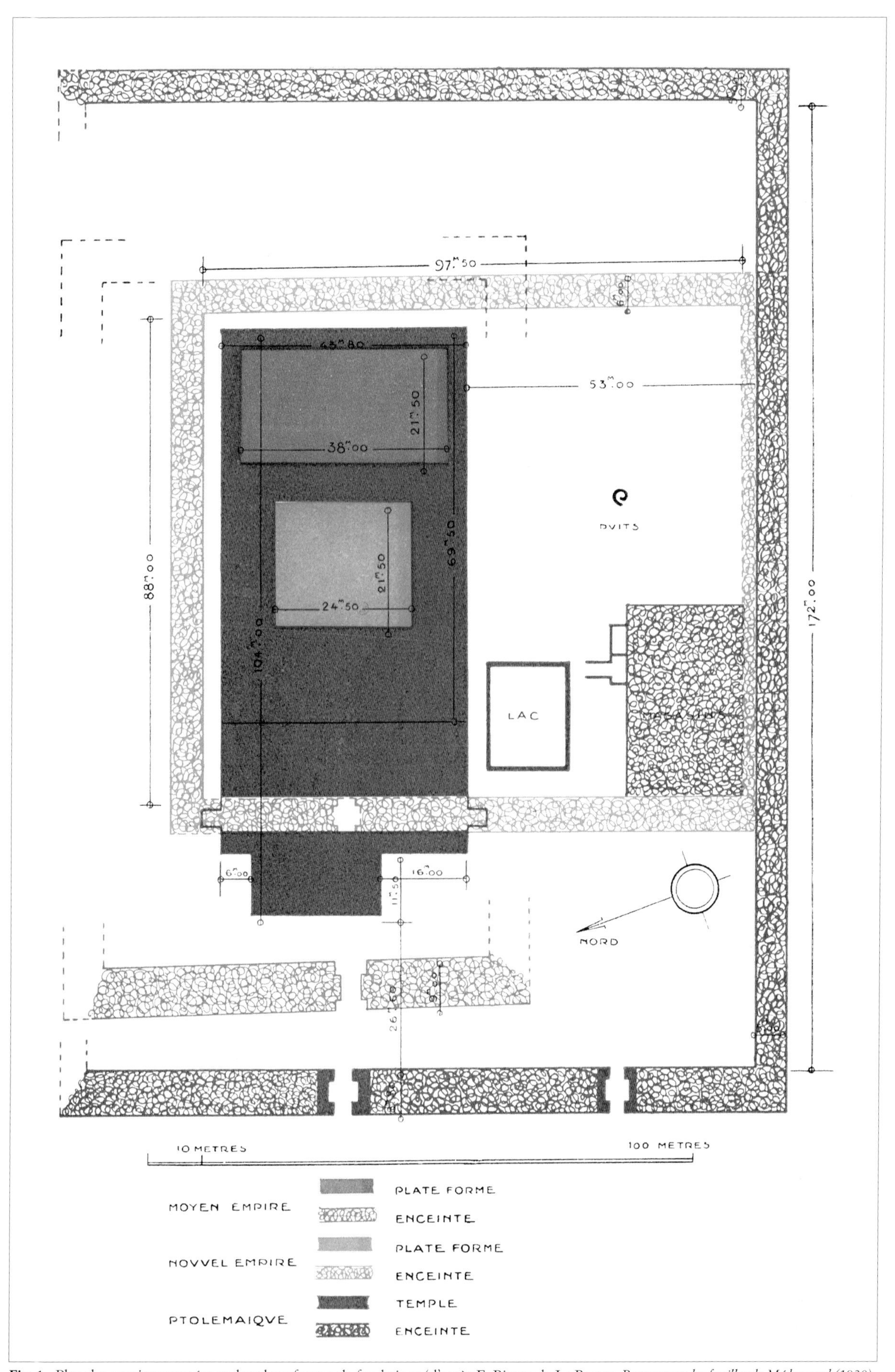

Fig. 1. Plan des enceintes sacrées et des plates-formes de fondations (d'après F. Bisson de La Roque, *Rapport sur les fouilles de Médamoud (1930), FIFAO* 8/1, Le Caire, 1931, pl. IV)

Fig. 2. Stèle 2/4/80/1 du musée du Caire
(d'après Cl. Traunecker, « Une stèle commémorant la construction de l'enceinte d'un temple de Montou », *Karnak* V, 1975, p. 142, fig. 1)

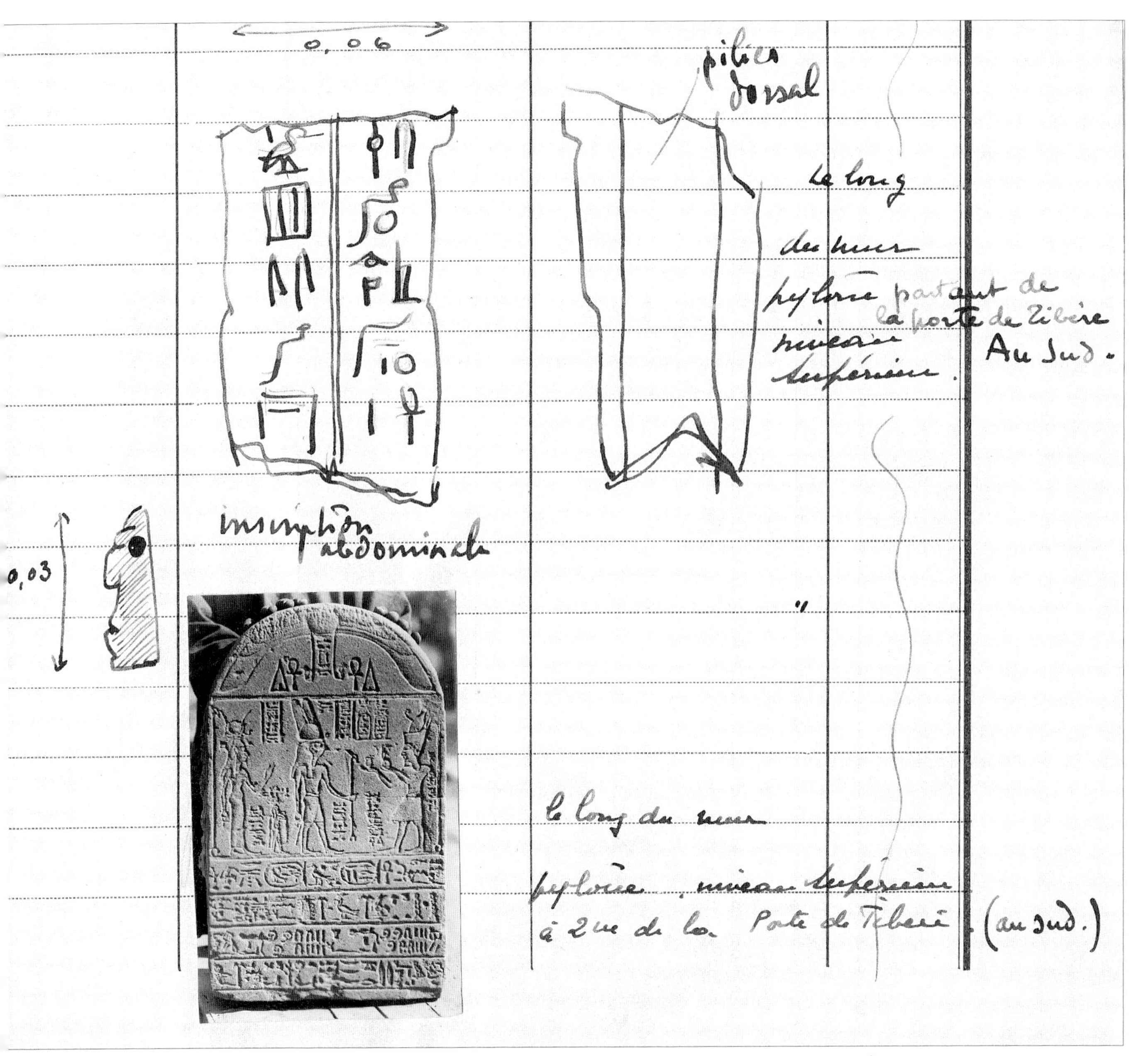

Fig. 3. Stèle BN 311 du musée du Caire (inv. 8668, d'après le journal de fouilles de Médamoud, 1935-1936, archives Ifao).

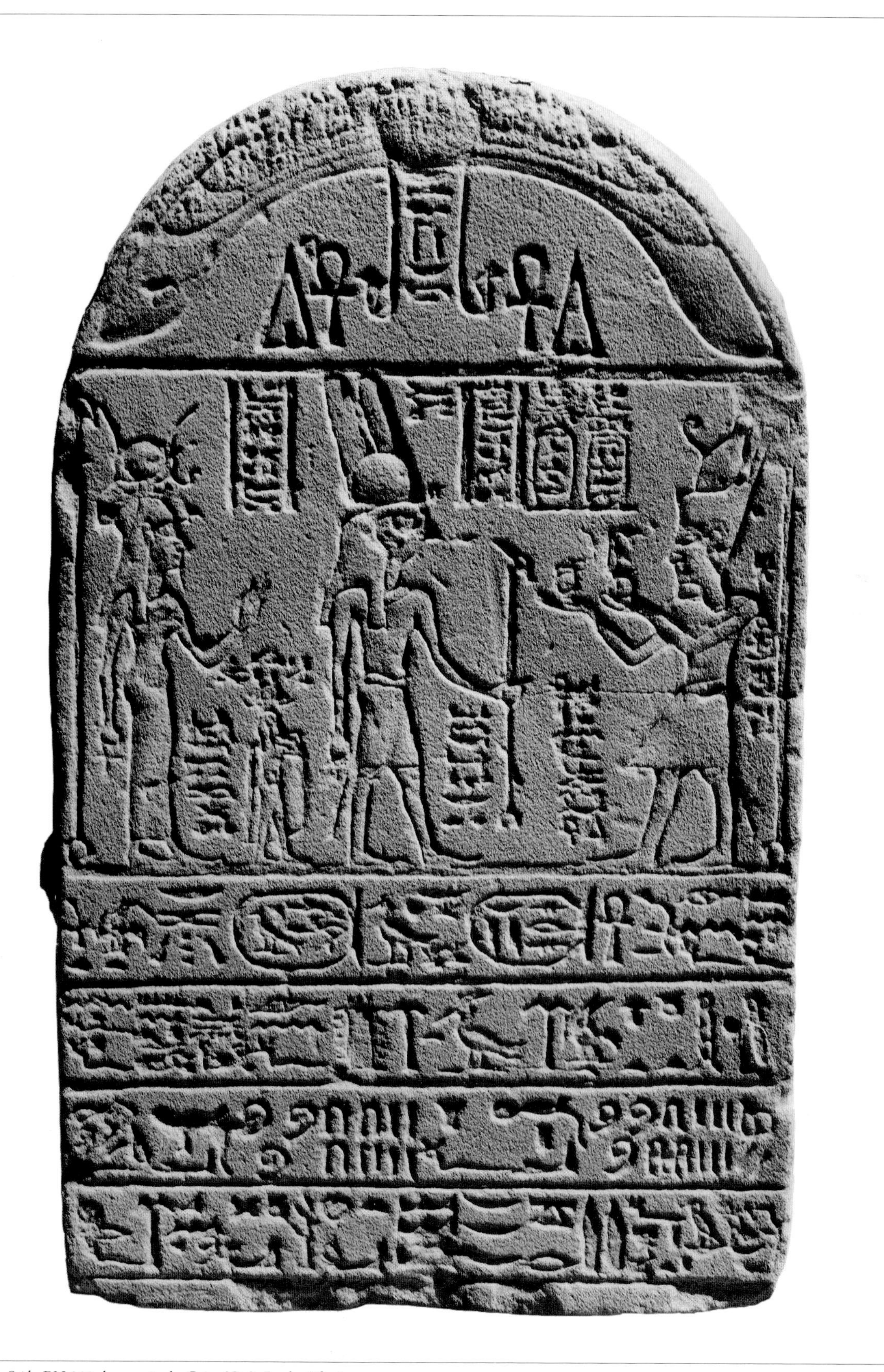

Fig. 4. Stèle BN 311 du musée du Caire (© A. Lecler/Ifao).

Une mesure d'hygiène relative à quelques statues-cubes déposées dans le temple d'Amon à Karnak

Jérôme RIZZO

DÈS les premiers exemples de statues-cubes [1] datant, selon toute vraisemblance, du règne d'Amenemhat Ier, certaines d'entre elles furent destinées à occuper la tombe du dédicataire [2] alors que d'autres reçurent la faveur insigne d'être dressées à l'intérieur des temples. Au sein de cette dernière catégorie, les inscriptions portées sur la pierre laissent pressentir les raisons qui, dès les origines, motivèrent leur installation à l'intérieur de ces espaces. Qu'il s'agisse des représentations de Fahedjouy [3] ou d'Ânkhou et Sepnymout [4] découvertes dans le temple bas de la pyramide à double pente de Snéfrou à Dahchour ou encore, de celle de Semenekh(oui)ptah provenant du temple haut de la pyramide de Pépy Ier à Saqqâra [5], les textes gravés sur les méplats de ces statues-cubes [6] sont essentiellement centrés sur les mentions biographiques ainsi que sur ce qui constitue déjà la traditionnelle « formule

1 Voir notamment sur la question : H. SENK, « Der ägyptische Würfelhocker », *ForschFortschr* 26, 1950, p. 4-8 ; *id.*, « Fragen und Ergebnisse zur Formgeschichte des ägyptischen Würfelhockers », *ZÄS* 79, 1954, p. 149-156 ; J. VANDIER, *Manuel d'archéologie égyptienne III : La statuaire*, Paris, 1958, p. 235-237 et p. 450-458 ; B.V. BOTHMER, « Block Statues of the Egyptian Middle Kingdom », *BrookMusB* XX/4, 1959, p. 11-26 ; *id.*, « Block Statues of the Egyptian Middle Kingdom », *BrookMusA* II-III, 1960-1962, p. 19-35 ; A. EGGEBRECHT, « Zur Bedeutung des Würfelhockers », *Festgabe Dr Walter Will*, Cologne, Berlin, Bonn, Munich, 1966, p. 143-163 ; A. RADWAN, « Gedanken zum 'Würfelhocker' », *GöttMisz* 8, 1973, p. 27-31 ; H. DE MEULENAERE, *LÄ* VI, 1986, col. 1291-1292, *s.v.* « Würfelhocker » ; B. GIOLITTO, *Le statue-cubo del Medio-Regno*, *MATur Classe di Scienze Morali, Storiche e Filologiche*, V/12, Turin, 1988 ; M.M. EL-DAMATY, « Squatting Statues in the Cairo Museum », *MDAIK* 46, 1990, p. 1-13, pl. 1-9 ; B.V. BOTHMER, « Block Statues of Dynasty XXV », *Hommages à Jean Leclant* II, *BiEtud* 106/2, Le Caire, 1994, p. 61-68. Pour une monographie sur ce genre statuaire : R. SCHULZ, *Die Entwicklung und Bedeutung des kuboiden Statuentypus*, *HÄB* 33/34, 1992 (= SCHULZ, *HÄB* 33/34).

2 Par exemple : les statues-cubes de Hetep (Caire JE 48857 et 48858 = SCHULZ, *HÄB* 33, p. 310-313 ; *HÄB* 34, pl. 78-79, nos 173-174) et celles d'Ihy (SCHULZ, *HÄB* 33, p. 502-504 ; *HÄB* 34, pl. 132, nos 305-306) découvertes dans leur tombe à Saqqâra.

3 A. FAKHRY, *The Monuments of Sneferu at Dahshur*, II, Part II, Le Caire, 1961, p. 15-16, pl. LIa-b ; SCHULZ, *HÄB* 33, p. 126 ; *HÄB* 34, pl. 22a.

4 A. FAKHRY, *op. cit.*, p. 19-20, pl. LVIIa ; SCHULZ, *HÄB* 33, p. 128 ; *HÄB* 34, pl. 22c.

5 J. LECLANT, « Une statue-cube de dignitaire memphite au temple haut de Pépi Ier », *OLP* 6/7, 1975/1976, p. 355-359, pl. XII-XIII ; SCHULZ, *HÄB* 33, p. 497 ; *HÄB* 34, pl. 131b.

6 Il est à noter que ces exemples figurent comme des sortes de prototypes puisque le corps du personnage, bien campé dans l'attitude caractéristique, n'est pas encore enveloppé dans le grand manteau. Ce trait stylistique semble apparaître sous le règne de Sésostris II (J. VANDIER, *op. cit.*, p. 236). Certains perçoivent dans ces modèles primitifs soit la représentation d'un personnage assis dans une chaise à porteurs (C. ALDRED, *Middle Kingdom Art in Ancient Egypt*, Londres, 1950, p. 44), soit la figuration d'un pèlerin se rendant en Abydos, posté sur le pont d'un bateau (W. WOLF, *Die Kunst Ägyptens*, Stuttgart, 1957, p. 342) ou encore, une évocation du défunt émergeant d'une butte *ỉꜣ.t* (A. EGGEBRECHT, *op. cit.*, p. 143-163).

d'offrande [7] ». Ainsi, outre le souhait du personnage représenté de laisser une trace tangible de son nom et de ses responsabilités exercées au sein de l'institution du temple, la présence de son *ka* à l'intérieur de l'enceinte sacrée constituait pour lui le gage de jouir « éternellement » des bénéfices issus du rituel de virement des offrandes (*wḏb-jḫ.t ; wḏb-rd*) [8].

Bien attesté depuis l'Ancien Empire [9], le système de virement des offrandes répond à un principe général selon lequel les offrandes alimentaires, une fois consacrées au dieu ou au roi au travers du rituel journalier, sont ensuite reversées à différents bénéficiaires de condition laïque ou directement associés au service du culte. Sethe puis Gardiner ont supposé que cette procédure pouvait, dès l'époque de ses premières mentions, être assimilée à un usufruit, ou encore, à un transfert de revenus d'un bénéficiaire à un autre [10]. À cet égard, la publication des *Papyrus d'Abousir* a révélé l'existence, dès l'Ancien Empire, de laissez-passer donnant pouvoir à un prêtre chargé d'entretenir un culte funéraire privé de venir prélever une part des offrandes consacrées au culte royal [11].

En ce qui concerne les statues-cubes érigées dans les temples, et malgré l'accroissement notable de leurs surfaces inscrites à partir du Nouvel Empire [12], l'évocation du processus de réversion des offrandes y est le plus souvent réduite à des formules stéréotypées telles que le « *d n(y)-sw.t ḥtp* » ou à quelques séquences remarquables par leur concision. Ainsi, et à titre d'exemple, sur le corps de la statue-cube d'Iÿ déposée dans un temple de Souménou sous le règne d'Aÿ et aujourd'hui conservée au Brooklyn Museum (66.174.1) [13], la notation des dispositions, des étapes et des circonstances liées à cette procédure se cantonne au traditionnel souhait d'accéder aux provendes de l'autel des dieux :

Puissent-ils (= Sobek-Rê et Thot) faire en sorte que cette statue établie dans leur temple reçoive les pains senou *distribués en leur présence* [14] *pour le* ka *du second prophète d'Amon, premier prophète de Mout, scribe royal, intendant du domaine de Tiy dans le domaine d'Amon, Iÿ* [15]...

7 Celle-ci est attestée depuis le début de la IVe dynastie : W. BARTA, *Aufbau und Bedeutung der altägyptischen Opferformel*, *ÄgForsch* 24, Glückstadt, Hambourg, New York, 1968, p. 3-11.

8 A.H. GARDINER, « The Mansion of Life and the Master of the King's Largess », *JEA* 24, 1938, p. 86-89 ; J.J. CLÈRE, « La lecture des termes , "virement d'offrandes" », *JEA* 25, 1939, p. 215-216 ; E. JELÍNKOVÁ-REYMOND, « Quelques notes sur la pratique du virement des offrandes (*wḏb-iḫt*) », *RdE* 10, 1955, p. 33-35.

9 La plus ancienne attestation du *wḏb-rd* provient de la tombe de Metchen à Saqqâra, gouverneur et chef d'expéditions sous les règnes de Houni et Snéfrou : H. JUNKER, *Gîza* III, Vienne, Leipzig, 1938, p. 5.

10 E. JELÍNKOVÁ-REYMOND, *op. cit.*, p. 33-35, plus particulièrement p. 33.

11 P. POSENER-KRIEGER, *Les archives du temple funéraire de Néferirkarê-Kakaï (Les Papyrus d'Abousir)*, II, *BiEtud* 65/2, Le Caire, 1976, p. 472-476.

12 H. DE MEULENAERE, *LÄ* VI, 1986, col. 1291-1292, *s.v.* « Würfelhocker ».

13 S. SAUNERON, « Quelques monuments de Soumenou au Musée de Brooklyn », *Kêmi* 18, 1968, p. 66-78, pl. VIII-XIII ; T.G.H. JAMES, *Corpus of Hieroglyphic Inscriptions in the Brooklyn Museum I*, Brooklyn, 1974, p. 172 (425), pl. LXXXIV ; SCHULZ, *HÄB* 33, p. 108-109 ; *HÄB* 34, pl. 16.

14 Concernant l'expression *prj m-bꜣḥ* : J. VANDIER, « La statue-bloc de Touroï », *RdE* 6, 1951, p. 23, n. (c) ; J.J. CLÈRE, *Les chauves d'Hathor*, *OLA* 63, Louvain, 1995, p. 117, n. (b).

15 (L. 5-7) *d=sn šsp snw pr(w.w) m-bꜣḥ=sn twt pn mn(w) m r(ꜣ)-pr=sn n kꜣ n(y) ḥm-nṯr 2-nw n(y) Jmn ḥm-nṯr tp(y) n(y) Mw.t sš n(y)-sw.t (j)m(y)-r(ꜣ) pr m pr Tjy m pr Jmn Jy...*

Le caractère quelque peu rebattu de ce type de formules rend d'autant plus attrayantes les rares sources donnant accès à une vision plus circonstanciée de ce rituel et, partant, de tout un pan de la vie quotidienne du temple égyptien. La base documentaire de notre étude est formée d'inscriptions recueillies sur trois statues-cubes datant de la XXVIe dynastie jusqu'à l'époque ptolémaïque [16] et dont il convient, au préalable, de signaler les dénominateurs communs : ces statues proviennent de la « cachette » du temple d'Amon à Karnak et elles figurent des personnages portant les titres de « père divin » et de « prophète d'Amon dans *Ipet-sout* », soit parmi les charges sacerdotales les plus hautes.

Document A

Statue Caire JE 37199, a, 8-10 = statue-cube du prophète d'Amon dans Karnak, « père divin », Horemakhet, « cachette » de Karnak, granite noir, H. 0,34 m, XXVIe dyn. [17]

jr<r>(w) mr(w.t)=k ḥr stj mw ḏ.t=j nḏ-ḥr ẖnt(y)=j m sp nb n(y) ḥn(w)=k sk ḏw jry=j m wnḏw.w=f

(Le suivant d'Amon-Rê) « Celui qui accomplit ce que tu (= Amon-Rê) désires en aspergeant d'eau mon corps (= ma statue) afin de protéger [a] *ma statue de tout résidu de ton service alimentaire* [b] *et d'éliminer l'infection qui me touche* [c] *provenant de ses offrandes alimentaires* [d]. »

a. Sur le sens « protéger » de *nḏ-ḥr :* J.G. Griffiths, *JEA* 37, 1951, p. 36-37.

b. Sur le terme *ḥnw*, « service alimentaire (d'un temple) » : *Wb* III, 102, 16-17 ; S. Sauneron, *MDAIK* 16, 1958, p. 275, n. a.

c. Outre les sens « qui est en rapport avec », « qui s'y rapporte », « préposé à », « correspondant », « approprié », etc., le *nisbé jry* peut faire état d'un contact direct et physique :
jnk wꜣḏ pwy jry ḫḫ n(y) Rꜥ (Formule 105 du Livre des Morts)
« Je suis cette amulette *qui est attachée* au cou de Rê ! »

d. : graphie erronée pour (K. Jansen-Winkeln, *ZÄS* 125, 1998, p. 5, n. 29).

16 Il est à noter que, parallèlement, et pour la même période, un ensemble de documents juridiques privés fournit de précieux détails concernant le régime de transfert des « bénéfices du temple » qui, selon toute vraisemblance, constitue un prolongement de l'ancienne pratique du virement des offrandes (E. Jelínková-Reymond, *op. cit.* ; *id.*, « Gestion des rentes d'office », *ChronEg* XXVIII/56, 1953, p. 228-237).

17 K. Jansen-Winkeln, *Biographische und religiöse Inschriften der Spätzeit*, *ÄAT* 45, Wiesbaden, 2001, I, p. 189-198 ; II, p. 412-416 et pl. 67-68 (n° 31).

Document B

Statue Caire JE 37354, d, 4 (...) b, 12-14 = statue-cube du prophète d'Amon dans Karnak, « père divin », Djédher, « cachette » de Karnak, granite noir, H. 0,55 m, XXXe dyn. [18]

(...)

sk(w) ḏfȝ.w r-jm(y)tw ḥʿw=j (...) šsp=j snw ḥr-tp ʿ.wy bhd=j m ʿntyw snṯr njs=w rn=j m r(ȝ) wʿ m pr=f ḥr jrt stj mw ḫr=j sk=w ḥr=j wnḏw.w dr=sn ḏw jry=j

« Éliminez les aliments qui se trouvent au milieu de mon corps (= ma statue) (...)
Puissé-je recevoir le pain d'offrande sur les mains, puissé-je respirer (le parfum) de la myrrhe et de l'encens ! Puissent-ils (= les prêtres) invoquer mon nom d'une seule voix dans sa demeure (= Amon-Rê) en aspergeant de l'eau auprès de moi et ainsi, ils me débarrasseront (du résidu) des offrandes alimentaires et ils chasseront l'infection qui me touche ! »

Document C

Statue Caire JE 36918, B 15-16 = statue-cube du prophète d'Amon-Rê, « père-divin », Khnoumibrêmen, « cachette » de Karnak, granite noir, H. 0,54 m, époque ptolémaïque [19].

jr=sn m sn r=j njs=w rn=j ḫft jr(.t) stj mw sk=w ḥr(=j) jmk sȝ.t ḏȝy.t dr=sn ḏw nb jry=j j(j)=sn jm r ḫn.ty nḥḥ

« Ce qu'ils accompliront (= les prêtres) en passant auprès de moi : ils invoqueront mon nom en effectuant l'aspersion de l'eau et ainsi, ils me débarrasseront des matières putréfiées **a***, de la saleté* **b***, des matières corrompues* **c** *et ils chasseront toute infection qui me touche ! Puissent-ils venir ici jusqu'à la fin de l'éternité* **d** *! »*

18 *Ibid.*, I, p. 77-88 ; II, p. 366-369 et pl. 31-34 (n° 15).

19 R. EL-SAYED, « Deux statues inédites du musée du Caire », *BIFAO* 84, 1984, p. 127-146, pl. XXXVII-XXXIX.

a. K. Jansen-Winkeln (*ZÄS* 125, p. 5, [5.]) corrige ainsi la transcription de R. el-Sayed (*BIFAO* 84, 1984, p. 129, l. 16). Le terme *jmk*, attesté dans le *Wb* (I, 88, 15-16), fait état d'un processus de corruption et de putréfaction comme l'attestent plusieurs occurrences des Textes des Pyramides :

« Ô, chair de ce Téti ! Ne pourris pas, ne te **putréfie** pas et que ton odeur ne devienne pas infecte ! »
j(w)f n(y) T. pn m ḥwꜣ(w) m jmk(w) m ḏw(w) sṯ(j)=k (= TP 412, § 722 a-b).

« Ta **putréfaction** n'existe pas, ô ce Pépy, ta sueur n'existe pas, ô ce Pépy, tes humeurs n'existent pas, ô ce Pépy, ta poussière n'existe pas, ô ce Pépy ! »
n jmk=k P. pw n fd.t=k P. pw n rḏw=k P. pw n ḫmw=k P. pw (= TP 535, § 1283 a-b).

« De même qu'Horus ne pourrira pas pour eux, N. ne pourrira pas et de même qu'Horus ne **se putréfiera** pas pour eux, N. ne **se putréfiera** pas ! »
n Ḥr ḥwꜣ n=sn n ḥwꜣ N. n Ḥr jmk n=sn n jmk N. (= TP 684, § 2058 a-b).

b. Concernant cette graphie, on peut hésiter, comme le fait K. Jansen-Winkeln (*op. cit.*, p. 5, n. 32), entre les lectures *sꜣṯw*, « terre, décombres » (*Wb* III, 424, 1) et *sꜣ.t*, « saleté » (*Wb* IV, 27, 8-11). Cette dernière acception me paraît plus appropriée au contexte.

c. K. Jansen-Winkeln (*op. cit.*, p. 5, n. 33) perçoit derrière cette graphie le terme *ḥꜣy.t*, « saleté, ordure » empruntant la valeur idéogrammique du terme *ḥꜣj*, « être nu ». Je penche plutôt pour le système analogue appliqué à *ḏꜣy.t*, idéogramme pour « tissu, étoffe » sans doute confondu avec le terme homophone signifiant « corruption » :

« N. s'est purifié sur ce grand plateau car N. a chassé son infection. N. a rejeté son mal et N. a expulsé à terre la **corruption** liée à sa chair. »

wʿb~n N. ḥr wʿr.t tw ʿꜣ.t dr~n N. ḏw.t=f ḫm~n N. jsf.t=f ḫsr~n N. ḏꜣ(y)t jr(y).t jwf=f r tꜣ (= *CT* IV, 49 j-l, L1Li).

d. Sur l'expression *r ḥn.ty nḥḥ : Wb* II, 302, 8 ; Cl. Vandersleyen, *RdE* 19, 1987, p. 139.

L'intérêt majeur de ces séquences tient à ce qu'elles mettent en lumière un certain nombre d'indications concernant l'exécution et les implications du processus de virement des offrandes appliqué, en l'occurrence, à des statues-cubes [20]. Alors que certaines de ces informations procèdent des sphères des concepts et des représentations, d'autres s'inscrivent plus distinctement dans le registre des réalités pratiques. Je commencerai par examiner les questions relatives à cette dernière catégorie.

Selon un faisceau d'indices qui émaillent ces épigraphes, au cours du rituel de réversion des offrandes, le corps de la statue-cube peut servir de support pour ces dernières.

20 Cet intérêt est signalé par K. Jansen-Winkeln (*ZÄS* 125, 1998, p. 5).

En premier lieu, les trois inscriptions comportent les expressions *ḏw jry=j* et *ḏw nb jry=j*, « l'infection qui me touche », « toute infection qui me touche [21] ». Or, comme cela sera commenté plus loin, ces séquences font allusion à l'état de corruption des offrandes mises en contact avec le corps de la statue.

Ensuite, dans ces extraits, le lien de causalité entre l'aspersion de la statue et l'évacuation du résidu des offrandes suppose un contact physique initial entre ces éléments.

Enfin, et il s'agit sans doute là de l'indication la plus explicite, il est précisé dans la première partie du document B que les offrandes alimentaires sont placées « au milieu » (*r-jm[y]tw*) du corps de la statue. Par suite, la simple observation d'une statue-cube désigne sans conteste la surface horizontale délimitée par les épaules, les bras et les genoux du dédicataire comme seul réceptacle répondant raisonnablement à cette notation.

Une fois ce fait établi, il convient de s'interroger, d'une part, sur l'origine d'une telle pratique et, d'autre part, sur sa systématisation.

L'étude de l'ensemble des statues-cubes figurant les « chauves d'Hathor [22] » permet de faire remonter cet usage probablement au règne d'Amenhotep III [23] et, de manière plus assurée, au début de la XIXe dynastie. D'après la configuration singulière de ces statues et certaines inscriptions qu'elles présentent, il semble avéré que leur méplat horizontal fut également assigné à recevoir les offrandes rituelles. En effet, un des traits qui caractérisent ce groupe typologique s'observe dans la position de la main droite du personnage qui, incurvée en forme de coupe, est systématiquement portée vers la bouche entrouverte pour traduire l'action de boire. En outre, Inhernakht, « chauve du domaine de Méhyt », est figuré tenant un pain rond dans sa main gauche [24]. Leurs inscriptions, quant à elles, corroborent massivement la procédure suggérée par ces signes extérieurs [25]. Ainsi, parmi les colonnes gravées sur le pourtour du corps de la statue-cube du même Inhernakht, on peut lire cette supplique :

Vous mettrez de la bière dans ma main, du pain sur mon bras chaque jour et vous garnirez mon giron d'offrandes afin que je ne sois pas oublié (litt. passé*) dans la tournée, au cours de chaque fête du domaine de Méhyt ainsi que pour les nourritures quotidiennes [26] !*

En revanche, concernant cette pratique spécifique, aucun indice d'ordre structurel ou textuel ne peut être relevé d'après les exemples de statues-cubes antérieurs au milieu de la XVIIIe dynastie [27]. Par conséquent, et même si un mouvement de l'esprit l'y engage, rien ne permet d'affirmer que cet aspect fonctionnel de la statue-cube est à prendre en compte parmi les motifs ayant concouru à l'élaboration de la structure géométrique de ce genre statuaire [28].

21 Sur ce sens particulier de *jry* : cf. Document A, n. (c).

22 J.J. CLÈRE, *Les chauves d'Hathor*, *OLA* 63, Louvain, 1995.

23 D'après la tête du Musée de Besançon (nº 852.2.421) : *ibid.*, p. 171 et pl. XXVII a-b.

24 *Ibid.*, pl. IX-X.

25 Statue de Minmes, texte C, col. 3-7 (*ibid.*, p. 74) ; statue d'Ameneminet, texte G, col. 5-6 (*ibid.*, p. 90) ; statue d'Iouy, texte A (*ibid.*, p. 96) ; statue de Bahy, texte A, l. 3-6 (*ibid.*, p. 105) ; statue de Tchouy, texte A, l. 4-6 (*ibid.*, p. 202) ; statue de Ramose, texte A, col. 1-2 (*ibid.*, p. 212).

26 *kꜣ d=ṯn ḥ(n)q.t ḥr ḏr.t=j t ḥr ꜥ=j rꜥ nb mḥ=ṯn qnjw m wdn.w bw wnt=j m dbn m tnw ḥb n(y) pr Mḥy.t r ḏfꜣ.w n{t} rꜥ nb* (*ibid.*, p. 10, texte F, col. 13-16).

27 Le plus ancien modèle de statue-cube figurant un personnage qui tient une laitue dans la main pourrait dater du règne d'Amenhotep Ier (SCHULZ, *HÄB* 33, p. 62 ; *HÄB* 34, pl. 4, [008]). Mais cet indice ne peut, à l'évidence, être retenu comme la preuve d'une telle pratique.

28 Pour une synthèse des hypothèses concernant les configurations et les fonctions de la statue-cube : SCHULZ, *HÄB* 34, p. 690-699.

Toutefois, l'élargissement de cette base documentaire à d'autres types de statues pourrait témoigner de la fragilité de cette conclusion. En effet, les statues figurant un personnage agenouillé ou assis en tailleur, présentant sur ses cuisses, en tant que réceptacle pour les offrandes, un plat, un bassin ou une table d'offrandes [29], constituent autant de variantes structurellement disposées à une telle procédure. Or, bien que ces genres se développent surtout à partir de la XVIIIe dynastie, la statue du Louvre (N 870) qui représente Iay en scribe, maintenant déroulée sur son pagne la « pancarte d'offrandes » date, quant à elle, du milieu de la XIIe dynastie [30]. Il est donc fort probable que le geste consistant à placer les offrandes directement sur la statue remonte à cette période.

En ce qui concerne la systématisation de cet usage sur les statues-cubes, un certain nombre d'indices viennent la démentir. L'exemple le plus démonstratif est sans doute figuré par le monument d'Amenemhat, datant du règne de Thoutmosis III et conservé au Musée archéologique de Florence (3708) [31]. La petite statue-cube est placée au sommet d'une haute estrade flanquée de plusieurs volées de marches [32]. À la base de celle-ci, se trouve une table d'offrandes agrémentée de divers récipients rendus en haut-relief. Cet ensemble, exceptionnel par la complexité de sa structure, évoque visiblement une pratique alternative, et sans doute prépondérante, consistant à déposer les offrandes *à l'avant* de la statue-cube. Cette procédure paraît encore illustrée par le monument composite d'Ipépi, datant du règne d'Amenemhat III, où la statue-cube est encastrée dans un épais socle de calcaire portant, à l'avant de sa face supérieure, une table d'offrandes en faible relief [33] ou encore, par la statue-cube de Paser posée sur un socle dont la partie antérieure supporte un bassin rectangulaire et dont la tranche frontale forme une table d'offrandes [34]. Par ailleurs, les données épigraphiques concordent régulièrement avec ces signes formels. Le vœu du dédicataire de recevoir les offrandes « devant » (*m-bꜣḥ*) ou « en face de » (*ḫft-ḥr*) son monument est largement attesté, comme en témoigne l'inscription du pilier dorsal d'une statue-cube du premier prophète d'Amon Roma-Roÿ (Caire CG 42185) :

Puissent-ils (= les dieux de l'Ennéade thébaine) *faire en sorte que ma statue demeure sur terre, que mon nom soit gravé sur elle pour toujours, que le pain, la bière et les offrandes soient (placés)* face à elle, (*offrandes*) *provenant de toute part du service alimentaire de Celui-qui-est-dans-Thèbes* [35].

29 Par exemple : statue de Djéhouty, Caire CG 42123 (E.R. RUSSMANN, *Egyptian Sculpture*, Londres, 1989, p. 93-95, fig. 42) ; statue d'Amenhotep, Bologne KS 1825 (S. PERNIGOTTI, *La statuaria egiziana nel museo civico archeologico di Bologna, Collane dell'istituto per la storia di Bologna,* Bologne, 1980, p. 55-56 [no 21], LXXII-LXXIV) ; statue de Pehsoukher, Louvre E 25985 (S. AUFRÈRE, N. BOSSON, Chr. LANDES, *Portes pour l'au-delà. L'Égypte, le Nil et le « Champ des Offrandes »*, Lattes, 1992, p. 144-145, p. 190, fig. 33 a-b) ; statue de Pédoubastis, Marseille, Musée de la Vieille-Charité inv. 210 (*ibid.*, p. 145-146, p. 191, fig. 34).

30 É. DELANGE, *Musée du Louvre. Catalogue des statues égyptiennes du Moyen Empire*, Paris, 1987, p. 96-99.

31 SCHULZ, *HÄB* 33, p. 152-153 ; *HÄB* 34, pl. 29a-c, pl. 30a-c.

32 Certains ont interprété ce tertre comme une figuration de la « butte primordiale » : H. FRANKFORT, *Kingship and the Gods*, Chicago, 1948, p. 152, fig. 33.

33 B.V. BOTHMER, « Block Statues of the Egyptian Middle Kingdom », *BrookMusB* XX/4, 1959, p. 11-26 ; SCHULZ, *HÄB* 33, p. 106-107 ; *HÄB* 34, pl. 15a-d.

34 Copenhague Ny Carlsberg Glyptotek AEIN 661 : SCHULZ, *HÄB* 33, p. 342-343 ; *HÄB* 34, pl. 86c. Sur le plan structurel, ces derniers exemples sont analogues au groupe familial de Senpou conservé au Musée du Louvre (E 11573) : É. DELANGE, *op. cit.*, p. 144-147. D'autres types de statues, évoquant une offrande frontale, sont à signaler : personnage agenouillé présentant une table d'offrandes munie d'un support (J. VANDIER, *Manuel d'archéologie égyptienne III*, p. 464, n. 6), personnage assis sur un socle supportant un récipient sur sa partie antérieure (Chébénou, annexes du Musée d'Assouan : L. HABACHI, *The Sanctuary of Heqaib*, *ArchVer* 33, Berlin, p. 93-94, pl. 164-165 ; Néferrenpet, Louvre E 14241 : J.J. CLÈRE, *Les chauves d'Hathor*, p. 181-186) et, enfin, personnage agenouillé enserrant un bassin surdimensionné (16 exemples mentionnés dans D. WILDUNG, « Die Kniefigur am Opferbecken », *MJBK* 36, 1985, p. 17-38 auxquels il faut ajouter celui présenté dans Chr. M. ZIVIE-COCHE, *Giza au premier millénaire. Autour du temple d'Isis dame des pyramides*, Boston, 1991, p. 33-35).

35 (L. 2) *d=sn ḫnty=j mn(=w) ḥr tp-tꜣ rn=j ḫt(=w) ḥr=f r ḏ.t t ḥn(q).t ḥr ḥtp.w r-ḫft-ḥr=f m spy-ḥn.t nb n(y) Jm(y)-Wꜣs.t* (G. LEFEBVRE, *Inscriptions concernant les Grands Prêtres d'Amon. Romê-Roÿ et Amenhotep*, Paris, 1929, p. 12 ; SCHULZ, *HÄB* 33, p. 278-279 ; *HÄB* 34, pl. 67, no 153).

L'examen des sources relatives aux procédures d'offrandes souligne l'absence de tout dogmatisme en la matière et l'on ne peut que constater la pluralité des pratiques répertoriées. En tout état de cause, et dans l'état actuel de la documentation, le geste distinct consistant à déposer les offrandes sur le méplat supérieur de la statue-cube doit être conçu comme une pratique secondaire et relativement tardive.

La seconde série d'indications fournie par ce groupe d'inscriptions se rattache plus nettement au domaine des représentations mentales relatives aux statues égyptiennes.

À ce titre, par le choix de certaines tournures opéré dans ce formulaire, les corps de la statue et de son dédicataire sont parfaitement confondus. Ce trait est tout d'abord signifié par l'emploi de termes issus du vocabulaire de l'anatomie humaine pour désigner tout ou partie de la matérialité de la statue. Dans ce registre, nous noterons les occurrences des vocables *ḏ.t*, « corps » et *ˁ.wy*, « mains, bras » dans le document A et de *ḫˁw*, « corps » dans le document B. En outre, l'emploi répété du pronom suffixe *=j*, « je, me, moi, mon, ma », en tant que déictique référant simultanément à la statue et au locuteur, participe également à ce jeu d'assimilation.

Ce caractère « vivant » de la statue égyptienne, initialement animée au cours du rituel de l'*Ouverture de la bouche* [36], constitue un des fondements de l'anthropologie égyptienne et, en corollaire, une des questions régulièrement commentées dans la littérature égyptologique [37]. Cette tradition particulièrement prégnante formera le substrat de notre réflexion.

Alors que la grande majorité des inscriptions portées sur les statues-cubes égyptiennes transcrit le vœu du dédicataire de bénéficier des offrandes royales ou divines, nos formules se distinguent par le fait qu'elles expriment le souhait de les voir disparaître au moyen de l'aspersion de la statue [38]. On doit sans doute relever l'aspect crucial de cet acte. Accompagné de l'invocation du nom du dédicataire, ce lavage semble sacrifier aux modalités d'un rituel de purification et, simultanément, il forme le geste technique qui, bien que situé en marge du strict processus de virement des offrandes, conditionne son aboutissement le plus heureux. En effet, passé un délai sur lequel le silence est maintenu, l'évacuation du résidu (*sp*) des offrandes alimentaires abandonnées sur le corps de la statue – et donc sur le substitut de celui de son dédicataire – devient, selon les annotations consignées dans ces séquences, une mesure d'hygiène salutaire à l'égard de son destinataire. Outre les vocables utilisés, notamment dans le document C, pour faire état de la dégradation des offrandes, c'est par l'emploi systématique du terme *ḏw* que cette menace est rapportée avec force.

36 T.J.C. BALY, « Notes on the Ritual of Opening the Mouth », *JEA* 16, 1930, p. 173-186 ; W. HELCK, « Einige Bemerkungen zum Mundöffnungsritual », *MDAIK* 22, 1967, p. 27-41 ; J.-Cl. GOYON, *Rituels funéraires de l'ancienne Égypte*, *LAPO* 4, Paris, 1972, p. 85-182.

37 À titre d'exemples : P. LACAU, « Les statues "guérisseuses" dans l'ancienne Égypte », *MonPiot* 25, 1922, plus particulièrement p. 18-20 ; J. SAINTE FARE GARNOT, *La vie religieuse dans l'ancienne Égypte*, Paris, 1948, p. 11-12.

38 Pour d'autres exemples de ce type : K. JANSEN-WINKELN, *ZÄS* 125, 1998, p. 4-5.

La détermination du vocable *ḏw* par le signe de « l'oiseau du mal » (𓅪) [39] prouve sans conteste son appartenance au champ lexical du mal. Cependant, la traduction indifférenciée de ce terme par les acceptions « mal » ou « mauvais » s'avère le plus souvent inapte à rendre compte de ses spécificités sémantiques. Fondamentalement, le terme *ḏw* dénomme un processus de corruption et de souillure et, en corollaire, il fait état des altérations produites sur les composants de la Création [40]. Dès les origines, il est probable que ce terme ait été associé au phénomène de dégradation du « vivant », comme le signaleront tardivement les occurrences régulières du déterminatif de la « pustule » (𓊈 ou 𓊈) dans la documentation d'époque gréco-romaine :

(Amon) qui libère du djou et qui repousse la maladie; médecin qui soigne l'œil sans (son) remède [41] !

De surcroît, ce processus risque de conduire à la dislocation définitive du corps, l'issue fatale étant notamment évoquée par la figuration sporadique des déterminatifs × [42] ou 𓌪 [43]. À ce titre, dans un contexte funéraire, *ḏw* désigne le mécanisme de putréfaction du cadavre qui menace, *in fine*, de l'anéantir définitivement :

N. s'est purifié sur ce grand plateau car N. a chassé djou qui était en lui ! N. a rejeté le mal iséfet *qui était en lui car N. a évacué à terre la corruption liée à sa chair [44] !*

Ô, destructeurs du corps ! Ceux qui amollissent les os, qui font de la chair un [liquide] djou *! (La chair) elle va sentir, elle va pourrir et elle va se transformer en de nombreux vers [45] !*

Partant de ces considérations, nous serons tenté de rendre *ḏw* par des vocables tels que « infection, abjection, corruption » et leurs correspondants adjectivaux, bien conscient de l'aspect inévitablement restrictif de ces acceptions.

39 A. David, *De l'infériorité à la perturbation. L'oiseau du « mal » et la catégorisation en Égypte ancienne*, *GOF/IV* 38, Wiesbaden, 2000. À notre connaissance, la première attestation du terme provient d'une inscription du mastaba de Méry-Khoufou à Gîza datant du règne de Mykérinos (A. Fakhry, *Sept tombeaux à l'Est de la grande pyramide de Guizeh*, Le Caire, 1935, p. 21, fig. 12). Quant à la première occurrence du déterminatif du « moineau », elle ne semble pas antérieure à la fin de la PPI. Ce signe détermine le mot composé *ḏw-qd* à la ligne 7 d'une « lettre aux morts » inscrite sur un bol conservé au Louvre (A. Piankoff, J.J. Clère, « A Letter to the Dead on a Bowl in the Louvre », *JEA* 20, 1934, p. 157-169, pl. XX-XXI). Ce déterminatif apparaît également dans le *Spell* 335 des *CT* (IV, 208 d) inscrit sur un sarcophage provenant de Saqqâra (Sq4Sq) qui pourrait quant à lui dater, sous toutes réserves, de la fin de la XIe dynastie (H. Willems, *Chests of Life*, *MVEOL* 25, Leyde, 1988, p. 106 et n. 216a).

40 Nous tirons ces remarques de notre étude sur le terme *ḏw* entreprise dans le cadre d'une thèse de doctorat (nouveau régime) intitulée : *Le terme ḏw dans les textes de l'Ancienne Égypte. Essai d'analyse lexicale*, université Paul-Valéry, Montpellier III, novembre 2003.

41 *sfḫ(w) ḏw rw(w) ḫꜣy.t swnw snb(w) jr.t nn pḫr.t=f* (= P. Leyde I 350, III, 14 : A.H. Gardiner, « Hymns to Amon from a Leiden Papyrus », *ZÄS* 42, 1905, p. 12-42).

42 Par exemple dans un graffito de Sehel datant de la XIIe dynastie (L. Habachi, « Graffito of the Chamberlain and Controller of Works Antef at Sehel », *JEA* 39, 1953, p. 51).

43 Par exemple : P. Bremner-Rhind IV, 22, 4 ; 22, 11 ; 22, 16 ; 25, 19 (R.O. Faulkner, *The Papyrus Bremner-Rhind*, *BiAeg* 3, Bruxelles, 1933, p. 42-88) ; P. Carlsberg I, V, 38-42 (O. Neugebauer, R.A. Parker, *Egyptian Astronomical Texts, I. The Early Decans*, New York, Londres, 1960, pl. 53).

44 *wꜥb~n N. ḥr wꜥr.t ṯw ꜥꜣ.t dr~n N. ḏw.t=f ḫm~n N. jsf.t=f ḫsr~n N. ḏꜣ(y)t jr(y).t jwf=f r tꜣ* (= *CT* IV, 49 j-l, L1Li).

45 *smꜣy.w ḥꜥw sgnny.w qs.w jrry.w jwf m-ꜥ [mw] ḏw snsn=f ḥwꜣ=f ḫpr=f m fntw.w ꜥšꜣ.w* (= Livre des Morts, formule 154, version Nou : G. Lapp, *Catalogue of Books of the Dead in the British Museum*, Londres, 1997, pl. 52, col. 8-9).

Néanmoins, le champ d'application de *ḏw* est loin de se confiner à l'organisme. Selon les sources égyptiennes, et c'est sans doute ce qui constitue son caractère le plus singulier, ce processus est susceptible de contaminer non seulement les modes d'expression des hommes et de certains dieux – le geste, la pensée et la parole – mais, plus généralement, toutes les strates de la Création à savoir, les éléments – principalement l'eau, l'air et la terre –, les corps célestes [46] ainsi que certaines phases du continuum temporel [47].

Il ressort de ce rapide inventaire que le processus *ḏw*, qu'il opère par une atteinte organique ou par le médium de la métaphore, ne peut être dissocié d'un principe général de corruption et de désagrégation du monde ordonné [48].

Dans le contexte de nos inscriptions, le terme *ḏw* fait donc allusion à la « contamination » de la statue provoquée par son contact prolongé avec des offrandes corrompues. Cette « contagion » met gravement en péril la « santé » de son dédicataire puisque, nous l'avons rappelé, sa statue forme la matérialité de sa présence sur terre. Par suite, il semble inévitable que cette corruption de la statue entraîne, à terme, la désagrégation de la chaîne reliant les formes différenciées du défunt, respectivement annexées aux sphères céleste, souterraine et terrestre :

Puisse ton ba *être au ciel, ton cadavre dans la Douat et tes statues dans les temples* [49] *!*

En conséquence, la rupture de ce lien subtil, perçue comme une atteinte à l'intégrité de l'individu, ne peut que saper toute espérance en une vie éternelle. *A contrario*, préserver la statue, ou tout autre composant de cette constellation [50], d'un quelconque contact avec *ḏw* conditionne la jouissance des bienfaits prodigués par les rituels ainsi que la perpétuation des pouvoirs accordés par la divinité :

(Ptahirdis au ka *d'Osiris, seigneur de Ro-Sétaou :) « Puisses-tu me donner pain, bière et toute chose parfaite ; puisses-tu me préserver de toute chose djou ; puisses-tu faire en sorte que [je] dispose de [...]* [51]. »

46 Par exemple : P. Carlsberg I, IV, 43-VI, 14 (O. NEUGEBAUER, R.A. PARKER, *op. cit.*, pl. 52-53).

47 Le terme *ḏw* apparaît comme « verdict » de certains jours dans le calendrier fragmentaire du P. Kahoun XVIII, 3 (F.Ll. GRIFFITH, *Hieratic Papyri from Kahun and Gurob*, Londres, 1898, p. 62, pl. XXV) ainsi que dans la « légende » associée à certains jours dans le Calendrier du Caire : 1er mois d'*akhet*, jour 23, jour 26 ; 2e mois d'*akhet*, jour 15 ; 3e mois d'*akhet*, jour 14 ; 3e mois de *chémou*, jour 5, jour 10 ; 2e, 3e, 4e jours épagomènes (Chr. LEITZ, *Tagewählerei. Das Buch ḥꜣt nḥḥ pḥ.wy ḏt und verwandte Texte*, *ÄgAbh* 55, Wiesbaden, 1994).

48 Le terme *nfr*, antonyme de *ḏw*, désigne une des expressions de cet ordonnancement de la Création.

49 *mn bꜣ=k m p.t ẖꜣ.t=k m Dwꜣ.t twt.w=k m r(ꜣ).w-pr.w* (= Rituel de l'embaumement, 7, 18 : S. SAUNERON, *Rituel de l'embaumement*, Le Caire, 1952, p. 26). Pour d'autres séquences de ce type : J. ASSMANN, *Tod und Jenseits im Alten Ägypten*, Munich, 2001, p. 120-125.

50 (Nout au défunt) « Je suis ta mère ! Je te protège, je préserve ton corps de toute chose *djou* et je garde intactes toutes les parties de ton corps ! » (= Sarcophage de Taho, fils d'Ahmasi, Caire CG 29305 : G. MASPERO, *Les sarcophages des époques persane et ptolémaïque*, I, CGC, Le Caire, 1914, p. 217, c.1-2).
(Première heure de la nuit) « La porte de Nephthys, c'est la sœur d'Osiris qui accomplit sa purification, qui nettoie son *ka* et qui répand tout son *djou* à terre ! » (= Version des *Stundenwachen* dans la chapelle de Sokaris à Edfou [I, 209, 18-19]).
(Les ennemis du roi) « Le *djou* est provoqué à votre encontre dans Ânpet (...) Votre souffrance, c'est le *djou* du *ib* car votre *ib* est devenu *djou* ! » (= l. 14-18 de l'inscription d'un autel de Ptolémée IV Philopator dans le temple de Tôd. Texte dans M.F. BISSON DE LA ROQUE, « Notes sur le dieu Montou », *BIFAO* 40, 1941, p. 38).
(« Ô ces dieux qui éclairent les ténèbres dans la *Douat* ... ») « Jetez la flamme sur tous les adversaires, à jamais, et chassez de moi tout *djou* car je suis un défunt efficient et exempt de faute ! » (= Tombe Pétosiris, no 74, 4-6 : dans G. LEFEBVRE, *Le tombeau de Pétosiris*, Le Caire, 2e part., 1923, p. 48 ; 3e part., 1924, pl. XL).

51 *d=k n=j t ḥ(n)q.t ẖ.t nb.t nfr.t nḥm=k wj m -ʿ ẖ.t nb(.t) ḏw(.t) d=k sẖm ///* (= 2e colonne du pilier dorsal d'une statue d'Osiris au nom de Ptahirdis, Boston MFA 29.1131, Exp. N. 28-4-76, sud-est de la nécropole orientale de Gîza, puits G 7792 A : Chr.M. ZIVIE-COCHE, *Giza au premier millénaire*, p. 263-264, pl. 44) ; O. PERDU, « L'Osiris de Ptahirdis reconstitué », *SAK* 27, 1999, p. 277.

(Statue-cube du prince Nimlot :) « Fasse le roi que s'apaise Amon-Rê, seigneur des trônes du Double-Pays, celui qui préside à Ipet-sout, le dieu grand, seigneur du ciel. Il va m'accorder vie, santé, force étant donné que je suis sauvé, que nul djou *ne se trouve auprès de moi et que je peux contempler Atoum* [52] *! »*

La gravité des enjeux sous-tendus dans ces requêtes suscite une ultime interrogation. Alors que les formules prophylactiques visant à protéger l'espace sacré de la tombe privée de toute intrusion de *ḏw* apparurent dès la fin de la IVe dynastie [53], pour quelles raisons de telles mesures préventives n'apparaissent-elles que tardivement sur les statues-cubes dressées dans les temples ?

L'examen du vaste corpus des statues exhumées de la Cachette de Karnak [54] permet de constater que, d'une part, concernant les personnes privées, les statues-cubes forment le genre de prédilection et, d'autre part, leur présence s'imposa en nombre à partir du Nouvel Empire [55]. Par suite, l'état d'encombrement progressif des parties du temple réservées à leur mise en place – la proximité des portes et des voies processionnelles – se laisse facilement imaginer [56], de même qu'à l'époque lagide, c'est probablement l'outrance de cet engorgement qui détermina l'enfouissement de ce matériel dans les tréfonds du temple [57].

Bien que la documentation nous renseigne mal sur ce point, il semble naturel que cette accumulation s'accompagna d'un surcroît proportionnel de charges pour les desservants affectés au rituel de virement des offrandes. La supplique d'Inhernakht citée plus haut, évoquant son inquiétude de se voir « oublié dans la tournée », témoigne probablement de certains dysfonctionnements induits par cet état de fait. Partant, ce sont des craintes de même nature qui transparaissent au travers des inscriptions de nos statues-cubes puisque, conformément aux conceptions égyptiennes, l'abandon prolongé des offrandes sur le corps de la statue constitue un péril aussi grave que leur carence. Finalement, ces requêtes paraissent d'autant plus motivées que, d'une part, les monuments qui les recueillent datent de périodes durant lesquelles l'état d'encombrement du temple de Karnak devint problématique et, d'autre part, en tant que prêtres de haut rang attachés au service du temple, leurs dédicataires furent pleinement au fait des défaillances et des négligences engendrées par cette incurie.

52 *d n(y)-sw.t ḥtp Jmn-Rʿ nb ns.wt Tꜣ.wy ḫnty Jp.t-s.wt nṯr ʿꜣ nb p.t d=f n=j ʿ.w.s. m šd=kw nn ḏw ḥr=j dg(=j) Tm(w)* (= l. 1-3 de l'inscription placée à l'avant de la statue-cube de Nimlot, Wien Kunsthistorisches Museum, Inv.-Nr ÄS 5791, provenant probablement du temple d'Atoum à Héliopolis : E. ROGGE, *Statuen des neuen Reiches und der dritten Zwischenzeit, CAA Kunsthistorisches Museum Wien* 6, Mayence, 1990, p. 150-163).

53 A. FAKHRY, *Sept tombeaux à l'Est de la grande pyramide de Guizeh*, Le Caire, 1935, p. 21, fig. 12 ; *Urk.* I, 49, 8-9 ; 50, 16-51, 1 ; 70, 15-17 ; 72, 4-5 ; 225, 16-17. Sur cette question : H. SOTTAS, *La préservation de la propriété funéraire dans l'Ancienne Égypte*, Paris, 1913 ; S.M. MORSCHAUSER, *Threat-Formulae in Ancient Egypt*, Baltimore, 1991.

54 P. BARGUET, *Le temple d'Amon-Rê à Karnak*, *RAPH* 21, Le Caire, 1962, p. 272-280 ; E. FEUCHT, *LÄ* I, 1974, col. 893-894, *s.v.* « Cachette ».

55 H. DE MEULENAERE, *LÄ* VI, 1986, col. 1291-1292, *s.v.* « Würfelhocker ».

56 B. BOTHMER, *Egyptian Sculpture of the Late Period*, New York, 1960, p. 151.

57 P. BARGUET, *op. cit.*, p. 279.

Le tissage de l'Œil d'Horus et les trois registres de l'offrande

À propos de la formule 608 des Textes des Sarcophages

Frédéric SERVAJEAN

CET ARTICLE, qui fait suite à celui paru dans le précédent Bulletin [1], poursuit l'enquête sur les idées relatives aux étoffes tout en essayant de démêler l'écheveau du rite, des traditions et des métaphores. L'une des principales difficultés, en effet, à laquelle est confronté le chercheur lorsqu'il analyse un texte religieux – qu'il s'agisse d'un texte rituel, funéraire, mythologique, etc. – est le fait que soient placés sur le même plan des éléments appartenant à des registres distincts. Ainsi, pour ne prendre qu'un exemple, celui qui va retenir notre attention dans ce travail, la formule 608 des Textes des Sarcophages se clôt sur deux propositions curieuses [2] :

Hꜣ Wsjr N. pn, ḥtm tw m Jr.t Ḥr n(y).t ḏ.t=k, ḥtm tw m Jr.t Ḥr tꜣ(y)t(w).t !

Ô Osiris N. que voici, munis-toi de ton propre Œil d'Horus [3], munis-toi de l'Œil d'Horus tissé [4] !

Quel que soit le sens de ce passage [5], deux remarques s'imposent :

α. Il semble évident que le « désordre » mêlant le corps du défunt, l'Œil d'Horus et le tissage n'est qu'apparent, qu'il a été voulu par le hiérogrammate, ces « éléments » provenant de *registres* distincts – technique artisanale (monde des vivants) (nº 1), monde funéraire renvoyant à l'Au-delà (nº 2), mythe (nº 3) – ayant été volontairement réunis et aboutissant à des idées particulières : l'Œil appartient au corps du défunt et il est tissé.

1 Fr. SERVAJEAN, « L'étoffe *sjꜣ.t* et la régénération du défunt », *BIFAO* 103, 2003, p. 439-457. Je tiens à remercier B. Mathieu pour avoir accepté de relire ce travail.

2 *CT* VI, 221r-s. Pour cette formule, voir R. EL SAYED, « Les rôles attribués à la déesse Neith dans certains Textes des Cercueils », *Orientalia* 43, 1974, p. 286-287.

3 Litt. : « l'Œil d'Horus de ton corps ».

4 R. VAN DER MOLEN, *A Hieroglyphic Dictionary of Egyptian Coffin Texts*, *ProblÄg* 15, Leyde, Boston, Cologne, 2000, p. 706.

5 Le lien Œil d'Horus/tissu est anciennement attesté, comme le montre, par exemple, la formule 414 des Textes des Pyramides (§ 737) : « Paroles à dire : "Ô Roi, tu as saisi ta lumière, tu as saisi ton lin fin ; tu vas te revêtir de l'Œil d'Horus qui est dans Tayt, il établira le respect de toi auprès des dieux, c'est ta reconnaissance qu'il établira ainsi auprès des dieux, car tu vas saisir la couronne *wrr.t* grâce à lui auprès des dieux, tu vas saisir la couronne *wrr.t* grâce à lui auprès d'Horus, seigneur des nobles" (*Ḏd mdw : Hꜣ T. pw, šsp~n=k sšp=k, šsp~n=k ḥꜣtj=k, wnḫ=k m Jr.t Ḥr jmy.t Tꜣy.t, jr=s ky.t=k ḫr nṯr.w, jr=s m sjꜣ.t=k ḫr nṯr.w, jṯ=k wrr.t jm=s ḫr nṯr.w, jṯ=k wrr.t jm=s ḫr Ḥr nb Pʿ.t*) ». On le trouve ailleurs, dans les Textes des sarcophages, par exemple, à la formule 862 (*CT* VII, 64a) : « Paroles à dire : "Osiris N. que voici, je t'ai revêtu au moyen de l'Œil d'Horus qui est dans Tayt (déterminé par), dont il a revêtu son père, dont il a revêtu Osiris !" (*Ḏd mdw : Wsjr N. pn, ḏbꜣ~n=j ṯw m Jr.t Ḥr jmy.t Ṯꜣy.t, ḏbꜣ(w).t~n=f jt(=f) jm=s, ḏbꜣ~n=f Wsjr jm=s !*) ».

β. Ce rapprochement doit nécessairement s'expliquer par des traditions spécifiques et, pour ce qui relève du rapport entre le texte et le rituel, par un procédé aboutissant à la « fusion » des *registres* auxquels ces éléments appartiennent (« l'Œil d'Horus tissé »).

Dans le cadre d'un texte à finalité rituelle – ce qui est le cas de la formule 608 des Textes des Sarcophages, qui s'apparente fortement à certaines scènes du Rituel de l'Ouverture de la Bouche [6] et du Rituel du culte divin journalier [7] –, on peut se demander si les *registres* dont il a été question en α (n°s 1-3) sont toujours les mêmes ? Celui qui renvoie au monde des vivants (n° 1) ne pose aucun problème : c'est en lui, par définition, que le rite est effectué.

Le registre du monde funéraire (n° 2) est celui dans lequel se situe le destinataire du rite. Lorsque la nature du destinataire se modifie – par exemple lorsqu'il s'agit d'une divinité et non plus d'un défunt –, le registre se modifie-t-il à son tour ? Le point commun entre la divinité et le défunt est qu'ils se situent dans un « ailleurs » qui n'est pas le monde des vivants. On rejoint ici une vieille définition de Durkheim : « Les êtres sacrés sont, par définition, des êtres *séparés* [8]. Ce qui les caractérise, c'est que entre eux et les êtres profanes, il y a une solution de continuité [9]. » Si l'on essaie de vérifier la validité de cette définition, se pose d'emblée le problème du statut du défunt. Il sera examiné plus loin. À cette définition fait écho celle de D. Meeks qui, analysant le terme *nṯr* – habituellement traduit par « dieu » et renvoyant nécessairement au « sacré » –, écrit : « Est "dieu" tout ce qui a été introduit dans cet état par le rite, et/ou y est maintenu par le rite [10]. » C'est probablement à ce niveau que ce situe la *séparation* de Durkheim, une séparation qui oppose simplement ce qui est « ritualisé » – et donc *nṯr* – à ce qui ne l'est pas.

Reprenons le court passage de la formule 608 des Textes des Sarcophages reproduit plus haut. Le *premier registre* est constitué de plusieurs « éléments » appartenant au monde des vivants : le prêtre ritualiste et deux *nṯr.w* : l'étoffe, qui on le verra plus bas est un vêtement *mnḫ.t* [11], et la momie du défunt. On peut s'étonner que le vêtement *mnḫ.t* puisse être considéré comme un *nṯr*, mais le passage suivant du Rituel du culte divin journalier (Formule pour revêtir l'étoffe *jdmj* [*R(ꜣ) n(y) ḏb(ꜣ) mnḫ.t jdmj*]) [12] montre que, introduits dans le rite, les tissus devenaient des *nṯr.w* :

> *Ḏd mdw : Šsp Jmn-Rʿ nb ns.t tꜣ.wy šd jdmj.t ḥr ʿ.wy Tꜣy.t r jwf≈f ! Dmj nṯr r nṯr, ṯꜣ<m> nṯr r nṯr m rn≈s pwy jdmj.t !*
>
> *Paroles à dire : « Puisse Amon-Rê, seigneur du trône des deux terres, saisir le bandeau šd et l'étoffe jdmj.t sur les mains de Tayt pour ses (propres) chairs ! Un nṯr (= l'étoffe jdmj.t) s'unira (ainsi) à un nṯr (= Amon-Rê), car un nṯr (= l'étoffe jdmj.t) recouvrira un nṯr (= Amon-Rê) grâce à ce nom qui est le sien d'étoffe jdmj.t ! (...)* [13]. »

6 Notamment les scènes L A et LIII (J.-Cl. GOYON, *Rituels funéraires de l'ancienne Égypte*, *LAPO* 4, Paris, 1972, p. 141-142 [pour la première], p. 146 [pour la seconde]).

7 Cf. *infra*, le paragraphe *Les trois registres de l'offrande*.

8 Je souligne.

9 É. DURKHEIM, *Les formes élémentaires de la vie religieuse*, Paris, 1979, p. 428.

10 D. MEEKS, « Notion de "dieu" et structure du panthéon dans l'Égypte ancienne », *RHR* 205/1, 1988, p. 444.

11 *Wb* II, 87, 13-88, 2.

12 A. MORET, *Le Rituel du culte divin journalier en Égypte d'après les papyrus de Berlin et les textes du temple de Séti Ier, à Abydos*, Genève, éd. de 1988, p. 187-188.

13 Cette formulation se retrouve ailleurs, par exemple, A.M. CALVERLEY, A.H. GARDINER, *The Temple of King Sethos I at Abydos* II, Londres, Chicago, 1935, pl. 16.

Le *deuxième registre* est celui des *nṯr.w* situés « ailleurs », dans lequel se trouve le destinataire du rite, ici, pour reprendre la terminologie de J. Assmann, le « moi [14] » du défunt. Car il faut bien admettre que ce n'est pas à la momie que s'adresse le ritualiste mais à une « composante » du trépassé se situant dans le même registre que celui où se trouverait la divinité si le texte lui était adressé. La momie assume par rapport au « moi » du défunt la même fonction que la statue par rapport à la divinité dans le Rituel du culte divin journalier. Or, on le verra plus bas, le registre du « moi » et celui de la divinité ne relèvent pas du monde « réel ». Il devient donc nécessaire de s'interroger sur ce qui distingue tous ces *nṯr.w*, quel que soit leur registre d'appartenance. D. Meeks, dans l'article dont il vient d'être question, reprend certaines réflexions de Ph. Derchain délimitant deux groupes *nṯr.w* qui pourraient très bien correspondre à ces deux registres : « ce qui est "dieu" depuis la création (D. Meeks), et qui appartient à l'"imaginaire" (Ph. Derchain), et ce qui devient "dieu" à la suite d'un rite (D. Meeks), et qui appartient au "réel" (Ph. Derchain) [15]. »

En réalité, ces quatre catégories ne se superposent pas exactement deux à deux – « dieu »-à-la-suite-d'un-rite et « réel », d'une part (sous-catégorie A), et « dieu »-depuis-la-création et « imaginaire », d'autre part (sous-catégorie B) – comme on pourrait le penser. En effet, si l'on admet que les deux registres délimités plus haut – monde des vivants (n° 1) et destinataire du rite (n° 2) – correspondent à ces deux sous-catégories de *nṯr.w*, le deuxième, celui des destinataires du rituel, devrait logiquement renvoyer à la sous-catégorie de D. Meeks, constituée de « ce qui est dieu depuis la création, et qui appartient à l'imaginaire ». On obtiendrait donc le tableau suivant :

Rite	
Registre 1	***Registre 2***
Objet manipulé dans le cadre d'un rite effectué dans le monde des vivants	Destinataire du rite
Nṯr à la suite d'un rite Monde *réel*	*Nṯr* depuis la création Monde *imaginaire*
Sous-catégorie A	***Sous-catégorie B***
Nṯr	

Or, dans la formule 608 des Textes des Sarcophages, le destinataire du rite est le défunt lui-même et il est difficile de le classer dans la sous-catégorie B : il ne peut, à l'évidence, être considéré comme un *nṯr*-depuis-la-création. La délimitation des deux sous-catégories de *nṯr.w* s'adapte mieux au clivage « imaginaire »/« réel » qu'au clivage être-*nṯr*-depuis-la-création/devenir-*nṯr*-à-la-suite-d'un-rituel. Les défunts semblent occuper une place particulière – intermédiaire entre les deux groupes de *nṯr.w* pour être plus précis – due au fait qu'une partie de leur être est bien réelle – leur corps, leur nom, leur ombre, etc. – alors que l'autre relève du monde « imaginaire » – leur *bꜣ* et leur « moi » après la mort. En revanche, la classification dans les sous-catégories de Ph. Derchain

14 J. Assmann, *Mort et au-delà dans l'Égypte ancienne*, *s. l.*, 2003, p. 181-184. Il est évident que ce terme crée autant de difficultés qu'il en résout ; nous l'employons par commodité.

15 D. Meeks, *op. cit.*, p. 445 ; Ph. Derchain, « Divinité. Le problème du divin dans l'Égypte ancienne », dans Y. Bonnefoy (éd.), *Dictionnaire des mythologies* I, Paris, 1981, p. 324-330.

se fait sans difficulté. C'est probablement la raison pour laquelle ce dernier, dans le travail dont il a été question plus haut, place la notion de « personnalité » à mi-chemin entre le « réel » et l'« imaginaire [16] ». Dans ces conditions, les deux premiers registres où opère l'offrande (n°s 1-2) correspondraient parfaitement aux deux sous-catégories de *nṯr.w* (*nṯr* « réel »/*nṯr* « imaginaire »). Le tableau ci-dessus doit donc être légèrement modifié de la manière suivante :

Rite	
Registre 1	***Registre 2***
Objet manipulé dans le cadre d'un rite effectué dans le monde des vivants	Destinataire du rite
Nṯr réel	Nṯr imaginaire
Sous-catégorie A	***Sous-catégorie B***
Nṯr	

Enfin, le *troisième registre*, est constitué de l'« Œil d'Horus ». Il s'agit du registre du mythe, également constitué de *nṯr.w*. Ce *troisième registre* ne doit pas être confondu avec le *deuxième*, car s'il est évident que les *nṯr.w* qui le composent appartiennent au monde « imaginaire » de la définition évoquée plus haut, il n'en reste pas moins qu'ils sont figés dans une histoire divine qui renvoie à la Première Fois ou juste après et non au moment où le rituel opère. Par conséquent, le rituel réactualise le mythe qui fonctionne comme archétype.

On remarquera, pour terminer, que les trois registres se mêlent de manière indissociable puisque dans l'exemple qui nous occupe l'Œil d'Horus (troisième registre) du défunt (deuxième registre) est tissé (premier registre). Cette aptitude à faire référence en permanence à des registres distincts est l'une des spécificités du discours égyptien. Il ne suffit plus de la constater, il est maintenant nécessaire de s'y arrêter.

*
* *

Les lignes qui suivent vont tenter de vérifier la validité de l'analyse rapide qui vient d'être effectuée, et d'examiner si l'offrande s'inscrit bien dans cette triple perspective. On vérifiera également si elle opère de manière concomitante dans les trois registres, aboutissant à une sorte de « fusion », gage de la réussite du rituel. On considérera d'emblée comme insuffisante l'analyse qui consiste à dire :

– que l'Œil est l'archétype de l'offrande ;
– que l'offrande en question est faite d'étoffes ;
– par voie de conséquence, que l'Œil est tissé.

16 *Ibid.*, tableau p. 325.

Si ces affirmations, en raison du niveau de généralité dans lequel elles s'inscrivent, possèdent indéniablement un fond de vérité, en rester là appauvrirait considérablement la portée des textes étudiés.

On se penchera de préférence sur les textes rituels où il est question de l'offrande de l'étoffe *jdmj*. Il s'agit d'un tissu habituellement décrit comme une étoffe rouge, mais qui peut également être blanche ou verte [17], utilisé dans divers rituels [18]. On le trouve souvent dans les frises des sarcophages [19].

Les trois registres de l'offrande

Dans le culte divin journalier, après les ablutions, le prêtre « procédait à l'habillage de la statue divine, à l'aide de pièces d'étoffe ou de bandelettes [20] ». Dans la première formule rituelle, il est question d'une étoffe blanche/brillante (« Formule du vêtement *mnḫ.t* blanc/brillant » [*R(ꜣ) n(y) mnḫ(.t) ḥḏ(.t)*]) [21] :

A

Ḏd mdw : Hꜣ Jmn-Rʿ nb ns.t tꜣ.wy, šsp~n=k sšp=k pn, šsp~n=k nfr{.t}=k pn, šsp~n=k mʿr=k pn, šsp~n=k mnḫ.t=k tn, šsp~n=k Jr.t twy n(y).t Ḥr ḥḏ.t pr(w).t m Nḫb.t !

Paroles à dire : « Ô Amon-Rê, seigneur du trône des deux terres, tu as saisi cette « étoffe blanche/brillante [22] » qui est la tienne, tu as saisi cette étoffe nfr [23] qui est la tienne, tu as saisi ce vêtement mʿr [24] qui est le tien, tu as saisi ce vêtement mnḫ.t qui est le tien, tu as saisi cet Œil d'Horus blanc/brillant issu de Nekhbet ! »

B

Ḫʿ=k jm=s, mnḫ=k jm=s m rn=s pwy n(y) mnḫ.t, (...)

« Tu vas apparaître grâce à lui (= l'Œil) et tu vas devenir puissant grâce à lui (= l'Œil) grâce à ce nom qui est le sien de vêtement mnḫ.t, (...) »

17 J.-Cl. GOYON, *op. cit.*, p. 142, n. 2 (on la trouve assez fréquemment dans le Rituel de l'Embaumement) ; Ph. DERCHAIN, *Le papyrus Salt 825 [BM 10051]* I, Bruxelles, 1964, p. 149-150 [19] ; E. OTTO, *Das ägyptische Mundöffnungsritual* II. *Text*, *ÄgAbh* 3, Wiesbaden, 1960, p. 113 ; W. SCHENKEL, « Die Farben in ägyptischer Kunst und Sprache », *ZÄS* 88, 1963, p. 140 ; *Wb* I, 153, 16-18 ; R.O. FAULKNER, *CD*, p. 35. Voir également R. GERMER, *Die Textilfärberei und die Verwendung gefärbter Textilien im alten Ägypten*, *ÄgAbh* 53, Wiesbaden, 1992, p. 130-131.

18 Il servait, par exemple, de manteau au roi au cours de la fête Sed, à l'Ancien Empire, comme l'atteste un relief d'Abou-Gourob, avec une taille surprenante puisqu'il mesurait 5,25 m de long sur 2,10 de large ou 5,25 de long sur 1,60 de large (P. POSENER-KRIEGER, « Les mesures des étoffes à l'Ancien Empire », *RdE* 29, 1977, p. 94).

19 G. JÉQUIER, *Les frises d'objets des sarcophages du Moyen Empire*, *MIFAO* 47, Le Caire, 1921, p. 34-39.

20 A. MORET, *op. cit.*, p. 178.

21 *Rituel d'Amon*, XXVIII, 10 – XXVIII, 7 = *Rituel d'Abydos*, 19e tableau.

22 *AnLex* 77.3870, 78.3826. Il existe également un mot *šsp* (*AnLex* 78.4190) désignant une étoffe, probablement la même que la précédente, la distinction entre *šsp* (= *šzp*) et *sšp* n'étant attestée qu'à l'Ancien Empire. Voir également P. POSENER-KRIEGER, *Les archives du temple funéraire de Néferirkarê-kakaï* II, *BiEtud* 65/2, Le Caire, 1976, p. 364 (c).

23 *Wb* II, 261, 1-2. Rédigé avec le 𓏏 final, le mot est attesté avec le démontratif *pn* (*ibid.*). Se reporter également à *AnLex* 77.2095. Rédigé 𓄤𓏏𓏥 (*ibid.*), le terme désigne les vêtements du dieu ; et 𓄤𓏏, dans *šmʿj.t nfr.t* (*AnLex* 77.2094), une étoffe « de la qualité la plus fine ».

24 *AnLex* 77.1670, 78.1676.

C

(...) dmj=s ḥr=k m rn=s pwy n(y) jdmj, ꜥꜣ=s ḥr=k m rn=s pwy n(y) ꜥꜣ.t, šmꜥt=s ḥr=k m rn=s pwy n(y) šmꜥ.t, (...)

« (...) car il/elle (= l'Œil ou le vêtement mnḫ.t) va s'unir à ton visage grâce à ce nom qui est le sien d'étoffe jdmj, il/elle (= l'Œil ou le vêtement mnḫ.t) va grandir ton visage grâce à ce nom qui est le sien de vêtement de lin ꜥꜣ.t [25]*, il (= l'Œil ou le vêtement mnḫ.t) va enserrer* [26] *ton visage grâce à ce nom qui est le sien de vêtement de lin fin šmꜥ.t* [27]*, (...) »*

D

(...) ḏb(ꜣ)~n=tw Jr.t Ḥr m ḏb(ꜣ) Rnnw.t Jmn-Rꜥ nb ns.t tꜣ.wy !

« (...) l'Œil d'Horus ayant été vêtu [28] *au moyen du vêtement* [29] *de Rénénet, (ô) Amon-Rê, seigneur du trône des deux terres ! »*

E

M n=k Jr.t Ḥr ḥḏ.t <ḥr(y)>-jb Nṯr.t [30]*, nr n=k nṯr.w, nr n=s nṯr.w mj nr~n=sn m* [31] *Jr.t Ḥr !*

« Prends pour toi l'Œil d'Horus blanc/brillant qui se trouve au milieu de Nṯr.t ; ainsi, les dieux te craindront, car les dieux le (= l'Œil) craindront, étant donné qu'ils ont (toujours) craint l'Œil d'Horus ! »

Dans le titre il n'est question que d'une seule étoffe – la *mnḫ(.t) ḥḏ(.t)* –, ce qui est surprenant car, d'une part, la suite du texte – dans laquelle le ritualiste s'adresse à la divinité – énumère deux épithètes et le nom d'un vêtement (la « blanche/brillante » [*ssp(.t)*], l'étoffe *nfr.t*, le vêtement *mꜥr*) qui ont pour fonction de désigner métaphoriquement l'étoffe qu'il est en train d'offrir à la divinité et, d'autre part, le tableau illustrant la scène montre le ritualiste offrant deux bandelettes [32]. Il est possible de surmonter cette contradiction en considérant, tout d'abord, que le terme *mnḫ.t* désigne les vêtements d'un point de vue générique et, ensuite, que le paragraphe A a simplement pour but d'indiquer que *mnḫ.t* incorpore certaines caractéristiques des vêtements cités (étoffe *ssp*, étoffe *nfr* et vêtement *mꜥr*). De ce fait, et parce que les désignations d'étoffes/vêtements se trouvant dans ce paragraphe sont spécifiques, alors que la dernière est une dénomination générique, le passage pourrait être compris de la manière suivante :

25 *AnLex* 77.0570, 78.0622.

26 *Wb* IV, 478, 4.

27 *Wb* IV, 477, 13 ; *AnLex* 77.4186, 78.4119, 79.3001.

28 Pour le verbe *ḏbꜣ* signifiant « revêtir », *Wb* V, 556, 11-557, 16.

29 Pour le substantif *ḏbꜣ* signifiant « vêtement », *Wb* V, 560, 10 ; *AnLex* 77.5189, 78.4900.

30 A. Moret (*op. cit.*, p. 179) a lu le texte du P. 3055 de Berlin (= *Hieratische Papyrus königlichen Museen zu Berlin*, Leipzig, 1901, XXVII, 5-6) de la manière suivante : [hiéroglyphes]. Cette séquence doit être corrigée en [hiéroglyphes], le [hiéroglyphe] ayant été interprété de manière erronée comme un [hiéroglyphe].

31 Ce [hiéroglyphe] pose problème ; on attendrait en effet [hiéroglyphe], que l'on trouve d'ailleurs dans la version du texte d'Abydos (A. MORET, *op. cit.*, p. 179-180, n. 8). Dans ce dernier, la forme du verbe suivant la préposition *mj* est prospective – *nr=sn* (*loc. cit.*) – alors qu'ici elle est perfective. On traitera ce [hiéroglyphe] comme un [hiéroglyphe] à l'instar de la version d'Abydos, le complément d'objet étant habituellement introduit par cette dernière préposition (R.O. FAULKNER, *CD*, p. 134, *s. v. nri*).

32 A. MORET, *op. cit.*, p. 180 (fig.) ; R. DAVID, *A Guide to Religious Ritual at Abydos*, Warminster, 1981, p. 67, fig. 19.

Hꜣ Jmn-Rꜥ nb ns.t tꜣ.wy, šsp~n=k sšp(.t)=k pn, šsp~n=k nfr{.t}=k pn, šsp~n=k mꜥr=k pn, šsp~n=k mnḫ.t=k tn (...)!

Ô Amon-Rê, seigneur du trône des deux terres,
tu as saisi cette « blanche/brillante » qui est la tienne,
tu as saisi cette étoffe nfr qui est la tienne,
tu as saisi ce vêtement mꜥr qui est le tien,
***car** tu as saisi ce vêtement mnḫ.t qui est le tien (...)!*

La dernière proposition serait donc une explicitation de ce qui précède : « en saisissant ce tissu (désignation générique), tu as en fait saisi une étoffe qui possède les caractéristiques d'être "blanche/brillante", d'être une étoffe *nfr* et qui, de plus, est un vêtement *mꜥr* ».

Le paragraphe (A) se poursuit d'une manière très intéressante car le fait de saisir *mnḫ.t* équivaut à saisir « l'Œil d'Horus blanc/brillant issu de Nekhbet », comme le montre le paragraphe B qui suit, dans lequel c'est le seul vêtement *mnḫ.t* qui est mis en relation avec l'Œil : « Tu (= Amon-Rê) vas apparaître grâce à lui (= l'Œil) [33] et tu vas devenir puissant grâce à lui (= l'Œil) [34] grâce à ce nom qui est le sien de vêtement *mnḫ.t*, (...) ». L'Œil et l'étoffe *mnḫ.t* sont donc, dans ce contexte, quasiment identiques. L'allusion à la déesse Nekhbet se comprend aisément : en vertu de son appellation de « Blanche de Nékhen » (*Nḫb.t ḥḏ.t Nḫn* [35]), elle confère à l'étoffe sa blancheur/luminosité (*ḥḏ.t*).

Le paragraphe C a pour but d'expliciter la raison pour laquelle Amon-Rê va apparaître et devenir puissant. Le pronom suffixe *=s* qui revient 5 fois – dans trois propositions – peut renvoyer aussi bien à *Jr.t Ḥr* qu'à *mnḫ.t*. En raison de leur quasi-identité, les deux interprétations sont possibles et cette ambiguïté a très certainement été voulue par le hiérogrammate. Dans les trois propositions, les caractéristiques de l'Œil-vêtement *mnḫ.t* sont mises en relief à l'aide de nouvelles étoffes, le rapprochement se fondant à chaque fois sur un jeu de mots :

L'***Œil-vêtement mnḫ.t*** va	s'unir (*dmj*) au visage du dieu	grâce à son nom	d'étoffe *jdmj*
	grandir (*ꜥꜣ*) le visage du dieu		de vêtement de lin *ꜥꜣ.t*
	enserrer (*šmꜥt*) le visage du dieu		de vêtement de lin *šmꜥ.t*

Par le truchement des propriétés de ces trois étoffes – *jdmj*, *ꜥꜣ.t* et *šmꜥ.t* –, qui seront efficaces non dans le monde des vivants mais dans celui de la divinité, l'Œil-vêtement *mnḫ.t* va s'unir, grandir et enserrer le visage du dieu, l'Œil et les étoffes étant à nouveau quasiment assimilés. Mais cette régénération matinale est possible uniquement parce que l'Œil, comme le montre la suite du texte – paragraphe D –, a revêtu (*ḏbꜣ*) le vêtement *ḏbꜣ* – nouveau jeu de mots – de Rénénet. L'allusion à cette dernière prend ici toute sa valeur : en tant que déesse liée aux travaux agricoles, elle présidait

33 Le pronom suffixe *=s* – féminin – renvoie évidemment à *jr.t* dont il est question juste avant.

34 Cf. note précédente.

35 *Wb* II, 309, 8.

à la récolte du lin et aux tissus [36]. On la retrouve d'ailleurs parfois lorsqu'il est question d'évoquer les étoffes provenant du temple de Neith à Saïs [37]. On obtient donc la chaîne suivante (le signe ⇒ indiquant une transmission de propriétés) :

Rénénet	⇒	Œil d'Horus	⇒	Amon-Rê

Et si l'on remplace ces « éléments » par leur fonction dans le texte analysé :

lin	⇒	tissage	⇒	étoffe	⇒	Revitalisation de la divinité (Amon-Rê)

Le tableau qui suit explicite le « jeu » d'équivalence <Œil d'Horus-étoffe> :

Tableau 1

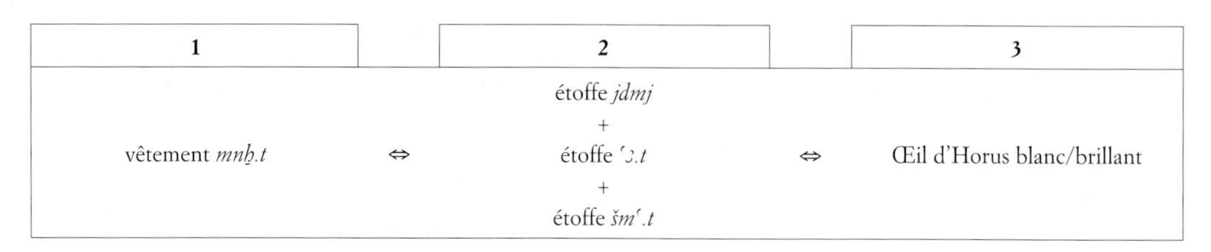

1		2		3
vêtement *mnḫ.t*	⇔	étoffe *jdmj* + étoffe *ʿꜣ.t* + étoffe *šmʿ.t*	⇔	Œil d'Horus blanc/brillant

Cette triple équivalence s'explique simplement par l'appartenance des éléments qui la constituent aux trois registres dans lesquels l'offrande va opérer [38] : registre du rituel (nº 1), le prêtre agissant sur une statue (*nṯr* « réel ») en y déposant le vêtement *mnḫ.t* (*nṯr* « réel ») ; registre de la divinité destinataire (nº 2, *nṯr* « imaginaire ») dans lequel les propriétés du vêtement *mnḫ.t* vont s'activer sous la forme des étoffes *jdmj*, *ʿꜣ.t* et *šmʿ.t ;* et, enfin, registre du mythe (nº 3), celui de l'Œil d'Horus (*nṯr* « imaginaire ») :

Tableau 2

1		2		3
vêtement *mnḫ.t*	⇔	étoffe *jdmj* étoffe *ʿꜣ.t* étoffe *šmʿ.t*	⇔	Œil d'Horus blanc/brillant
registre du rituel (*nṯr* « réel »)		registre de la divinité (*nṯr* « imaginaire ») concernée (Amon-Rê)		registre du mythe (*nṯr* « imaginaire »)

Le paragraphe E ne s'écarte pas de la problématique des étoffes. Toute la difficulté vient du mot . Rédigé avec le déterminatif , ce vocable ne paraît pas attesté par ailleurs. Et c'est probablement cette graphie qui induisit A. Moret en erreur lorsqu'il analysa le signe

36 J.-Cl. GOYON, *op. cit.*, p. 142, n. 6.

37 R. EL-SAYED, *La déesse Neith de Saïs* II, *BiEtud* 86/2, Le Caire, 1982, p. 595-596, doc. 957 (Kom-Ombo) et p. 627-628, doc. 1014 (Esna).

38 Dans le sens de « produire un effet ».

précédant ce mot comme un , et qu'il interpréta l'ensemble comme «(l'Œil d'Horus blanc) de la maison de l'eau qui se renouvelle [39] ». Le seul moyen de donner du sens à l'ensemble, sans modifier en profondeur le texte, est d'analyser [40] le groupe comme *<ḥr(y)>-jb*.

Reste la difficulté de . Le contexte lié aux étoffes semble renvoyer à un lieu, *Nṯr.t*, situé, selon une analyse de Chr. Favard-Meeks, dans « la région saïto-boutique [41] », et en relation avec une étoffe blanche et la déesse Séchat : « *Sšt* est la déesse qui déploie le bandeau blanc pour signaler qu'il faut fermer le filet de la chasse ; sa présence et sa fonction recoupent la tradition du tissage en relation avec Saïs dont la pureté était obtenue par l'action du natron [42]. » La graphie avec le double déterminatif est peu commune. Remarquons, cependant, qu'il existe un lieu nommé , probablement identique au précédent, également en relation avec Pé [43]. L'Œil d'Horus blanc/brillant – l'étoffe – se trouverait donc au milieu (*ḥr(y)-jb*) de *Nṯr.t*.

Quoi qu'il en soit de l'identification exacte de ce lieu – problème d'une grande complexité –, ce paragraphe (E) semble faire allusion, de manière implicite, à la chasse aux oiseaux – les alliés de Seth –, raison pour laquelle le destinataire du rite, en se saisissant de l'Œil d'Horus blanc/brillant, c'est-à-dire de l'étoffe blanche/brillante, sera craint par les dieux – ici, des divinités néfastes : ce geste annonçant la fermeture imminente du filet et leur prise au piège [44].

On retrouve également dans ce passage les trois registres :

– nº 1 : la statue de la divinité et l'étoffe, qui n'est pas explicitement citée mais à laquelle il est fait allusion par un trait mythologique (« l'Œil d'Horus blanc/brillant qui se trouve au milieu de *Nṯr.t* ») ;

– nº 2 : la divinité elle-même et l'écharpe blanche ;

– nº 3 : l'Œil et les éléments de la thématique mythologique dont il vient d'être question et qui sont ritualisés.

La « fusion » des registres comme réussite de l'offrande : l'exemple du tissage

On a émis plus haut l'hypothèse que la « fusion » des trois registres constituait, en quelque sorte, la preuve de la réussite du rituel. Cette fusion se manifeste dans les énoncés où les divers éléments appartenant aux trois registres se trouvent intimement mêlés comme dans le court passage reproduit plus haut :

Ô Osiris N. que voici (...), munis-toi de l'Œil d'Horus tissé !

39 A. Moret, *op. cit.*, p. 180.

40 Sur une proposition de Fr.-R. Herbin que nous remercions vivement.

41 Rédigé de cette manière, le mot est absent du *Dictionnaire des noms géographiques* de H. Gauthier. Pour l'identification de ce lieu : Chr. Favard-Meeks, *Le temple de Behbeit el-Hagara. Essai de reconstitution et d'interprétation*, *SAK Beihefte* 6, Hambourg, 1991, p. 385.

42 *Ibid.*, p. 384.

43 *Ibid.*, p. 379, n. 583. Pour une nouvelle analyse du problème, cf. *id.*, « Les toponymes *Nétjer* et leurs liens avec Behbeit El-Hagara et Coptos », *Topoi* (L) *suppl.* 3, 2002, p. 29-45.

44 Ce filet de pêche, habituellement craint par le défunt (voir à ce sujet l'ouvrage de D. Bidoli, *Die Sprüche der Fangnetze in den altägyptischen Sargtexten*, *ADAIK* 9, Glückstadt, 1976), peut également jouer un rôle positif.

Cependant, ce n'est pas tant d'étoffe qu'il s'agit que de tissage. Examinons dans son ensemble le début de la formule 608 des Textes des Sarcophages d'où provient ce passage [45] :

A'

Hꜣ Wsjr N. pn, wnḫ=k m Jr.t Ḥr n(y).t ḏ.t=k ! Hꜣ (Wsjr N. pn), rd~n=j n=k s(y), ḫꜥ=tj, mꜣ=tj r jwf=k, dmj=tj r jwf=k m rn=s pn n(y) jdmj !

Ô Osiris N. que voici, tu vas te vêtir de l'Œil d'Horus de ton corps ! Ô (Osiris N. que voici), je te l'ai donné puisqu'il est apparu, qu'il a été vu sur tes chairs et qu'il s'est uni à tes chairs grâce à ce nom qui est le sien d'étoffe jdmj !

B'

Wnḫ=k jm=s m rn=s pw n(y) mnḫ.t, ꜥꜣy=k jm=s m r<n>=s pw n(y) ꜥꜣ.t, ḥḏ ḥr=k jm=s m rn=s pw n(y) ḥḏ(w).t : (...)

Tu vas te vêtir de lui (= l'Œil d'Horus) grâce à ce nom qui est le sien de vêtement mnḫ.t, tu vas grandir grâce à lui (= l'Œil d'Horus) et à ce nom qui est le sien de vêtement de lin ꜥꜣ.t, ton visage va briller grâce à lui (= l'Œil d'Horus) et à ce nom qui est le sien de lumière ḥḏ(w).t (...)

C'

(...) dmj=s r jwf=k m rn=s pw (n(y)) jdmj !

(...) car il (= l'Œil d'Horus) va s'unir à tes chairs grâce à ce nom qui est le sien d'étoffe jdmj !

Dans le paragraphe A', le locuteur – le ritualiste – annonce au défunt qu'il lui a remis l'« Œil d'Horus de son (= celui du défunt) corps » – formule qui a pour objet de mettre en relief la « fusion » des registres –, sous la forme de l'étoffe *jdmj*, qui fonctionne donc ici comme un *nṯr* « réel » (n° 1). Avec le paragraphe B', le ritualiste annonce tout ce que le défunt va pouvoir faire grâce à l'Œil-étoffe *jdmj*. Cette palette de possibilités, qui décline certaines formes et propriétés de l'étoffe *jdmj*, relève évidemment du deuxième registre (n° 2), et non plus de celui du ritualiste, car c'est bien le défunt qui va agir au moyen de l'Œil-étoffe *jdmj* dont les propriétés sont activées grâce à la fusion des registres. La structure de la répartition des étoffes et de leurs propriétés est la suivante :

Tableau 3

1		2		3
étoffe *jdmj*	⇔	vêtement *mnḫ.t* étoffe *ꜥꜣ.t* lumière *ḥḏ(w).t*	⇔	Œil d'Horus tissé
registre du rituel (*nṯr* « réel »)		registre de la divinité (*nṯr* « imaginaire ») concernée (Amon-Rê)		registre du mythe (*nṯr* « imaginaire »)

45 *CT* VI, 221a-s.

Cet ensemble de possibilités, énumérées dans le paragraphe B', est synthétisé dans le paragraphe C', la structure des deux étant du type « tu vas pouvoir faire x, y et z grâce à lui (B') car « il (= l'Œil d'Horus) va s'unir à tes chairs grâce à ce nom qui est le sien d'étoffe *jdmj* » (*dmj=s r jwf=k m rn=s pw (n(y)) jdmj*) (C'). Encore une fois, la fusion des registres est manifeste.

*

* *

La suite de la formule est plus complexe. Elle décrit, au moyen de quatre vocables toujours traduits de manière incertaine, la technique même du tissage. Avant de poursuivre sa lecture, il est nécessaire de se pencher sur ce vocabulaire [46] :

1	*Sšn*	« spinnen [47] »	*Wb* IV, 293, 9-12
2	*Msn*	« spinnen [48] »	*Wb* II, 144, 12
3	*Sḫt*	« Kleider weben [49] »	*Wb* IV, 263, 9-12
4	*Sṯꜣ*	« spinnen [50] »	*Wb* 4, 355, 4-5

G. Maspero, examinant une représentation de Béni Hassan, avait conclu que le premier terme (*sšn*) se rapportait au « dévidage des fils », le deuxième (*msn*) au « lissage » et le troisième (*sḫt*) au tissage [51]. Comme l'atteste la scène en question, le vocable *sḫt* renvoie effectivement au tissage et le vocable *sṯꜣ* au filage [52]. Par ailleurs, si l'on examine plusieurs autres figurations de Béni Hassan, d'al-Bercheh et de Thèbes on se rend compte que les deux autres vocables désignent des opérations qui précèdent le tissage. D. De Jonghe décrit celles-ci de la manière suivante [53] (des chiffres ont été insérés dans le texte afin de bien distinguer les différentes opérations) :

(opération 1) *Au filage, le fil de lin était obtenu en deux étapes. Tout d'abord une femme réalisait des faisceaux de lin d'une assez grande longueur. À cette fin, elle superposait bout à bout, sur plusieurs centimètres, les extrémités de deux filasses de fibres, originaires d'une même tige de lin. Puis elle roulait les filasses de fibres à cet endroit entre la cuisse droite et la main droite pour obtenir l'assemblage en torsion S.* (opération 2) *Après l'assemblage des deux premières filasses, elle assemblait de la même manière d'autres*

46 Pour une traduction plus précise de ce passage : D. BIDOLI, *Die Sprüche der Fangnetze in den altägyptischen Sargtexten*, *ADAIK* 9, Glückstadt, 1976, p. 65.

47 *AnLex* 77.3883, 78.3887 (« tisser », « tresser », « faire de la vannerie »).

48 Dans la série *Année lexicographique*, *msn* est absent, mais on trouve *msn.t*, « tissage », « tissu » (*AnLex* 78.1853).

49 *AnLex* 79.2751 (« tisser »).

50 *AnLex* 77.3997 (« tisser »).

51 G. MASPERO, « Mémoire sur quelques papyrus du Louvre », *Notices et extraits des manuscrits de la Bibliothèque nationale* 24/1, 1883, p. 35 et n. 1. La scène en question se trouve dans P.E. NEWBERRY, *Beni Hasan* I, *ASEM* 1, Londres, pl. 29, sous le registre médian, côté gauche. Cf. également A. MORET, *op cit.*, p. 189, n. 1.

52 Cf. également L. KLEIBS, *Die Reliefs und Malereien des mittleren Reiches*, *AHAW* 6, Heidelberg, 1922, p. 126, fig. 92 et p. 129, fig. 94.

53 D. DE JONGHE, « Techniques du tissage à l'époque pharaonique », dans M. Durand, Fl. Saragoza (éd.), *Égypte, la trame de l'Histoire*, Paris, Rouen, Roanne, 2002, p. 28-29. On se reportera également à R.J. FORBES, *Studies in Ancient Technology* IV, Leyde, 1956, p. 29-31. Pline décrit également ce procédé pour l'Italie. La technique ne devait pas être fondamentalement différente (PLINE L'ANCIEN, *Histoire naturelle* XIX, III, 16-18 [texte établi, traduit et commenté par J. ANDRÉ, Paris, 1964, p. 29-30]). Voir également A. LUCAS, *Ancient Egyptian Materials and Industries*[4] (éd. revue et augmentée par J.R. Harris), Londres, 1962, p. 142-146.

filasses pour réaliser un mince faisceau de lin continu, enroulé ensuite en pelote. Aussi le faisceau continu n'a-t-il pas de torsion appréciable, sauf aux endroits des assemblages. (opération 3) *La deuxième étape était réalisée par le filage humide. Deux ou trois de ces pelotes (en fonction de l'épaisseur du fil souhaitée) étaient posées chacune dans un récipient contenant de l'eau chaude.* (opération 4) *Les faisceaux étaient ensuite déroulés ensemble hors des récipients et filés au moyen d'un fuseau au sommet duquel était placée la fusaïole. Le fuseau était roulé de la main droite sur la cuisse droite, donnant également un fil de torsion S.*

La difficulté consiste à mettre en relation les figurations avec les opérations décrites. La plus significative d'entre elles est peut-être celle qui se trouve dans la tombe de Daga [fig. 1] [54]. Une erreur de lecture consisterait à considérer que si le personnage de droite est en train de filer, tous les personnages de gauche sont en train d'effectuer les opérations préliminaires au filage. En réalité, il semble que deux groupes travaillent chacun de leur côté :

– Premier groupe, deux personnages de gauche :
le deuxième personnage féminin en partant de la gauche est à l'évidence en train de procéder au roulage des filasses sur sa cuisse (opération 1). La figuration n'est malheureusement pas accompagnée du vocable désignant l'opération en question, la partie supérieure ayant disparu. Ce procédé constitue ce qui est probablement la plus ancienne manière de filer : le filage à la main [55]. Cependant, comme le souligne Gr.M. Crowfoot [56], il ne s'agit pas d'obtenir un fil qui sera directement réutilisé dans le tissage mais d'une première phase du filage complétée par la suite par un procédé plus efficace. À gauche, le premier personnage féminin de la représentation tient entre ses mains un outil constitué de deux bâtons et, semble-t-il, un brin de filasse. Cette opération précède donc celle que nous avons décrite en premier. Le terme la désignant est également perdu.

– Deuxième groupe, trois personnages de droite :
ces trois personnages effectuent une autre opération. Celui de gauche, d'après N. De G. Davies et Gr.M. Crowfoot [57], est en train de « démêler » des fibres. Cette opération porte le nom de *sšn* [58]. Les choses ne sont cependant pas aussi claires car même si l'on voit bien en effet que le personnage tient de nombreuses fibres dans ses mains et semble effectivement en train d'y mettre de l'ordre, il n'en reste pas moins que dans d'autres figurations de la même opération, désignée par le même vocable, le personnage tient entre ses mains un outil. C'est le cas, par exemple, dans deux tombes de Béni Hassan [59]. Dans la première [fig. 2], on voit effectivement un personnage dans la même position au-dessus duquel est inscrit le terme *sšn*. Mais, cette fois-ci, il tient entre ses mains un instrument difficilement identifiable qui ressemble fortement à celui – constitué de deux bâtons – qu'empoigne le personnage le plus à gauche du premier groupe de la tombe de Daga dont il a été question plus haut

54 N. DE GARIS DAVIES, *Five Theban Tombs*, *ASEM* 21, Londres, 1913, pl. 37, registre du bas. Il s'agit d'une tombe de la fin de la XIe dynastie (PM I/1, p. 216, tombe 103).

55 Gr.M. CROWFOOT, *Methods of Hand Spinning in Egypt and the Sudan*, *Bankfield Museum Notes* 12, Halifax, 1931, p. 9 et p. 22.

56 *Ibid.*, p. 22.

57 *Ibid.*, p. 23 ; et N. DE GARIS DAVIES, *op. cit.*, p. 34.

58 Mot inscrit au-dessus du personnage.

59 P.E. NEWBERRY, *Beni Hasan* II, *ASEM* 2, Londres, 1893, pl. 4 (tombe 15), pour la première (XIe dynastie [PM IV, p. 151]) ; et P.E. NEWBERRY, *op. cit.*, pl. 13 (tombe 23), pour la seconde première (XIIe dynastie [PM IV, p. 159]).

et qui préparait les fibres [fig. 1]. Dans la seconde tombe [fig. 3], le personnage, au-dessus duquel est également inscrit le vocable *sšn*, devait tenir un objet du même type aujourd'hui perdu. Faut-il en conclure, premièrement, que le personnage le plus à gauche de la tombe de Daga effectuait également l'acte *sšn*, et, deuxièmement, que cette opération pouvait s'effectuer soit avec un outil, soit simplement à la main ? Ne s'agirait-il pas simplement du teillage [60], c'est-à-dire de l'opération consistant à séparer la teille, partie ligneuse de la fibre, de la fibre elle-même en écrasant les fibres entre deux bâtons que l'on roulait l'un contre l'autre, travail préparatoire indispensable au filage ? Dans ce cas, le personnage de la tombe de Daga effectuant l'acte *sšn*, l'accomplirait sans outil, nettoyant les fibres des derniers restes de matière ligneuse après avoir utilisé les deux bâtons en question. Effectuer l'acte *sšn* signifierait donc simplement « teiller les fibres » pour obtenir une première pelote de filasse.

Revenons à la figuration de la tombe de Daga [fig. 1]. Entre l'acte *sšn* (teillage des fibres) et l'acte *sṯꜢ* (filage) [61], une autre opération, dont le nom est perdu mais que l'on peut restituer grâce à d'autres figurations – *msn* [62] – [fig. 2-4], est représentée. Cette opération semble indissociable du filage lui-même comme le montre l'inscription située à côté de la fileuse [fig. 1] qui tourne son visage vers le personnage effectuant l'opération en question en lui criant : « Viens, veuille te dépêcher ! (*Mj, wn=ṯ !*). » Visiblement la fileuse a besoin de la matière première que lui fournit l'autre jeune femme en plongeant les pelotes de filasse dans le bac d'eau chaude (opération 3). On voit, d'ailleurs, devant elle, une imposante pelote dont l'un des brins est plongé dans le bac d'où sortent, de l'autre côté, les fils qui sont rattachés au fuseau de la fileuse. Cette opération a été figurée avec précision dans la tombe de *Ḏḥwty-ḥtp(=w)* à El-Bercheh [63] [fig. 4]. L'injonction de la fileuse montre qu'il doit y avoir adéquation absolue entre l'acte *msn* et le filage proprement dit. La simultanéité des deux explique peut-être le fait que dans le texte de la formule qui nous occupe l'acte *sṯꜢ* est cité avant l'acte *msn*. Il ne s'agit cependant pas d'une règle comme l'atteste le passage cité un peu plus bas dans lequel tous ces vocables se trouvent dans l'ordre [64]. Pour résumer, et quoi qu'il en soit de la nature exacte de ces opérations, *sšn* et *msn* semblent désigner des actions précédant le filage, *sšn* se rapportant probablement au teillage en vue de l'obtention d'une pelote de filasse et *msn* à l'introduction de celle-ci dans un bac d'eau chaude au fur et à mesure que le filage (*sṯꜢ*) s'effectue [65]. Vient ensuite le tissage proprement dit (*sẖt*). Nous proposons donc pour ces termes les traductions suivantes :

1	*Sšn*	teiller
2	*Msn*	plonger la pelote dans le bac d'eau chaude
3	*SṯꜢ*	filer
4	*Sẖt*	tisser

60 G. VOGELSANG-EASTWOOD, *The Production of Linen in Pharaonic Egypt*, Leyde, 1992, p. 11. Pour les problèmes techniques liés à la préparation des fibres, W.D. COOKE, M. EL-GAMAL, A. BRENNAN, « The Hand-spinning of Ultra-fine Yarns, Part 2. The Spinning of Flax », *CIETA* 69, 1991, p. 17-23.

61 Pour cette opération, on se reportera à G. VOGELSANG-EASTWOOD, *op. cit.*, p. 13-22.

62 P.E. NEWBERRY, *El Bersheh* I, *ASEM* 3, Londres, 1894, pl. 26 [registre médian]).

63 *Loc. cit.*

64 Voir également, pour l'ordre de tous ces vocables, G. BÉNÉDITE, *Le temple de Philae* II, *MMAF* 13, Le Caire, 1895, p. 40, l. 3 (*sšn* et *msn*) ; S. CAUVILLE, *Dendara. Les chapelles osiriennes* I. *Transcription et traduction*, *BiEtud* 117, Le Caire, 1997, p. 115 (220) (*sšn*, *msn* et *sẖt*), ainsi que le passage du Rituel de l'Embaumement traduit un peu plus bas.

65 Les figurations donnent souvent un autre terme pour le filage, *dqr*, qui peut être juxtaposé à *sṯꜢ*. Mais dans ce cas, il semble surtout être question d'une opération particulière effectuée par des enfants (Gr.M. CROWFOOT, *op. cit.*, p. 25-26) ; *Wb* V, 496, 6.

Les difficultés inhérentes à ces vocables ne sont pas résolues pour autant. Ils sont en effet souvent employés avec un complément d'objet désignant une étoffe ou un vêtement. Comment dans ces conditions traduire, par exemple, le passage suivant du Rituel de l'Embaumement [66] :

Sšn Ꜣs.t sjꜣ.w(t)=k, msn Nb.t-ḥw.t pry.w=k, sẖt Ḥḏ-ḥtp mnḫ.wt=k !

Sšn est mis en relation avec les étoffes *sjꜣ.t*, *msn* avec les bandelettes *pry*, et *sẖt* avec les étoffes *mnḫ.t*. Il y a deux manières de comprendre le texte. Pour ce qui est de la première, il faut supposer que chaque acte lié à la préparation du textile possède une portée rituelle mise en relation avec le résultat final : l'obtention d'une étoffe spécifique. Dans ce cas, une traduction possible serait :

Isis va teiller la filasse pour tes étoffes sjꜣ.t, Nephthys va effectuer le filage pour tes bandelettes pry, et Hedjhotep va tisser tes vêtements mnḫ.t !

La seconde, la plus probable, consiste à admettre qu'à chaque acte a été juxtaposée une étoffe spécifique pour produire un simple effet de style mais qu'en réalité, il s'agit simplement d'énumérer l'ensemble des opérations à effectuer puis les étoffes qui bénéficient de ce travail. Dans ce cas, une traduction serait :

Isis, Nephthys et Hedjhotep vont teiller la filasse, filer et tisser tes étoffes sjꜣ.t, tes bandelettes pry et tes vêtements mnḫ.t !

*
* *

Voici le passage de la formule 608 des Textes des Sarcophages (D' suivi en conclusion de E') où il est question de toutes ces opérations :

D'

1	*Jj(=w) Tꜣy.t,*	*(Car, en effet,) Tayt est venue,*
2	*jj(=w) tꜣyt(y).t,*	*ce qui appartient à Tayt (ou : ce qui a été tissé) est venu,*
3	*jj(=w) Jr.t Ḥr pr(w).t tꜣ,*	*l'Œil d'Horus issu de la terre est venu,*
4	*jj(=w) sšn(w).t Ꜣs.t,*	*ce qu'Isis teille est venu,*
5	*jj(=w) sṯꜣ(w).t Nb.t-Ḥw.t,*	*ce que Nephthys file est venu,*
6	*jj(=w) msn(w).t N.t,*	*ce que Neith plonge dans le bac d'eau chaude est venu,*
7	*jj(=w) sẖt(w).t rḥ.ty sn.ty,*	*ce que les deux compagnes, les deux sœurs, filent est venu,*

66 Texte hiéroglyphique : S. SAUNERON, *Rituel de l'Embaumement (Pap. Boulaq III, Pap. Louvre 5.158)*, Le Caire, 1952, p. 27, l. 4-5 (= Rituel de l'Embaumement [P. Boulaq III], 8, 1-2).

8	*jj(=w) sʿm(w.t)~n Ptḥ,*	*ce que Ptah a fait teindre* [67] *est venu,*
9	*jj(=w) rd(w).t~n Ḥr n jt=f Wsjr, ḥbs=f jm=s !*	*ce qu'Horus a donné à son père, Osiris, pour qu'il s'habille avec, est venu !*

E'

Hȝ Wsjr N. pn, ḫtm tw m Jr.t Ḥr n(y).t ḏ.t=k, ḫtm tw m Jr.t Ḥr tȝ(y)t(w).t !

Ô Osiris N. que voici, munis-toi de l'Œil d'Horus de ton corps, munis-toi de l'Œil d'Horus tissé !

La fusion des registres est manifeste dans ces neuf propositions liées au tissage introduites par la même forme verbale. Dans la mesure où toutes sont à l'accompli, on pourrait supposer que cette série d'opérations a été effectuée avant l'offrande décrite au paragraphe A' et, par conséquent, que c'est à ce niveau que s'est produite la fusion. Un examen attentif montre cependant qu'elles ne sont pas identiques. En effet, les deux premières (1 et 2) font intervenir une divinité et le résultat de cette intervention : Tayt, divinité présidant au tissage [68], et ce qui lui appartient, *tȝyt(y).t* [69], vocable désignant probablement ce qui est tissé. Les propositions suivantes (3 à 8) semblent être une explicitation de ce dernier mot car elles mettent en relief toutes les étapes du tissage, en relation avec une divinité ou un groupe de divinités habituellement rattachées à cette technique. Enfin, avec la dernière (9), le vêtement obtenu est offert à Osiris par son fils, Horus.

Il faut garder à l'esprit la proposition du paragraphe précédent (C') qui annonçait celui-ci (D') :

(...) car il (= l'Œil d'Horus) va s'unir à tes chairs grâce à ce nom qui est le sien d'étoffe jdmj !

En d'autres termes, c'est du tissage de l'étoffe *jdmj* qu'il s'agit, mais sur la base de l'équivalence :

Équivalence 1

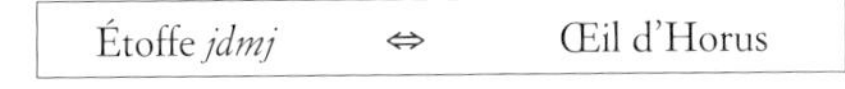
Étoffe *jdmj* ⇔ Œil d'Horus

On peut donc se demander si les six propositions (de 3 à 8) décrivant les opérations aboutissant à la production de l'étoffe ne font pas également référence aux six morceaux de l'Œil [70] qu'il est nécessaire de retrouver pour reconstituer celui-ci [71]. Examinons ces propositions les unes après les autres.

67 Pour cette traduction du mot , cf. *infra*.

68 D. MEEKS, « Génies, anges, démons en Égypte », dans *Génie, anges et démons*, *SourcOr* 8, Paris, 1971, p. 27-28 ; H. EL-SAADY, « Reflections on the Goddess Tayet », *JEA* 80, 1994, p. 213-217 ; *LÄGG* VII, p. 359-361.

69 Ce terme semble pouvoir être considéré comme un *nṯr* à part entière (*LÄGG* VII, p. 362) ou simplement, ce qui est le plus probable, comme ce qui a été tissé, à l'instar de la traduction donnée en E'.

70 H. JUNKER, « Die sechs Teile des Horusauge und der »sechste Tag« », *ZÄS* 48, 1911, p. 101-106.

71 Ce procédé verbal se retrouve ailleurs sous une forme légèrement différente (Fr. SERVAJEAN, *Les formules des transformations du Livre des Morts à la lumière d'une théorie de la performativité*, *BiEtud* 137, Le Caire, 2003, § 45-53).

La proposition 3 peut sembler mystérieuse mais si l'on se fonde sur l'équivalence mise en relief plus haut, l'Œil-étoffe « issu de la terre » pourrait très bien faire allusion à la matière première utilisée au cours du filage puis du tissage : le lin [72]. Cette première étape équivaudrait à la restitution du premier morceau perdu de l'Œil.

À la proposition 4, il est question de la pelote de filasse teillée par Isis. Il s'agirait donc de la deuxième étape, aboutissant à la restitution de la deuxième partie de l'Œil [73].

La proposition 5 renvoie au filage effectué par Nephthys et, probablement, au troisième morceau de l'Œil.

La proposition 6, placée sous l'autorité de Neith, évoque le bac d'eau chaude dans lequel la pelote est plongée peu à peu pour être filée. Quatrième morceau restitué à l'Œil.

La proposition 7 fait allusion au tissage proprement dit, effectué par « les deux compagnes, les deux sœurs ». Si les divinités dont il a été question jusqu'ici peuvent être mises en relation avec le tissage, le thème des « deux compagnes » demande à être élucidé. Il sera analysé plus loin. Quoi qu'il en soit, son origine se trouve probablement dans la technique même du tissage. En effet, dans les représentations de métiers à tisser, celui-ci est très souvent encadré par deux personnages féminins qui font aller la navette [74]. À Saïs, dans le temple de Neith, une partie du personnel – principalement féminin – avait en charge le tissage d'étoffes – parmi lesquelles *jdmj* [75] – à l'intérieur des deux chapelles *Rs-N.t* et *Mḥ-N.t* se trouvant dans l'enceinte du temple [76]. R. el-Sayed note, au sujet de ce dernier, que les mots *rḫty* ou *msnty*, qui désignent les tisserandes, sont parfois accompagnés du déterminatif représentant les déesses Isis et Nephthys [77]. On remarquera que les femmes n'ont pas le monopole de ce travail, on peut également trouver la figuration de deux hommes [78]. Ces deux personnages semblent donc avoir rapidement glissé vers le registre du mythe (cf. *infra*). Cinquième morceau restitué à l'Œil.

Enfin, la proposition 8 renvoie à Ptah. Rendre le terme qui se trouve dans le texte par *sʿm* ne permet d'obtenir aucun sens satisfaisant. Il est possible, en revanche, que ce verbe soit une forme abrégée et causative de *ʿmʿm*, , qui signifie « enduire [79] ». Or, Ptah possède un lien spécifique avec les étoffes, comme l'atteste un manuel sur la teinture des étoffes [80], et l'une des techniques de teinture consistait justement à les enduire de couleur [81]. Il s'agirait donc, ici, de l'étape finale de l'élaboration et donc de l'achèvement du processus de reconstitution de l'Œil.

72 Il y a peut-être là une allusion à une réflexion plus profonde des hiérogrammates dans laquelle la lune est liée au bas (Fr. SERVAJEAN, « Lune ou soleil d'or ? Un épisode des *Aventures d'Horus et de Seth* (P. Chester Beatty I r°, 11, 1 - 13, 1) », *RdE* 55 [à paraître]) car, on le verra plus loin, dans ce contexte l'Œil renvoie au satellite. C'est donc tout un ensemble signifiant d'éléments qui transparaît en filigrane : Œil, lune, lin, terre.

73 Isis et Nephthys peuvent être mises en relation avec le tissage (M. MÜNSTER, *Untersuchungen zur Göttin Isis*, *MÄS* 11, Berlin, 1968, p. 150-152).

74 R. HALL, *Egyptian Textiles*, Londres, p. 16, fig. 6 ; N. DE GARIS DAVIES, *Five Theban Tombs*, *ASEM* 21, Londres, pl. XXXVII, registre du haut, où on les devine.

75 R. EL-SAYED, *Documents relatifs à Saïs et ses divinités*, *BiEtud* 69, 1975, p. 186, qui renvoie aux doc. 1 (p. 180), 10 (p. 183), 15 a (p. 184), 16 (p. 184) et 31 (p. 186).

76 *Ibid.*, p. 180-181. Pour le personnel ayant en charge ce tissage, *ibid.*, p. 187-193.

77 *Ibid.*, p. 193.

78 R. HALL, *op. cit.*, p. 18, fig. 8.

79 *Wb* I, 186, 5 ; *AEO* I, 11*.

80 J.-Fr. QUACK, « Le Manuel du temple. Une nouvelle source sur la vie des prêtres égyptiens », *Égypte, Afrique & Orient* 29, 2003, p. 12 ; *id.*, « Von der altägyptischen Textilfärberei zur Alchemie », dans B. Kull (éd.), *Die Rolle des Handwerks in vorschrifthistorischen Gesellschaften im Vergleich* (sous presse). Au-delà de cette fonction spécifique, Ptah semble entretenir des relations particulières – d'une nature différente et difficile à établir – avec certaines étoffes (J. BERLANDINI, « Ptah-démiurge et l'exaltation du ciel », *RdE* 46, 1995, p. 18, et n. 67), comme l'atteste, entre autres exemples, la passage suivant des Textes des Sarcophages (formule 862 [*CT* VII, 65r]) : « Paroles à dire : “Prends pour toi ces étoffes qui sont dans le Château de Ptah, et qui sont importantes et grandes (...) !” (*Ḏd mdw : M n=k mnḫ(w).t jptn jmy(w).t Ḥw.t Ptḥ, wr(w).t ʿ3(w).t, (...)*) ».

81 G. VOGELSANG-EASTWOOD, *op. cit.*, p. 37.

Avec la proposition suivante (9), Horus offre le vêtement fini à son destinataire, Osiris. Il est difficile de savoir, toujours dans le cadre de la fusion des registres, à qui renvoient ces deux divinités. Horus pourrait désigner le défunt se présentant devant la divinité funéraire, à l'instar de ce qui se passe dans les formules 30-41 des Textes des Sarcophages analysées par H. Willems, ou, selon un autre point de vue, le fils du défunt, voire le ritualiste, Osiris représentant, dans ces conditions, le défunt lui-même [82].

Par conséquent, la technique du tissage, dans sa réalité la plus concrète, joue un rôle capital dans ce texte. On comprend dès lors pourquoi, il se termine avec le court passage cité au début de cet article (paragraphe E'), où il est question de l'« Œil d'Horus tissé ». C'est également la raison pour laquelle, dans l'une des variantes de la scène L A du Rituel de l'Ouverture de la Bouche, qui s'apparente fortement à la formule 608 des Textes des Sarcophages et à la « formule du vêtement blanc/brillant » du Rituel du culte divin journalier, traduite plus haut, l'« Œil d'Horus brillant » est graphié , le signe accompagnant habituellement les mots désignant des étoffes [83]. Remarquons pour terminer qu'il s'agit bien, dans ce contexte, d'une étoffe *jdmj* de couleur blanche – qui de surcroît est brillante – car dans la proposition « ton visage va briller grâce à lui (= l'Œil d'Horus) et à ce nom qui est le sien de lumière *ḥḏ(w).t* », l'Œil d'Horus renvoie à l'*Jr.t Ḥr ḥḏ.t* qui, rédigé sans le déterminatif de l'étoffe, peut désigner le « lait [84] ».

La dimension cosmique de la « fusion des registres » : le tissage de l'Œil lunaire

Reprenons maintenant ce texte en essayant de l'analyser à partir de l'hypothèse de départ. Avec le paragraphe A', le prêtre annonce au défunt ce qu'il va faire : lui offrir *jdmj*. Avec les paragraphes B' et C', il lui indique ce que l'étoffe va lui permettre de faire. En D', le ritualiste expose au défunt en quoi consiste l'intervention des divinités ; et, enfin, en E', le résultat final. A', B' et C' se produisent logiquement dans le monde des vivants « réel » ; D' et E' dans l'« ailleurs imaginaire » des divinités. On en déduit donc le tableau suivant :

Tableau 4

	Équivalence 1		**Équivalence 2**		**Équivalence 3**
Registre 1	Tissage de *jdmj*	→	*jdmj*	→	Rite de l'Ouverture de la Bouche
	↓		↓		↓
Registre 2	Activation des propriétés de *jdmj* par les divinités liées au tissage	→	*jdmj* activée	→	régénération
	↓		↓		↓
Registre 3	?	→	Œil d'Horus	→	?
	Équivalence 1		**Équivalence 2**		**Équivalence 3**

82 H. WILLEMS, « The Social and Ritual Context of a Mortuary Liturgy », dans H. Willems (éd.), *Social Aspects of Funerary Culture in the Egyptian Old and Middle Kingdoms*, *OLA* 103, Louvain, 2001, p. 253-372, plus particulièrement p. 370-372 (Excursus : the meaning of CT spell 312).

83 E. OTTO, *Das ägyptische Mundöffnungsritual*, *AgAbh* 3, Weisbaden, 1960, p. 123, 50 I, 6.

84 *Wb* I, 107, 17.

On retrouve la fusion des trois registres. Une question se pose cependant : quels thèmes mythologiques recouvrent les deux points d'interrogation du registre 3 ?

Celui de gauche ne pose aucune difficulté, il s'agit, comme on peut le déduire de l'équivalence 1, de la reconstitution de l'Œil.

Le point d'interrogation de droite est plus difficile. Sur le plan du mythe, la reconstitution de l'Œil d'Horus revient à atteindre un état d'équilibre cosmique, en raison de la plénitude lunaire, par opposition au chaos dû à l'absence de l'Œil lors de la néoménie. L'Œil d'Horus de la deuxième case serait donc la pleine lune. On obtiendrait, ar conséquent, la troisième ligne suivante :

Registre 3	Reconstitution de l'Œil	→	Œil d'Horus	→	Pleine lune
	Équivalence 1		**Équivalence 2**		**Équivalence 3**

Ce constat, *a priori* banal, ne l'est pourtant pas car si, d'une manière générale, l'Œil est lié à la lune, la présence du premier dans les innombrables textes où il apparaît n'implique pas nécessairement celle du satellite. On sait par ailleurs que la croissance du lin est intimement liée à la lumière du satellite [85]. Il devient donc nécessaire de vérifier si l'on peut déduire des textes analysés l'équivalence suivante :

Équivalence 2

Tisser l'étoffe *jdmj* équivaut à reconstituer l'Œil d'Horus et à reconstituer la lune

Les deux textes analysés plus haut possèdent une indéniable dimension « lumineuse » ainsi que le montrent les passages suivants (les indications de paragraphes renvoient aux paragraphes traduits plus haut) :

Doc. 1 *šsp ~ n=k sšp(.t)=k pn*

tu as saisi cette « blanche/brillante » qui est la tienne (paragraphe A);

Doc. 2 *šsp ~ n=k Jr.t twy n(y).t Ḥr ḥḏ.t pr(w).t m Nḫb.t !*

tu as saisi cet Œil d'Horus blanc/brillant issu de Nekhbet (paragraphe E);

Doc. 3 *m n=k Jr.t Ḥr ḥḏ.t <ḥr(y)>-jb Nṯr.t*

prends pour toi l'Œil d'Horus blanc/brillant qui se trouve au milieu de Nṯr.t (paragraphe E);

Doc. 4 *ḥḏ ḥr=k jm=s m rn=s pw n(y) ḥḏ(w).t*

ton visage va briller grâce à lui (= l'Œil d'Horus) et à ce nom qui est le sien de lumière ḥḏ(w). t (paragraphe B').

85 Fr. Servajean, *BIFAO* 103, p. 450, et n. 69.

La difficulté consiste à établir la provenance de cette lumière : s'agit-il de celle du satellite ou de celle du soleil ? Si le terme *ḥḏ(w).t* (doc. 2, 3 et 4) peut évoquer la lumière de la lune [86], il peut également désigner celle du soleil [87]. Le vocable *sšp(.t)* (doc. 1), quant à lui, renvoie de la même manière aux deux [88]. La mention de l'Œil d'Horus semble aller dans le sens du satellite mais il ne s'agit pas d'une preuve définitive. On remarquera simplement que dans le paragraphe A d'où provient le doc. 1, l'Œil est absent ; par contre, il est question d'Amon-Rê, alors que dans les paragraphes d'où sont issus les trois autres exemples (doc. 2, 3 et 4), la divinité solaire est absente et le texte semble plutôt d'inspiration lunaire.

Le passage suivant du Rituel de l'Embaumement est également intéressant pour notre propos [89]. Il s'agit des paroles à prononcer lors de la seconde onction et de l'enveloppement de la tête [90] :

Doc. 5 *Šsp=k qbḥw m ʿ n(y) Jmn Jp.t ḥr rʿ.w 10 nb.w, šsp~n=k ʿnḫ-jmy.w m-ẖnw Pgꜣ pꜣw(.t) m Ḥw.t-ḏfꜣw ! H̱nd=k m rd.wy=k r ʿrq-ḥḥw, mꜣ=k Wsjr m S.t-wr.t, šsp=k mnḫ.t šps(.t) m pr Rʿ sjꜣ.t jdmj* [91] *m r(ꜣ).w-pr.w !*

Tu vas recevoir l'eau fraîche de la main d'Amon d'Opê tous les 10 jours, après avoir reçu les plantes ʿnḫ-jmy de l'intérieur de Pgꜣ et les gâteaux dans le Château-de-la-nourriture ! Tu vas marcher grâce à tes jambes vers ʿrq-ḥḥw, et tu verras Osiris dans le Saint-des-saints car [92] *tu vas recevoir le vêtement mnḫ.t précieux provenant de la maison de Rê, ainsi que sjꜣ.t et jdmj provenant des temples !*

Comme on peut le constater, il est question de Rê, mais une lecture attentive montre que seul le vêtement précieux (*mnḫ.t šps(.t)*) renvoie à ce dernier, *sjꜣ.t* et *jdmj* n'étant évoqués qu'*après* la maison de Rê, comme si le lieu d'origine de ces deux étoffes était placé sous la protection d'une ou de plusieurs autres divinités qui ne sont pas nommées. Le texte semble décrire un parcours du défunt vers la personne d'Osiris : il se dirige d'abord vers *Pgꜣ*, c'est-à-dire vers la « zone sacrée d'Abydos vouée à Osiris et aux morts [93] », puis vers *ʿrq-ḥḥw*, tombeau d'Osiris à Abydos [94]. À l'intérieur de ce lieu, il verra Osiris dans le Saint-des-saints. Ce déplacement est possible uniquement parce que le défunt reçoit plusieurs étoffes : *mnḫ.t šps(.t)*, *sjꜣ.t* et *jdmj*. De plus, si la première renvoie à la lumière du soleil, *sjꜣ.t*, de son côté, est liée à la lumière nocturne du satellite [95] et sa juxtaposition à *jdmj* semble indiquer qu'il en va de même pour cette dernière. Par conséquent, la marche vers Osiris équivaut également à une illumination du monde osirien par un défunt revêtu par des étoffes imprégnées de lumière solaire et lunaire. Enfin, la juxtaposition du soleil et de la lune par le truchement des tissus évoque l'aube qui suit la nuit de la pleine lune. On obtient donc deux ensembles opposés qui deviennent complémentaires dans le cadre du processus de revitalisation du défunt :

– <fin de la nuit-pleine lune-Osiris-défunt-*sjꜣ.t-jdmj*> ;

– <début du jour-soleil-Rê-vêtement précieux (*mnḫ.t šps(.t)*) provenant de la maison de Rê>.

86 *Wb* III, 207, 12 ; *Wb* III, 208, 15.

87 *Wb* III, 208, 14.

88 Par exemple, sous forme verbale, *Wb* IV, 282, 15.

89 P. Boulaq III, 5, 4-5 (= S. SAUNERON, *Rituel de l'Embaumement [Pap. Boulaq III, Pap. Louvre 5.158]*, Le Caire, 1952, p. 15, l. 3-4). Pour une autre traduction, voir J.-Cl. GOYON, *Rituels funéraires de l'ancienne Égypte*, *LAPO* 4, Le Caire, 1972, p. 58.

90 *Ibid.*, p. 54.

91 Orthographiée .

92 Cette proposition est bien une circonstancielle (cf. *infra*).

93 J.-Cl. GOYON, *op. cit.*, p. 340.

94 *Ibid.*, p. 333.

95 Fr. SERVAJEAN, *op. cit.*, p. 446-456.

Comme la renaissance du défunt est analogue à la restauration et à la juxtaposition des deux luminaires dans le ciel, on obtient donc le tableau suivant :

Processus de revitalisation du défunt	
Fin de la nuit de la pleine lune début du jour suivant	
Osiris	Rê
lumière de la pleine lune	lumière du soleil
sjꜣ.t et *jdmj*	*mnḫ.t šps(.t)*

On voit bien à la lecture de ce tableau qu'en revêtant *sjꜣ.t*, *jdmj* et la *mnḫ.t šps(.t)*, le défunt incorpore conjointement la lumière du satellite et du soleil. Il faut cependant souligner que le défunt reçoit ces trois étoffes dans un ordre précis : d'abord le vêtement *mnḫ.t* précieux, puis *sjꜣ.t* et *jdmj*. On obtient donc la chaîne suivante :

Tableau 5

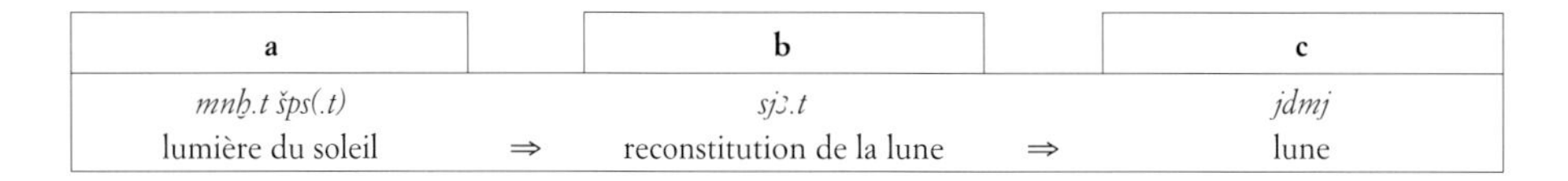

a		b		c
mnḫ.t šps(.t) lumière du soleil	⇒	*sjꜣ.t* reconstitution de la lune	⇒	*jdmj* lune

Les trois tissus fonctionnent donc comme des *substituts* des corps célestes ou, plus précisément pour certains d'entre eux – le premier et le dernier –, comme des substituts de la lumière qu'ils émettent. Si, de plus, l'on part du principe qu'ils se transmettent successivement certaines de leurs propriétés, on retrouve en partie l'un des tableaux reconstruits dans l'article du précédent *Bulletin*, auquel on a ajouté un dernier maillon sur la droite (g') :

Tableau 6

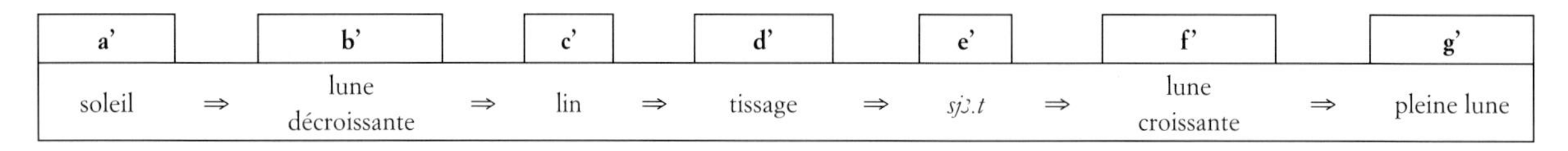

a'		b'		c'		d'		e'		f'		g'
soleil	⇒	lune décroissante	⇒	lin	⇒	tissage	⇒	*sjꜣ.t*	⇒	lune croissante	⇒	pleine lune

Le tableau 5 renvoie aux manipulations des *substituts* par le ritualiste, et le tableau 6 aux idées qui sous-tendent la combinaison des corps célestes. On en déduit que le maillon a' du tableau 6 correspond au maillon a du tableau 5 ; que les maillons e' et f' du tableau 6 renvoient au b du tableau 5, et que le maillon c au maillon g'. En revanche, tout ce qui correspond à la croissance du lin et au travail de filage et de tissage (b', c' et d' du tableau 6) – longuement décrit dans le paragraphe D' de la formule 608 des Textes des Sarcophages – a été laissé de côté par le hiérogrammate. Par conséquent, lorsque le ritualiste décide d'agir sur le soleil et la lune afin de déposer leur lumière sur le corps du défunt pour le régénérer, il le fait au moyen de substituts – qui incorporent les propriétés des corps célestes auxquels ils renvoient –, c'est-à-dire au moyen d'étoffes imprégnées de lumière.

Enfin, partant du constat que *jdmj* peut être assimilé à Osiris [96] et que, dans le P. Salt 825, l'étoffe est juxtaposée au tissu *jns*, d'essence solaire, Ph. Derchain écrit : « l'association des deux tissus dans le P. Salt pourrait donc bien être une nouvelle façon de manifester la réunion des deux dieux Osiris et Râ (...) [97]. » Dans la mesure où Osiris possède des liens évidents avec la lune [98], cette analyse rejoint celle qui vient d'être effectuée.

Un autre passage du Rituel de l'Embaumement [99] doit être examiné. Il s'agit de paroles à dire lors de l'emmaillotage des jambes [100] :

Doc. 6 *Jj n=k (sp 2), Wsjr N., jj n=k Mnw nb{t} Jpw* [101]*, nṯr ꜥꜣ, ḫnty Snw.t ! D{t}=f n=k wbn n(y) Rꜥ ḥr jꜣb.t wbn Jꜥḥ ḥr jmn.t ! Rd(w)=f n=k mnḫ.t m Ḥw.t-jꜥḥ m sštꜣ(y) m ḥbs n(y) snḏ.t ! Rd(w)=f n=k ḥbs* [102]*, nhm dr* [103] *m Jhy* [104]*, smꜣw jdmj m ḫtyw Mnw (...) !*

Pour toi va venir (bis), Osiris N., pour toi va venir Min, seigneur d'Ipou, le dieu grand, qui est la tête de Sénout ! Il va te donner le lever de Rê à l'orient et le lever de la Lune à l'occident ! Il va te donner le vêtement mnḫ.t provenant du Château-de-la-lune en tant que celle qui est mystérieuse et en tant que vêtement de crainte ! Il va te donner le vêtement ḥbs de joie, le vêtement dr provenant de Ihy, la pièce de vêtement (smꜣw) jdmj provenant du reposoir de Min (...) !

Ce document est également ambigu du fait de la présence de Rê. Cependant, le défunt est d'emblée mis en relation avec Min, divinité qui peut posséder une dimension lunaire [105]. Ipou et Sénout sont des lieux placés sous la protection de la divinité d'Akhmim. D'après le texte, cette mise en relation donne au défunt la possibilité d'assister au lever de Rê à l'orient et à celui de la lune à l'occident. Même si le texte emploie deux fois le même terme pour les deux corps célestes, *wbn*, il n'en reste pas moins que le passage fait certainement allusion au matin consécutif à la nuit de la pleine lune, moment où le soleil et la lune sont en opposition, l'un à l'est et l'autre à l'ouest. Cet instant est capital pour le défunt car c'est à ce moment précis qu'il va recevoir la « *mnḫ.t* provenant du Château-de-la-lune (*mnḫ.t m Ḥw.t-jꜥḥ*) ». Ce lieu désigne la demeure de Min à Akhmim [106], le contexte est donc indiscutablement lunaire. Le terme *mnḫ.t* semble désigner les étoffes sur un plan générique, il est d'ailleurs explicité par la suite puisqu'il s'agit plus spécifiquement de « celle-qui-est-mystérieuse (*sštꜣ(y)*) » et du « vêtement (*ḥbs*) de crainte ». D'autres étoffes seront également données au défunt : le « vêtement (*ḥbs*) de joie », le « vêtement *dr* provenant de Jhy », lieu qu'il est difficile d'identifier, et la « pièce d'étoffe *jdmj* provenant du reposoir de Min » dont H. Gauthier avait déjà souligné, en partant de ce même passage, le lien avec les étoffes [107]. On retiendra donc

96 K. SETHE, *Dramatische Texte zu altaegyptischen Mysterienspielen*, *UGAÄ* 10, 1965, p. 216 (110).

97 Ph. DERCHAIN, *Le Papyrus Salt 825 (B.M. 10051)* I, Bruxelles, 1965, p. 150.

98 *Id.*, « Mythes et dieux lunaires en Égypte », dans *Lune, mythes et rites*, *SourcOr* 5, Paris, 1962, p. 44-46.

99 P. Boulaq III, 10, 4-6 (= S. SAUNERON, *op. cit.*, p. 39, l. 1-11), pour une autre traduction, voir J.-Cl. GOYON, *op. cit.*, p. 81-82.

100 *Ibid.*, p. 78.

101 Capitale de la IXe province de Haute-Égypte, la Panopolis des Grecs (H. GAUTHIER, *Dictionnaire des noms géographiques contenus dans les textes hiéroglyphiques* I, Le Caire, 1925, p. 67).

102 « *ḥbs* est représenté dans le texte de Boulaq par le simple signe [hieroglyph] » (S. SAUNERON, *op. cit.*, p. 39, n. b).

103 Avec la graphie [hieroglyphs] (cf. *Wb* V, 317, *s.v. tr, trj*, qui renvoie à *ibid.*, 475, 9-13).

104 Certes le terme n'est pas déterminé avec le signe [hieroglyph], à l'instar des autres noms de lieu dont il est question dans ce passage, mais le fait que ce vocable soit attesté en tant que désignation de plusieurs sites (H. GAUTHIER, *op. cit.*, p. 100-101) et la présence de la préposition *m* marquant l'origine vont dans ce sens.

105 Fr. SERVAJEAN, *op. cit.*, p. 448-450.

106 *Ibid.*, p. 440, n. 50.

107 H. GAUTHIER, « Le "reposoir" du dieu Min », *Kêmi* 2, 1929, p. 48-49.

que, dans ces exemples, l'étoffe *jdmj* est surtout mise en relation avec le satellite. Ce document possède la même structure que celle du document 5, l'ensemble des données renvoyant à la lune étant explicitement énoncées – <Min-défunt-pleine lune-*mnḫ.t* provenant du Château-de-la-lune - vêtement *ḥbs* - vêtement *dr* - *jdmj*> – alors que celles qui renvoient au soleil ne sont que suggérées par la mention de Rê :

Processus de revitalisation du défunt	
Fin de la nuit de la pleine lune début du jour suivant	
Min	Rê
lumière de la pleine lune	lumière du soleil
mnḫ.t, vêtement *ḥbs*, vêtement *dr*, *jdmj*	–

Enfin, pour en terminer avec cet aspect de la question, il est nécessaire d'examiner la « Formule de revêtir le vêtement *jdmj* » (*R(ꜣ) n(y) ḏbꜣ mnḫ.t jdmj*) du Culte divin journalier [108] :

(Doc. 7) *Ḏd mdw : Šsp Jmn-Rꜥ nb ns.t tꜣ.wy šd* [109] *jdmj.t ḥr ꜥ.wy Tꜣy.t r jwf=f ! Dmj nṯr r nṯr, ṯꜣ<m> nṯr r nṯr m rn=s pwy jdmj.t ! J{j}ꜥ nt.t=s Ḥꜥpy, sḥḏ(=w) ḥr=s jn jꜣḫw mnḫ.t ssn(w.t)~n ꜣs.t, msn(w.t)~n Nb.t-Ḥw.t, jr=sn sšp mnḫ.t n(y.t) Jmn-Rꜥ nb ns(w).t tꜣ.wy, mꜣꜥ-ḫrw Jmn-Rꜥ nb ns.t tꜣ.wy r ḫfty.w=f (sp 4) !*

Paroles à dire : « Amon-Rê, le seigneur du trône des deux terres, va saisir le vêtement šd (?) et l'étoffe jdmj.t sur les mains de Tayt pour ses (propres) chairs ! Un dieu s'unira (ainsi) à un dieu, car un dieu recouvrira un dieu grâce à ce nom qui est le sien d'étoffe jdmj.t ! Hâpy lavera son écoulement (= celui de Tayt) lorsque son visage (= celui de Tayt) aura été illuminé par la lumière (jꜣḫw) du vêtement (mnḫ.t) dont les fibres ont été teillées par Isis et les brins plongés dans le bac d'eau chaude par Nephthys, car ils vont faire briller le vêtement (mnḫ.t) d'Amon-Rê, seigneur du trône des deux terres, et Amon-Rê, seigneur du trône des deux terres, sera justifié contre ses ennemis (réciter quatre fois) !

Le texte est difficile, d'autant que la présence de lumière solaire (𓅜𓐍𓇶) [110] occasionne un certain nombre de difficultés et que le destinataire du rite est Amon-Rê lui-même. Le seul moyen de le comprendre consiste à bien distinguer les registres :

– registre 1 : bandeau *šd* et étoffe *jdmj.t* ;

– registre 2 : le destinataire Amon-Rê, Tayt, Hâpy, Isis, Nephthys et le vêtement *mnḫ.t*.

Il semble que le jeu de correspondance entre les deux registres se fasse entre, d'une part, le vêtement *šd* et l'étoffe *jdmj.t* et, d'autre part, le vêtement *mnḫ.t*. Dans ce cas, on comprendrait à quoi se rapporte le pronom suffixe *=sn* de la forme verbale *jr=sn* dans la proposition « ils (= le

108 Texte hiéroglyphique : A. MORET, *op. cit.*, p. 187-188.

109 Ce mot n'est pas consigné dans les dictionnaires. Peut-être s'agit-il du vêtement *sd* (*Wb* IV, 365, 7-8) ?

110 *Wb* I, 33, 3-5.

vêtement *šd* et l'étoffe *jdmj.t*) vont faire briller le vêtement *mnḫ.t* d'Amon-Rê (...) ! (*jr=sn sšp mnḫ.t n(y.t) Jmn-Rꜥ (...) !*) ». Les deux substituts auraient ici simplement pour fonction de véhiculer la lumière sans référence implicite à l'un ou l'autre des corps célestes, ce qui se comprendrait au vu du contexte solaire. Cependant, il n'y a pas là de contradiction fondamentale dans la mesure où – et les Égyptiens le savaient – la lumière du satellite n'est que la lumière du soleil réfléchie [111]. Dans toutes ces traditions, la présence de l'astre, même s'il n'est pas explicitement mentionné, est sous-jacente. Elle est, en revanche, clairement exprimée au P. Salt 825 [112], en relation avec le lin et certaines étoffes – dont *jdmj.t* :

> *Wnn~jn Rꜥ bdš(=w), hꜣy=f fd.t m ḥꜥ=f r tꜣ, rd=f, ḫpr=f m mḥ, ḫpr ḥbs. Ḫr jr tꜣ mnḫ(.t) [...] jns jdmj.t [...] ḫpr=w m [...].*
>
> *Alors Rê se trouva fatigué ; elle tomba au sol, la sueur de son corps, elle advint en tant que lin et l'étoffe ḥbs advint. Et quant au vêtement mnḫ(.t) [...], et aux étoffes jns et jdmj.t [...], elles sont advenues en tant que [...].*

Remarquons cependant qu'il ne s'agit pas de décrire le mode de croissance habituel du lin mais simplement sa création. Ce passage ne contredit donc pas la remarque effectuée plus haut.

*
* *

Les « deux compagnes » (*rḫ.ty*), les « deux sœurs » (*sn.ty*) [113] de la formule 608 des Textes des Sarcophages (« ce que les deux compagnes, les deux sœurs, filent est venu [*jj(=w) sḫt(w).t rḫ.ty sn.ty*] » [D', 7]), ont été laissées de côté à dessein, l'analyse de ce thème étant d'une grande complexité. Nous avions simplement remarqué que l'origine du motif se trouvait peut-être dans le fait que les tisserandes travaillaient très souvent en couple. Avant de commencer l'analyse, il faut rappeler que cette mention se trouve dans la longue série où il est question des différentes étapes du tissage, qui suit l'affirmation suivante : « (...) car il (= l'Œil d'Horus) va s'unir à tes chairs grâce à ce nom qui est le sien d'étoffe *jdmj* ! (*(...) dmj=s r jwf=k m rn=s pw (n(y)) jdmj !*) » (C'). C'est donc bien du tissage de l'étoffe *jdmj* qu'il s'agit.

Ces deux divinités sont présentes dans la formule 80 du Livre des Morts mais leur désignation varie en fonction des versions. Voici, pour quelques-unes d'entre elles, la liste :

A. , *rḫ.ty*, « les deux compagnes [114] » ;

B. , *rḫ.wy*, « les deux compagnons [115] » ;

111 Ph. DERCHAIN, « Mythes et dieux lunaires en Égypte », p. 28.

112 P. Salt 825, II. 7-8 (= *Id.*, *Le papyrus Salt 825 [BM 10051], rituel pour la conservation de la vie en Égypte* II, Bruxelles, 1965, p. 2*).

113 Les fonctions habituelles de ces « deux compagnes » sont diverses, elles peuvent soit fabriquer des vêtements, soit s'occuper du jeune Horus, soit encore assumer un rôle de protectrices (H.W. FAIRMAN, « Ptolemaic Notes », *ASAE* 44, 1944, p. 261-268).

114 P. BM 10470 (XIXᵉ/XXᵉ dynasties) ; R.O. FAULKNER, O. GOELET, *The Egyptian Book of the Dead. The Book of Going Forth by Day*, San Francisco, 1974, pl. XXVIII, col. 2 de la formule 80.

115 P. Louvre N. 3073 (XVIIIᵉ dynastie) ; É. NAVILLE, *Das aegyptische Todtenbuch der XVIII. bis XX. Dynastie* I, Berlin, 1886, pl. XCI, col. 3.

C. [hiéroglyphes] *rḫ.ty*, « les deux compagnes [116] » ;

D. [hiéroglyphes], *rḫ.wy*, « les deux compagnons [117] ».

La mention de ces deux divinités est déterminée par la présence de l'étoffe *sjꜣ.t* ; ainsi, pour ne prendre qu'une seule version (mais les autres sont semblables à ce niveau du texte) :

Jnk ꜥrq(w)-sjꜣ.t-n(y.t)-Nw.w (...), Smꜣ(w).t-rḫ.ty (...) !

Je suis Celui-qui-a-ceint-sjꜣ.t (...), Celle-(= sjꜣ.t)-qui-a-réuni-les-deux-compagnes (pour être tissée) (...) !

L'étoffe *sjꜣ.t* se trouve donc à l'origine de la réunion de ces deux divinités. Comment expliquer l'alternance « deux compagnons »/« deux compagnes » de la formule 80 ? S'il est difficile d'affirmer avec certitude que les « deux compagnes » sont Isis et Nephthys [118], les déterminatifs de la version B montrent à l'évidence Horus et Seth ([hiéroglyphes]). Il est intéressant de constater que la graphie du signe désignant le premier comporte le disque solaire. La juxtaposition de ces deux signes, dans le contexte qui nous occupe, renvoie probablement au mythe de la création du « disque d'or » (*jtn n(y) nbw*), consigné dans le P. Chester Beatty I. En effet, dans celui-ci, Horus qui incarne le jour – d'où le disque solaire sur sa tête – et Seth la nuit se « réunissent » et créent le disque lunaire [119]. De plus, on sait que *sjꜣ.t* est intimement liée aux cycles du satellite [120]. On en déduit donc que les « deux compagnes » ou les « deux compagnons » se réunissent pour reconstituer la lune. Par conséquent, la mention du couple féminin dans la formule 608 des Textes des Sarcophages s'explique nécessairement de la même manière, les propriétés lumineuses de l'étoffe *jdmj* renvoyant à la lumière du satellite.

On retrouve donc les équivalences 1 et 2, d'où :

Équivalence 3

La lune est analogue à l'étoffe *jdmj*

L'analogie sur laquelle repose tout le raisonnement des hiérogrammates est simple à saisir :

– lorsque, pendant le jour, les deux tisserandes commencent à tisser l'étoffe, leur travail est analogue à la croissance de la lune et à la reconstitution de l'Œil, les deux récupérant une partie de leur « substance » ;

116 TT 82 (XVIIIe dynastie) ; A.H. GARDINER, *The Tomb of Amenemhat (No. 82)*, *TTS* 1, Londres, 1915, pl. XXXVI, col. 3 de la formule 80.

117 P. BM 10471 + 10473 (XIXe/XXe dynasties) ; photographie du British Museum, col. 2-3 de la formule 80.

118 Pour A. Egberts, qui se fonde sur ce passage de la formule 608 des Textes des Sarcophages, les deux *rḫ.ty* ne peuvent être Isis et Nephthys puisque ces deux divinités sont citées quelques lignes auparavant (A. EGBERTS, *In Quest of Meaning* I, *EgUitg* 8/1, Leyde, 1995, p. 161-162).

119 Fr. SERVAJEAN, *RdE* 55 (à paraître).

120 Cf. *supra*, n. 1.

– quand la nuit vient, on ne peut que constater l'augmentation de la taille de l'étoffe ainsi que celle de la lune dans le ciel, l'étoffe achevée équivalant à la pleine lune et à l'Œil reconstitué ;

– lorsque les deux ouvrières détachent l'étoffe du métier, elle devient disponible pour l'offrande (il en va de même pour l'Œil) ;

– et, enfin, en vertu de la « fusion des registres », l'étoffe, l'Œil et la lune sont interchangeables, le défunt saisissant l'« Œil tissé », c'est-à-dire une offrande (= l'Œil) constituée d'une étoffe imprégnée de lumière lunaire.

Dans ces conditions, l'une des caractéristiques de l'Œil – son appartenance au corps *ḏ.t* du défunt (munis-toi [= le défunt] de l'Œil d'Horus de ton corps *ḏ.t* [*ḫtm tw m Jr.t Ḥr n(y).t ḏ.t=k*]) –, jusqu'à présent laissée de côté, se comprend aisément. Il s'agissait, en effet, d'exprimer, au-delà de la simple appartenance – « ton propre Œil d'Horus » –, l'idée selon laquelle l'Œil entretient avec le corps *ḏ.t* du défunt une relation grâce à laquelle, dans le cadre du rite, la lumière de l'Œil-étoffe va imprégner le corps du trépassé. Par conséquent, si la traduction retenue plus haut n'est pas fausse, elle est probablement moins précise que « munis-toi de l'Œil d'Horus *de ton corps* » (= « munis-toi de l'étoffe qui va être déposée sur ton corps »), car c'est bien le lien corps/Œil-étoffe qui est mis en exergue par le hiérogrammate.

Une graphie particulière du mot jdmj : [hiéroglyphes]

Le *Wörterbuch* donne plusieurs graphies curieuses de ce mot, parmi lesquelles celles du titre de ce paragraphe [121]. La présence de la sandale est curieuse et il est nécessaire de s'y arrêter. Trois signes sont associés pour déterminer le mot : [hiéroglyphes] [122]. Le premier a pour fonction d'indiquer que cette étoffe est un *nṯr* et le troisième qu'il s'agit d'un tissu. Le deuxième, quant à lui, paraît signaler que *jdmj* est lié au pied ou, peut-être, à la capacité de se déplacer. Le Rituel de l'Embaumement, qui est le seul recueil à mentionner régulièrement l'étoffe, le fait le plus souvent en relation avec les deux. Ainsi, au paragraphe VI où il est question de « la pose des doigtiers aux mains et aux pieds [123] » :

> *Jr ḫr-sꜣ nn rd(.t) nꜣy=f ꜣb.w n(y).w nbw r ḏr.t(y)=f rd.wy=f m šꜣʿ m-ḫꜣ.t 4 ḏbʿ.w=f r pḥy n(y) jꜣb(y)=f, nbd m ʿꜣ.t n(y.t) šsr n(y) jdmj.t m Sꜣw.*
>
> *Et, après cela, placer ces doigtiers en or qui sont les siens à ses mains et à ses pieds en commençant par le bout de ses quatre doigts jusqu'à celui de derrière* [124] *de sa main gauche et en (les) enveloppant avec une étoffe de lin de jdmj provenant de Saïs.*

121 *Wb* I, 153, 18.

122 Par exemple, dans le Rituel de l'Ouverture de la Bouche (E. OTTO, *op. cit.*, p. 122 [scène 50, f, 1]), on lit [hiéroglyphes], *(j)dmj*.

123 S. SAUNERON, *op. cit.*, p. 8, l. 12-9, l. 2 (= P. Boulaq III, 3, 15-16) ; pour une autre traduction J.-Cl. GOYON, *op. cit.*, p. 51.

124 Peut-être le pouce (proposition de J.-Cl. Goyon [*op. cit.*, p. 51]) ; cela impliquerait, lorsque l'on examine sa main, de regarder le dos de celle-ci et non la paume.

Au paragraphe VII, où il est question de la « seconde onction et (de l')enveloppement de la tête », l'étoffe est liée à la liberté de mouvement du défunt. Ce passage a été traduit plus haut (doc. 5) :

Tu vas marcher grâce à tes jambes (ḫnd=k m rd.wy=k) vers ʿrq-ḥḥw, et tu verras Osiris dans le Saint-des-saints car tu vas recevoir le vêtement mnḫ.t précieux provenant de la maison de Rê, ainsi que sjꜣ.t et jdmj provenant des temples !

Ce sont donc les étoffes, et peut-être plus particulièrement *jdmj*, qui rendent possible ce déplacement.

Au paragraphe XI a, où il est question de l'« emmaillotage des jambes », l'étoffe renvoie aussi à la liberté de mouvement du défunt. Ce passage a également été traduit – en partie – plus haut (doc. 6) [125] :

Il va te donner le vêtement ḥbs de joie, le vêtement dr provenant de Ihy, la pièce de vêtement (smꜣw) jdmj provenant du reposoir de Min (...) !

Jjy n=k, jjy n=k, Wsjr N., jjy n=k Spd, nb{t} Jꜣbt.t, nb{t} šʿ.t m ḥw.t nbs, rd(w)=f n=k šm(.t) nfry (...) !

Pour toi va venir, pour toi va venir, Osiris N., pour toi va venir Soped, seigneur de l'Orient, seigneur du massacre dans le château du jujubier et il va te procurer une bonne marche (...) !

Par conséquent, même si les graphies du Rituel de l'Embaumement ne présentent pas dans le déterminatif du mot le signe 𓍢, l'étoffe *jdmj* semble donner à celui qui la reçoit la capacité de se mouvoir, aptitude attestée pour le satellite [126] dont elle est le substitut.

La notion de « fusion des registres »

D'une manière générale, les *nṯr.w* du monde « réel » renvoient à des *nṯr.w* du monde « imaginaire ». Ils constituent en fait un tout. L'exemple du défunt est probablement le plus clair, certaines composantes de son être appartiennent au premier, d'autres au second, son intégrité corporelle et spirituelle ne lui ayant pas encore été restituée. La relation entre les deux premiers registres n'est nullement une relation de symétrie, les « éléments » qui appartiennent à l'un ou à l'autre sont différents, simplement les premiers sont bien réels – le corps momifié du défunt, son nom, etc. – et les autres, plus mystérieux et inaccessibles, sont regroupés par commodité sous l'étiquette « monde imaginaire [127] ». Or, la renaissance du défunt doit nécessairement aboutir à l'unité de son être. Pour cela, le prêtre utilisera des objets – également *nṯr.w* puisqu'intégrés dans

125 Pour la suite du texte, S. SAUNERON, *op. cit.*, p. 39, l. 15-40, l. 3 (= P. Boulaq III, 10, 7-8) ; pour une autre traduction, J.-Cl. GOYON, *op. cit.*, p. 82.

126 Notamment sous sa forme de Khonsou (Ph. DERCHAIN, « Mythe et dieux lunaires en Égypte », p. 40). Il en va de même pour la lune elle-même qui renvoie aux « tribulations de l'Œil d'Horus ».

127 Notion qui demande à être définie avec précision.

les manipulations rituelles – possédant des caractéristiques renvoyant à une vision du monde dans laquelle la séparation entre le « réel » et l'« imaginaire » est fluctuante. L'exemple le plus frappant est peut-être celui des étoffes (monde « réel ») faites de lin (monde « réel ») porteuses de propriétés spécifiques qui sont celles du Noun (monde « imaginaire »). En activant dans le monde réel ces propriétés – grâce au rite –, la frontière entre les deux mondes sera gommée au profit du destinataire : c'est ce que nous avons nommé la « fusion » des registres. Cependant, cette dernière se limite aux objets intégrés dans le rite. Une question se pose donc : pour quelles raisons des choses de la vie quotidienne sont-elles appelées à devenir des *nṯr.w* ?

Revenons au passage du culte divin journalier reproduit plus haut (Formule pour revêtir l'étoffe *jdmj* [*R(ꜣ) n(y) ḏb(ꜣ) mnḫ.t jdmj*]) :

> *Paroles à dire : « Puisse Amon-Rê, seigneur du trône des deux terres, saisir le bandeau šd et l'étoffe jdmj.t sur les mains de Tayt pour ses (propres) chairs ! Un nṯr (= l'étoffe jdmj.t) s'unira (ainsi) à un nṯr (= Amon-Rê), car un nṯr (= l'étoffe jdmj.t) recouvrira un nṯr (= Amon-Rê) grâce à ce nom qui est le sien d'étoffe jdmj.t ! (...) »*

Pour comprendre le mécanisme, il est nécessaire de distinguer deux groupes dans le registre 1 des *nṯr.w* réels :

a. Les *nṯr.w* qui d'une manière ou d'une autre appartiennent en propre au destinataire du rite : statue du culte divin journalier, momie du défunt, etc. ;

b. Les *nṯr.w* indépendants du destinataire mais qui lui sont offerts : étoffes, onguents, encens, etc.

Dans cet exemple, l'étoffe (registre 1, b) est déposée sur la statue (registre 1, a) mais cela revient à la déposer sur la divinité elle-même (registre 2). La statue fonctionne donc comme support ou réceptacle d'une divinité qui ne l'habite qu'au moment de la fusion des registres. Mais en vertu de quoi la fusion est-elle rendue possible par le rituel ? Le premier *nṯr* – l'étoffe – s'unit au second – la divinité – en vertu d'un jeu de mots fondé sur la proximité phonétique du substantif *jdmj* et du verbe *dmj* signifiant « toucher », « se joindre à », « s'attacher à », etc. [128]. Ce jeu de mots met en relief l'aptitude de l'étoffe à faire corps avec l'être sur lequel elle est déposée. En recouvrant la statue, l'étoffe recouvre la divinité elle-même, permettant du même coup l'union du « support », la statue, et de l'être divin qui doit l'habiter. Et, en tant qu'étoffe lumineuse, elle fait partie de la « substance » même de l'être qu'elle revêt, l'imprégnant d'une lumière que ce dernier contribue à son tour à diffuser dans le cosmos [129]. L'aptitude de *jdmj* à faire briller le corps (*ḫʿ*) de celui qui la revêt est bien mise en relief dans un bref passage de Dendara où il est dit qu'elle est « l'étoffe

128 *Wb* V, 453, 9-455, 3 ; *AnLex* 77.5047, 78.4796, 79.3562.

129 Cf. le doc. 301 de R. el-Sayed (*La déesse Neith de Saïs* II, *BiEtud* 86/2, Le Caire, 1982, p. 333) dans lequel la bandelette faite par la déesse Neith va permettre au défunt de briller auprès des divinités se trouvant dans le ciel. On peut se demander, par ailleurs, si, à partir du Nouvel Empire, le mot *jdmj*, souvent rédigé *jdmy.t* ou *jtmy.t* ([hiéroglyphes] , P. Boulaq III, 5, 5 [= S. SAUNERON, *op. cit.*, p. 15, l. 4]) n'a pas été réinterprété comme un participe néo-égyptien (*jdmy.t*) signifiant « celle-qui-a-été-jointe », « celle-qui-a-été-unie-à ».

brillante qui illumine le corps [130] ». La formule 608 des Textes des Sarcophages permet de mieux cerner la fonction rituelle de ce *nṯr*. On se souvient en effet que le ritualiste annonçait au défunt, en déposant *jdmj* (registre 1, b) sur sa momie (registre 1, a) :

Tu vas te vêtir avec lui (= l'Œil d'Horus) grâce à ce nom qui est le sien de vêtement mnḫ.t, tu vas devenir grand grâce à lui (= l'Œil d'Horus) et à ce nom qui est le sien de vêtement de lin ʿꜣ.t, ton visage va briller grâce à lui (= l'Œil d'Horus) et à ce nom qui est le sien de lumière ḥḏ(w).t car il (= l'Œil d'Horus) va s'unir à tes chairs grâce à ce nom qui est le sien d'étoffe jdmj !

L'analyse est simple. En tant que vêtement *mnḫ.t* (registre 2), l'étoffe *jdmj* (registre 1, b) va revêtir le trépassé (registres 1, a et 2) ; en tant que vêtement de lin *ʿꜣ.t* (registre 2), elle va le faire croître ; en tant que vêtement lumineux (registre 2), elle va faire briller son visage et, enfin, recouvrir ses chairs. Revêtir, faire grandir et briller sont donc les principales propriétés d'*jdmj*.

Par conséquent, on voit bien que ce sont les *nṯr.w* du registre 1, b qui sont à l'origine de la « fusion ». L'étoffe *jdmj* (registre 1, b) peut s'unir au destinataire du rite (registre 2) parce que *les propriétés qu'elle incorpore, parmi lesquelles l'aptitude à faire grandir, à illuminer le monde et à permettre le déplacement, dépassent largement son registre d'appartenance et renvoient à des éléments fondamentaux de la pensée égyptienne* [131]. Ainsi, d'une manière générale, les propriétés des étoffes dont il a été question ici font référence séparément au monde imaginaire (le Noun) et au monde réel (crue, lumière de la lune et du soleil, lin, tissage) ou aux deux conjointement (étoffe imprégnée de lumière). Elles appartiennent donc aux deux mais les propriétés du monde imaginaire qu'elles incorporent ne peuvent s'activer que dans le cadre du rituel. Et c'est au moment de cette activation qu'elles permettront le passage d'un registre à l'autre, plus précisément qu'elles seront à l'origine de la prise de possession des éléments du registre 1, a par les destinataires du rite.

Enfin, pour terminer, ce processus se fonde sur certains aspects du mythe (registre 3), c'est-à-dire sur une conception du monde qui se réfère systématiquement à la Première Fois, modèle, référence, archétype incontournable qu'il est systématiquement nécessaire de réactualiser.

130 M.-L. RYHINER, *La procession des étoffes et l'union avec Hathor*, *Rites égyptiens* 8, Bruxelles, 1995, p. 61. Voir également pour cette propriété de l'étoffe, *ibid.*, p. 46.

131 Cf. le schéma p. 455, dans Fr. SERVAJEAN, *BIFAO* 103.

Fig. 1. D'après N. DE GARIS DAVIES, *Five Theban Tombs*, *ASEM* 21, Londres, 1913, pl. 37, registre du bas.

Fig. 2. D'après P.E. NEWBERRY, *Beni Hasan* II, *ASEM* 2, Londres, 1893, pl. 4.

Fig. 3. D'après P.E. NEWBERRY, *Beni Hasan* II, *ASEM* 2, Londres, 1893, pl. 13.

Fig. 4. D'après P.E. NEWBERRY, *El Bersheh* I, *ASEM* 3, Londres, 1894, pl. 26, registre médian.

Fragments de théologies thébaines
La bibliothèque du temple de Tôd

Christophe THIERS

DANS un fameux livre qu'il consacra aux prêtres égyptiens paru en 1957, Serge Sauneron présenta quelques titres des ouvrages conservés dans la bibliothèque sacerdotale d'Edfou ainsi que d'autres inscrits sur des blocs épars provenant du temple de Tôd [1]. En 1973, dans ce même *Bulletin*, il publiait les photographies de trois de ces blocs de grès, gravés dans le creux [2]. Une dizaine d'années plus tard, A. Grimm présentait une étude de cet ensemble à l'occasion du 4e Congrès des égyptologues tenu à Munich [3].

Un fragment supplémentaire découvert en 1990 par la mission du musée du Louvre [4] et une proposition d'agencement entre les blocs 733 (= T.1508) et 735 (= T.1509) [5] conduisent à envisager une nouvelle étude de cette série, complétée par un modeste fragment (T.147) identifié dans l'inventaire de fouille de F. Bisson de La Roque et retrouvé en 2004. Au total, donc, six blocs livrent une partie des titres d'ouvrages rituels conservés dans la bibliothèque du temple de Tôd [6].

Cet article constitue le § 5 de mes notes sur les inscriptions du temple ptolémaïque et romain de Tôd ; § 1-4 dans Z. Hawass, L. Pinch Brock (éd.), *Egyptology at the Dawn of the Twenty-First Century. Proceedings of the Eighth International Congress of Egyptologists Cairo, 2000*, vol. 1, Le Caire, 2003, p. 514-521 ; § 6 dans *Kyphi* 4, 2005 (à paraître).

1 S. SAUNERON, *Les prêtres de l'Ancienne Égypte*, Paris, 1957, p. 135-137 ; F. BISSON DE LA ROQUE, *Tôd (1934 à 1936)*, *FIFAO* 17, Le Caire, 1937, p. 156 ; M. WEBER, *Beiträge zur Kenntnis des Schrift- und Buchwesens der alten Ägypter*, Cologne, 1969, p. 134.

2 S. SAUNERON, *BIFAO* 73, 1973, pl. 28, 29 et 30b ; voir également G. POSENER, *ACF* 1964, p. 304 qui signale trois blocs livrant le nom de trente-six livres. Les titres des livres ont été inclus, pour la plupart, dans la publication posthume de S. SCHOTT, *Bücher und Bibliotheken im alten Ägypten*, Wiesbaden, 1990.

3 A. GRIMM, « Altägyptische Tempelliteratur. Zur Gliederung und Funktion der Bücherkatalog von Edfu und et-Tôd », dans S. Schoske (éd.), *Akten des vierten internationalen Ägyptologen Kongresses München 1985* 3, *BSAK* 3, Hambourg, 1989, p. 162-169.

4 Je remercie M. Étienne (musée du Louvre) qui a bien voulu se dessaisir de la publication de ce document.

5 Les numéros d'inventaire précédés d'un « T » sont ceux du registre de fouilles de F. Bisson de La Roque. La seconde numérotation a été établie lors des missions du musée du Louvre de 1979 à 1981, en particulier par Mme B. Letellier (pour le détail, voir *Karnak* 11, 2003, p. 107, n. 29). Je remercie Mme G. Pierrat-Bonnefois (musée du Louvre) qui a mis à ma disposition cette documentation à partir de laquelle se poursuit l'inventaire des blocs épars (à partir du no 934 inclus pour les blocs n'ayant pas de numéro en « T ») du temple de Tôd.

6 Pour les bibliothèques de temples, voir J. OSING, *Hieratische Papyri aus Tebtunis* I, *The Carlsberg Papyri* 2, *CNIP* 17, Copenhague, 1998, p. 19-23 ; *id.*, « La science sacerdotale », dans D. Valbelle, J. Leclant (éd.), *Le Décret de Memphis, Actes du Colloque de la fondation Singer-Polignac*, Paris, 1999, p. 127-140 ; J. ASSMANN, *Images et rites de la mort dans l'Égypte ancienne. L'apport des liturgies funéraires*, Paris, 2000, p. 126 et n. 2.

1. 731 = T.2402 : 31 × 51 × 68 cm [7] ;
2. 732 = T.1366 : 46,5 × 84 × 68 cm [8] ;
3. 733 = T.1508 : 48,5 × 133 × 71 cm [9] ;
4. 735 = T.1509 : 47 × 84,5 × 66,5 cm ;
5. 934 : 25 × 56 × 50 cm ;
6. T.147 : 9 × 21 × 27 cm [10].

Avant de proposer une traduction et un commentaire de cet ensemble, il convient d'évoquer les arguments qui plaident en faveur de la proposition de raccord et les conséquences que cela implique quant à la lecture globale des titres de la bibliothèque.

Le raccord entre les blocs **3** et **4** [fig. 1] se fonde sur une observation qui n'est pas nouvelle. Un titre de livre inscrit sur le bloc **4**, fameux pour ses implications théologiques dans les relations entre Ermant et Tôd, débute ainsi : « [...] Montou(-Rê) maître d'Ermant vers Tôd ». Ce passage faisant écho au texte d'un bloc d'Ermant publié jadis par G. Daressy [11] et à *Tôd*, n° 1, 25, on a supposé avec raison la restitution d'un verbe de mouvement en début de séquence [12]. Or, ce verbe inaugure un titre d'ouvrage sur le bloc **3** [13]. La séquence peut ainsi être reconstituée : *nt-ʿ n jw(.t) [n] Mnṯw(-Rʿ) nb Jwnw r Ḏrw.t* « Rituel de la venue [de] Montou(-Rê) maître d'Ermant vers Tôd. » Se fondant sur le fort degré de pertinence de ce raccord, l'examen des deux colonnes voisines, également communes entre les deux blocs, peut donc être abordé. La colonne précédente conforte cette proposition de raccord : les signes [hiéroglyphes] peuvent sans guère de doute être lus sur les deux pierres.

Le raccord assuré fournit une donnée décisive quant à l'agencement des titres des ouvrages sur la paroi et, par-là même, sur la grille de lecture à adopter. En se fondant sur les titres conservés dans neuf cases réparties sur les trois registres de la paroi, une observation peut être formulée. Elle concerne l'évidente communauté de sens qui ressort des titres présentés, si l'on adopte une lecture en colonne sur les trois registres, depuis le haut vers le bas. Cette observation s'écarte du sens de lecture retenu par A. Grimm qui supposait une suite logique des titres sur un même registre, de la gauche vers la droite [14]. La lecture successive en colonne des titres présents sur les trois registres permet en outre de proposer des modifications sensibles quant à la traduction. Ainsi est-ce intéressant de rencontrer les titres suivants : « Grande adoration [secrète (?)] par l'Ogdoade », « Adoration de Ptah par les Primordiaux » ainsi que « Ouvrir la nécropole de/pour le Grand aîné », « Éveiller les Baou qui brillent à la fête (du) trône d'Amon » et « [...] la fête de la veillée (?) » ou encore « [...] Chesemou » suivi de « La protection (assurée) par le préparateur d'onguents [15] ». Un tel agencement ne peut être fortuit et des liens semblent évidents entre les titres inscrits.

7 Hauteur × largeur × profondeur, en centimètres.

8 Corniche avec disque solaire ailé au revers ; F. Bisson de La Roque, *Tôd*, p. 156.

9 Tore horizontal au revers.

10 Un 7e bloc est présenté dans un *addendum* en fin d'article.

11 G. Daressy, *RecTrav* 19, 1897, p. 15 (CXXXIX) ; S. Sauneron, *Villes et légendes d'Égypte*, *BiEtud* 90, Le Caire, 1983, p. 65 ; voir la traduction *infra*.

12 A. Grimm, dans *BSAK* 3, 1989, p. 165 : « Prozessionsbuch » ; S. Demichelis, *Il calendario delle feste di Montu. Papiro ieratico CGT 54021,* verso, *CMET* 9, Turin, 2002, p. 62, 70-71 et n. 151.

13 J. Vercoutter (« Tôd [1946-1949]. Rapport succinct des fouilles », *BIFAO* 50, 1951, p. 70, n. 1) fut le premier à rapprocher ces deux blocs mais sans toutefois envisager qu'ils pouvaient présenter un raccord.

14 A. Grimm, *loc. cit.*

15 Voir *infra,* pour le commentaire de ces titres.

Cette présentation s'éclaire d'autant plus si on la compare aux encyclopédies sacerdotales hiéroglyphiques des papyrus de Tanis [16] et de Tebtynis [17]. Les données livrées par ces papyrus, notamment celles relatives aux nomes d'Égypte, se présentent en colonne, chaque particularité étant isolée à l'intérieur d'une case. Ces deux versions hiéroglyphiques qui utilisent une grille de lecture se distinguent des deux autres versions hiératiques de Tebtynis qui sont elles écrites en ligne [18]. La lecture se fait normalement de droite à gauche, agencement que l'on retrouve sur les blocs de Tôd.

La présentation des livres de Tôd suit donc une logique qui fait sens à l'examen des titres en colonne. Il reste cependant difficile de dire si la suite de titres reflète une succession dans le déroulement des rites. Au terme de son étude, A. Grimm a souligné avec justesse la spécificité des titres contenus dans la bibliothèque de Tôd, par rapport à ceux appartenant à la bibliothèque d'Edfou dont la portée reste plus générale [19]. Si ces titres ont effectivement appartenu à la bibliothèque du temple de Tôd, ils n'étaient sans doute pas les seuls à être utilisés par les prêtres de Montou. Cette présentation procède donc d'un choix de textes susceptibles d'apporter des réponses adéquates aux questions soulevées par la théologie locale intimement imbriquée dans les théologies thébaines tardives.

Grâce aux blocs à notre disposition, on peut tenter d'estimer le nombre de titres d'ouvrages rituels. Quarante-sept titres ou parties de titres sont conservés sur les six blocs. L'emprise du raccord entre les blocs **3** et **4** permet d'ajouter au moins seize cases [fig. 2]. Si les autres blocs ne sont pas à situer dans l'emprise de ces blocs **3** et **4** et s'ils n'ont pas de colonnes communes entre eux, il faut ajouter à ce chiffre au moins trente-quatre titres supplémentaires, en se limitant à une grille à trois registres : au maximum donc, dans cette configuration, une centaine de titres ont pu être retenus par les sacerdotes de Montou.

Trois termes sont utilisés pour désigner les ouvrages rituels contenus dans la bibliothèque [20]. *Mḏꜣ.t* « livre » ( ) y apparaît le plus fréquemment, remplacé à l'occasion par *nt-ʿ* « rituel » ( ) [21] et par *ʿr.t* « rouleau de papyrus » ( ). Le déterminatif de l'écrit conclut systématiquement les titres et se substitue dans bien des cas aux trois termes évoqués ci-avant.

16 F.Ll. GRIFFITH, W.Fl. PETRIE, *Two Hieroglyphic Papyri from Tanis*, Londres, 1889, pl. IX-XV et p. 21-25 ; J. YOYOTTE, « La science sacerdotale égyptienne à l'époque gréco-romaine (le papyrus géographique de Tanis) », *BSER* n.s. 9, 1960, p. 13-18 (= *RHR* 159, 1961, p. 133-138) ; B.H. STRICKER, « Aanteekeningen op egyptische Litteratuur- en Godsdienstgeschiedenis », *OMRO* 25, 1944, p. 52-82 ; A. SCHLOTT-SCHWAB, *Die Ausmasse Ägyptens nach altägyptischen Texten*, *ÄAT* 3, Wiesbaden, 1981, p. 60-63.

17 J. OSING, Gl. ROSATI, *Papiri geroglifici e ieratici da Tebtynis*, Florence, 1998, pl. 1-5 et p. 19-54.

18 J. OSING, dans D. Valbelle, J. Leclant (éd.), *Le décret de Memphis*, p. 131-134.

19 A. GRIMM, dans *BSAK* 3, 1989, p. 168 ; pour la bibliothèque d'Edfou, voir Ph. DERCHAIN, *Le papyrus Salt 825 (B.M. 10051)*, Bruxelles, 1965, p. 59-61 ; J.-Cl. GOYON, *Les dieux-gardiens et la genèse des temples*, *BiEtud* 93, Le Caire, 1985, p. 138-139 ; S. CAUVILLE, *Essai sur la théologie du temple d'Horus à Edfou*, *BiEtud* 102/1, Le Caire, 1987, p. 133-134.

20 Pour les types d'ouvrages et leur désignation, D.B. REDFORD, *Pharaonic Kinglists, Annals and Daybook : A Contribution to the Egyptian Sense of History*, Mississauga, 1986, p. 216-223.

21 J.-Cl. GOYON, « Le cérémonial de glorificaton d'Osiris du papyrus du Louvre I. 3079 (col. 110 à 112) », *BIFAO* 65, 1967, p. 109, n. 1 ; D.B. REDFORD, *op. cit.*, p. 219 et n. 61.

Signalons pour conclure cette présentation que les deux niches qui occupent la paroi ouest du second vestibule du temple de Tôd ont pu renfermer des rouleaux de papyrus ou des objets liturgiques en usage par les prêtres de Montou. La niche sud (*Tôd*, nº 231), ornée d'un encadrement surmonté d'une corniche était munie d'une étagère intérieure et d'une porte qui assurait une protection aux objets conservés à l'intérieur. La niche nord (*Tôd*, nº 236) est insérée au centre d'une scène d'offrande à Tanent accompagnée d'Imhotep – dont on sait les liens avec les livres [22] – et d'Amenhotep fils de Hapou.

Traduction

Les titres des ouvrages préservés sur les deux principaux blocs (**3** et **4**) de la bibliothèque du temple de Tôd se présentent ainsi [fig. 1]:

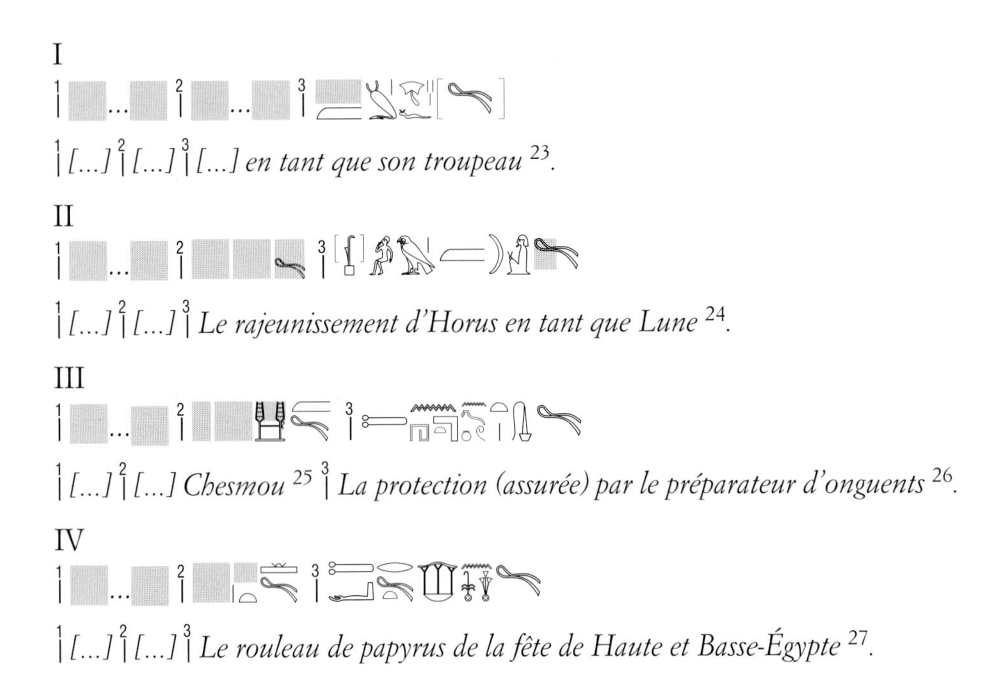

I

1 *[...]* 2 *[...]* 3 *[...] en tant que son troupeau* [23].

II

1 *[...]* 2 *[...]* 3 *Le rajeunissement d'Horus en tant que Lune* [24].

III

1 *[...]* 2 *[...] Chesmou* [25] 3 *La protection (assurée) par le préparateur d'onguents* [26].

IV

1 *[...]* 2 *[...]* 3 *Le rouleau de papyrus de la fête de Haute et Basse-Égypte* [27].

22 D. WILDUNG, *Imhotep und Amenhotep. Gottwerdung im alten Ägypten*, *MÄS* 36, Munich, 1977, p. 143-144 (dans la bibliothèque d'Edfou); et p. 241-245 pour la scène de Tôd.

23 Peut-être pour désigner le troupeau du dieu, c'est-à-dire les hommes; *Merikare*, XLVI (éd. W. HELCK, *KÄT* 5, Wiesbaden, 1977); S. SCHOTT, *op. cit.*, p. 317.

24 *Rnp Ḥr m jꜥḥ*. La lecture *Ḫprj* proposée par A. Grimm (dans *BSAK* 3, 1989, p. 165) doit être écartée.

25 Lu *sm* « Altar » par A. Grimm (*loc. cit.*). Les restes du hiéroglyphe de *šsmw* se comprennent d'autant mieux que le terme *nwd* du titre suivant est une épithète de ce dieu qui préside au laboratoire; *LÄGG* 3, 557a. Voir W. HELCK, *LÄ* V, col. 590-591, 1984, *s. v.* Schesemu; M. CICCARELLO, « Shesmu the Letopolite », dans *Studies in Honor of G.R. Hughes*, *SAOC* 39, Chicago, 1976, p. 43-54; Fr.-R. HERBIN, *Le livre de parcourir l'éternité*, *OLA* 58, Louvain, 1994 (cité par la suite *LPE*), p. 117.

26 Signalé par S. SCHOTT, *op. cit.*, p. 116 (235): lecture fautive [hiéroglyphes], rapprochée de *nh.t* « sycomore ». Le titre allie les deux prérogatives de Chesmou, dieu du laboratoire, préparateur des onguents, mais également dieu violent et vengeur auquel on fait appel pour se protéger des serpents et des scorpions; J.-Cl. GOYON, « Un parallèle tardif d'une formule des inscriptions de la statue prophylactique de Ramsès III au musée du Caire », *JEA* 57, 1971, p. 157-158.

27 Signalé par S. SCHOTT, *op. cit.*, p. 39 (64). Doit-on rapprocher cette fête du rituel de l'union des deux terres (M.-Th. DERCHAIN-URTEL, *LÄ* VI, 1986, col. 974-976, *s. v.* Vereinigung beider Länder)?

V

1 | Protection de la chambre[28]*. Les livres (de) la transformation 2 | La grande adoration [secrète (?)] par l'Ogdoade*[29] *3 | L'adoration*[30] *de Ptah par les Primordiaux.*

VI

1 | Ouvrir la nécropole de/pour le Grand aîné[31] *2 | Éveiller les Baou qui brillent*[32] *à la fête (du) trône d'Amon*[33] *3 | [...]*[34] *de la fête de la veillée (?)*[35].

VII

1 | Livre de l'entrée de Montou à Thèbes[36] *2 | Livre de la venue [de] Montou-(Rê) maître d'Ermant vers Tôd*[37] *3 | Rituels de l'épouse.*

28 S. SCHOTT, *op. cit.*, p. 324 (1469) ; dans le « Livre de protéger la maison », cf. *sꜣ pr*, *sꜣ s.t*, *sꜣ ḥnq.t* ; *Edfou* VI, 142, 1-151, 11 ; *Mam.Edfou*, 172-181, 16 ; *Edfou* III, 347, 13 ; *Dend.* V, 151, 18 ; S. SCHOTT, *op. cit.* p. 324 (1472) ; *Wb* III, 414, 6 ; D. JANKUHN, *Das Buch « Schutz des Hauses » (sꜣ-pr)*, Bonn, 1972, p. 28-126. Pour le rituel de protéger la chambre (*sꜣ-ḥnq.t*), récité du 18 au 23 *khoïak* lors des veillées horaires d'Osiris, voir P. BARGUET, *Le Papyrus N. 3176 (S) du musée du Louvre*, *BiEtud* 37, Le Caire, 1962, p. 51 ; J.-Cl. GOYON, *JEA* 57, 1971, p. 158 et n. 7. On se demandera si le titre [hiéroglyphes], à lire au premier abord *sꜣ wsḫ.t*, ne doit pas être rapproché de [hiéroglyphes] (*Mam.Edfou*, 172, 10 ; 17...) à lire *sꜣ ʿ.t nb(.t)* à la lumière des parallèles fournis par *Edfou* VI, 145, 1 ; 146, 4... et *Dend.* V, 151, 18 ; 152, 10. J'adopte cette lecture *ʿ.t* « chambre » qui convient mieux dans le contexte funéraire des titres qui suivent ; on aurait donc ici un rapprochement sémantique avec *sꜣ-ḥnq.t* et ses implications osiriennes.

29 A. Grimm (dans *BSAK* 3, 1989, p. 164) a rapproché le début du formulaire (*pꜣ jꜣw/ dwꜣw*) d'un texte du temple d'Hibis (*dwꜣ ʿꜣ štꜣ n Jmn-Rʿ ḏd-ḥr Ḫmnw* ; *Hibis*, pl. 32) et du P. Harris III, 10. Pour des divinités bénéficiant de l'adoration de l'Ogdoade, voir par ex. *Taharqa*, pl. 28, 7-8 et p. 74 ; *Opet*, 183-184, gauche, col. 2 : Amon ; *Urk.* VIII, n° 149b : Rê ; *Médamoud*, n° 235, 7 : Montou ; *Opet*, 186, 2 ; J.-Cl. GOYON, *Le Papyrus d'Imouthès*, New York, 1999, p. 58 (col. 23, 9) : Osiris.

30 La lecture [hiéroglyphes] « la venue » de A. Grimm (dans *BSAK* 3, 1989, p. 165) doit être écartée.

31 *Smsw ʿꜣ*, *LÄGG* 6, 350b (où notre attestation est signalée sous réserve) : Rê dans l'Au-delà et un dieu qui magnifie la momie d'Amon-Rê dans la nécropole (petit temple de Médinet Habou ; DUEMICHEN, *Historische Inschriften*, II, Leipzig, 1867, pl. 36e, 18 : [hiéroglyphes]. Cf. *jty ʿꜣ m jgr.t*, *LÄGG* 1, 592b-c ; *sr ʿꜣ m jgr.t*, *LÄGG* 6, 415b (Osiris).

32 Ou « éveiller les Baou (afin qu'ils) brillent à la fête du trône d'Amon » ? Il serait tentant de comprendre *bꜣ.w psḏnty.w* « les Baou de la fête de la néoménie » ([hiéroglyphes]) ; voir Fr. LABRIQUE, « L'escorte de la lune sur la porte d'Évergète à Karnak », dans R. Gundlach, M. Rochholz (éd.), *Feste im Tempel. 4. ägyptologische Tempeltagung*, *ÄAT* 33, 2, Wiesbaden, 1998, p. 113 ; *id.*, *RdE* 49, 1998, p. 117 ; *LÄGG* 2, 723a ; ils sont identifiés à Osiris, Anubis et Isdes par *CT* II, 290-308 ; d'après la *Porte d'Évergète* (pl. 17B), « ils satisfont Iâh et adorent son *ka* quand sa mère l'enfante » et apparaissent avec les Baou occidentaux en relation avec la seconde moitié du mois lunaire. La graphie avec les seuls signes [hiéroglyphes] ne semble pourtant pas attestée. Pour les cultes lunaires, voir *infra*. Dans un contexte amonien, on songerait enfin aux dix bas du dieu mais une telle lecture n'est pas possible.

33 La présence d'un seul déterminatif [hiéroglyphe] exclut de lire deux titres distincts dans cette colonne (pour deux cas contraires, cf. **V**, 1 et le bloc **2**, 2). Le raccord entre les blocs **3** et **4** écarte la lecture *bꜣ.w Jwnw* retenue par A. GRIMM, dans *BSAK* 3, 1989, p. 164 ; S. SCHOTT, *op. cit.*, p. 285 (1336 ; raccord fautif avec le bloc **2**, col. 2 [*msw psḏ.t*]).

34 On remarquera que dans les titres conservés des colonnes **V** et **VI**, ceux-ci ne sont pas précédés de *nt-ʿ* ou var., ce qui doit alors être probablement le cas ici. Même observation aux colonnes **II** et **X**.

35 S. SCHOTT, *op. cit.*, p. 100 (182) « Livre de la fête-*wrš* » ; de même pour A. GRIMM, *op. cit.*, p. 165, avec renvoi au *mḏꜣ.t n.t hrw wrš* du P. Chester Beatty VIII, r° 5, 4 : S. SCHOTT, *op. cit.*, p. 102 (191) ; A.H. GARDINER, *HPBM* III, pl. 41 et p. 68 et n. 8 : *hrw wrš* « Book of the Daytime (?) », suivi d'une énumération de dieux avec leurs épithètes (*ibid.*, p. 107 = P. Chester Beatty IX, v° B1, 6-11, 3). *LÄGG* 2, 509c : *wrš* « Celui qui surveille », désignant Thot et Min. Pour l'épithète *wrš* « le veilleur », « le gardien », donnée en particulier à Min de Panopolis, voir S. SAUNERON, « Persée, dieu de Khemmis (Hérodote II, 91) », *RdE* 14, 1962, p. 55-57 ; la graphie d'*Esna* VI, n° 485, 10 est identique à la nôtre. Il est donc difficile de dire si l'on a à Tôd une mention du « veilleur » ou de « la fête diurne ». Cependant, s'il s'agit d'une fête, rien n'empêche d'y voir une célébration en rapport avec l'acception de « veilleur » ; on remarquera que le *mḏꜣ.t n.t hrw wrš* des P. Chester Beatty VIII et IX présente une succession de divinités qui pourraient alors être comprises comme autant de « veilleurs » ou de « gardiens ». Il demeure pourtant que rien n'indique la fonction qu'aurait pu exercer ces divinités, gardiens du temple (comme les *rs.w*) ou fonctions liés à la protection d'une autre divinité, telles qu'elles apparaissent dans le cadre des veillées horaires d'Osiris. Pour *wrš* entrant en composition dans d'autres épithètes divines (Osiris, Thot, Rê, Amon-Rê), voir *LÄGG* 2, 509-510.

36 S. SCHOTT, *op.cit.*, p. 99 (178) ; D.B. REDFORD, *Pharaonic Kinglists*, p. 219, n. 61.

37 Pour la date de cette traversée, voir *infra*.

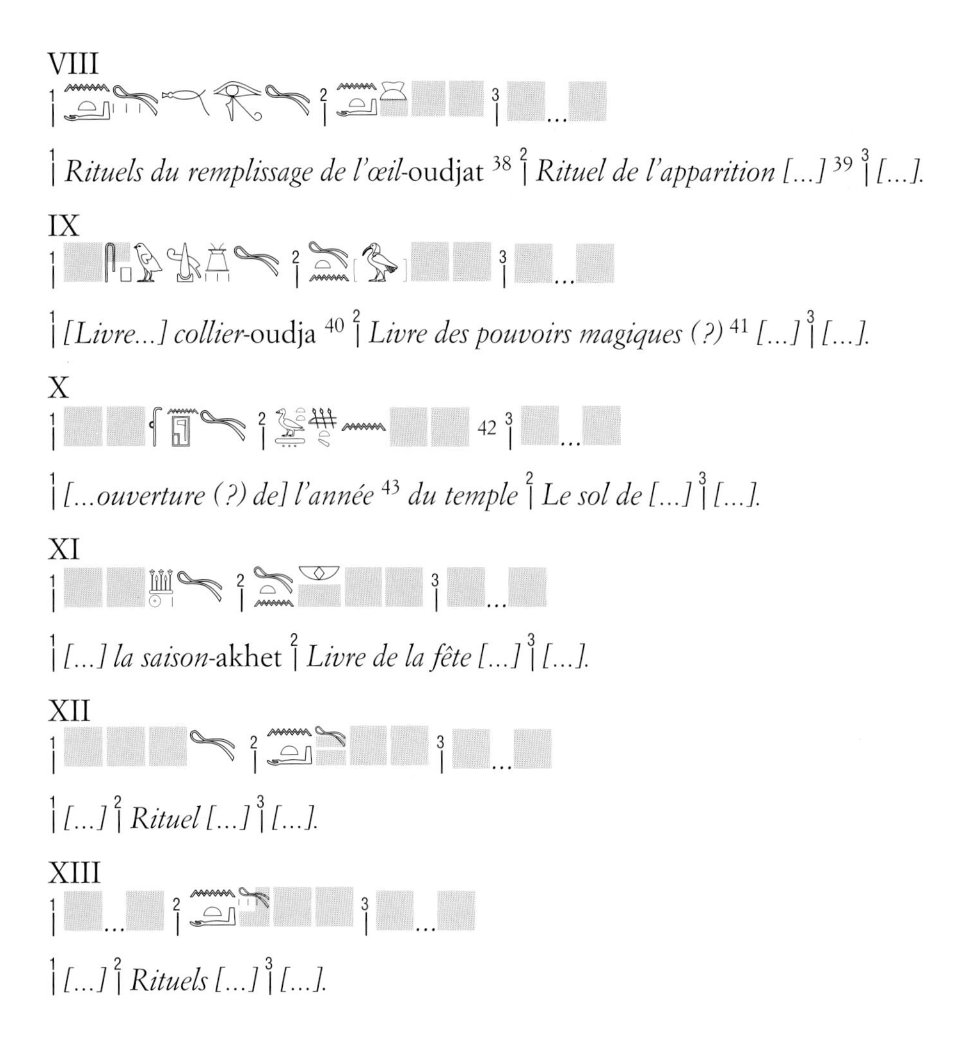

VIII

1 | *Rituels du remplissage de l'œil-*oudjat [38] 2 | *Rituel de l'apparition [...]* [39] 3 | *[...].*

IX

1 | *[Livre...] collier-*oudja [40] 2 | *Livre des pouvoirs magiques (?)* [41] *[...]* 3 | *[...].*

X

1 | *[...ouverture (?) de] l'année* [43] *du temple* 2 | *Le sol de [...]* 3 | *[...].*

XI

1 | *[...] la saison-*akhet 2 | *Livre de la fête [...]* 3 | *[...].*

XII

1 | *[...]* 2 | *Rituel [...]* 3 | *[...].*

XIII

1 | *[...]* 2 | *Rituels [...]* 3 | *[...].*

Des quatre blocs suivants, deux au moins appartiennent au registre inférieur de la grille. Le bloc **1** livre quatre titres d'ouvrages ; le bloc **2** présente la fin de sept colonnes de texte ; le bloc **5** donne la fin de cinq autres titres ; enfin, le bloc **6** ne fournit aucune véritable information.

38 Sur ce rituel, éminemment lunaire, voir en dernier lieu, M. SMITH, *The Carlsberg Papyri 5. On the Primaeval Ocean*, *CNIP* 26, Copenhague, 2002, p. 120-124. Assimilé à Rê-Horakhty dans les versions de Dendara, Montou intervient le premier jour du mois dans le remplissage de l'œil-*oudjat* ; Fr.-R. HERBIN, « Un hymne à la lune croissante », *BIFAO* 82, 1982, p. 258 et 263-264, n. 9 ; S.H. AUFRÈRE, *L'univers minéral dans la pensée égyptienne*, *BiEtud* 105/1, Le Caire, 1992, p. 225-227.

39 Faisant suite au remplissage de l'œil-*oudjat*, cette apparition pourrait concerner deux événements. Soit, au moment de la nouvelle année, l'apparition de Sothis qui prélude à l'arrivée de la crue du Nil, soit l'apparition de la lune jeune dont le remplissage de l'œil-*oudjat* a assuré la croissance durant la première moitié du mois ; M. SMITH, *op. cit.*, p. 120-124. Ces deux possibilités ne peuvent toutefois exclure une sortie processionnelle divine ou royale, telles que, par ex., *Esna* III, n° 207, 15 (*njs nt-ʿ n ḫʿ n nṯr.t tn* ; *Edfou* III, 347, 13 (*ḫʿ nsw*) ; 351, 10 (*nt-ʿ nb n sḫʿ ḥm=k r-rwty=k m ḥb.w=k*) ; pour les fêtes dans ce contexte, voir les occurrences signalées A. GRIMM, *Die altägyptischen Festkalender in den Tempeln der griechisch-römischen Epoche*, *ÄAT* 15, Wiesbaden, 1994, p. 288-296.

40 A. GRIMM, dans *BSAK* 3, 1989, p. 164 : *[nt-ʿ] s[ṯs] wḏꜣw* « Le rituel de soulever l'amulette » ; les restes sont trop ténus pour assurer une lecture, même si le rite *ṯs wḏꜣ* est attesté ailleurs.

41 Selon le principe mis en évidence sur le lien entre les titres d'une même colonne, il est séduisant ici de comprendre *ꜣḫ.w* « propos magiques », en étroite relation avec les fonctions protectrices du collier-*oudja*. La proposition de A. Grimm (*loc. cit.* : *nt-ʿ n s[pr]*) ne peut être retenue ; il ne s'agit pas, en toute évidence, des restes du signe [signe] mais bien de ceux de la tête d'un oiseau-*ꜣḫ*.

42 S. SCHOTT, *op. cit.*, p. 329 (1495). Le signe [signe] (ou [signe]) rend maladroitement un signe que l'on reconnaît également en *Tôd*, n° 322, 5.

43 A. Grimm (*loc. cit.*) propose *wp[.t] n rnp.t* ; sans pouvoir être confirmée sur la pierre, la lecture pourrait être retenue, étant donné l'importance de cette fête du 1er *thoth* ; voir A. GRIMM, *Die altägyptischen Festkalender*, p. 272.

44 À comparer à la séquence *pꜣ ḥtp ꜥꜣ wꜥb n Jmn* étudiée par J. QUAEGEBEUR, « La table d'offrandes grande et pure d'Amon », *RdE* 45, 1994, p. 155-173 ; voir également C.E. SANDER-HANSEN, *Die religiösen Texte auf dem Sarg der Anchnesneferibre*, Copenhague, 1937, p. 63, l. 152.

45 S. SCHOTT, *op. cit.*, p. 21 (36b) : « Accomplir tous les rites de la fête de Thot » (*jrj jrw nb n ḥb Ḏḥwty*) ; J.-Cl. GOYON, « Aspects thébains de la confirmation du pouvoir royal : les rites lunaires », *JSSEA* 13/1, 1983, p. 2-9 (voir *infra*) ; A. GRIMM, *op. cit.*, p. 283-284 (la fête de Thot est célébrée le 4 et le 19 *thot* à Esna, le 19 *thot* à Kôm Ombo) ; voir *infra*.

46 M. ALLIOT, *Le culte d'Horus à Edfou au temps des Ptolémées*, *BiEtud* 20, Le Caire, 1949, p. 285-289 et p. 705-803 ; S. DEMICHELIS, *Il calendario delle feste di Montu*, p. 70 ; J.-Cl. GOYON, « Isis, Horus, lieux saints d'Égypte du sud au temps des Lagides et des Empereurs de Rome », dans G. Labarre (éd.), *Les cultes locaux dans les mondes grecs et romains. Actes du colloque de Lyon 7-8 juin 2001*, Paris, 2004, p. 279 et n. 12 ; A. GRIMM, *op. cit.*, p. 81 (G 37 et J 22), 82 (L 49 : II *akhet* [*sic*] à Esna) et 282 ; Chr. LEITZ, *Tagewählerei. Das Buch ḥꜣt nḥḥ pḥ.wy ḏ.t und das verwandte Texte*, *ÄgAbh* 55, Wiesbaden, 1994, p. 259-260 ; S. CAUVILLE, *Dendara. Les fêtes d'Hathor*, *OLA* 105, Louvain, 2002, p. 9 et 29, n. 34.

47 La fête dont fait état ce rituel a été étudiée récemment par J.-Cl. GOYON, « Notes d'épigraphie et de théologie thébaine », *ChronEg* 78, 2003, p. 61-65 ; ajouter *LD Text* IV, p. 3 (mammisi d'Ermant). Voir S. SCHOTT, *op. cit.*, p. 79 (143) ; Fr.-R. HERBIN, *LPE*, p. 55 et 163-164 (III, 22-23).

48 S. SCHOTT, *op. cit.*, p. 285 (1336) ; association fautive de ce passage avec **VI**, 2 (*rs bꜣ.w psḏ*).

49 *Tôd*, nº 254, 1. Ou, par ex., *[ḥm.t]=s* ; en tout état de cause, il s'agit d'une déesse.

50 Il s'agit encore d'un rituel consacré à une déesse ; en toute hypothèse, je lis *[j]qr.t*, *LÄGG* 1, 566b-c, avec différentes possibilités pour ce qui précède (par ex. *ꜣḫt-jqr.t*, *N.t-jqr.t*, *Sꜣq-N.t-jqr.t...*).

51 *Sjp.t* ; S. SCHOTT, *op. cit.*, p. 343-344 ; P. WILSON, *A Ptolemaic Lexikon*, *OLA* 78, Louvain, 1997, (abrégé *WPL* par la suite), p. 799 ; *Edfou* III, 351, 9 : « inventaire de toutes les buttes et connaissance de ce qui s'y trouve. »

52 Comprendre *[š]tꜣ / [sš]tꜣ* ? Cf. S. SCHOTT, *op. cit.*, p. 363-364, p. 316 (1446) : *ḥkꜣ štꜣ n ḫnw* ; *Urk.* I, 263, 14.

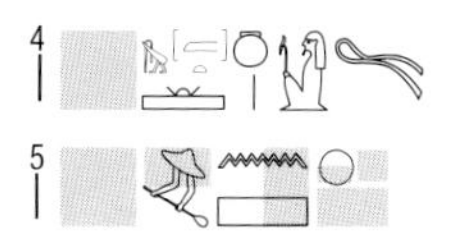

[...] instruction du dieu [53].

[...] navigation (?) [54].

Les deux premières colonnes présentent des titres de recueils généraux, qui pourraient en conséquence inaugurer la grille de titres dont nous venons de présenter les vestiges. Le titre de la première colonne est des plus explicites, puisqu'il désigne le catalogue de la bibliothèque. Ces colonnes appartiennent, semble-t-il, au registre inférieur de la grille ; il faudrait donc supposer au moins deux titres au-dessus de chacune d'elles.

Bloc **6** (T. 147) [fig. 6]

Commentaire

1. *Les sorties processionnelles entre Ermant et Tôd*

Dans le cadre des festivités associées aux temples méridionaux du Palladium thébain, la sortie processionnelle la plus importante du calendrier liturgique de Montou était sans nul doute la navigation entre Ermant et Tôd (**VII**, 2). Il est sûr, pourtant, qu'il y eut plusieurs traversées annuelles du dieu d'une rive à l'autre du Nil ; les dates de deux traversées sont connues, d'après un bloc d'Ermant publié par G. Daressy dont il a été question plus haut [55] :

[...] Instruction pour la navigation de la barque lorsque ce dieu traverse vers Djédem pour faire une halte parfaite au Temple de Rê. On fait pareillement au premier mois de peret *[...] Montou sur le canal, satisfaisant son cœur dans sa barque dont le nom est Celle dont la force est grande. De même, en ce qui concerne le premier mois de* chemou, *jour 24 + [x ? ...] afin de se reposer dans le Kiosque septentrional* [56] *lorsqu'il s'unit à son image (et) s'assemble à sa forme en tant que champion lorsqu'il pénètre dans la masse (des ennemis).*

53 *Sšm.t* « instruction, conduite », *Wb* IV, 290, 5-11 ; *sšm*, *Wb* IV, 289, 10-290, 4 ; cf. *Edfou* III, 351, 8 : *sšm ḥw.t-nṯr* « (le livre) de la conduite du temple. »

54 L'identification du premier signe n'est pas assurée ; il est proche du signe mais qui ne serait pas alors dans le sens attendu. En toute hypothèse, on songera à une restitution du type qui demeure pourtant peu satisfaisante. Sur ce thème, S. SCHOTT, *op. cit.*, p. 123-124 (262a-b) et 126 (278).

55 G. DARESSY, *RecTrav* 19, 1897, p. 15.

56 L'identification avec le kiosque du lac sacré de Tôd n'est pas assurée ; S. SAUNERON, *Villes et légendes*, p. 65 ; B. GESSLER-LÖHR, *Die heiligen Seen ägyptischer Tempel*, *HÄB* 21, Hildesheim, 1983, p. 377-378 ; G. PIERRAT, « Fouilles du Musée du Louvre à Tôd, 1988-1991 », *Karnak* 10, 1995, p. 469-471 ; sur le kiosque, P. BARGUET, *BIFAO* 51, 1952, p. 105-110. Sans exclure une construction de ce kiosque à l'époque ptolémaïque, les blocs de corniche portant les cartouches d'Évergète II ne peuvent appartenir à cet édifice comme cela a été proposé (*Karnak* 10, 1995, p. 472 ; *BIFAO* 103, 2003, p. 577) ; en effet, un des blocs de corniche présente un angle s'ajustant avec d'autres blocs dotés d'un tore d'angle, qu'il est en conséquence impossible de replacer dans le kiosque dont les angles sont marqués par des colonnes engagées. La monographie *Tôd*, n° 41,1 mentionne « le kiosque d'abattre Apophis par Rê à Djédem chaque jour » qu'il n'est pourtant pas possible de considérer comme une autre occurrence du Kiosque septentrional. En effet, les monographies n°s 173 et 174 mentionnent, entre autres, et outre les désignations courantes du temple de Tôd, une « chapelle » (*sty.t*), une « arène » (*ptr, mṯwn*), un « serekh » (*srḫ*) et une « fenêtre d'apparition » (*sšd*) ; on sait que ces deux derniers termes peuvent être synonymes de *mꜣr*, en particulier pour désigner la fenêtre d'apparition qu'est la partie supérieure de la porte du pylône à Edfou ; *Edfou* VI, 93, 11

Le second texte qui apporte des renseignements significatifs sur les célébrations de Montou à Tôd est gravé sur la colonne engagée nord-ouest du premier vestibule (*Tôd*, nº 153). Le début de chacune des sept colonnes (env. 7 cadrats) est perdu.

*[...] les rebelles. Le 1er mois d'*akhet*, jour 22, lorsque Rê se repose dans la nécropole en son moment* [57] *de Celui qui apaise l'agresseur (= Montou)* [58]*, (alors) l'Âme impétueuse (= Montou) sort en son temps de l'année, les bras remplis de vigueur, car il est tel le vent contraire.* [2] *[...] en ce matin (?)* [59]*, celui qui provoque l'éclair* [60] *après qu'il a allumé* [61] *la torche issue des deux yeux du ciel. (Alors), le flot vénérable sera (semblable à) une vague lorsqu'il submerge les rives* [62]*; (c'est) le taureau aux cornes acérées, dont les pattes* [63] *sont combatives.* [3] *[...] le taureau au cœur puissant, tous les lions se cachent devant l'effroi qu'il inspire, le jeune enfant, le champion muni de ses armes qui sont semblables aux étoiles; ses armes sont devant lui en grand nombre.* [4] *[...] son image, sans assurément relâcher/abattre* [64] *son [...] comme ceux dont les yeux voient leurs jambes contre eux* [65] *à la course. Le bruit de ses cris est entendu jusqu'aux limites (de l'univers) afin de chasser au loin celui qui s'est écarté de lui* [66]. [5] *[...] des enfants du désordre, car ils* [67] *sont assurément des ennemis devant lui, et il fait d'eux de nombreux massacres* [68]*, (puis) il amoncelle leurs dépouilles sur le sol (avant) de les piétiner en représailles de leurs actes* [69]. [6] *[...] Puisse-t-il venir* [70] *en paix vers sa ville – le Temple du taureau – alors que son cœur est empli de sa puissance. Il se produit la même chose que cela le 1er mois de la saison* akhet*, jour 23 (lorsqu'il) accomplit son déplacement* [71] *parfait vers le Temple de Rê. De même* [72] [7] *[...navigation de]* [73] *Montou dans le canal, car elle (a lieu) assurément* [74] *lors du 2e mois de* chemou*, [jour x... afin de se reposer dans* [75]*] le* [76] *Kiosque septentrional. Puisse-t-il venir de nombreuses fois, sans [cesse], en leurs temps, comme ce que fait le roi de Haute et Basse-Égypte, maître du Double-Pays (cartouche vide).*

(*sšd n sjꜣ*) ; 93, 12 (*srḫ*) ; 93, 13 (*mꜣr*) ; *Edfou* VIII, 109, 11 (*mꜣr*) ; 109, 13 (*srḫ*) ; 110, 3 (*sšd n sjꜣ*) ; d'après S. CAUVILLE, *La porte d'Isis, Dend.*, Le Caire, 1999, p. 263, n. 59.

57 H. Sternberg-el Hotabi (*Ein Hymnus an die Göttin Hathor, Rites Égyptiens* 7, Bruxelles, 1992, p. 114, n. 24) comprend pour *Km-ꜣ.t=f*; cf. Chr. LEITZ, *Tagewählerei*, p. 40, n. 2.

58 Épithète (spécifique ?) de Montou d'Ermant ; *LÄGG* 6, 430b-c ; *LD* IV, 65a (droite) ; *Tôd*, nº 85, 6.

59 Comprendre *m dwꜣj.t tn* : ? Ou « au matin de celui qui provoque l'éclair... » en symétrie à *m ꜣ.t=f n srf tktk* de la colonne précédente ?

60 *Stj sšd* ; d'après les autres graphies attestées, le *n* paraît superfétatoire (*LÄGG* 6, 652b) ; dans le cas contraire, lire « l'éclair de Geb/du dieu/de l'étoile ». Pour *stj* dans ce contexte, *Wb* IV, 330, 5-12 ; *Urk.* IV, 615, 12-13 (R.O. FAULKNER, *JEA* 59, 1973, p. 219) pour le roi comparé « à un éclair (*sšd*), allumant (*stj*) son feu en flamme et provocant (*rdj*) son averse ». Pour le verbe *sšd* associé à *sbꜣ*, peut-être en relation avec Geb dans un contexte peu explicite, Fr.-R. HERBIN, *LPE*, VII, 24, p. 69 et 246 ; voir également P. Leyde I 350, rº II, 19 (*sbꜣ ḥr sšd*).

61 *WPL*, 145 ; au sens « éclairer », « illuminer », on préfèrera ici « allumer » avec la présence de la torche *tkꜣ.t*.

62 *WPL*, p. 166 ; cf. *Tôd*, nº 218B : *ꜥrꜥr r-sꜣ ꜥḫm.w* « déborder sur les rives ».

63 Litt. « les genoux ».

64 Pour les diverses acceptions du verbe *fḫ*, *Wb* I, 578, 6-15.

65 *Jr.(w)t=sn ḥr dgj=sn rd.wy=sn r=sn ḥr šm(.t)* ; après , ajouter ; voir *Tôd* III, p. 83. Cette expression semble signifier que les jambes vont à l'encontre de la volonté des individus, image éloquente de la panique créée par Montou dans la masse de ses ennemis.

66 *R rwj bhꜣ=tw n=f m wꜣj* ; pour *bhꜣ*, cf. *Tôd*, nº 120D : *sbj.w bhꜣ=tw m wḏ-n=f* « les ennemis qui se sont écartés de ce qu'il a ordonné » ; *Tôd*, nº 124, 12.

67 Un demi cadrat horizontal en lacune entre et *=sn*.

68 , avec pour ; séquence parallèle en *Tôd*, nº 38, 3.

69 *Ḏbꜣ sp* « rétribuer une action », *AnLex* 78.3450.

70 On distingue la pointe du pied d'un signe qui pourrait être : lire .

71 Sur la pierre : ; *Tôd* III, p. 83. Sur le bloc d'Ermant (G. DARESSY, *RecTrav* 19, 1897, p. 15 ; *supra*), on a *r jr ḫn=f nfr r Ḥw.t-Rꜥ*.

72 On attend une indication calendérique après *mjtt jry*, à l'instar du texte d'Ermant ; *supra*.

73 Lire *nꜥy* avec le dét. comme sur le bloc d'Ermant ?

74 Dans la lacune, un signe martelé qui semble être la particule exclamative *ꜣy* renforçant la particule *js* ; litt : « car il est assurément » mais l'antécédent de *sw* doit être *[nꜥy]* (ou similaire) plutôt que Montou.

75 *[R ḥtp n]*, d'après le bloc d'Ermant, G. DARESSY, *op. cit.*, p. 15.

76 *p(ꜣ)* ; sur la pierre, et non ; voir *Tôd* III, p. 83.

Un constat s'impose : les deux calendriers sont différents et ils se font mutuellement référence, comme c'est le cas entre ceux d'Edfou et de Dendara.

Selon le texte d'Ermant, la visite à Djédem, lieu de massacre des ennemis de Rê et nécropole des dieux-morts [77], se tenait le premier mois de *peret* (*tybi*) [78] ; c'est le retour de l'une de ces traversées vers Tôd qui est représenté, au Nouvel Empire, dans la tombe de Khonsou (TT 31) [79]. Une autre visite au cours de laquelle Montou se rendait au Kiosque septentrional avait lieu le premier mois de *chemou* (*pachôns*), jour 24 [80]. La traversée de Montou d'Ermant vers Tôd, telle qu'elle est évoquée dans le livre de la bibliothèque (**VII**, 2) a donc pu se tenir à l'une ou l'autre de ces deux dates. Elle est également évoquée en *Tôd*, n° 85 (relative au nome Ermonthite), sans date particulière [81]. En outre, le texte n° 153, 1 indique le 1er mois d'*akhet*, jour 22 pour la sortie de Montou après que Rê s'est reposé dans la nécropole [82] ; si le « Grand aîné » (**VI**, 1) pour qui on ouvre la nécropole désigne Rê (et non Osiris), un lien intéressant pourrait être établi avec ce texte n° 153, 1.

Le même texte (n° 153, 5-6) mentionne l'arrivée de Montou à Tôd (Temple de Rê) au premier mois d'*akhet* (*thot*), jour 23, c'est-à-dire le jour de la création du soleil par l'Ogdoade et de la victoire de celui-ci sur ses ennemis [83]. Cependant, il n'est pas sûr ici que l'on ait affaire à une navigation depuis Ermant. Le même texte (l. 7) évoque la station du dieu sur le Kiosque septentrional, après une navigation sur le canal, le 2e mois de *chemou* (*payni*). Mais là encore, la venue de Montou par un canal n'assure pas la réalité d'une traversée depuis Ermant ; il peut également s'agir d'une visite depuis Thèbes, ou du retour d'une sortie vers la capitale, telle qu'elle est signalée sur notre bloc (**VII**, 1). Enfin, plusieurs textes de Tôd précisent que Montou pénétrait dans Djédem au début de l'année (*tp rnp.t*) [84] ; s'agissant de références internes au temple de Tôd, on doit reconnaître le Montou local (et non celui d'Ermant) qui rituellement accomplissait le massacre des ennemis de Rê à Djédem.

Les éléments les plus détaillés du calendrier de Montou ont été inscrits sur une colonne engagée à l'intérieur du premier vestibule de Tôd (n° 153) [85] ; consignées à la droite du dieu, il faut croire que ces festivités étaient les premières à être célébrées parmi les fêtes majeures locales, les 22 et 23 *thot*. Le texte qui fait suite à la mention du 22 *thot* (n° 153, 2-6) doit logiquement expliciter la nature de cette célébration, puisqu'à la colonne 6 est fait mention du 23 *thot*, puis à la colonne 7 du mois de *payni*. Si l'on en croit ce texte, c'est l'aspect violent de Montou qui se manifestait en ce 22 *thot* (et pareillement le lendemain), le dieu fourbissant ses armes et pourfendant les ennemis de Rê alors que celui-ci se trouvait à l'abri dans la nécropole. Le massacre accompli, selon toute vraisemblance à Djédem, Montou retrouvait le repos dans son temple.

77 Étude en cours par M. Gabolde ; cf. R. PREYS, « Les *Agathoi Daimones* de Dendera », *SAK* 30, 2002, p. 285-298. Sur Djédem, voir J.-Cl. GRENIER, « Djédem dans les textes du temple de Tôd », dans *Hommages Sauneron*, *BiEtud* 81, Le Caire, 1979, p. 381-389. Ajouter un bloc d'Ermant publié par A. FARID, *MDAIK* 35, 1979, p. 66 (inscr. 9) et p. 68 ; et un bloc inédit de Tôd (n° 488 = T.1869). Tout comme à Edfou, les dieux gisants de la crypte d'étage (*Tôd*, n° 284 II, 15-18) sont au nombre de neuf (mais voir les quatre divinités de *Tôd*, n° 166) ; ils sont dix à Dendara ; S. CAUVILLE, *Les fêtes d'Hathor*, p. 31.

78 À Dendara, les 20 et 30 *tybi* (puis les 1, 2 et 3 *méchir*), Harsomtous traversait le Nil pour faire des libations aux dieux-morts de Khadit ; *ibid.*, p. 9.

79 N. DE GARIS DAVIES, *Seven Private Tombs at Kurnah*, Londres, 1948, pl. XIII : « Bienvenue, tu viens de Tôd, tu te reposes à Ermant » (*jj=wy jw=k jj=tj m Ḏrty jw=k ḥtp=tj m Jwnw*) ; G. PIERRAT-BONNEFOIS, « L'histoire du temple de Tôd : quelques réponses de l'archéologie », *Kyphi* 2, 1999, p. 67-68.

80 On ne peut toutefois exclure un quantième entre 25 et 30 ; Chr. LEITZ, *Tagewählerei*, p. 349-351.

81 S. DEMICHELIS, *Il calendario delle feste di Montu*, p. 70.

82 En ce même jour, était célébrée la fête d'Anubis à Edfou ; S. CAUVILLE, *op. cit.*, p. 13.

83 Chr. LEITZ, *op. cit.*, p. 46-50 ; S. DEMICHELIS, *op. cit.*, p. 70, n. 144.

84 *Tôd*, nos 120D ; 151, 4 ; 173, 6 ; 188A, 3.

85 Voir les cas similaires à Dendara et à Esna, S. CAUVILLE, *op. cit.*, p. 66-67.

2. *Les cultes thébains*

La visite de Montou à Thèbes (**VII**, 1) est l'élément le plus caractéristique des liens qui unissaient Tôd et la capitale de la Haute-Égypte. La statue du dieu participait à des sorties processionnelles et visitait vraisemblablement le temple d'Amon-Rê à Karnak, ainsi que son sanctuaire de Karnak-Nord.

Le « Livre de l'autel du temple d'Amon » (bloc **1**, 1) fait clairement référence à des liturgies relatives au dieu de Karnak. En outre, il fait peut-être écho à l'autel solaire d'Amon connu au moins dès le règne de Sésostris Ier [86]. Concernant encore le temple majeur de Karnak, on rappellera la mention du « trône d'Amon » en **VI**, 2. Un autre livre (bloc **1**, 2) mentionne la fête de Thot du temple de Khonsou, *pr-Ḫnsw* étant une désignation bien connue du temple du dieu-fils de la triade thébaine dans l'enceinte d'Amon-Rê à Karnak [87].

Le livre de l'enfantement du dieu (bloc **1**, 4) fait référence aux célébrations en l'honneur de Mout qui a mis au monde la lumière symbolisant Amon-Rê. Elle est célébrée le 4e mois de *peret* (*pharmouthi*), jour 30, mois au cours duquel sont fêtées ailleurs d'autres naissances divines [88].

Notons que dans le cadre des séquences de la colonne **VII**, si le lien est évident entre les deux premiers ouvrages consacrés aux sorties processionnelles de Montou, vers Thèbes dans un cas, entre Ermant et Tôd dans l'autre, on ne perçoit pas la relation qui a dû exister avec ces « Rituels de l'épouse/femme ». La présence féminine est pourtant marquée dans le temple de Montou, en particulier dans la Salle des déesses, dont l'accès était réservé aux prêtresses-*âqyt* [89] venant servir Rattaouy et les déesses auxquelles elle est assimilée. A. Grimm évoque le lien possible avec un rituel prononcé pour Hathor enregistré dans le calendrier des fêtes d'Edfou [90]. En outre, au moins trois titres inscrits sur le bloc **2** sont en rapport direct avec des déesses ; le texte n'est malheureusement pas suffisamment conservé pour permettre une analyse.

3. *Les cultes lunaires*

Dans le cadre des rituels liés aux théologies thébaines, on doit évoquer les cultes lunaires, très en faveur à l'époque ptolémaïque dans cette région [91]. À Tôd, comme ailleurs dans le Palladium, Montou semble avoir entretenu des liens privilégiés avec le disque nocturne [92]. Un texte gravé dans le premier vestibule (*Tôd*, no 152, 1) précise : « [...] (cartouche vide) présenter la myrrhe en joie dans le Temple de la lune à l'ouest de cette demeure à son père Mon[tou...] ». Une figuration de « la rencontre des deux taureaux » (ou « la rencontre des deux frères »), symbolisant le soleil et

86 Communication de L. Gabolde ; il s'agit également d'un autel-*ḫꜣ.t/ḫꜣw.t* en calcaire.

87 J. QUAEGEBEUR, « Les appellations grecques des temples de Karnak », *OLP* 6/7, 1975/1976, p. 470 ; Chr. ZIVIE-COCHE, « Fragments pour une théologie », dans *Hommages Leclant*, *BiEtud* 106/4, Le Caire, 1993, p. 420 ; J.-Cl. GOYON, *JSSEA* 13/1, 1983, p. 3, n. 5.

88 J.-Cl. GOYON, *ChronEg* 78, 2003, p. 61-65 ; A. GRIMM, *Die altägyptischen Festkalender*, p. 402-403.

89 *Tôd*, no 49 ; voir également *Tôd*, nos 246-247.

90 *Edfou* V, 356, 7-8 : [illegible] ; A. GRIMM, dans *BSAK* 3, 1989, p. 165 ; *id.*, *Die altägyptischen Festkalender*, p. 124-125 (G 58) et p. 202, n. k.

91 Fr.-R. HERBIN, *BIFAO* 82, 1982, p. 275-276, n. 48 ; C. GRAINDORGE, « Les théologies lunaires à Karnak à l'époque ptolémaïque », *GöttMisz* 191, 2002, p. 53-58 ; Fr. LABRIQUE, dans *ÄAT* 33, 2, p. 91-121 ; *id.*, *RdE* 49, 1998, p. 107-134 ; *id.*, « Khonsou et la néoménie », dans D. Budde *et al.* (éd.), *Kindgötter im Ägypten der griechisch-römischen Zeit*, *OLA* 128, Louvain, 2003, p. 195-224.

92 Fr. LAROCHE, Cl. TRAUNECKER, « La chapelle adossée au temple de Khonsou », *Karnak* 6, 1980, p. 181-195 ; Fr.-R. HERBIN, *op. cit.*, p. 263-264, n. 9 ; p. 269, n. 23 (Tanent et Rattaouy). Les stèles des Bouchis d'Ermant (nos 13, 4 et 14, 5) signalent le rajeunissement du taureau sacré « comme la lune ».

la lune, est également présente dans le premier vestibule de Tôd [93]. Sur les retours des embrasures de la porte voisine de cette scène on lit : « Tant que la lune brille dans le ciel (...) » (*Tôd*, n° 188B), contrepartie de : « Tant que Rê apparaît dans le ciel (...) » (*Tôd*, n° 187B).

Les blocs de la bibliothèque évoquent également l'astre lunaire : la colonne **II**, 3 souligne le « rajeunissement d'Horus en tant que lune ». Si la participation d'Horus aux rites lunaires est bien attestée, en revanche, son assimilation à la lune est rare [94] ; le titre de Tôd est explicité par un texte du temple d'Edfou où Horus est « Iâh qui rajeunit (*ẖrd sw*) à la fête du mois et devient adolescent (*ḥwnw sw*) le 15e jour [95] ».

Il n'est nul besoin de revenir sur le caractère lunaire du rituel visant au remplissage de l'œil-*oudjat*, tel qu'il est signalé sur la colonne **VIII**, 1. Quant au « livre de la fête de Thot du temple de Khonsou » (bloc **1**, 2), il a vraisemblablement participé de ces rites lunaires thébains. En effet, Khonsou thébain, Khonsou-Thot ibiocéphale et la lune sont intimement liés [96], comme en témoignent la Porte d'Évergète [97] et les vestiges du kiosque d'Osorkon III érigé sur le parvis du temple de Khonsou [98] ; la scène majeure est intitulée : « Présenter les offrandes à la Lune au 6e jour lunaire et à la Lune à la néoménie, à l'instar de ce qui est fait à l'antique fête du Temple de Khonsou. »

4. *Les cultes funéraires de la rive ouest (Djêmé)*

Sur la colonne **V**, la « Protection de la chambre » et « Les livres (de) la transformation » nous placent de façon prégnante dans un contexte funéraire [99]. Les titres suivants, « La grande adoration [secrète (?)] par l'Ogdoade » et « L'adoration de Ptah par les Primordiaux » renforcent et explicitent ce contexte funéraire. Les titres de la colonne **VI** font également état de rituels liés à l'Au-delà avec, en particulier, l'ouverture de la nécropole et l'éveil de Baou qui brillent à la fête (du) trône d'Amon, dernier titre qui reste quelque peu énigmatique mais assure le contexte thébain de ces cultes.

Dans le cadre de la théologie du temple de Tôd, dans laquelle l'Ogdoade hermopolitaine, enterrée à Djêmê, occupe une place prépondérante [100], il est naturellement séduisant de songer que ces titres se réfèrent aux cultes funéraires de la rive ouest thébaine. En outre, on songera à la

93 *Tôd*, n° 138 ; A. AMENTA, « Aspetti cultuali dal tempio di Tod », *VicOr* 11, 1998, p. 27-33 ; Chr. DESROCHES-NOBLECOURT, « Les fouilles de Tôd. Égyptologie et mécénat », *RevLouvre* 30, 1980, p. 197 ; voir S.H. AUFRÈRE, *L'univers minéral*, p. 222 ; *id.*, *Le propylône d'Amon-Rê-Montou à Karnak-Nord*, *MIFAO* 117, Le Caire, 2000, p. 311-312. Voir également *Tôd*, nos 8, 1 ; 24, 1 ; 34, 1. Deux blocs inédits de Tôd (nos 561 et 645), appartenant à un monument d'Évergète II, mentionnent [hiéroglyphes], [hiéroglyphes] (*LÄGG* 7, 2002, 256a-b) et possiblement [hiéroglyphes] (*LÄGG* 7, 255b-c) sur un bandeau de frise. Enfin, on signalera la présence du saule (*Tôd*, n° 322, 6 : Sobek du saule ; n° 322, 3 : Ouadjyt maîtresse du Lac du saule ; également nos 275, 7 et 249, 5) qui entretient des liens étroits avec la lune ; M. ERROUX-MORFIN, « Le saule et la lune », dans S.H. Aufrère (éd.), *Encyclopédie religieuse de l'univers végétal* 1, *OrMonsp* 10, Montpellier, 1999, p. 293-316.

94 Fr.-R. HERBIN, *BIFAO* 82, 1982, p. 267-268, n. 19.

95 *Edfou* IV, 32, 1 ; d'après Fr.-R. HERBIN, *op. cit.*, p. 268, n. 22. Pour *wḥm rnp mj ỉ'ḥ*, voir *Rituel de l'embaumement* (P. Boulaq III), 4, 4.

96 Ph. DERCHAIN, « Mythes et dieux lunaires en Égypte », dans *La lune, mythes et rites*, *SourcOr* 5, Paris, 1962, p. 36-44.

97 Fr. LABRIQUE, « Les escortes de la lune dans le complexe lunaire de Khonsou à Karnak », *BSFE* 140, 1997, p. 13 ; *id.*, dans D. Budde *et al.* (éd.), *OLA* 128, 2003, p. 196-218.

98 J.-Cl. GOYON, *JSSEA* 13/1, 1983, p. 2-3.

99 Pour rappel, voir les trois dépôts de figurines osiriennes en bronze (probablement d'époque romaine) découverts sur le site ; D. BENAZETH, *Tôd. Les objets de métal*, San Antonio, 1991, p. 4-10.

100 Elle apparaît à six reprises à Tôd : dans le premier vestibule (*Tôd*, n° 134), sur le linteau interne de la porte du second vestibule (*Tôd*, n° 192 et 192*bis*), sur la paroi sud de la crypte d'étage (*Tôd*, n° 284 III, reg. sup.), sur une dalle de calcaire provenant également des cryptes (bloc T.2489 = J. VERCOUTTER, « Tôd [1946-1949]. Rapport succinct des fouilles », *BIFAO* 50, 1952, pl. IX, 4), sur une série de huit blocs, enfin sur deux autres blocs épars se raccordant (T.1329 et T.1623).

place de Djédem, lieu de massacre des ennemis de Rê mais également nécropole des dieux-morts. Sans entrer dans un développement qui nous mènerait trop loin dans le cadre de l'étude de la bibliothèque, on connaît les liens entre Montou et les rites décadaires de la rive ouest. Ainsi, Montou d'Ermant se rendait sur la tombe des dieux-morts le 26 *khoïak* [101]. À Médamoud, la « Porte de Djêmé » permettait l'exécution de rites de substitution [102], évitant un pénible et coûteux déplacement vers Médinet Habou tous les dix jours [103]. Il faut probablement croire que la bibliothèque de Tôd donnait également accès à ces liturgies de la rive ouest. Ne s'agissait-il pas là encore d'éviter des navigations fréquentes vers la tombe des dieux primordiaux enterrés à Djêmé ? A. Grimm a souligné la prépondérance de l'aspect de dieu primordial qui ressort de ce catalogue, mis en relation avec Montou qui semble bien avoir été vénéré en tant que tel à Tôd [104]. On sait en effet qu'ailleurs Montou assimile en lui les Huit primordiaux [105], à tout le moins les quatre entités masculines de ce groupe [106]. Enfin, pour ce qui concerne Ptah, associé à ces cultes de la rive ouest thébaine, on verra sa représentation, en compagnie de l'Ogdoade et d'autres entités primordiales qu'il a engendrées, dans la crypte n° 2 du temple d'Ermant [107].

5. *Le calendrier liturgique de Tôd*

A. Grimm a clairement mis en évidence la différence fondamentale qui existe entre la bibliothèque d'Edfou et celle de Tôd, laquelle présente une liste d'ouvrages en rapport direct avec le calendrier liturgique et non un ensemble de textes sacrés (astronomiques ou géographiques par exemple), reflet d'une bibliothèque sacerdotale idéale [108]. Les mentions de livres relatifs à des fêtes ( ), qui apparaissent à trois reprises (**XI**, 2 et blocs **1**, **2** et **3**), évoquent assurément des célébrations en rapport avec le calendrier liturgique du temple. La mention de la saison-*akhet* (**XI**, 1) fait également référence à une date calendérique. La présentation des ouvrages pourrait-elle refléter une succession chronologique des événements cultuels ? On ne peut raisonnablement répondre à cette question dans l'état partiel de la bibliothèque et alors que l'emplacement exact de la plupart des blocs n'est pas connu. Peu d'éléments sont à notre disposition pour prétendre établir un tel calendrier ; il convient cependant de les évoquer, en complément des éléments relatifs à la navigation entre Ermant et Tôd présentés plus haut.

101 *Deir Chélouit* III, n° 154, 20-21 ; A. EGBERTS, *In Quest of Meaning. A Study of the Ancient Egyptian Rites of Consecrating the* Meret-*Chests and Driving the Calves*, *EgUit* 8, Leyde, 1995, p. 348-349 ; voir Chr. THIERS, Y. VOLOKHINE, *Ermant* I. *Les cryptes du temple ptolémaïque. Étude épigraphique*, Le Caire (sous presse).

102 Voir Cl. TRAUNECKER, « Un exemple de rite de substitution : une stèle de Nectanébo Ier », *Karnak* 7, 1982, p. 350-352.

103 Porte du Musée des Beaux-Arts de Lyon, inv. 1939-29, datée de Ptolémée Philopator ; Ch. SAMBIN, « Les portes de Médamoud du Musée de Lyon », *BIFAO* 92, 1992, p. 162-170 ; *id.*, « Les portes de Médamoud du Musée de Lyon », dans S.P. Vleeming (éd.), *Hundred-Gated Thebes. Acts of a Colloquium on Thebes and the Theban Area in the Graeco-Roman Period*, *P.L.Bat* 27, Leyde, 1995, p. 163-164.

104 A. GRIMM, dans *BSAK* 3, 1989, p. 168.

105 *Urk.* VIII, n° 6g ; M. SMITH, *On the Primaeval Ocean*, p. 52.

106 *Urk.* VIII, n° 30b.

107 *Ermant* I (sous presse), nos 37, 38 et 41.

108 A. Grimm (dans *BSAK* 3, 1989, p. 167-169) souligne que des ouvrages rituels spécifiques apparaissant dans les inscriptions du temple sont absents de la liste dressée dans la bibliothèque ; S. DEMICHELIS, *Il calendario delle feste di Montu*, p. 62-63.

Comme on l'a vu, Montou-Rê se rendait sur le site de Djédem, à proximité de son temple, pour abattre rituellement les ennemis de Rê, au début de l'année ; et peut-être doit-on rapprocher ce massacre rituel avec la célébration, le premier jour de l'année, de la naissance de Rê-Horakhty [109]. Le nouvel an apparaît possiblement dans la bibliothèque de Tôd (**XI**, 1) mais la lecture n'en est pas assurée [110].

Le 1er mois *d'akhet* (*thoth*), jour 19 est célébrée la fête majeure de Thot, équivalente à celle de Khonsou [111]. Il est tentant de considérer que le rituel de la fête de Thot dans le temple de Khonsou (bloc **1**, 2) évoque les célébrations qui se tenaient devant le temple de Khonsou de Karnak, en relation avec le renouvellement de la royauté.

La fête de la victoire (bloc **1**, 3) est une autre fête nationale célébrée le 2e mois de *peret* (*méchir*), du 21 au 25, connue en particulier à Edfou. On n'oubliera pas que, dans le cadre des récitations relatives à cette fête, c'est au cours du « cérémonial des dix harpons » qu'était évoquée la victoire d'Horus sur ses ennemis à Djédem [112] ; on pourrait donc envisager qu'une visite de Montou à Djédem ait pu prendre place au mois de *méchir* mais la documentation n'en fait pas écho. En outre, à Edfou, les célébrations de *méchir* étaient annoncées par la fête de la grande offrande de Rê le mois précédent, du 25 au 27 *tybi*, au cours de laquelle les ennemis de Rê étaient abattus [113] ; et on a vu que Montou d'Ermant se rendait à Djédem en ce même mois de *tybi*, traversée qui pourrait alors se concevoir dans le même cadre que les festivités apollonopolites ; faute de texte, on en est encore réduit à des conjectures. Enfin, cette fête de la victoire pouvait subir des adaptations locales, comme ce fut peut-être le cas à Ermant [114].

Le livre de l'enfantement du dieu (bloc **1**, 4), à mettre en rapport avec l'acte de procréation effectué par Mout à Thèbes, correspond aux célébrations du 4e mois de *peret* (*pharmouthi*), jour 30. Il s'intègre dans un ensemble de célébrations connues ailleurs, au cours du mois de *pharmouthi* (mois des récoltes) et au début de *pachons*, en l'honneur de la naissance de dieux enfants-fils [115].

Les mentions des rituels relatifs au remplissage de l'œil-*oudjat* (**VIII**, 1) ou au collier-*oudja* (**IX**, 1) ne nous sont d'aucun secours pour apporter une précision calendérique. Signalons cependant, après A. Grimm, « le livre de ce qui doit être exécuté le dernier jour du deuxième mois de la saison-*peret* après qu'a été rempli l'œil-*oudjat* le dernier jour du deuxième mois de la saison-*peret* [116] » ; de même, le 2e mois de *chemou* (*pachons*), « à la pleine lune du mois, jour où est rempli l'œil-*oudjat*, grande fête dans le pays tout entier [117] ».

Le tableau suivant résume les données calendériques relatives au temple de Tôd, associant les données locales et quelques fêtes majeures qui ont pu y être célébrées d'après les livres conservés dans la bibliothèque (la plupart des rituels mentionnés ne sont pas pris en compte du fait qu'aucune date ne leur est associée) :

109 J.-Cl. GRENIER, *op. cit.*, p. 389.

110 Pour la bibliographie relative à cette fête, Chr. LEITZ, *Quellentexte zur ägyptischen Religion* I. *Die Tempelinschriften der griechisch-römischen Zeit, Einführungen und Quellentexte zur Ägyptologie* 2, Munich, 2004, p. 82.

111 J.-Cl. GOYON, *JSSEA* 13/1, 1983, p. 6-7 ; Chr. LEITZ, *Tagewählerei*, p. 32-33. Des célébrations en l'honneur de Thot sont attestées à Esna (le 4 et le 19 *thoth*), à Kôm Ombo, le 19 *thoth* ; A. GRIMM, *Die altägyptischen Festkalender*, p. 283-284 et 373 ; également à Soknopaiou Nesos (IIe s. apr. J.-C.) ; G. WIDMER, « Les fêtes en l'honneur de Sobek dans le Fayoum », *Égypte Afrique et Orient* 32, 2003, p. 5.

112 *Edfou*, VI, 114, 7-8 ; M. ALLIOT, *Le culte d'Horus*, p. 714 ; également *Edfou* VI, 8, 10 ; M. ALLIOT, *op. cit.*, p. 689.

113 *Ibid.*, p. 806-810.

114 Fr.-R. HERBIN, *LPE*, p. 160 (III, 18).

115 J.-Cl. GOYON, *ChronEg* 78, 2003, p. 64-65 ; E. LOUANT, « Les fêtes au mammisi », *Égypte. Afrique et Orient* 32, 2003, p. 37.

116 A. GRIMM, dans *BSAK* 3, 1989, p. 164 ; S. SCHOTT, *op. cit.*, p. 97 (170).

117 S. CAUVILLE, *Les fêtes d'Hathor*, p. 10 (*Dend.* IX, 203, 9).

Saisons/Mois	Jours [118]		Fêtes et rituels	Événements mythologiques
Akhet				
Thot	1	𓄤𓄤𓄤	Nouvel an ; massacre par Montou des ennemis de Rê à Djédem au début de l'année [a]	Naissance de Rê-Horakhty ; début de l'inondation (p. 13-14)
	19	𓄤𓄤𓄤	Fête de Khonsou-Thot [b]	Joie, célébrations par l'Ennéade ; accueil de Rê par tous les dieux ; visite de Thot à la nécropole ; Thot juge Horus et Seth (p. 32-33)
	22	𓊢𓊢𓊢	Massacre des ennemis de Rê (sans doute à Djédem) [c]	Dieux et déesses dans le corps de Rê ; il les tue et les recrache dans l'eau ; ils deviennent des poissons et leurs bas des oiseaux (p. 38-40)
	23	𓊢𓊢𓊢	*Idem* [d]	Création du soleil par l'Ogdoade, protection du soleil par Ahet/Methyer contre ses ennemis (p. 46-50)
Paophi				
Hathyr				
Khoïak				
Peret				
Tybi	–	–	Navigation de Montou d'Ermant vers Djédem [e]	–
Méchir	21	𓄤𓄤𓄤	Fête de la victoire [f]	Naissance des animaux du désert (p. 259-260)
Phamenoth				
Pharmouthi	30	𓄤𓄤𓄤	Enfantement d'Amon-Rê-lumière par Mout [g]	Offrandes aux dieux de Memphis (p. 328)
Chemou				
Pachons	24	𓊢𓊢𓊢	Navigation de Montou d'Ermant vers le Kiosque septentrional [h]	Jugement par les Grands (*wr.w*) de ceux qui se sont opposés à [son maître] (p. 348-349)
Payni	–	–	Navigation sur le canal et station (?) sur le Kiosque septentrional [i]	–
Epiphi				
Mésoré				
Sans date	–	–	Fête de la Haute et Basse-Égypte [j]	–
	–	–	Fête du trône d'Amon [k]	–

a. Bloc **X**, 1 (?) ; *Tôd*, n°s 120D ; 151, 4 ; 173, 6 ; 188A, 3 ;
b. Bloc **1**, 2 (*JSSEA* 13/1, 1983, p. 6-7) ;
c. *Tôd*, n° 153, 1 ;
d. *Tôd*, n° 153, 5-6 ;
e. Bloc Ermant, *RecTrav* 19, 1897, p. 15 ;
f. Bloc **1**, 3 ;
g. Bloc **1**, 5 (*ChronEg* 78, 2003, p. 61-65) ;
h. Bloc Ermant, *RecTrav* 19, 1897, p. 15 ;
i. *Tôd*, n° 153, 7 ;
j. Bloc **IV**, 3 ;
k. Bloc **VI**, 2.

118 Jours fastes et néfastes d'après Chr. LEITZ, *Tagewählerei*, p. 481. La pagination signalée entre parenthèses dans la colonne « Événements mythologiques » renvoit à ce même ouvrage.

Après la naissance du soleil au 1er *thot* qui marque le début de l'année, les 22 et 23 *thot* correspondent à la création des éléments fondamentaux du monde : l'eau (cadavres des dieux → poissons) et l'air (bas des dieux → oiseaux) le 22, la lumière (et donc l'obscurité) le 23, dans lesquels on reconnaît l'implication des Huit primordiaux [119]. Ces jours où l'ordre du monde est en jeu sont considérés comme difficiles. C'est au même moment, et probablement pour cette raison, que la violence de Montou-Rê s'abat sur les rebelles, les ennemis de Rê, à Tôd. On doit alors vraisemblablement comprendre dans le même contexte la navigation du 24 *pachons* depuis Ermant vers le Kiosque septentrional, en ce jour néfaste qui marque le « jugement de ceux qui se sont opposés à [son maître] [120] ».

Ces observations pourraient laisser supposer que les célébrations de *tybi* et de *payni*, respectivement en relation avec Djédem et le Kiosque septentrional, se déroulaient également lors d'un jour néfaste (𓎆𓎆𓎆) [121].

6. *Localisation et date de la bibliothèque*

Il reste à évoquer, pour conclure, les questions relatives à la localisation et à la date de cette bibliothèque. Nous ne disposons pourtant que du lieu de trouvaille des blocs pour tenter d'apporter quelque information.

Le bloc **6** (T.147) a été découvert en février-mars 1933 dans les premiers niveaux de démolition des maisons installées à l'emplacement du temple [122] ; le bloc **2** (T.1366) fut mis au jour en 1935 dans le même secteur, remployé dans l'« église, [à la] base du pourtour intérieur ». Les blocs **3** et **4** proviennent du « sud du temple », dans le remblai de démolition (année 1935). Le bloc **1** a été découvert « au Nord du mur d'Antonin. Sous l'ancien magasin [le] 10 mars 1938 ». Enfin, le bloc **5** mis au jour par l'équipe du Louvre était remployé dans une structure copte du début du VIe siècle située au sud de l'axe du temple, en face du reposoir de Thoutmosis III.

Selon une hypothèse déjà émise, la bibliothèque proviendrait de la partie nord du temple, partie largement détruite aujourd'hui [123]. L'état de dispersion des blocs autour du temple se résume pourtant ainsi :

– bloc **1** : au nord [124] ;

– blocs **3**, **4** et **5** : au sud ;

– blocs **2** et **6** : sur l'emplacement du temple (église [125] et niveaux de destruction).

119 Chr. LEITZ, *op. cit.*, p. 39-40.

120 C'est en *pachons* à la nouvelle lune, qu'Harsomtous, « celui qui frappe ses ennemis le jour du combat dans l'arène », accomplissait des libations aux dieux-morts de Khadit (également les 10 *thot* et 30 *paophi*) ; S. CAUVILLE, *op. cit.*, p.16-18 et p. 31 ; R. PREYS, *SAK* 30, 2002, p. 290.

121 En *tybi*, on rencontre les jours 5 (?), 7, 10-12, 14, 17, 19-20, 26 (le jour 11 marque la punition des ennemis de Rê par la flamme de Sekhmet-Hathor) ; en *payni*, les jours 4, 7, 11, 15, 17-20, 21 (?), 22, 26-27 (le jour 22 marque l'opposition des nuages à la lumière solaire ; le jour 27, couper les têtes de ceux qui sont attachés au pilori).

122 D'après le registre de fouille de F. Bisson de La Roque conservé à l'Ifao.

123 F. BISSON DE LA ROQUE, *Tôd*, p. 156 ; repris par A. GRIMM, dans *BSAK* 3, 1989, p. 168 ; M. ÉTIENNE, *Karnak* 10, 1995, p. 500.

124 On pourra ajouter à ce secteur le bloc 734 (= T.2324 ; *infra*) mis au jour dans les environs du lac sacré lors de la campagne de fouilles de 1937.

125 F. BISSON DE LA ROQUE, *op. cit.*, p. 156 : « *quelques grès* employés comme banc du pourtour intérieur de l'église proviennent d'une bibliothèque ») ; M. ÉTIENNE, *op. cit.*, p. 500 : « *deux* blocs provenant de la bibliothèque trouvés dans le banc ») ; dans le registre de fouilles de F. Bisson de La Roque, seul le bloc 2 est signalé comme découvert remployé dans le banc de l'église.

En l'état actuel de la documentation et faute d'argument probant, on restera donc prudent quant à la localisation originelle des blocs de la bibliothèque. Dans son étude sur le démantèlement du temple et les remplois de ses blocs, M. Étienne a montré que d'une part plusieurs secteurs ont été détruits en même temps et d'autre part que les pierres pouvaient être réutilisées dans différents secteurs [126]. Les dimensions de ces blocs, qui de plus pouvaient être débités à volonté, n'étaient pas un obstacle à leur déplacement dans un périmètre relativement restreint autour du temple.

Pour finir, la question de la date de ces textes doit être abordée. Un bloc de grès [fig. 7] gravé dans le creux comme le reste de la série peut apporter un élément de réponse. Découvert en 1937, dans le secteur du lac sacré, il porte le numéro d'inventaire 734 (= T.2324) [127]. Il présente six colonnes de texte dont il ne reste malheureusement qu'une courte partie. Il s'agit des légendes relatives à une scène qui représentait le roi (trois colonnes de droite) face à la déesse Séchat (trois colonnes de gauche).

1. *L'Horus d'Or, Celui dont la puissance est grande [...]*
2. *(qui a) construit la [Maison-de]-vie* [128] *[...]*
3. *les rituels [...].*

4. *Paroles dites par Séchat, maîtresse de l'écrit [...]*
5. *[...] dans le Temple du taureau [...]*
6. *Je rends vénérable ton nom [...].*

On comprend que ce bloc fût rapproché de ceux de la bibliothèque dès l'inventaire de Bisson de La Roque puis dans celui du Louvre, et qu'il constituerait ainsi un élément supplémentaire de cet ensemble. À l'instar de la paroi ouest de la bibliothèque du temple d'Edfou [129], on aurait là une scène figurant le roi devant la patronne de la bibliothèque, scène qui aurait pu alors trouver place à l'entrée de cet espace ou sur une paroi intérieure.

À Tôd, le nom d'Horus d'Or, tel qu'il se présente, fait immédiatement songer à celui de Ptolémée Évergète II, « Celui dont la puissance est grande, maître des fêtes-*sed* comme son père Ptah-Tenen, père des dieux, souverain comme Rê », séquence bien entendu trop longue pour figurer dans une légende de scène, et qui a pu alors être réduite comme cela est attesté ailleurs [130].

Les nombreux blocs épars au nom d'Évergète II témoignent de restructurations massives effectuées à Tôd [131], en sus de la décoration encore en place sur la porte d'accès à la salle des Offrandes et sur le mur intérieur ouest de cet espace. Peut-être faut-il alors associer à ce règne la mise en place de la bibliothèque dont les quelques fragments conservés témoignent, une fois encore, de la vitalité des théologies thébaines tardives dans les temples du Palladium.

126 M. ÉTIENNE, *op. cit.*, p. 497-502 ; par chance, certains blocs forment des ensembles homogènes retrouvés dans un même secteur et qui autorisent des hypothèses plus précises quant à leur provenance (en particulier les blocs de la paroi sud du premier vestibule au nom d'Antonin le Pieux, en grande partie remployés comme banc dans l'église).

127 17 × 72,5 × 25 cm.

128 On est tenté de restituer [hiéroglyphes], dont seul le sommet du signe *ʿnḫ* (disposé au centre de la colonne) subsiste ; voir *WPL*, p. 351 pour les graphies.

129 *Edfou* III, 350, 17 = IX, pl. 82.

130 Par ex., un bloc (764 = T.1368) de procession de soubassement présente le nom d'Horus réduit à [hiéroglyphes] dans le *serekh*.

131 Voir B. MATHIEU, *BIFAO* 103, 2003, p. 577.

Addendum

Lors de la mission épigraphique d'octobre/novembre 2004, un septième bloc appartenant à la bibliothèque a été identifié (9 × 22 × 15 cm). Semble-t-il non répertorié dans le registre de F. Bisson de La Roque, sa provenance et sa date de découverte ne sont pas connues. Tout comme le bloc **6** (T. 147), il n'apporte pas d'élément notable à l'étude de cet ensemble lapidaire.

Bloc **7** (s.n.) [fig. 8]

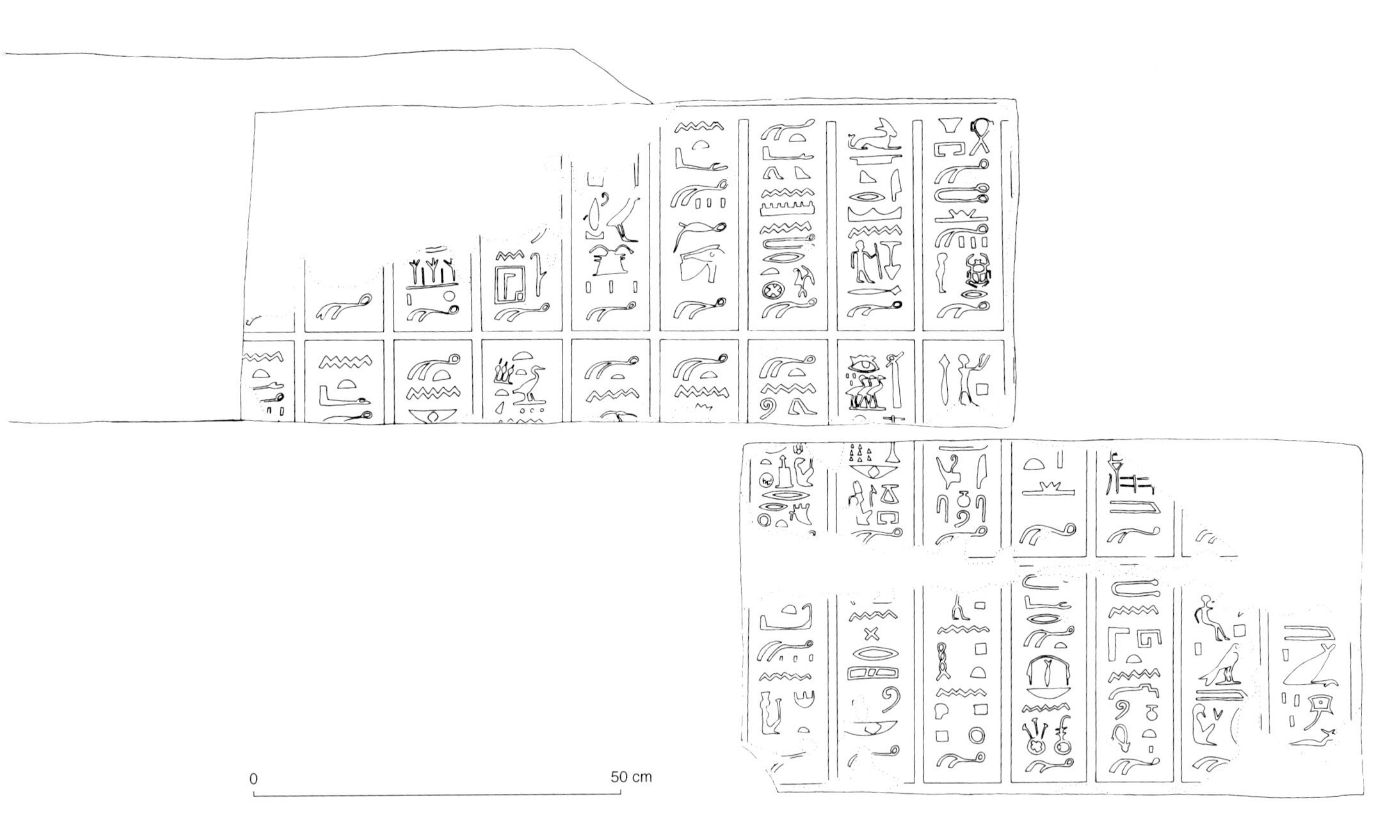

Fig. 1. Blocs 3 (733 = T.1508) et 4 (735 = T.1509).

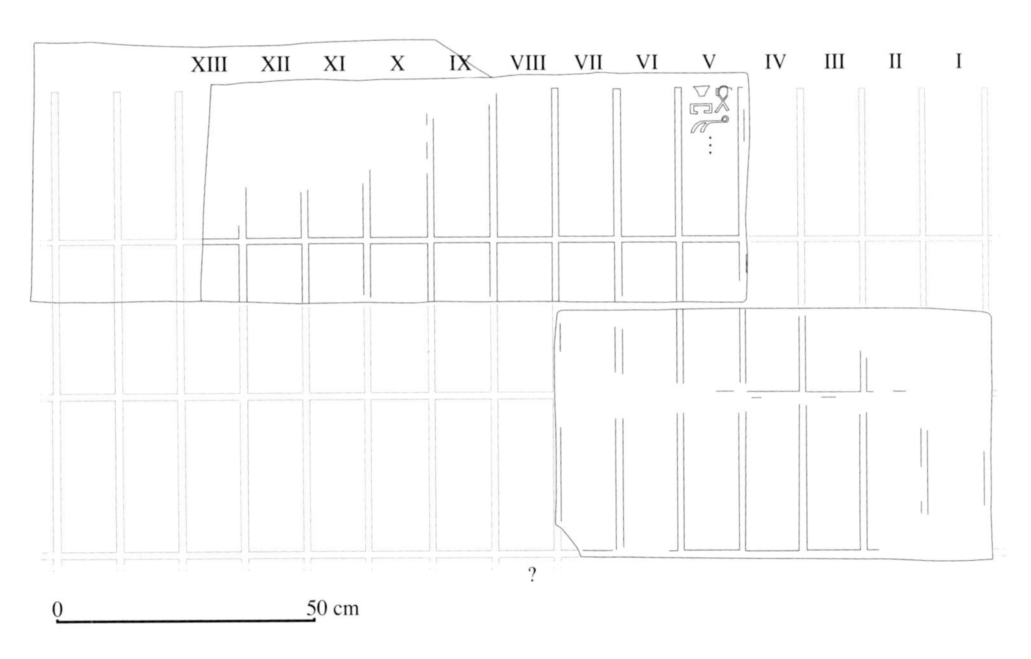

Fig. 2. Emprise de la grille sur le raccord des blocs 3 et 4.

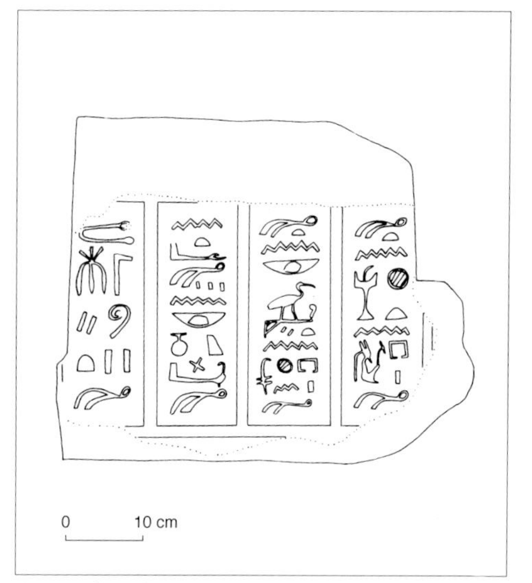

Fig. 3. Bloc 1 (731 = T.2402).

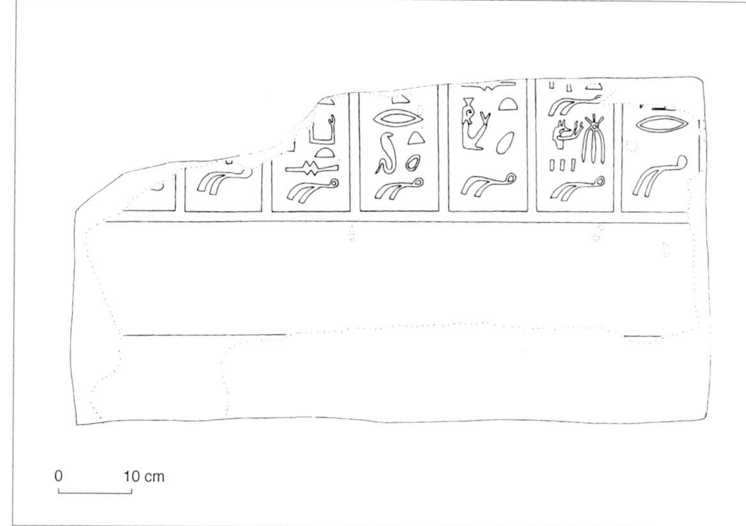

Fig. 4. Bloc 2 (732 = T.1366).

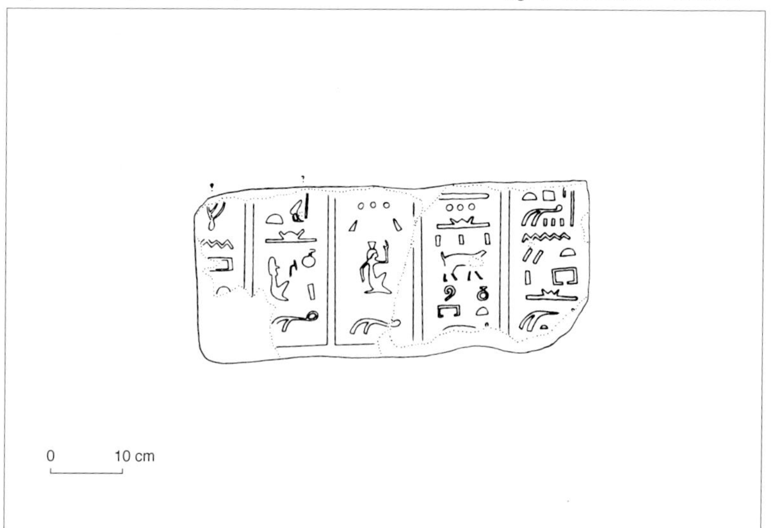

Fig. 5. Bloc 5 (934).

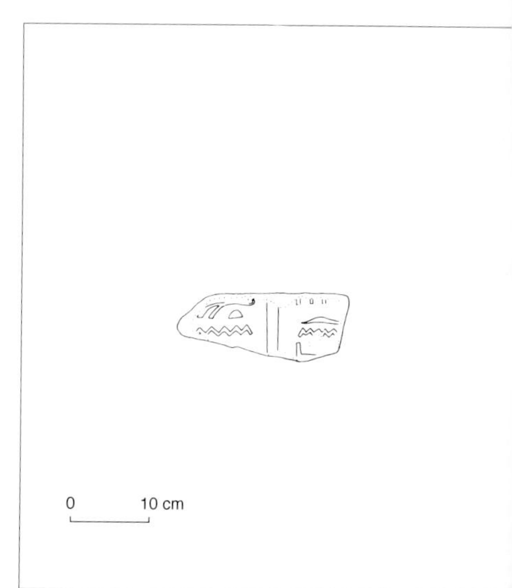

Fig. 6. Bloc 6 (T. 147).

0 10 cm

Fig. 7. Bloc 734 = T.2324.

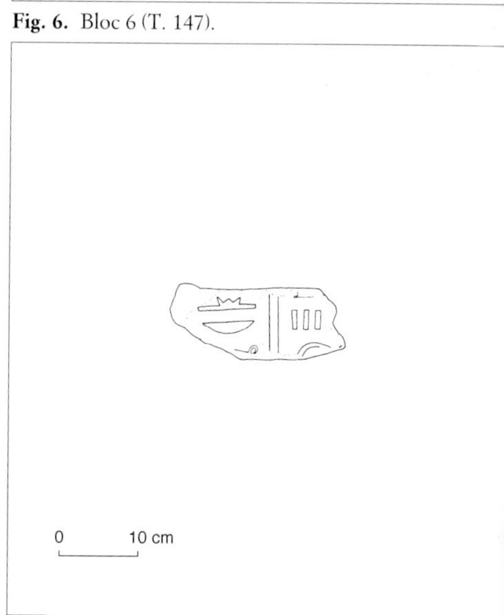

Fig. 8. Bloc 7 (s.n.).

Formules et commentaires sur la valeur sacrée du scarabée

Gihane ZAKI

LES TEXTES traduits dans cet article sont des passages ajoutés sous forme de gloses aux textes additionnels du Mythe d'Horus à Edfou. Il s'en dégage une réflexion religieuse sur la valeur « universelle » du scarabée/scarabée ailé dans l'architecture comme dans les objets protecteurs (le scarabée de cœur).

Ces commentaires s'ajoutent à un premier récit sur la victoire du Disque ailé [1] dont une partie se trouve dans un autre texte d'Edfou [2] et s'inscrit parallèlement dans le grand rituel de la fête de la Victoire que M. Alliot a étudié en détail dans son analyse de la théologie locale de ce temple [3].

Il s'agit donc d'un extrait de manuscrit liturgique sans rapport direct avec le déroulement du mythe, ni avec celui des actes cultuels et dont le contenu complet n'est pas consigné ailleurs. Cela témoigne de l'habileté des prêtres, de leur grande maîtrise des connaissances théologiques et reflète les larges compétences qu'ils déployaient quand il s'agissait d'emprunter certains passages des manuels de la bibliothèque – *pr ʿnḫ* – pour parachever les textes qu'ils se proposaient de composer. Il est indiscutable qu'un effort a été fourni par les écrivains sacrés chargés d'adapter les textes et de mettre en accord les rites, la légende et les textes en question.

Dans le vestibule central, Horus *Behedety* est invoqué en tant qu'astre unique [4], dieu matinal.

Ḥr Bḥdty (...) bḫw m dwꜣw m sꜣw wʿ m nṯr dwꜣw <*Ḥr*> *Dwꜣty*

« Horus Behedety, (...) qui luit au matin, l'astre unique en tant que dieu du matin, (Horus) le-matinal. »

Je tiens à remercier M. le professeur Jean-Claude Goyon qui m'a suivie tout au long de l'élaboration de cet article. Mes remerciements sincères sont aussi adressés à Marie-Claude Mialon et Francoise Moyen pour le regard critique qu'elles ont apporté à cet article.

1 M. ALLIOT, *Le culte d'Horus à Edfou au temps des Ptolémées*, *BiEtud* 20, Le Caire, 1954, II, p. 805-806.

2 Cf. *E* I, 358 (7-10).

3 M. ALLIOT, *op. cit.*, II, chap. V, *passim*.

4 Cf. *E* I, 358 (10-11).

Cet Horus matinal a pour synonyme *Ḥr ỉꜣbty* Horus de l'orient [5], que l'on nomme, astronomiquement parlant, *Pꜣ nṯr dwꜣw* ou *dwꜣy* qui est Vénus [6].

Une phrase-clé du manuel liturgique figure dans un autre texte d'Edfou étudié par M. Alliot. Dans ce récit, les ennemis de Rê qui se réfugient vers le sud et la Nubie se dirigent vers l'eau (du fleuve) et là, se changent en crocodiles et en hippopotames. Horus d'Edfou harponneur massacre avec ses compagnons ces envahisseurs du fleuve ; une fois la Butte de Rê préservée, « Horus d'Edfou se métamorphosa en disque ailé à la proue de la barque de Rê ; il mit Nekhbet et Ouadjet avec lui, les deux Uræus, qui feront trembler les ennemis en leur corps de crocodiles et d'hippopotames, en tout lieu où l'on aille en Haute (ou) Basse-Égypte [7] ».

L'étude des éléments du rituel des mutations du Disque/scarabée sont absents chez M. Alliot. Il faudrait peut-être voir dans ces éléments une explication des données du livret relatives à l'Astre Unique *sỉꜣw wʿ/sbꜣ wʿ,* Horus-*Douaty*, l'Horus du matin [8], *nṯr-dwꜣty* « le dieu matinal » qui n'est autre que Vénus, comme il vient d'être dit, dernière planète visible au matin dont la mutation solaire est le disque ailé/scarabée [9].

Les documents sur lesquels nous nous appuyons sont les suivants :

Document n° 1

E VI, 130 (5-11) et 131 (1). Tableau I' o.2 d. XII (2) et pl. CXLVI [10].

Dans ce premier élément du rituel, le disque ailé n'est que Vénus : au coucher, c'est l'astre de l'orient, et au lever, c'est celui de l'Occident.

Traduction et commentaires

GLOSE INTRODUCTIVE

[5] | ỉr nṯr dwꜣw Rʿ pw ḥr ỉꜣbt nt pt sḥḏ.n.f tꜣ-wy m ꜣḫty. f(y) Ḥr Bḥdty nṯr ʿꜣ [6] | nb pt pw wnn.f ḥr sḫr sbỉw ḥr ỉꜣbt m ḫrt-hrw nt rʿ [nb].

« Quant au dieu matinal, c'est Rê [11] à l'orient du ciel [12] quand il a éclairé le Double Pays de ses deux yeux glorieux <donc> Horus d'Edfou, le grand dieu, c'est le seigneur du ciel constamment en train d'abattre le Rebelle à l'orient au cours de chaque jour [13]. »

5 Cf. *E* I, 379 (7).

6 Cf. O. Neugebauer, R.A. Parker, « Two Demotic Horoscopes », *JEA* 54, 1968, p. 234 (P. Berlin 6152,4).

7 M. Alliot, *op. cit.*, II, p. 713.

8 Cf. *E* III, 294 [13]

9 Cf. *E* II, 234 [11] ; P. Berlin 3027, IV [6] = nombril.

10 Cf. *E* XIII, pl. DXXXII.

11 Le disque *ỉtn* figure dans d'autres versions, il rend probablement mieux le sens souhaité comme nous pouvons le constater dans *E* I, 552 (2-3) *wbn.f m nwn m ʿpy nṯrỉ ʿḥ.f ḥrt dwꜣw sp 2 ỉrw.f šps m ỉtn n nwb, ỉrw.f m ʿpy wr n qdm.*

12 « Le Disque à l'orient », en l'occurrence, signifie Vénus à son coucher. Astronomiquement parlant *pꜣ nṯr dwꜣw* (ou *dwꜣy*) est Vénus, cf. O. Neugebauer, R.A. Parker, *JEA* 54, 1968, p. 231 et 234.

13 [hiéroglyphes] pour la restitution de *rʿ nb*. Cf. *E* I, 379 (12), où on lit *ʿpy šps sḥḏ tꜣ-wy m mꜣwy.w.f.*

LE PREMIER HYMNE

Acte I : « Adorer ce dieu. »
dwꜣ [nṯr] pn ḏd mdw : ỉnḏ ḥr.k nṯr dwꜣw, ỉnḏ ḥr.k Ḥr twt, ỉnḏ ḥr.k Ḥr bḥdty [7] *nṯr ꜥꜣ nb pt sḫr.k ꜥpp sbỉ.w [ḥr] ỉꜣbt nt pt n pt, tꜣ mw ḏw.w n fꜣ.sn tp.sn r (n) ḥḥ ḏt sḫr.k* [8] *sbỉ.w nb n sꜣ Rꜥ (blanc) m pt tꜣ mw ḏw.wy.*

« Adorer ce dieu [14]*. Paroles à prononcer : « Salut à toi, Dieu matinal ! Salut à toi, Horus le complet ! Salut à toi, Horus d'Edfou, grand dieu seigneur du ciel <car> tu abats Apopis et les Rebelles à l'orient du ciel, au ciel, sur la terre, sur l'eau et les montagnes ; ils n'ont plus à relever la tête pour toujours et à jamais* [15] *et tu abats tout rebelle au fils de Rê (blanc) au ciel, sur terre, sur l'eau et les deux montagnes. »*

Le texte se poursuit par la description du mouvement opposé, c'est-à-dire celui de l'astre de l'occident :

GLOSE INTRODUCTIVE

(ỉ)r [lacune] [16] *ỉmntt n Pwnt ḫꜥ.f m rwhꜣ ḥr ỉmntt* [9] *n pt stỉw.f pḫr tꜣ-wy Ḥr bḥdty pw ḏd.tw [n.]f sbꜣ wꜥty dgꜣ.tw m nfrw.f*

« Quant à [l'astre unique] à l'occident de Pount [17]*, il apparaît au crépuscule* [18] *à l'occident du ciel et son rayonnement parcourt le Double Pays ; c'est Horus d'Edfou à qui l'on dit "Astre unique par la splendeur de qui on voit". »*

LE SECOND HYMNE

Acte II : « Adorer ce dieu. »
dwꜣ nṯr pn ḏd mdw : ỉnḏ ḥr.k [10] *sbꜣ wꜥty nṯr pw ḥr n ỉmntt n Pwnt [ỉnḏ ḥr.k]* [19] *Ḥr dwn.f ỉnḏ ḥr.k Ḥr bḥd[ty] ꜥnḫ.tỉ wr-tỉ pr m nwn sḫr.k* [11] *ꜥpp sbỉw ḥr ỉꜣbt nt pt n pt tꜣ mw ḏw.w n dwn.sn r ḥḥ ḥtp ḥr.k nfr n sꜣ Rꜥ (Ptwlmys ꜥnḫ ḏt* [12] *mry Ptḥ)*

« Adorer ce dieu. Paroles à prononcer : Salut à toi, Astre unique, ô dieu de l'occident de Pount ! Salut à toi, Horus, quand il fonce en taureau ! Salut à toi, Horus d'Edfou, vivant, imposant, sortant du Noun car tu abats Apopis et les Rebelles à l'orient du ciel, au ciel, sur terre, sur l'eau et les montagnes et ils ne peuvent plus foncer, à jamais ! Que ta face parfaite soit gracieuse pour le fils de Rê, (Ptolémée...). »

14 Comparer ligne 6 avec de la ligne 9 : cela est probablement dû au manque de place.

15 Pour des formules parallèles, cf. *E* I, 358 (13) : et *E* VI, 130 (7) : .

16 Restitution proposée par J.-Cl. Goyon : *ỉr [sbꜣ wꜥty ḥr].*

17 « L'occident de Pount » : le sud-ouest.

18 Le soir (le crépuscule) est rendu par le mot *rwhꜣ*. Cf. *AnLex* I, 213 (77.2348).

19 Restituer : .

Document n° 2

E VI, 131 (1-10). Tableau I' o.2 d. XII (2) et pl. CXLVI; M. Alliot, *RdE* 5, 1946, p. 107-108.

Selon la tradition originelle, l'acteur principal est théoriquement le roi, mais en l'occurrence il est remplacé par le prêtre du roi comme l'indique la graphie sans déterminatif du terme *nswt* utilisé dans les rubriques. Il faut également noter que les tournures grammaticales de ces mêmes rubriques, faisant appel aux formes *ỉr.ḫr.tw* et *ḏd.ḫr nswt* du *sḏm. ḫr.f,* font remonter l'origine du document de base directement à l'époque de la langue classique, probablement le Moyen empire.

Traduction et commentaires

Le disque ailé en tant que scarabée divin : [hiéroglyphes] [20].

GLOSE INTRODUCTIVE

ỉr pꜣ ʿpy nt(y) ḥr nꜣ gꜣwt [21] *n nṯr.w nṯr.w.t nb n šmʿ mḥw Ḥr bḥdty nṯr ʿꜣ nb pt pw wnn.f ḥr sḫr [ʿ]pp sbỉ.w ḫfty.w sp wʿ ḏꜣḏꜣt* [22] *m rꜣ-wꜣt.[s]n* [23] *ʿnḫ mt ḫt ḥr rn.f mỉ ỉr(w) n ỉt.f Rʿ Ḥr-ꜣḫty r-mn hrw pn.*

« Quant au Disque/Scarabée ailé qui est sur les chapelles de tous les dieux et de toutes les déesses de Haute et Basse-Égypte, c'est Horus d'Edfou [24]*, grand dieu seigneur du ciel, et il est constamment en train d'abattre Apopis, les Rebelles et les Ennemis en une seule fois, ainsi que l'ignominie, sur leurs points de passage, <car> la vie et la mort sont inscrites en son nom selon ce qui est accompli pour son père Rê-Harakhtès jusqu'à ce jour. »*

CLAUSULE CONCERNANT LE SOUVERAIN

ỉr(w) n nswt [25] *m hrw ḫp(r) ḫrwy.w ḥꜣyt* [26] *ỉr.ḫr.tw ʿpy n (=m) sš(w) ḥr šnbt.f ḫft mꜣꜣ.f ḥr-ny-ḥr (ḥnḥ) mỉ ỉr.n Rʿ-Ḥr-ꜣḫty ḫ[ft] [mꜣ.n.f]* [27] *ḥr-ny-ḥr sꜣ Rʿ* (blanc) *ḥr.f n(=m) bỉk dnḥ.wy(.f)* [28] *m nrt ḥʿw.f m ḫprỉ.*

« Ce qui est fait pour le Roi au jour des insurrections et du désordre : on dessinera un disque/Scarabée ailé sur sa poitrine lorsqu'il constate le tumulte, comme le fit Rê-Harakhtès lorsqu'il constata le tumulte <pour> le fils de Rê (blanc)*: sa face est celle d'un faucon, ses ailes celles d'un vautour, son corps celui d'un scarabée. »*

20 Parfois nous trouvons [hiéroglyphe] comme déterminatif, cf. *E* I, 357 (11-13), ce qui correspond à la variante *ʿpy nṯrỉ.*

21 Pour un texte parallèle, cf. *E* V, 199 (12).

22 [hiéroglyphes] *ḏꜣḏꜣt*, cf. *Wb* V, 532-533 (4) et 604 (8-12) ; *AnLex* I, 444 (77.5160), « ennemi, hostile » ; pour J.-Cl. Goyon, ce terme est trop faible, car il contient une forte notion d'impureté.

23 *rꜣ-wꜣt*, cf. *Wb* II, 396 (6-11) ; *AnLex* I, 211 (77.2321), « le voisinage ». Texte parallèle : *E* I, 358 (8-9), *sḫr.n.f ḏꜣḏꜣt m rꜣ-wꜣt.*

24 Comparer ici *E* VI, 131 (1) : [hiéroglyphes] avec *E* VI, 129 (11) : [hiéroglyphes].

25 Le mot *nswt* est écrit sans déterminatif, c'est le prêtre du roi, l'officiant d'Edfou, agissant au nom du roi, sur le principe royal, peut être le *ḥm gmḥsw* « le serviteur du faucon vivant ».

26 Cf. *AnLex* I, 235 (77.2569), « malheur, maladie ».

27 La lecture serait [hiéroglyphes] plutôt que [hiéroglyphes] que suggère le passage précédent.

28 M. Alliot n'a pas vu que *spty* ne convenait pas. En effet, il faut rendre [hiéroglyphe] par *tmꜣty* ou *dnḥwy.f.* La photographie d'*E* XIII, pl. DXXXII montre effectivement au-dessus du joint de ciment [hiéroglyphe] *sic* pour [hiéroglyphe] attendu.

La conjuration qui accompagne l'image protectrice s'avère de type universel :
ḥr.t[n] r.f ḫftỉ.w <m> sp wꜥ ḏꜣḏꜣt rmṯ nṯr.w ꜣḫ.w [5] *mt.w ꜥpp sbỉ.w n sꜣ Rꜥ (Ptwlmys ꜥnḫ ḏt mry Ptḥ)*

« Éloignez-vous de lui, ennemis en bloc, ignominie, hommes, dieux, esprits, morts Apopis, rebelles, pour le fils de Rê (Ptolémée...). »

Suit une sorte de dialogue rituel alternant un refrain et des appels à conjurer les menaces des ennemis potentiels saisonniers.

REFRAIN

ntf nṯr thꜣ(w) [29] *pr n(=m) Bḥdt Ḥr* [6] *bḥdty rn.f*

« Il est le dieu qui attaque au sortir d'Edfou, Horus d'Edfou est son nom. »

INJONCTION

ḥr.tn r.f ỉmy.w-ḫt Rꜥ ỉmy.w-ḫt Šw ỉmy.w-ḫt Gb ỉmy.w-ḫt Ḥr ỉmy.w-ḫt Stḫ

« Éloignez-vous de lui, ceux qui sont à la suite de Rê, à la suite de Shou, à la suite de Geb, à la suite d'Horus, à la suite de Seth ! »

REFRAIN

sꜣ Rꜥ [7] *(Ptwlmys) ntf nṯr thꜣ(w) pr n(=m) Bḥdt Ḥr bḥdty rn.f sp fdw (4).*

« Le fils de Rê (Ptolémée), [7] *il est le dieu qui attaque au sortir d'Edfou, Horus d'Edfou est son nom, quatre fois* [30]. *»*

CLAUSULE ROYALE OPÉRATOIRE

ḏd.ḫr nswt [8] *ḏs.f ỉnk nṯr thꜣw pr m Bḥdt Ḥr bḥdty rn.ỉ sp fdw (4)*

« (Puis) le roi lui-même dira : " Je suis le dieu qui attaque au sortir d'Edfou, Horus d'Edfou est mon nom " – quatre fois. »

RÔLE ET SENS DU FORMULAIRE

ḏd (w) rꜣ pn ḫp(r) ḫrwy.w n snḏ n nswt [31] *smꜣ.tw sbỉ.w* [9] *.f r ḫft-ḥr.f ꜣw-ỉb.f ỉm.sn ḥr-ꜥ smꜣ wꜥ sn-nw.f ỉm.sn ḥr-ꜥ mỉ ḫp(r) n sbỉ.w n Rꜥ-Ḥr-ꜣḫty ḫft [mꜣ.n]* [32] [10] *Ḥr bḥdty ḥr.sn m ꜥpy wr ỉr.tw sšm pn n-ḥr-n* [33] *nswt r-mn hrw pn*

29 Cf. *Wb* V, 319 (3)-320 et *AnLex* I, 420, « agresseur ».

30 Formule destinée à être prononcée en direction des quatre points cardinaux.

31 En l'occurrence, c'est le prêtre qui remplace le roi.

32 Probable restitution : .

33 À comparer avec M. ALLIOT, *RdE* 5, 1946, p. 108 : .

« Si cette formule est dite quand se produit l'insurrection, il n'y a rien à redouter pour le roi, (car) ses ennemis sont massacrés devant lui et son cœur est apaisé à leur sujet, sur le champ, (puisque) l'un massacre l'autre parmi eux, sur le champ [34] *comme il advint pour les ennemis de Rê-Harakhtès lorsqu'il [vit] Horus d'Edfou au-dessus d'eux en tant que disque ailé imposant. (Et) on fait cette image devant le roi, jusqu'à ce jour. »*

Avec ce premier document contenant une formule de protection royale durant les trois saisons de l'année, l'astre unique matinal accomplit la mutation qui fait de lui le protecteur universel, de la terre comme des lieux divins d'Égypte en tant que disque ailé, symbole que la décoration sacrée a multiplié sur la façade des monuments de la vallée. C'est en planant en rond, selon la tradition de la genèse d'Edfou que le principe divin a vu venir toutes les attaques du désordre et les a contrées. Quand ces mêmes agressions sont dirigées contre le roi régnant, une tradition d'État, la troisième est assurée par l'être divin qui devient le scarabée (Khepri) muni d'ailes et dont la face est celle d'Horus, rappelant par là le principe monarchique dont le souverain que l'on protège est le continuateur terrestre. La fin de la rubrique, cependant, montre que le rite connaissait une variante, la figure sacrée pouvant être exécutée devant le prêtre du roi et non plus sur la personne même du monarque.

Document n° 3

E VI, 133 (1-6). Tableau I' o.2 d. XIII (2) et pl. CXLVI.

Complémentaire des précédents, ce nouveau développement contient l'explication rituelle du scarabée amulette pectorale que l'on fixe au cou du roi pour perpétuer l'effet de la première partie de la cérémonie conjuratoire.

Ce passage afférent au rituel est inclus dans une scène où il n'a, en théorie, rien à faire. Il est placé en regard de l'offrande du jus de raisin additionné d'eau que le roi doit boire à la clôture de la fête de la victoire, comme substitut du sang des ennemis massacrés aux quatre directions du monde [35].

Traduction et commentaires

ỉr p(ꜣ) ḫpr n qdm mnḫ ḥr nwt nt ỉdmỉ dỉw n [nswt] r ḫḫ.f ḫft mꜣꜣ.f ḥr-ny-ḥr (ḥnḥ) ẖrwy.w
[2] ḏd mdw : « sꜣ Rꜥ (Ptwlmys ꜥnḫ ḏt mry Ptḥ) nṯr rḏw šps nt(y) tp(ỉ) ḥꜥ.w-nṯr-ꜥnḫ » rn.f m [36] *rwḏ tꜣ*
ỉm(.f) ḥr ỉꜣt Ḏdw rn.s ḥr.f m nsrt [3] ỉrty.f m tkꜣ ḥꜥ.w.f m kꜣ n pt šfyt.f r rmṯ nṯr.w ꜣḫ.w mt.w ḥmt-rꜣ
snḏt.f m ḥr.tn ỉm.tn sḫm [4] ỉm.f [ỉ]pwty.w [37] *ỉpw ỉmy.w-ḫt Rꜥ ỉmy.w-ḫt Šw ỉmy.w-ḫt Gb ỉmy.w-ḫt Ḥr*
ỉmy.w-ḫt Śtḫ ḥr nty ntf ḫpr(r) n qdm pr m [5] Bḥdt « Ḥr Bḥdty nṯr ꜥꜣ nb pt » rn.f sp fdw (4)
ḏd <ỉn> nswt ḏs.f : « ỉnk ḫpr(r) n qdm pr m Bḥdt Ḥr Bḥdty nṯr ꜥꜣ nb pt [6] rn.ỉ » sp fdw (4).

34 Cf. *E* I, 357 (16-18) où sont décrits les ennemis impuissants qui « n'avaient plus de pouvoir de vision dans leurs yeux, de pouvoir d'audition dans leurs oreilles » (*n mꜣꜣ m ỉrty.sn n sḏm m ꜥnḫ-wy.sn*), et ensuite « l'un massacrant l'autre d'entre eux en une fraction d'instant » *smꜣ wꜥ sn-nw.f ỉm.sn m ḥḏỉ ꜣt*.

35 *E* XIII, pl. DXXXV-DXXXVI, au-dessus du tableau du *ḥrwꜥ*. Cf. M. ALLIOT, *Le culte d'Horus à Edfou,* II, p.807.

36 Pour l'utilisation de *m* causal pour *n*. Cf. G. LEFÈBVRE, *Gr.* II § 735.

37 Cette formule est reprise du document 2, *E* VI, 131 (6), *supra*, p.4.

« [Voici] ce qui concerne le scarabée d'or fin, assujetti à un fil d'étoffe rouge qui est placé pour le roi à son cou, lorsqu'il constate le tumulte et l'insurrection. Paroles à prononcer : "Le Fils de Rê (Ptolémée)| semence divine vénérable du meilleur du divin corps vivant » est son nom, parce que la terre est florissante grâce à lui sur la butte dont le nom est Busiris. Sa face est la flamme, ses yeux sont la torche, son corps est le Taureau du ciel[38]*. Sa crainte révérencielle est dirigée vers les hommes, les dieux, les esprits glorieux, les morts, etc. Sa terreur est dans vos faces, il vous est impossible d'avoir pouvoir sur lui, [ô vous] ces émissaires qui sont à la suite de Rê, à la suite de Shou, à la suite de Geb, à la suite d'Horus, à la suite de Seth parce qu'il est le scarabée d'or fin, sortant d'Edfou, « Horus d'Edfou, dieu grand, seigneur du ciel » est son nom", quatre fois.*
« À dire par le roi lui-même[39]*: "Je suis le scarabée d'or fin sortant d'Edfou ; Horus d'Edfou, dieu grand, seigneur du ciel, est mon nom", quatre fois. »*
Ainsi s'achève le rituel conservé de l'Étoile matinale, extrait d'un manuel liturgique et palatial destiné à la protection du roi qui est à relier à une série de textes et rites destinés à la protection de la chambre à coucher royale, le rituel du sꜣ ḥnkt, mis en œuvre au maître-temple comme au mammisi à l'époque gréco-romaine, et auparavant au palais royal dans le cadre du cérémonial plus général du « protéger la demeure[40]*».*

Document nº 4

E IV, 74 (18), 75 (1-13), Tableau F' n.1 d.VI (pl. LXXXVIII).

Formant complément des éléments d'emprunt du rituel prophylactique ancien, le temple d'Horus conserve une scène d'offrande du scarabée protecteur gravée à l'extrémité du naos.

Traduction et commentaires

Titre : *ḥnk wḏꜣ.w nt ꜥnḫ ḫprr*

Formule : *ḏd mdw* [1]| *ꜥbb nṯrỉ r ḫḫ.k ḫp(r)y ẖw.k sḫm.w m ḫntš tnỉ* [2]| *ỉm.k wbn m bꜣḫw [wṯ]s r ḥꜣt pr m ḥwt dwꜣt (pr-dwꜣt)*[41] [3]| *ṯs(.ỉ) n.k r tp.k [Ḥr] wr tm.k*[42] *tp n rky.w.k* [4]| *sb.k (n)ḥḥ m nfr.w.k*

Le roi : *nswt bỉty* (A) *sꜣ Rꜥ* (B) *pꜣ nṯr mnḫ ḫy.n Ḫprỉ sꜣ kꜣ-ḥtp nswt nb ꜥnḫ ḥry st Ḥr*

Colonne latérale : *ꜥnḫ nṯr nfr wtṯ n ḫprỉ mw nṯrỉ* [7]| *n sr-wr ꜥnḫ(y) nb ꜥnḫ ỉr ꜣḫw kꜣwty ꜥnḫ m ỉry ḥn.k dwn*[43] *ꜥnḫ ḫprr n ꜥpy nṯrỉ nb ꜥnḫ* [8]| *(Ptwlmys ꜥnḫ ḏt mry Ptḥ)|*

38 Il faut voir dans *kꜣ pt* ou *kꜣ n pt* la planète Saturne.

39 En l'occurrence, c'est le prêtre du roi qui le remplace.

40 *E* VI, 143 (12 sq.)-144-145 jusqu'à 151. Cf. le livre de protection d'*E* VI, 299-303 « *mkt ḥꜥw* ». Pour l'ouvrage *sꜣ-pr*, cf. S. SCHOTT, *Bücher und Bibliotheken im alten Ägypten*, Wiesbaden, 1990, p. 324 [147 (2)] ; en ce qui concerne *sꜣ ḥnkt*, *ibid.*, p. 326-327 [148 (1)] ; et pour *mkt ḥꜥw*, *ibid.*, p. 81-82 [149].

41 *ḥwt dwꜣt* pour *pr-dwꜣt*.

42 Lire *dm* avec mutation de la dentale à *ṯ*.

43 *dwn* signifie à l'origine : « étendre les ailes », cf. *AnLex* I, 433.

Horus d'Edfou : [10] *Ḏd mdw ỉn Ḥr Bḥdty* [11] *nṯr ꜥꜣ nb pt ꜥpy šps ẖw ỉtr.ty ꜥꜣyt m ḥꜣt.f ḥr sbẖ ḥꜥ.w.f štꜣt ḥꜣ.f m ẖwt.f nswt bỉty ꜣẖw nb ỉšp* [12] *swꜣḏ s(w) mwt.f m gbty.s psḏ m bꜣẖw m Ḥr ỉꜣbty ꜥḳ mꜣnw m ỉwn-mwt.f wn pr.f wṯst st.f ỉwn(w)* [13] *Ḥr Bḥdty nṯr ꜥꜣ nb pt.*
[9] *dỉ.ỉ n.k ḏt m nsw m ḥtp nn wnn ky whm.ty.f.k* [11] *dỉ.ỉ n.k ꜣwt-ib <m> ẖrt-hrw psḏt dmḏ m ẖwt.k*

Titre : *« Offrir les phylactères du vivant qui ne cesse d'exister. »*

Formule : *Paroles à prononcer : « Le scarabée ailé divin est pour ta gorge, le scarabée est ta sauvegarde et les sanctuaires sont heureux, exaltés grâce à toi qui poins dans la falaise d'orient [exhaussé ?] en avant, au sortir du temple du matin. J'élève <cela> pour toi, Haroëris, et tu tranches la tête de ceux qui s'opposent à toi, tu traverses l'éternité dans ta splendeur ».*

Le roi : *« Le roi de Haute et Basse-Égypte (A) Fils de Rê (B) petit enfant de Khepri, fils du* Ka-hetep, *roi de Haute-Égypte, seigneur de la vie, celui qui est sur le siège d'Horus. »*

Colonne latérale : *« Vive le dieu parfait, l'engendré de Khepri, la semence divine du Grand Dignitaire, le vivant, seigneur de la vie, qui accomplit des actes utiles, le desservant qui élève la vie pour en faire le gardien de ta tête, qui fait planer la vie en devenir du scarabée divin, le seigneur de vie, (Ptolémée)*|. »

Horus d'Edfou : *« Paroles à prononcer par Horus d'Edfou, dieu grand, seigneur du ciel,* disque *ailé vénérable qui protège les Deux-*Iteret *; la Grande* (uræus) *est à son front qui enveloppe son corps ; la Mystérieuse* (vautour) *derrière lui est sa protection. Le roi de Haute et Basse-Égypte, le Glorieux, seigneur de radiance, sa mère le rend florissant en le <préservant> de ses bras, lui qui brille dans la falaise d'orient* (Bakhou) *en Horus de l'orient, lui qui entre dans la falaise d'occident* (Manou) *en tant que* Iounmoutef, *sa demeure est* Outjeset, *sa place est Héliopolis, (lui), Horus d'Edfou, dieu grand, seigneur du ciel. »*
Dons du dieu : *« Je te donne l'éternité-* djet *dans les royautés en paix, sans qu'il y ait un autre qui soit ton équivalent. »*
« Je te donne les félicités au cours de <chaque jour>, la Divine Corporation étant assemblée pour être ta protection. »

Document n° 5

E V, 199 (9- 18) et 200 (1-2). Tableau H' e. 3 g. XXII (pl. CXX).

Un second tableau de présentation de l'objet sacré, mais avec un titre différent, peut encore être rattaché à l'ensemble du dossier. Mise en relation avec l'emplacement privilégié du déroulement des liturgies solennelles qu'est la cour du sanctuaire, l'évolution du rite s'avère beaucoup moins directe.

Traduction et commentaires

Titre : [9]| *ms ꜥbb*

Formule : *ḏd mdw* [10]| *mn n.k ꜥbb ꜥpy m msḫꜥ.w* [44] *sštꜣ.k mꜣꜥ ḫr* [11]| *kꜣ.k dmꜣty.f(y) pḏ ḥr ḥn ḥꜥw.k ḥr ḫw ḥm.k ḫnt* [12]| *ḥḏ.k* [13]|

Le roi : *nswt bỉty nb tꜣwy* (A) *sꜣ Rꜥ nb ḫꜥ.w* (B) *ỉy.n.ỉ ḫr.k Bḥdty sꜣb šwt ꜥꜣ bꜣbꜣ (= ꜥbb)* [45] *šps ꜥbb wꜥ ỉn(.ỉ) n.k ssm.k pn nfr ḫw sḫm.w* [15]| *mk ꜥḫm.w twt nṯr wr s(w) r nṯr.w ꜥpy ꜥpr tmꜥty.*

Horus d'Edfou : [17]| *ḏd mdw (ỉ)n Ḥr Bḥdty nṯr ꜥꜣ nb pt sꜣb šwt pr m ꜣḫt Rꜥ Ḥr-ꜣḫty* [18]| *ḫnt st-wrt.f Ḥr nb ꜥnḫ wdỉ ꜥnḫ n tꜣ-wy nb pt tꜣ mw ḏw.w nb.w*

Hathor : [1]| *ḏd mdw (ỉ)n Ḥwt-Ḥr wrt nb(t) ỉwnt ỉrt-Rꜥ ḥr(.t)-ỉb Bḥdt nb(t) pt ḥnwt nṯr.w nb(.w) ꜥꜣt m* [2]| *wṯst špst m Ḥwt-sḫm ꜥpyt ḫw ꜥpy.*

Titre : *« Présenter le scarabée ailé. »*

Formule : *« Paroles à prononcer : "Prends pour toi le scarabée ailé dans l'étincellement de lumière ; ta forme mystérieuse véritable auprès de ton* ka, *ses ailes s'étendent pour protéger ton corps, pour préserver ta majesté dans ton naos". »*

Le roi : *« Le roi de Haute et Basse-Égypte, seigneur des deux terres (A), fils de Rê, seigneur des couronnes (B) : "Je viens auprès de toi, celui d'Edfou, bariolé de plumage le doublement grand de* baï [46] *(scarabée) vénérable, scarabée ailé unique, je t'apporte cette tienne image parfaite qui protège les sanctuaires, qui sauvegarde les effigies divines, car tu es le dieu qui se rend plus imposant que les dieux, le Disque ailé pourvu d'ailes". »*

Horus d'Edfou : *« Paroles prononcées par Horus d'Edfou, dieu grand seigneur du ciel, bariolé de plumage au sortir de l'horizon, Rê Harakhtès dans sa Grande Place, Horus qui donne la vie au Double Pays, seigneur du ciel et de la terre, de l'eau et de toutes les montagnes. »*

44 pour *ꜥpy m msḫꜥ.w.*

45 Le jeu d'écriture est à souligner : c'est de l'oiseau *bꜣ* qu'est tirée la valeur acrophonique *b* répétée deux fois pour former le vocable *ꜥbb.*

46 Le jeu de mot *aâbaba/abeb* est également à souligner.

Hathor : *« Paroles à prononcer par Hathor l'imposante, dame de Dendéra, Oeil-de-Rê qui réside à Edfou, dame du ciel, souveraine de tous les dieux, grande à Edfou* Outjeset, *vénérable dans* Hout-Sekhem- *(Dendéra), Disque ailé féminin qui protège le disque ailé ».*

Les textes traduits ci-dessus laissent entrevoir les idées du prêtre rédacteur. Celui-ci a vu dans la planète Vénus une « étoile », assimilée à Horus-Douaty en raison du comportement de l'astre, certes nocturne, mais qui est le dernier à s'éteindre quand apparaît le soleil.

Il semble ainsi que le raisonnement suivi ait résulté d'un jeu de mots fondé sur les termes de consonance voisine *dwꜣt* et *dwꜣw/dwꜣty*. Le *nisbé dwꜣty* est à l'origine « celui de la Douat ». L'homophonie du radical *dwꜣ* qui intervient dans l'écriture aussi bien de *dwꜣt* « empire nocturne » que de *dwꜣw* « matin » débouche, par une simple transposition des déterminatifs utilisant une « étoile », aussi bien à exprimer dans *dwꜣty* l'aspect nocturne que la visibilité diurne du porteur de lumière nommé de la sorte. Douaty est ainsi à la fois « celui de l'empire nocturne » et « celui du matin ». C'est ce que met en évidence de manière parfaitement claire le document n° 1 où le salut de l'hymne à l'astre de la permanence lumineuse s'adresse au luminaire qui s'allume et qui est Rê, alors que sa forme qui s'évanouit pour entrer dans son devenir de Khepri est Vénus qui s'estompe dans le ciel d'Orient et qui réapparaîtra à l'occident quand le scarabée ailé devenu Disque cesse sa course diurne.

Pour mettre en relief la forme nocturne par opposition à la forme diurne de l'Astre, le scribe-savant a postulé que l'Horus *dwꜣty* brille dans la *Douat* en tant que *sbꜣ wʿty*. Une équivalence est également établie entre Horus *dwꜣty* (l'Horus de l'Occident) et Horus *ỉꜣbty* (l'Horus de l'Orient), marquant les deux points extrêmes de visibilité de la planète Vénus.

Les nécessités théologiques du montage de ces textes ont imposé une confusion entre deux termes de sens différents au départ : *ʿbb*, le disque ailé et *ʿpy*, le scarabée ailé, l'un et l'autre seront utilisés indifféremment pour écrire l'équivalent de *ʿp* « se déplacer » à l'époque récente [47].

Il en résulte que les termes *ʿbb*, *ʿpp*, *ʿpy* incluent l'idée de mobilité, de périple qui débouche, à son tour, sur la notion d'universalité de vision, de prévention et de protection qui est celle que le rédacteur d'Edfou applique à Horus d'Edfou. Il réactualise une très ancienne tradition par la création d'une « cosmographie du mouvement » où l'origine du monde hors du néant nocturne est marquée par la venue à l'existence (*Kheper*) d'un être neuf prenant son envol. Symbole d'une libération, le scarabée ailé est une métaphore de la lumière encore trop faible pour vaincre absolument « les ennemis », autrement dit la persistance des ténèbres. C'est ce qu'explique la parabole du « disque ailé à la proue de la barque de Rê » montrant que le principe lumineux, dans son mouvement ascendant, passe d'un état encore imparfait à une plénitude totale qui lui permet de combattre et d'éliminer toutes les menaces et les agressions. Rê-Harakhtès, Horus-*Behedety* sont ainsi leur propre protecteur car ils sont le « scarabée » et le « disque » ; leur « fils », le roi, s'inscrit à son tour dans ce cycle par le transfert qu'opère le rituel. L'universalité de la sauvegarde du monde

47 *Wb* I, 179,17-21.

qu'assure le disque ailé s'applique aussi bien à la sphère céleste, son premier domaine d'action, qu'à la surface de la terre et à la conduite des humains. Toute rupture de l'ordre établi dirigée contre le roi « fils de Rê » est semblable à l'attaque que la parabole du disque, évoque comme une tentative d'Apophis et d'autres rebelles d'entraver la marche de la barque, en d'autres termes, le bon déroulement du temps et des saisons que rythme l'alternance normale des jours et des nuits, la succession des semaines, des mois et de l'année.

C'est la prévention d'un tel risque de dérangement du temps que le document nº 2 évoque quand il met en cause les « sectateurs » *ỉmy.w-ḫt* [48], de Shou, Geb, Horus et Seth. Ceux-ci y sont invoqués parmi les ennemis potentiels. Ceux de Geb, Horus et Seth sont figurés et nommés à Edfou dans le retour du pylône sur la cour [49]. Chaque groupe représenté comporte de quatre à cinq génies chronocrates nommés *nstyw ỉmy.w-ḫt*, dans certains textes, ils sont les dieux veilleurs d'Edfou *rs.w*. Dans d'autres, ils sont nommés *ỉpwty.w* ou les émissaires [50]. Dans la rédaction des listes, Atoum apparaît au lieu de Rê et s'ajoutent Khonsou, Osiris, Thot, Bastet et Ptah.

D'après l'équivalence mensuelle fournie par le texte, les sectateurs d'Atoum correspondent au 2e mois d'*Akhet*, ceux de Shou au 3e mois d'*Akhet*, de Seth, au 4e mois d'*Akhet ;* quant à Geb, il correspondrait au 1er mois de *Peret* et au 3e de *Shemou*, et, enfin, les sectateurs d'Horus, sont assignés au 4e mois de *Peret*. Non mentionnés dans la liste de l'Étoile matinale, Thot, Khonsou, Ptah, Bastet et Osiris complètent le décompte des mois de l'année. Aucun dieu éponyme ne figure pour le 1er d'*Akhet*. Si l'on reclasse les données ainsi obtenues, il en ressort que l'invocation du scarabée ailé prononcée par le ritualiste ne met en cause que quatre des douze noms divins essentiels :

	Akhet	**Peret**	**Shemou**
1er mois	[Rê] (?)	Geb	Khonsou
2e mois	Atoum	Thot	Bastet
3e mois	Shou	Ptah	Geb (?)
4e mois	Seth	Horus	Osiris

En fonction des correspondances calendériques, il semble possible de considérer que le rituel de protection royal originel était célébré au tout début de l'année puis répété au changement de saison. Il est malaisé d'établir si Rê était mentionné pour le premier groupe de la saison-*akhet* ou si ce mois d'ouverture de l'an était exclu et que le second patronné par Atoum voyait célébrer le premier acte de protection. De même, la répétition du nom de Geb au troisième mois de *Shemou* reste délicate à expliquer faute d'une autre liste parallèle. Malgré cela, la mise en œuvre de la conjuration des sectateurs mensuels des premier et quatrième mois de *Peret* peut correspondre étroitement avec le « Nouvel An » d'hiver du mois I des temps de la germination et au passage à la fin du mois IV dans celui des récoltes du mois I de *Shemou*. Il y aurait eu ainsi conjonction

48 Ph. GERMOND, *Sekhmet et la protection du monde*, *AegHelv* 9, Genève, 1981, p. 12, nº 2 pour Sekhmet.

49 Pour le côté ouest, cf. *E* V, 11 (4sq.) ; 12 (1sq.) ; pl. CXII et *E* V, 104 (6sq.) 105 (1sq.) ; pl. CXII pour le côté est.

50 Pour les émissaires *wpwtyw*, cf. *E* VI, 133 (4) ; J.-Cl. GOYON, *Les dieux-gardiens et la genèse des temples*, *BiEtud* 93, Le Caire, 1985, I, p. 95, p. 128 (5) et p. 498.

du temps des dangers de l'année avec les menaces possibles contre le pouvoir royal. Le terme utilisé est *thꜣ* qui, littéralement, s'applique aux transgressions de tous ordres venant des quatre directions du monde [51]. C'est peut-être pourquoi, outre l'arrière-plan calendérique, les rédacteurs des documents nº 2 et nº 3 ont privilégié quatre noms divins patrons d'entités chronocrates en les rattachant aux directions cardinales.

Les textes que l'on vient d'évoquer et que les scribes savants d'Edfou ont annexé au cérémonial de la fête de la victoire d'Horus d'une manière un peu artificielle sont du ressort d'un vaste ensemble de documents dont la destination première était, avant tout, la sauvegarde du roi contre les dangers de l'année. Si l'on se réfère à deux documents d'origine ancienne, mais, jusqu'ici, connus seulement par les adaptations tardives (XXVIe dynastie, époque ptolémaïque), que sont le formulaire d'adoration d'Horus-*Douaty* du sarcophage de la divine adoratrice Ankhenesneferibrê [52], d'une part, et le rituel de protection de la chambre à coucher royale [53], d'autre part, l'offrande prophylactique de l'emblème du scarabée reprise dans les tableaux des documents nº 4 et nº 5 concernait avant tout les dangers nocturnes. Dans l'adaptation du manuscrit de base que l'on opéra pour les cérémonies de « la veillée au Mammisi » dans les temples de Haute-Égypte, Edfou et Dendéra [54], est conservée la seule version à peu près complète du livret. Celle-ci, appliquant au principe divin les prescriptions dont la version principale est consignée au temple d'Horus, comme on vient de le voir, devait servir à préserver le pouvoir royal des insurrections et des troubles civils de tous ordres en tout temps et en tout lieu.

Reportée sur l'Horus roi principe à l'instant qui précède sa naissance, la mise en œuvre du rite intervient à la clôture de la nuit entre la dixième et la onzième heure. À l'hymne adressé à Horus-*Douaty* « qui point à l'horizon » du rituel royal [55], le cérémonial divin substitue l'invocation à « ce dieu matinal » (*pꜣy nṯr dwꜣw*) [56] et clôt la remise de la protection suprême sur la rubrique opératoire : « Formule à prononcer sur un scarabée de bronze à placer au cou de ce dieu [57]. »

51 *AnLex* I, 420 ; II, 416 (haut) ; III, 326.

52 C. E. SANDER-HANSEN, *Die religiösen Texte auf dem Sarg der Anchnesneferibre*, Copenhague, 1937, p. 131 sq., commençant par l'invocation *hy sḏm.k Ḥr Dwꜣty* « Ah, daigne écouter, Horus-*Douaty*... » ; suit une liste de noms divins que clôt un appel à Khepri, le « scarabée » dont l'intervention bienveillante interdit aux humains, dieux, ancêtres glorieux ou morts de nuire à la défunte. Cf. S. SCHOTT, *Bücher und Bibliotheken*, p. 272 [1274].

53 P. Caire 58027 II, 1, W. GOLÉNISCHEFF, *Papyrus hiératiques* I, *CGC*, Le Caire, 1927, p. 118-119 : mention dans un contexte détruit de *pꜣ ʿpy šps* « le disque/scarabée ailé vénérable » comme protection du corps (*mkt ḥʿw*), ce que la rubrique d'emploi de III, 17, *ibid.*, p. 126, rend équivalent de « l'effigie d'Horus-*Douaty* » (*pꜣ twt n Ḥr Dwꜣty*) qui doit être dessinée.

54 *Mammisis D,* 112 (7) sq. à 113 (5) sq. ; 203 (14) sq. à 206 (7) sq. ; *Mammisi E* 112 (7) sq. ne conserve que des bribes du début des heures 1-4 de la nuit avec des variantes.

55 *Supra*, nº 55, P. Caire 58027 II, 17, W. GOLÉNISCHEFF, *op. cit.*, p. 120.

56 *Mammisis D,* 205 (10-12).

57 *Mammisis D,* 206 (4).

Travaux de l'Institut français d'archéologie orientale en 2003-2004

Bernard ***MATHIEU***

Sommaire

A. CHANTIERS ARCHÉOLOGIQUES ET PROGRAMMES DE RECHERCHE

Études égyptologiques et papyrologiques

Études coptes, arabes et islamiques

A. CHANTIERS ARCHÉOLOGIQUES ET PROGRAMMES DE RECHERCHE

Études égyptologiques et papyrologiques

1. Abou Roach

1.1. *Le complexe funéraire de Rêdjédef*

Conduite par l'université de Genève avec la collaboration de l'Ifao et du CSA, la dixième campagne de fouilles dans le complexe funéraire du roi Rêdjédef, à Abou Roach, s'est déroulée du 25 mars au 28 avril 2004. La mission était composée de Michel Valloggia, égyptologue (chef de mission), Abeid Mahmoud Hamed, restaurateur (Ifao), José Bernal, archéologue, Caroline Brunetti, archéologue, Mohammad Chawqi, dessinateur (Ifao), François Eschbach, archéologue, Alain Lecler, photographe (Ifao), Sylvie Marchand, céramologue (Ifao), Alexandre Moser, archéologue, Isabelle Régen, égyptologue (Ifao) et Éric Soutter, archéologue. Le CSA était représenté par Mlle Sahar Mohammad Abou Seif et M. Ahmed Elsman, inspecteurs.

Les activités de la mission ont porté sur différents secteurs.

1.1.1. SECTEUR MÉRIDIONAL (AU SUD DE LA PYRAMIDE)

Vu le profil du terrain relativement élevé par rapport au niveau de la fondation de la pyramide, un sondage est-ouest a été exécuté, afin de localiser d'éventuelles structures méridionales. Aucun élément bâti n'a été dégagé.

En revanche, il est apparu que cette zone avait été utilisée comme carrière dans l'Antiquité. Plusieurs bancs de calcaire conservaient les marques d'une exploitation du rocher. Au sol, les encoignures de dimensions diverses, circulaires ou rectangulaires, suggèrent l'usage de coins et de leviers pour le détachement des blocs de calcaire (observations Olivier Lavigne). De plus, quelques percuteurs de diorite ont été découverts dans ce sondage.

1.1.2. SECTEUR SUD-OUEST (AU SUD-OUEST DE LA PYRAMIDE)

En 1842, lors de son passage sur le site, R. Lepsius avait signalé l'existence d'une vaste colline, assimilée alors à une pyramide satellite (*LD, Text* I, p. 23). Depuis lors, cette conjecture était devenue certitude [1]. Or, un sondage, effectué au sommet de ce monticule, a été pratiqué jusqu'au niveau du rocher calcaire. Le dégagement de cette surface d'environ 30 m^2 a clairement montré qu'il s'agissait d'une amorce d'exploitation du calcaire local.

1 Cf., par exemple, P. JÁNOSI, *Die Pyramidenanlagen der Königinnen*, Vienne, 1996, p. 19-20 ; M. LEHNER, *The Complete Pyramids*, Londres, 1997, p. 120.

1.1.3. ENCEINTE EXTÉRIEURE DU COMPLEXE FUNÉRAIRE

La faible érosion de la zone nord-ouest du complexe funéraire, liée à une activité réduite des carriers dans ce secteur, a permis, cette année, le dégagement d'importants vestiges de l'enceinte extérieure du monument. Sur la face septentrionale, un tronçon de muraille d'environ 144 m a été dégagé. Ce dispositif, dont l'épaisseur atteignait environ 2,60 m, a, en outre, révélé l'existence de deux portes monumentales. Celle de l'ouest (larg. de l'ouverture : 3,92 m), bien conservée dans son ensemble, a livré *in situ* des éléments de seuil en calcaire, fournissant, de ce fait, le niveau du sol d'utilisation et ses massifs latéraux, destinés à retenir les battants de la porte en position ouverte. La porte de l'est, moins bien préservée, a néanmoins conservé l'une de ses crapaudines *in situ*. Marquant le départ initial de la chaussée d'accès vers l'enclos nord-est, cette ouverture a ultérieurement été déplacée vers l'est, entraînant une modification d'alignement de l'allée montante [fig. 1].

Dans son prolongement vers l'est, cette muraille ne semble avoir laissé aucun vestige significatif. À l'est du cavalier de déblais de la pyramide, un décapage de surface a, effectivement, révélé l'inexistence des fondations de l'enceinte attendue. Toutefois, le tracé d'une rigole, creusée dans le rocher et alignée sur le prolongement d'un parement de l'enceinte, semble avoir conservé une empreinte de ce tronçon nord-est.

Sur la face occidentale, après un angle arrondi (dépourvu de tout dépôt de fondation), cette muraille se poursuit vers le sud, parallèlement à l'enceinte du péribole de la pyramide sur une longueur actuellement dégagée de 124,35 m. Approximativement en face de l'ouverture ouest de l'enceinte intérieure, une troisième porte monumentale a été mise au jour sur ce mur extérieur. Son organisation est identique à ses homologues du nord.

Fig. 1. Abou Roach, 2004. Vue sur la porte nord-est de l'enceinte extérieure.

Dans la zone méridionale, la poursuite du dégagement de cette enceinte s'est avérée malaisée en raison du relief du terrain. Le pendage est-ouest du calcaire s'élevant graduellement vers l'ouest accuse brusquement une importante dépression, suivie d'une nouvelle colline, autrefois utilisée pour l'aménagement d'un mastaba occidental, fouillé par É. Chassinat en mars 1901. Un grand sondage nord-sud a montré que ce vallon avait entièrement été comblé avec du sable. De surcroît, dans l'alignement du mur d'enceinte, un encaissement, constitué de petits blocs de calcaire, a été posé en surface, pour former un radier de fondation, lui-même destiné à recevoir les assises de cette muraille nord-sud [2]. L'ensemble de cette enceinte, y compris ses portes, ont fait l'objet de restaurations sur une hauteur moyenne d'un mètre.

1.1.4. SECTEUR OCCIDENTAL DE LA PYRAMIDE : ENCEINTE OUEST DU PÉRIBOLE

La localisation, par deux sondages, effectués l'an dernier, sur le tracé de l'enceinte intérieure, bâtie à l'ouest de la pyramide, a été suivie, cette année, d'une extension de fouille jusqu'à la base de la pyramide. Outre la présence des lits de fondation déversés, ces dégagements ont livré de bons éléments stratigraphiques, relatifs aux phases successives de démolition de la pyramide, ainsi que plusieurs ensembles de céramiques.

1.1.5. SECTEUR ORIENTAL DE LA PYRAMIDE : ENCEINTE EST DU PÉRIBOLE

Atypique dans son organisation, le programme architectural des installations cultuelles du secteur oriental paraît très éloigné des autres complexes funéraires de la IVe dynastie. Si l'on se fonde sur l'étude que J.-Ph. Lauer avait consacrée à l'emploi du « triangle sacré », dès l'époque thinite et durant l'Ancien Empire, dans le dimensionnement et l'implantation des ouvrages sur le terrain [3], il paraît difficile, à première vue, de retrouver un tel usage à Abou Roach. De fait, les tentatives graphiques d'implantation, dessinées à partir de l'entrée septentrionale du complexe, n'ont abouti à aucun résultat. En revanche, une origine située dans l'axe est-ouest des murs de brique noyés dans l'enceinte orientale laissait soupçonner une meilleure cohérence dans l'implantation des structures de cet ensemble. Cette année, la progression des travaux a donc été influencée par cette réflexion.

Les dégagements, conduits sur l'enceinte orientale du péribole, ont mis en évidence plusieurs éléments, dont l'existence d'une porte, construite en brique crue, aménagée sur l'axe est-ouest de l'espace des dépendances du temple funéraire. Au cours des travaux de construction du complexe, cette porte fut condamnée par un blocage de maçonnerie et l'adjonction, à l'est, d'un mur de doublage. L'épaisseur de la muraille passa ainsi d'environ 2 m à 2,90 m.

De surcroît, la mise en évidence du doublage extérieur de cette muraille a montré, par la présence d'un enduit argileux, que les murs nord et est de l'enclos nord-est constituaient une

2 Ce dispositif n'est pas sans rappeler celui que L. Borchardt avait mis en évidence dans la fondation de la terrasse artificielle, sur laquelle a été bâti le temple solaire de Niouserrê à Abou Gourab. Au nord du mur d'enceinte, un mur de soutènement avait été construit au-dessus d'un carroyage de murs en brique, formant caissons. Ces fondations, en radier, ont ensuite été remblayées pour former le sol de la plate-forme autour du temple lui-même (cf. F.W. VON BISSING, *Das Re-Heiligtum des Königs Ne-woser-Re (Rathures)*, en part. vol. I. L. BORCHARDT, *Der Bau*, Berlin, 1905, p. 69-71 et Bl. 6).

3 *BIFAO* 77, 1977, p. 55-78.

adjonction au programme initial. Ce constat autorise ainsi un rapprochement du plan général avec celui du temple haut de Khéops, à Gîza. Un dispositif en T pourrait donc se retrouver à Abou Roach. Un tel programme architectural comprendrait une entrée initiale à l'est, suivie d'un espace ouvert, entouré de dépendances (au nord, à l'est et au sud), donnant accès à la salle hypostyle et à la chapelle septentrionale. À cet ensemble succéderait la cour dallée à portique desservant, au sud, la chapelle du culte royal. L'aile nord de ce T, traversée par un chemin, conduirait, enfin, aux dépendances, bâties à l'ouest de l'enclos nord-est.

Dans une première phase de construction, une porte septentrionale avait été aménagée dans l'enceinte du péribole, contre le mur ouest et l'enclos nord-est. À l'instar du dispositif axial, cette ouverture fut également condamnée et bloquée par un doublage intérieur en pierre sèche, entraînant la création d'un nouvel accès, situé en face de l'angle nord-est de la pyramide.

Lors du blocage de la première porte, une canalisation centrale, construite en pierre, fut aménagée au niveau du sol, pour évacuer les eaux de surface de l'espace nord-est de la pyramide.

1.1.6. LES DÉPENDANCES ORIENTALES

L'ensemble des dépendances édifiées contre le mur sud de l'enclos nord-est, fouillé l'an dernier, fit l'objet, cette année, d'une reconstitution de toutes les structures en brique du secteur. L'aménagement de différentes hauteurs de murs dans ces restaurations vise à suggérer une chronologie relative des constructions successives, telle qu'elle a été observée lors des fouilles [fig. 2].

Fig. 2. Abou Roach, 2004.
Les installations cultuelles de l'est : fouille et réhabilitation des dépendances du temple.

Cette année vit également la fouille de la travée orientale de ces dépendances, dont l'édification révèle une bonne homogénéité de construction. Parmi le mobilier découvert, outre les céramiques, on relèvera la trouvaille de couteaux en silex, dont un se trouvait dans un coquillage d'unio, et d'une empreinte de sceau en argile.

1.1.7. SECTEUR NORD-OUEST DES DÉPENDANCES DU TEMPLE FUNÉRAIRE

Dans l'alignement de la chapelle du culte royal et de la cour à portique, le secteur septentrional montre essentiellement la présence de circulations. Un premier cheminement à partir de l'angle nord-est de la cour conduisait à la porte nord du péribole et au passage de service longeant l'enceinte nord. Une modification de ce tracé établit que la phase d'utilisation principale devait coïncider avec l'altitude du dallage de la cour à portique.

Dans les remblais tardifs d'éclats de taille accumulés au-dessus de ces sols, une ébauche de statuette en calcaire, représentant une femme couchée sur un lit (dim. : long. 32 cm ; larg. 12,5 cm ; haut. 14 cm), fut mise au jour. Cette silhouette paraît suggérer l'allaitement d'un enfant et pourrait illustrer le thème d'une maternité heureuse, plutôt que celui d'une « concubine du mort ». Cet essai rudimentaire, à situer, au plus tôt, au Nouvel Empire, est à rapprocher de la représentation d'une mère avec son enfant, conservée au Musée du Caire (inv. 25/12/24/12) [4].

1.1.8. COUVERTURE PHOTOGRAPHIQUE AÉRIENNE

Grâce à l'appui du Dr Zahi Hawass, secrétaire général du CSA, un survol en hélicoptère du site a été effectué le 20 avril dernier. Une couverture photographique complète du site a été réalisée à cette occasion [fig. 3].

Conclusions

Les activités de cette campagne ont produit de nombreux compléments d'information, notamment pour la perception globale du complexe funéraire. En effet, les espaces clos, aménagés entre les deux enceintes et desservis par plusieurs portes monumentales, devaient répondre à des besoins qui nous échappent encore, mais dont l'importance a été soulignée par les dimensions de la muraille extérieure.

Au niveau du site dans son ensemble, les sondages effectués cette année ont levé les incertitudes concernant l'hypothétique présence d'une pyramide satellite, aménagée au sud-ouest du tétraèdre royal, et celle d'éventuelles constructions périphériques dans le secteur méridional. S'agissant des installations cultuelles de l'est, de notables progrès ont également été enregistrés dans la chrono-

4 Cf. D. WILDUNG, *La femme dans l'Egypte des Pharaons*, Genève, 1985, n° 66 ; pour la typologie, cf. G. PINCH, *Votive Offerings to Hathor*, Oxford, 1993, Type 6c.

Fig. 3. Abou Roach, 2004. Vue aérienne du complexe funéraire (cl. A. Lecler/Ifao).

logie relative des différents éléments. Il apparaît dès lors que le programme initial a subi diverses modifications avant sa mise en service, en privilégiant les circulations septentrionales, au détriment de l'ancienne orientation est-ouest.

La poursuite, enfin, de la réhabilitation des constructions en brique, qui en assure d'ailleurs leur protection, a considérablement progressé et offre maintenant une vision cohérente de l'ensemble de ces installations.

1.2. *La nécropole royale « F »*

Ont participé à la mission, qui s'est déroulée du 27 mars au 29 avril 2004, Michel Baud, égyptologue (chef de mission), Olivier Cabon, photographe, spécialiste multimédia, Dominique Farout, égyptologue, Yannis Gourdon, égyptologue, Abeid Mahmoud Hamed, restaurateur (Ifao), Olivier Lavigne, spécialiste de la taille de la pierre, Nadine Moeller, archéologue et céramologue, Jean-François Rousseau, informaticien, et Aurélie Schenk, archéologue. Le CSA était représenté par l'inspecteur Ibrahim Abd al-Hamid Taeïa. Les travaux ont reçu le soutien financier de divers fonds privés et d'entreprises [5].

5 Grâce à Atef Moukhtar (Club d'affaires franco-égyptien), Caroline Bresson (Chambre de commerce de Paris) et Jean-François Rousseau (Association Per-nébou pour la recherche archéologique en Égypte).

La carte archéologique de la nécropole royale de Rêdjedef [6] a été complétée par des traces de mastabas nouvellement repérées, au nord de la zone « Bisson » et à l'ouest de la nécropole. Ces structures viennent compléter les alignements déjà constatés et renforcent la régularité du schéma d'installation des tombeaux. Les mastabas F 37, 38 et 40 ont fait l'objet de divers compléments de fouille et de relevés. Le dégagement des quatre faces de F 37 est quasiment achevé. Ce grand mastaba (50 m de façade) servira de tombe-test pour l'examen complet de la structure et des procédés de construction, par ailleurs examinés sur les parties actuellement visibles des tombes de l'ensemble de la nécropole. Les restes du dallage de la chapelle de F 38 (presque entièrement rasée) ont été relevés ; ils semblent livrer le plan d'une entrée à portique. Enfin, la structure interne en petits blocs de F 40, ceinturée d'un épais mur de parement en briques crues, a été examinée plus en détail, révélant, apparemment sur l'ensemble du mastaba, un dispositif de construction en lits horizontaux correspondant à deux ou trois assises de briques.

LE MASTABA F 48

L'essentiel du travail a été consacré à l'examen d'un nouveau mastaba, le plus occidental du groupe, afin de valider l'hypothèse d'une planification royale affectant l'ensemble du site. Les travaux s'étaient en effet limités, jusqu'ici, aux rangées orientales. La chapelle sud de ce mastaba, baptisé F 48, a livré les premiers reliefs en place de la nécropole, dans une petite chapelle intérieure au plan en « L » typique de la IVe dynastie (dim. salle principale : 5,25 × 1,45 m).

Fig. 4. Abou Roach, nécropole F, 2004.
Vue de la chapelle de F 48 en direction du sud (cliché M. Baud).

Son mur occidental comporte deux niches profondes dont le plan régulier – la largeur des montants égale leur profondeur (niche sud : 0,38 m ; niche nord : 0,24 m) – est caractéristique de la première moitié de cette dynastie. Le dallage, arraché par endroits, préserve encore un bassin à libations devant les niches, chacun taillé dans une dalle. Outre une belle entrée décorée de la représentation du couple assis, attablé face à des prêtres en récitation [fig. 5], il reste suffisamment d'éléments dans la salle principale (par ex., couple debout et enfants sur le mur nord, couple assis sur le mur sud) pour en définir le programme décoratif, qui pourra être complété par les 250 fragments découverts dans les déblais [fig. 6].

Le nom du propriétaire n'est pas encore identifié avec certitude – il est possible qu'il s'agisse d'Iroukai. L'un de ses titres, « directeur de ceux qui sont en phylé », permet, grâce aux autres titulaires connus (une dizaine de personnages seulement), de tirer plusieurs conclusions. Ces fonctionnaires font partie de l'élite « externe », c'est-à-dire la plus distante du monarque, en atteste leur titre de cour de « connu du roi » ; aucun n'est de parenté royale ni ne possède la direction d'un grand département d'État (à l'exception d'un chef des travaux de second rang). La plupart sont prêtres royaux, culte impliquant systématiquement un roi de la IVe dynastie, de Chéops à Mykérinos ; ils sont aussi

Fig. 5. Abou Roach, nécropole F, 2004.
Relief d'entrée du mastaba F 48 : le couple attablé (cliché O. Cabon).

6 Pour cette définition du site, connu jusqu'ici comme « cimetière F », voir *BIFAO* 103, 2003, p. 17-71.

chefs, inspecteurs ou directeurs des prêtres *ouâb* du roi, directeurs et chefs des secrets de la (ville de) pyramide royale, administrateurs d'une fondation liée à la nécropole. Dans ces conditions, il est clair que le propriétaire du mastaba F 48 se rattache directement, par ses fonctions, à la pyramide et au culte d'un roi qui ne peut être autre, vu l'emplacement du tombeau, que Rêdjedef. Une inscription fragmentaire, gravée en gros module et répartie sur trois blocs jointifs, présente une formule de filiation d'une certaine Tjen[t]et qui pourrait bien être une fille de roi et peut-être l'épouse du défunt.

Fig. 6. Abou Roach, nécropole F, 2004.
Bloc décoré : portrait du propriétaire (cliché O. Cabon).

Les critères iconographiques (hauteur des pains, type du coussin de chaise, type de perruque, attitude des protagonistes, décoration des faces et de l'intérieur des montants des niches, etc.) convergent pour fixer une date au milieu de la IVe dynastie. S'y trouvent en effet mêlés des éléments caractéristiques de la première moitié de cette dynastie, en particulier du règne de Chéops, et des critères qui deviendront caractéristiques de la période suivante, poussant jusqu'au milieu de la Ve dynastie. Une décoration de « transition » donc, qui témoigne du fait que le règne de Rêdjedef représenta bien une période d'innovation dans le domaine de l'art du relief, ce qui est confirmé par des observations effectuées sur d'autres chapelles de la nécropole, en particulier celle de F 37.

Grâce au laboratoire de restauration de l'Ifao, les reliefs *in situ* ont été immédiatement consolidés et nettoyés du sel qui les recouvrait partiellement. La chapelle a ensuite été protégée par d'épais murs de calcaire établis sur les *backing-stones*, ensemble couvert d'un plafond de béton armé. Ces travaux ont été effectués en étroite collaboration avec les inspectorats de Gîza et d'Abou Roach.

L'essentiel de la céramique découverte dans et autour de la chapelle du mastaba est typique de la IVe dynastie. Le complexe, réparti en bols carénés du groupe des *Meïdoum-bowls*, en supports, coupes et bols miniatures (spécifiquement utilisés pour l'offrande), en jarres à bière et moules à pain, est identique à celui qui a été mis au jour aux mastabas F 37 et F 40 les saisons précédentes.

Autour de la chapelle décorée du mastaba F 48, dans des couches de rejet remaniées dont la provenance initiale est sans doute le puits funéraire sud de la tombe, un cimetière de petits animaux momifiés a été mis au jour. Il date vraisemblablement de l'époque romaine. On a comptabilisé 1 219 momies de petits animaux, essentiellement des musaraignes (dont 4 999 crânes ont été comptés par ailleurs !), mais aussi 67 têtes et 269 corps d'oiseaux, des reptiles, chats, chiens, etc. On rappellera que la musaraigne était associée au dieu-faucon Horus, vraisemblablement celui de Létopolis, ville relativement proche de la nécropole. La quantité très importante des individus impliqués dans ces pratiques rituelles, ainsi que la relative variété des momies (forme, tissus, liens...) soulève un certain nombre de questions. S'agissait-il, par exemple, d'animaux élevés en vue d'être sacrifiés, et vendus aux fidèles pour leurs dédicaces ? Dans la mesure où les cinq mille têtes de musaraignes présentent toutes une cassure rigoureusement identique au niveau de l'arrière du crâne, un mode de mise à mort systématique est envisageable. La localisation de ce cimetière pose elle aussi problème, faute de structure de culte repérée pour l'instant. La tombe F 48, de haute antiquité et à la situation topographique particulière, à l'endroit le plus élevé de la colline, possédait des atouts certains pour abriter ces petits animaux consacrés.

Plusieurs fragments de petits sarcophages en bois ont été découverts. L'un d'eux était destiné à un serpent, comme le montre son contenu, le squelette du reptile, et la représentation de l'animal en relief sur la face supérieure. Un minuscule sarcophage en bronze de musaraigne portait, lui, la représentation de l'animal en ronde-bosse [fig. 7]. Le matériel mis au jour compte en outre des statuettes en bronze de divinités (Horus, Osiris), une petite tête humaine en calcaire, un morceau de cartonnage de momie humaine, ainsi que des fragments de papyrus.

ÉTUDE DE LA CONSTRUCTION DES MASTABAS

Tous les mastabas ont été analysés sous l'angle des techniques de construction : rapport avec le substrat, avec la micro-géographie du lieu, nature des roches utilisées, analyse du travail et de la mise en œuvre de ces roches, typologie de l'outillage, nature et technique des garnitures et remplissages, étude des mortiers, analyse des appareils. Une couverture photographique des structures et de leurs particularités a été réalisée, qui comporte plus d'un millier de clichés pour cette saison. On peut d'ores et déjà affirmer qu'il s'agit d'un ensemble technique cohérent. Par exemple, les murs internes sont systématiquement en calcaire gréseux, alors que le revêtement présente une grande variété, qui peut se traduire par l'utilisation de matériaux différents (briques crues enduites, calcaires gréseux, calcaires tertiaires), par un appareil particulier, ou encore par un traitement de surface spécifique. Afin d'atteindre une vision globale des techniques de construction et de l'organisation du travail dans l'ensemble de la nécropole, la prochaine saison visera aussi à relever et étudier les sites d'extraction de la pierre associés au site.

Fig. 7. Abou Roach, nécropole F, 2004. Momie, crâne et sarcophage de musaraigne (cliché A. Schenk).

2. Adaïma

Soutenue par le ministère des Affaires étrangères, la quinzième campagne de fouille à Adaïma s'est déroulée du 1er novembre au 15 décembre 2003. Y participaient Béatrix Midant-Reynes, chef de chantier (Cnrs), Hassan Ibrahim al-Amir, restaurateur (Ifao), Nathalie Baduel, archéologue, Aline Emery-Barbier, palynologue, Krista Boni, géomorphologue (univ. de Gand, Belgique), François Briois, lithicien (Ehess-Toulouse), Nathalie Buchez, céramologue (Inrap), Éric Crubézy (univ. Paul-Sabatier, Toulouse), Morgan De Dapper, géomorphologue (univ. de Gand, Belgique), Jean-Philippe Delage, lithicien, Sylvie Duchesne, anthropologue (Centre d'anthropologie, Toulouse), Frédéric Guyot, archéologue, Christiane Hochstrasser-Petit, dessinatrice (Centre d'anthropologie, Toulouse), Guilhem Landier, lithicien, Alain Lecler, photographe (Ifao), Christine Lorre, archéologue (musée des Antiquités nationales, Saint-Germain-en-Laye), Claire Newton, archéo-botaniste (univ. Montpellier I), Luc Staniaszek, anthropologue (Inrap), Yann Tristant, archéologue (Centre d'anthropologie, Toulouse), Daniel Parent, topographe (Inrap). Le CSA était représenté par Amer Amin al-Hefni, inspecteur.

Les fouilles se sont déroulées sur l'habitat et sur la nécropole. L'étude du matériel s'est poursuivie en parallèle.

2.1. *Les fouilles*

2.1.1. L'HABITAT

N. Baduel, Y. Tristant, B. Midant-Reynes

La campagne 2003 avait pour objectif de tester un nouveau secteur d'habitat (DM) repéré sur les photographies aériennes, à l'est du secteur 8000, et de relier les principales zones archéologiques fouillées les années précédentes dans la zone sableuse (1001, 8000, 9000, nécropole de l'Est) pour contrôler leur extension et leurs éventuelles connexions. Au total, 13 nouveaux secteurs (env. 2000 m^2) ont été ouverts. Dans certains cas (Transect, DZM, QM, SM, DSM, VM et VUM), ils n'ont révélé aucun vestige archéologique ; dans d'autres (OM, DM, TM, QZM, DNM), des restes d'habitat furent mis au jour, en relation avec les zones fouillées les années précédentes.

Les travaux menés cette année sur l'habitat avaient pour but de tester l'hypothèse selon laquelle celui-ci ne s'étendait pas de manière uniforme sur toute la surface sableuse, mais se présentait sous la forme de secteurs séparés les uns des autres par des espaces vides de toute structure archéologique, des étendues de sable blanc qui auraient pu correspondre à des zones occupées au Prédynastique par de la végétation. Une plus grande humidité régnait alors et, comme l'ont démontré les études géomorphologiques, la nappe phréatique, située à un niveau plus élevé, imbibait l'épaisseur sableuse, autorisant le développement d'un couvert végétal. Des échantillons ont été prélevés à cet effet par A. Emery- Barbier (étude des phytolithes).

C'est pour cette raison que de grands transects ont été lancés entre les différents secteurs fouillés les années précédentes, qui avaient révélé des structures au sol (meules *in situ*, clôtures en piquets de bois, zones foyères, épandages de matière organique, trous de poteaux, sépultures d'enfants...). Les résultats ont été divers, mais confirment l'existence d'une large zone « vide » sur environ 60 à 70 m ouest-est, entre la limite est de la nécropole de l'Est et les premières structures qui apparaissent un peu à l'ouest de QZM. Cette zone s'étend vers le sud sous la forme d'une bande toujours limitée à l'ouest par la nécropole et à l'est par le carré 1020 (un foyer) et la ligne de forte densité de matériel où se situe l'ensemble « 1001 et extensions ». Les sondages DHM, VUM, DSM, DZM n'ont révélé que du sable blanc où se mêlait très peu de matériel non significatif. On descend alors vers la large plaine et l'on perd toute trace d'occupation.

En revanche, dans le cimetière nord de la nécropole de l'Est, l'espace domestique (OM) dont le statut reste à définir, pose le problème de son extension vers 9000. Il se pourrait que toute la zone située au nord du « Transect », limitée par 9000 et, à l'Ouest, par les sondages réalisés au nord de la nécropole de l'Est, constitue une aire d'occupation plus ou moins continue (?). C'est ce que tendent à montrer les sondages SM, TM, VM, reliant le secteur 8000 au secteur 9000. Ici, l'occupation est intense et discontinue.

Cette dernière campagne de fouille, centrée sur la zone sableuse de l'habitat, a permis de confirmer une sectorisation au moins partielle de l'occupation prédynastique et l'existence d'une zone « vide » entre nécropole et habitat. Elle a, bien entendu, soulevé un certain nombre de questions auxquelles, en raison du terme échu des campagnes de fouille, on ne pourra apporter que des éléments de réponses et de nouvelles interrogations. Néanmoins, d'un point de vue général, l'implantation de l'habitat dès le début de Nagada II et son évolution jusqu'aux marges des temps dynastiques – zone des limons incluses – peuvent être globalement appréhendées dans leur dynamique environnementale et sociale. Ce sera le thème du prochain volume sur l'habitat, en préparation.

2.1.2. LA NÉCROPOLE

S. Duchesne, L. Staniaszek, É. Crubézy

La dernière campagne de fouille sur la nécropole à Adaïma en 2003 avait pour but essentiel d'engager la fin de la fouille de la nécropole de l'Est, en prospectant le secteur Nagada III/ premières dynasties. Il s'agissait d'en préciser les limites et, plus particulièrement, de définir les relations avec le secteur Nagada IIIA/IIIB, l'éminence sableuse sur laquelle des tombes de même époque avaient été découvertes en 2001, et enfin d'établir les relations avec la zone d'habitat qui s'étend à l'est.

Les principaux objectifs ont été atteints : le secteur Nagada III/premières dynasties a été cerné et ses liaisons avec le paysage prédynastique partiellement reconnues. Il reste désormais à effectuer quelques contrôles pour définir les relations avec les fosses de l'éminence sableuse et la présence de tombes profondes ; en effet, quelques tombes, notamment d'adultes, semblent beaucoup plus profondes dans les zones sableuses, situées entre les formations géologiques indurées rouge.

Cette année, 153 tombes ont été repérées, 137 appartenant au secteur fin Nagada III/premières dynasties (seules 99 ont été fouillées), 13 au secteur Nagada IIIA/IIIB, et 3 issues de l'habitat. Il faut ajouter également quelques fosses très perturbées (13) au sommet de l'éminence sableuse, qui sont restées non fouillées.

Matériel et méthodes

114 tombes ont été fouillées avec les techniques les plus fines possibles (microaspiration, restauration sur place, etc.), adaptées à l'étude de l'ADN (aucun os n'est touché à la fouille). Ce travail a été possible grâce à la formation de deux ouvriers de l'Ifao à la fouille des squelettes, ainsi qu'à la participation ponctuelle des autres membres de l'équipe à la fouille des tombes. Pour les tombes qui ont livré des colliers ou des bracelets de perles, aucune perle n'a bougé à la fouille et leur ordre est parfaitement connu. Les éléments les plus fins ont été restaurés *in situ*, voire dessinés sur place.

Toutes les tombes (153), ainsi que tous les faits significatifs découverts dans la nécropole, qu'ils soient anthropiques (foyers, dépôts de blocs de pierre) ou naturels (phénomènes de « flash flood »), ont été enregistrés par photos numériques (vues d'ensemble et de détails), ce qui, associé à la topographie, permet avec précision la localisation de tous les vestiges sur plan. Les descriptions des tombes et les prélèvements sont réalisés *in situ* par des anthropologues, tandis que le mobilier archéologique est enregistré et fait l'objet de premières études. L'ensemble des données est traité informatiquement et enregistré sur cédérom.

Bien que la phase d'étude soit fixée aux deux prochaines missions (2004 et 2005), une analyse partielle, précisant la nature des ossements (classe d'âge et sexe), a malgré tout été réalisée.

RÉSULTATS

Organisation générale de la nécropole de l'Est

La nécropole de l'Est est donc divisée en deux cimetières : au sud, le cimetière Nagada II / début Nagada III, fouillé ces quatre dernières années, et, au nord, le cimetière fin Nagada III / premières dynasties, partiellement dégagé en 1993, puis entre 1996 et 1998. Ces cimetières, orientés sud-nord, sont situés essentiellement contre une formation géologique de sable induré rouge, en relation avec l'activité du ouadi Ezzbet Hababda, au bord duquel ils sont implantés. Leur relation avec la zone d'habitat, testée cette année, établie sur le « transect » et le sondage « DHM », atteste d'un espace sableux vide de toute structure archéologique sur environ 60 m avant les premières traces d'occupation au sol (secteur QZM). Dans cette perspective, on sera amené à examiner avec attention le cas apparemment spécifique du secteur OM, sis en bordure orientale du cimetière nord, antérieur à l'implantation de ce dernier et dont les vestiges – certaines fosses cendreuses – auraient été récupérés pour y installer des tombes en pots.

137 tombes ont été repérées en plan, enregistrées et photographiées cette année, pour le cimetière fin Nagada III / premières dynasties. 38 sont restées non fouillées. Toutefois, elles ont aussi été enregistrées et photographiées dès leur découverte, puis réensablées à la fin de la mission.

D'un point de vue typologique, trois grands types de sépultures peuvent être identifiés : le premier, dans ou sous une céramique, le deuxième, en fosse, avec ou sans natte, et le troisième, en coffre, de terre crue ou de terre cuite. La répartition montre que les premiers types de tombes se retrouvent sur la totalité de la zone funéraire, tandis que les tombes en coffre (18) sont plus nombreuses dans la moitié sud (14/18). On remarque que les sépultures sont plus denses dans la moitié sud que dans la moitié nord du cimetière. Cela peut être expliqué par deux hypothèses, non exclusives : la fin de la nécropole et la présence de tombes plus profondes. Parmi les tombes profondes (3), deux sont des sépultures de sujets adultes. De ce fait, il serait bon de réaliser un sondage profond de contrôle dans la moitié sud de ce cimetière afin de vérifier s'il n'existe pas de sépultures plus profondes, notamment de sujets adultes.

D'après l'étude en cours de N. Buchez, les tombes avec du mobilier sont attribuables à la période finale de Nagada et jusqu'à la IIIe dynastie, avec du mobilier caractéristique, notamment *Meïdum-bowl*, parfois accompagné de marques [fig. 8].

Les pratiques funéraires sont différentes de ce qui a été rencontré auparavant dans le cimetière sud de cette nécropole, daté Nagada II / Nagada IIIA-IIIB. En effet, le recrutement de la population inhumée, la typologie des tombes et leur agencement, la présence de mobilier et les gestes mis en évidence lors des cérémonies sont bien différents d'un cimetière à l'autre. Au nord, la présence de sujets adultes, en nombre conséquent par rapport à l'autre cimetière, est un élément primordial du changement des pratiques funéraires : 20 % des tombes fouillées cette année sont des tombes de sujets adultes (16/80). Ils sont inhumés aussi bien dans de grandes céramiques que dans des coffres ou bien dans de simples fosses, parfois enveloppés ou recouverts de nattes. Certains peuvent être inhumés plus profondément que les autres, à plus d'1 m à 1,20 m, alors que les autres tombes affleurent.

Du point de vue typologique, les fouilles de cette année nous ont apporté des éléments nouveaux sur les coffres (18), de terre crue ou de terre cuite [fig. 9], sur les signalisations de surface (coupes à libation, meules, pierres), et sur l'organisation du mobilier céramique autour de la sépulture. En effet, dans quelques cas, l'ordonnance du mobilier a fait l'objet d'attention particulière,

Fig. 8. Adaïma, 2003. Nécropole de l'Est, tombe avec *Meïdum-bowl*.

Fig. 9. Adaïma, 2003. Nécropole de l'Est. Coffre de terre crue laissant visible le visage du défunt au moment de la cérémonie.

notamment dans la tombe S.847. Dans ce cas, la disposition du mobilier céramique et son effondrement ont permis de restituer l'aménagement supérieur de la tombe avec un agencement du mobilier sur deux étages, au-dessus du pot contenant le défunt.

Le mobilier, autre que céramique, est peu présent, contrairement au cimetière du sud de cette nécropole. En effet, seulement 21% des tombes offrent des éléments de parure (colliers, tours de cou, bracelets, etc.). Une différence notable est appréciée entre les types de sépultures, puisque dans les coffres, il est plus abondant (7/18 tombes, soit 39%) que dans le reste des tombes (10/62, soit 16%). Une seule tombe présente des grains de malachite (S.907) alors qu'au moins deux d'entre elles présentent un caillou de couleur ocre.

Le cimetière sud : fin Nagada II / Nagada IIIA-IIIB

Un premier sondage de contrôle a été réalisé cette année afin de vérifier dans la zone sableuse de la partie Nagada IIIA/IIIB si des tombes plus profondes, éventuellement des adultes, étaient présentes. Quelques tombes ont été fouillées (12 sur 13 découvertes) : toutes renferment des enfants. Les pratiques funéraires sont conformes à ce qui est bien attesté dans le reste du cimetière, à savoir des inhumations dans ou sous une céramique, ou bien dans le sable, en natte. Le mobilier est bien représenté dans ces tombes (6/12) avec des tours de cou ou des colliers (5 tombes), des bracelets (4 tombes), et une ceinture de perles ; une tombe présente aussi une palette, un broyon, et de la malachite, ainsi qu'une pochette constituée de peau de chèvre/mouton (?) et de plumes.

Par ailleurs, le dégagement a été poursuivi au sommet de l'éminence sableuse qui limite le cimetière à l'est. Quelques fosses (13) sont apparues, creusées dans le substrat. Le temps nous ayant manqué pour les fouiller, leur datation supposée – extrême fin du Nagada III – ne peut donc être actuellement confirmée. Dès lors, la compréhension de ce secteur sera l'un des objectifs de l'année 2004.

Les tombes dans l'habitat

Trois tombes ont été fouillées dans l'habitat cette année : un enfant âgé de 12-18 mois, inhumé dans une natte, avec un sac de grains de malachite contre le front, et un fragment de cuivre aux pieds (DM.A8) ; un enfant âgé de 6-9 mois, inhumé dans une natte (TM2.10A) ; et enfin, situé près de 1001, un adulte âgé de 20-29 ans, inhumé dans un sac de cuir (DNM1.02A). Quelques vestiges osseux appartenant à un autre sujet adulte, jeune, ont été également retrouvés en surface, éparpillés (DNM2.02A).

CONCLUSION

Les travaux de cette année ont permis la mise au jour et la fouille de plus de 150 tombes, ainsi que de définir les limites du cimetière nord, les relations avec l'habitat et le cimetière sud. La campagne 2004 devrait permettre de mener à bien l'étude des squelettes dégagés cette année, de réaliser des sondages de contrôle afin de comprendre la liaison entre le cimetière nord et l'éminence sableuse, de contrôler l'existence ou non de tombes profondes et de compléter l'environnement géomorphologique de la nécropole de l'Est.

2.2. *L'étude du matériel*

2.2.1. LA CÉRAMIQUE

N. Buchez, avec la collaboration de Fr. Guyot

L'étude du mobilier céramique provenant des sondages autour des zones 8000 et 9000 (secteurs DM, TM et VM) a consisté à décompter la totalité des fragments par catégorie de matériau et à trier les bords par classes morphologiques pour chaque passée de fouille de 5 cm d'épaisseur et pour chaque structure.

Les deux faciès chronologiques mis en évidence lors de la fouille des secteurs 8000 et 9000 (rapport 2002) et correspondant, en première approche, au début Nagada II et au milieu Nagada II se retrouvent sur la plupart des secteurs, traduisant une occupation de longue durée qui a conduit à la formation d'une stratigraphie. Une dernière phase d'occupation apparaît avec les niveaux supérieurs de la zone DHM, caractérisés par une forte proportion de pâte calcaire. Ils sont la suite des niveaux *a* du secteur « 1001 et extensions », datés du début Nagada III.

Cette première appréciation de la chronologie est fondée sur les proportions relatives des différents matériaux utilisés (pâte alluviale fine, pâte à dégraissants végétaux grossiers, pâte calcaire) dont la variation au cours du Prédynastique est significative. La prise en compte des éléments caractéristiques – formes et décors datant, inventoriés par ailleurs et dessinés – permettra de préciser ce phasage.

La même méthodologie a été suivie pour aborder les ensembles céramiques provenant de la zone ouverte en bordure de la nécropole (OM) et des tests effectués sur la partie est de l'aire d'occupation 1001 (DNM). Le secteur OM apparaît comme un point isolé du site occupé vers le milieu de Nagada II puis qui aurait été abandonné, alors que se mettaient en place les premiers éléments de la nécropole. L'hypothèse est séduisante, mais le maillage de la chronologie n'est peut-être pas assez fin pour nous permettre d'en juger. Quoi qu'il en soit, même si une partie des vestiges de ce secteur situé en bordure du lit d'un *ouadi* a pu être balayée par les « flash flood », aucun indice mobilier postérieur au milieu Nagada II n'a été recueilli, ce qui milite en faveur d'une installation d'une durée de vie effectivement restreinte.

Une centaine de vases issus des tombes a par ailleurs été décrite, venant compléter un corpus déjà étoffé. La majorité des céramiques mises au jour cette année appartient à la fin du Prédynastique, voire à l'Ancien Empire. Ces derniers éléments devraient permettre d'établir une sériation continue sur l'ensemble de la période Nagada III.

2.2.2. LE MATÉRIEL LITHIQUE

Fr. Briois, avec la collaboration de G. Landier et J.-Ph. Delage

Le traitement des industries lithiques d'Adaïma a porté prioritairement sur les séries issues des sondages opérés en 2003 en différents points de l'habitat. Le classement de tous les prélèvements, effectué au fur et à mesure du déroulement de la fouille, a permis de cerner les principales tendances qualitatives et quantitatives sur les types d'outils, sur la nature des produits de débitage et des matières premières employées et de les confronter aux autres données de terrain. Parallèlement, un temps important a été investi dans le dépouillement des collections lithiques des secteurs 1002 et 1003, anciennement fouillés sur la terrasse des limons, et sur celles du secteur 9000 dont la fouille a été achevée en 2002 mais dont le traitement était resté partiel.

Une partie de la mission a également été consacrée à la poursuite des prospections sur les sources de silex autour d'Adaïma et à la recherche de traces d'exploitation ou d'ateliers de taille pouvant avoir un lien avec les habitats prédynastiques de cette région. Ces travaux, commencés depuis trois ans avec B. Midant-Reynes et M. De Dapper, ont été poursuivis sur la rive occidentale du Nil, entre le fleuve et le pied du *gebel*.

Résultats préliminaires sur les industries en silex des secteurs fouillés en 2003

Les sondages DM, QM, TM, SM, QZM, VM et DNM ont livré une documentation lithique abondante et bien conservée en relation avec des structures d'habitat ou des niveaux cendreux bien calés chronologiquement d'après les données céramiques. Les secteurs DM et TM, qui ont livré les séries parmi les plus représentatives en nombre de pièces (2 434 pièces sur 200 m^2 en DM et 3 434 sur 100 m^2 en TM), sont calés dans la phase ancienne de Nagada II et constituent un précieux jalon pour préciser la nature des outillages de l'occupation la plus ancienne d'Adaïma.

Le contenu lithique des différents sondages de l'habitat, non compris le macro-outillage, est inégal en nombre de pièces et exprime des différences significatives, notamment dans la fréquence des outillages, d'un secteur à un autre du site. DZM, qui correspond à une longue bande localisée au sud du secteur 1001, a livré un matériel fragmentaire, patiné et relativement dispersé sur toute la longueur du sondage. Le grand « transect » effectué entre la nécropole de l'Est et le secteur 8000 n'a pas livré d'outillage lithique excepté dans son extension orientale en jonction avec QZM. La grande surface fouillée en OM, qui est située dans la marge occidentale de l'habitat la plus proche du cimetière, a livré un matériel peu abondant mais bien conservé en relation directe avec les traces d'une occupation peu dense.

Les prospections autour d'Adaïma

Les recherches de terrain sur les ressources en silex sur la rive ouest du Nil, à hauteur d'Adaïma, ont permis de multiplier les points d'observation sur des formations déjà en partie visitées les années passées et d'explorer de nouvelles voies. Cette démarche, conduite de manière raisonnée en concertation avec M. De Dapper sur la base des caractères géologiques et géomorphologiques de cette région, vise à examiner la nature, l'accessibilité et la fréquence des matières premières siliceuses et d'essayer d'identifier des variétés exploitées à l'époque prédynastique. Les cheminements sont enregistrés au GPS et chaque prélèvement de silex géo-référencé porte un code avec le préfixe ADAI (pour Adaïma) indiquant l'année et le numéro du point de découverte (ex. : ADAI/03/118).

Des notes et des photos numériques sont prises à chaque arrêt en guise de carnet de bord qui sert en même temps au développement du SIG commencé par M. De Dapper et B. De Vliegher (*BIFAO* 102, p. 155-188). Les prospections ont concerné les systèmes de dépôts de plusieurs *ouadis* tributaires du grand *ouadi* Esna, notamment celui d'Al-Radda, et ceux des terrasses les plus proches du *gebel* au début du *ouadi* Kheibar qui sont plus au sud. Plus proche d'Adaïma, la succession de formations à chaos de blocs calcaires à silex bordant la rive occidentale du Nil, au sud du site et dans le prolongement du massif du « Sheikh Wahban », a fait l'objet d'une prospection détaillée jusqu'à la hauteur de Sibaiya.

Les autres prospections ont privilégié les chaos de blocs calcaires pris dans les dépôts marneux et les argiles feuilletées se développant vers le sud-est d'Adaïma. Ces formations, visibles du site et faciles d'accès, ont été prospectées jusqu'au *ouadi* de Kom Meir. L'érosion de ces massifs, laisse apparaître de très volumineux blocs de calcaire stratifiés contenant parfois des lits de silex en place dans leur matrice. D'après M. De Dapper, ces formations très particulières sont semblables à celles du massif du Sheikh Wahban sur lequel se trouve le site d'Adaïma. Des carrières modernes ont localement provoqué des remaniements importants (creusement de fosses et débitage de cailloux) compromettant toute possibilité de retrouver des traces d'exploitation pré- ou proto-historiques en place. En dépit de cela, des blocs de silex de bonne qualité, libérés de leur matrice calcaire par l'érosion, ont été retrouvés en plusieurs points de ces accumulations.

Beaucoup d'entre eux correspondent à de grands nodules de silex plats et peu épais, à cortex blanc [fig. 10]. La cassure est de teinte marron et noire opaque et à grain fin. Ces variétés sont de qualité nettement supérieure à celle qui avait été observée jusqu'à présent dans le massif du Sheikh Wahban, et dans les galets des dépôts de *ouadis* proches d'Adaïma. Aucune trace de débitage ni de façonnage (ce type de silex est pourtant propice au débitage laminaire ou à la fabrication de couteaux) n'a pu être repérée mais d'autres recherches doivent être menées pour essayer de préciser cette question.

Fig. 10. Adaïma, 2003.
Ouadi Kheibar, rognon de silex beige-rosé.

Conclusion et perspectives

Le bilan des travaux sur les industries en silex de la fouille de 2003 fait apparaître des assemblages très bien documentés provenant de secteurs d'habitat bien circonscrits. Les séries de DM et de TM, choisies pour cette présentation préliminaire, apportent des informations supplémentaires sur la nature des outillages qui s'inscrivent dans le début de la période Nagada II d'après les données céramiques. Les outillages se caractérisent par la grande fréquence des burins, la présence de pièces bifaciales (couteaux et faucilles) et d'outils sur lamelles en silex rose vitreux (lamelles et microlamelles torses à retouches marginales, micro-grattoirs). Ce résultat concorde avec la base du dépôt stratifié du secteur 1001 et avec les dépôts inférieurs des secteurs 8000 et 9000 qui intègrent les unités d'habitation U1 et U2. Les industries provenant des dépôts superficiels montrent localement des industries plus évoluées à lames de faucilles sur lames régulières à bord denticulé de type Nagada III mais ce type d'armature, abondant à l'ouest du site, sur la terrasse des limons, reste rare dans la zone des sables entre 8000 et 9000. Il est représenté sous une forme, semble t-il, plus archaïque dans l'horizon superficiel de TM2 probablement en liaison avec un stade plus récent de la période Nagada II. Ce caractère qui demande à être précisé à partir de toute la documentation disponible à l'échelle du site constituera un des axes majeurs de la problématique lors des prochaines campagnes d'études. Les principaux acquis des prospections sur le territoire d'Adaïma pour l'inventaire des ressources en silex concernent deux secteurs très éloignés : mise en évidence de traces d'exploitation pré- ou protodynastique sur silex gris et attestation de calottes de silex beige rosé loin de la vallée dans le *ouadi* Kheibar, au pied du *gebel* ; découverte de grandes dalles de silex marron et noir dans les chaos de blocs calcaires au sud-est d'Adaïma. L'étude de ces secteurs devra être poursuivie et détaillée l'année prochaine et de nouveaux secteurs-clés géomorphologiquement devront être explorés vers le sud le long du Nil et vers le sud-ouest à la jonction entre le *gebel* et les grands *ouadis* qui l'incisent.

2.2.3. LA VANNERIE

Chr. Hochstrasser-Petit

Durant la campagne 2003, l'enregistrement exhaustif et le stockage différencié de tous les prélèvements et objets en matière organique (vannerie, cuir, tissu...) ont été poursuivis et 38 prélèvements ont été préparés par Cl. Newton pour identification des essences.

Les restes de vanneries ont été relevés sur le terrain à partir de photos numériques, puis prélevés afin de les étudier de manière plus précise (type d'objet, technique employée...). Ce sont au total onze faits qui ont livré des restes très nets et exploitables de vannerie. Il s'agit de huit tombes de la nécropole ainsi que d'une tombe et de deux vases de stockage, découverts dans l'habitat.

On relèvera notamment, dans la nécropole de l'Est :

S.830 : natte fermant un pot contenant un enfant. Constitué de fibres plates et étroites (foliole de palmier ?), ce type de natte assez particulier a été repéré à plusieurs reprises sur la nécropole. Il semblerait pouvoir être mis en relation avec des tombes de tradition nubienne ;

S.874 : pour la première fois, une superstructure végétale de tombe a été bien conservée et observable dans le remplissage et dans les coupes. Sur et dans le coffre en terre cuite, de nombreux restes végétaux ont été découverts et prélevés (nattes de fibres végétales ou faisceaux de branchages posés sur le corps en guise de protection ?). À Naga ed-Deir, ce type de couverture a été mentionné, (type III, « compound mattings »). Les essences utilisées restent à déterminer, mais la présence de « céruane » est d'ores et déjà attestée. Facilement reconnaissable, cette plante est souvent utilisée durant les premières dynasties pour la réalisation de coffres funéraires (voir par exemple celui de Tarkhan, exposé au musée de l'Agriculture du Caire).

CONCLUSIONS

Il semblerait que nous ayons à Adaïma, et contrairement à ce qui a pu être observé sur d'autres sites contemporains, une diversité de types de vanneries exceptionnelle. Cette constatation est peut-être liée au fait que la plupart des tombes d'Adaïma sont des sépultures d'enfants. La petite taille des défunts permet en effet l'utilisation comme contenant des poteries, mais aussi d'autres objets du quotidien comme paniers et corbeilles en vannerie.

En ce qui concerne le cuir, trois sépultures ont fourni une peau d'animal protégeant le squelette. Les restes de ces peaux ont été relevés sur le terrain à partir de photos numériques. Il s'agit des sépultures S.907, S.832 et S.833. Des prélèvements à différents endroits de ces enveloppes ont été effectués pour étude. Une pochette de cuir a été prélevée dans le pot TransN, mais on ignore encore la nature et la composition de son contenu.

Cette année, un objet en cuir, d'une quinzaine de centimètres, associé à des éléments de plumes, de tissu et de poils apparemment tressés, a été dégagé sur la nécropole (S.970). Il a été entièrement prélevé pour étude. La nature de cet objet est difficile à déterminer : pochette contenant des objets « magiques », pièce décorative ?

Enfin, de nombreux fragments de tissu (vraisemblablement du lin) ont été prélevés et photographiés *in situ*.

2.3. *Les études paléoenvironnementales*

2.3.1. LA GÉOMORPHOLOGIE

M. De Dapper, avec la collaboration de Kr. Boni

La mission de 2003 avait un double but : 1) compléter les observations faites pendant les missions de 1998, 1999, 2000, 2001 et 2002 sur la géologie des terrains superficiels, la géomorphologie et la géo-archéologie du site d'Adaïma ; 2) étudier la provenance du matériau de silex.

1. Les observations de terrain de 2003 se sont focalisées sur l'extension des argiles noires de crues du « Nil sauvage » dans les environs d'Adaïma et du lit Holocène du *ouadi* Ezbet Hababda enseveli sous une couche de sables éoliens (sub)récents, étude effectuée par des observations en puits et en coupes longues et des relevés topographiques de longue distance. Des bandes étroites de dépôts de crues du « Nil sauvage » ont été conservées dans les fonds de petits *ouadis* tributaires de la plaine d'inondation du Nil où ils avaient pénétré sur de longues distances. La limite supérieure de ces dépôts se trouve à 11,7 m au-dessus du niveau de la plaine d'inondation moderne.

Ces observations permettent d'avoir une idée de l'extension et de l'amplitude de ces crues catastrophiques. Un puits de 2,3 m, creusé à l'endroit où le *ouadi* Ezbet Hababda quitte la terrasse graveleuse pour se jeter dans la plaine sableuse d'Adaïma montre une couche d'argile noire d'une épaisseur de 2 m. Des petites couches de dépôt sableuses permettront de dater la phase du « Nil Sauvage » par la méthode OSL.

2. A été poursuivie parallèlement la reconnaissance systématique, commencée en 2002, des *ouadis* qui entament la falaise occidentale.

On se propose de focaliser les recherches de terrains, pour la campagne de 2004, sur les objectifs suivants : 1) cartographie détaillée de la géologie des terrains superficiels avec attention particulière pour l'amplitude des crues du Nil prédynastique. L'étude sera effectuée par des observations en puits et en coupes longues à l'endroit où l'oued Ezbet Hababda débouche dans la plaine d'inondation du Nil ; 2) étude détaillée de la relation entre les sites archéologiques d'une part et la géomorphologie et la géologie des terrains superficiels d'autre part ; 3) poursuite de la recherche régionale de la provenance des matériaux de silex.

2.3.2. L'ARCHÉO-BOTANIQUE

2.3.2.1. *Carpologie*

Cl. Newton

Après les études effectuées sur le secteur de la « terrasse des limons » de 1998 à 2000, où la taphonomie complexe ne permettait d'étudier ni la structuration spatiale à l'échelle d'une unité d'habitat, ni une évolution chronologique, et étant donné que deux unités d'habitat ont été fouillées en 2001 et 2002, le travail de cette campagne s'est centré sur ces dernières. L'unité U1 du secteur 8000 a été choisie pour une étude de la répartition horizontale des restes végétaux, en vue de distinguer d'éventuelles zones d'activités en rapport avec les produits végétaux. L'unité U2 du secteur 9000 a été choisie à la fois pour une comparaison du matériel avec U1, et pour une étude chronologique, l'occupation postérieure à U2 étant nettement décelable dans le sédiment. Les unités U1 et U2 sont datées par le matériel céramique (N. Buchez) de Nagada IIA-B, tandis que l'occupation postérieure est datée de la fin de la période Nagada II (IIC-D). Les résultats seront à comparer à ceux de la terrasse, dont le matériel date probablement de la période Nagada III. En parallèle, l'étude du matériel issu de la nécropole des années précédentes et de l'année en cours devait être poursuivie.

RÉSULTATS.

Dans l'ensemble des contextes, les restes végétaux appartiennent à plusieurs catégories de plantes : les plantes cultivées ou entretenues – le blé amidonnier (*Triticum turgidum* subsp. *dicoccum*), l'orge vêtue (*Hordeum vulgare*), le lin (*Linum usitatissimum*), la lentille (*Lens culinaris*), une vesce (*Vicia* sp.), un melon (*Cucumis melo*) et la coloquinte (*Citrullus colocynthis*) ; les plantes sauvages dont les fruits sont exploités – le jujubier épine du Christ (*Ziziphus spina-christi*), le balanite

(*Balanites aegyptiaca*), l'acacia nilotique (*Acacia nilotica*) ; les plantes ligneuses dont le bois a servi dans la construction (piquets) et/ou comme combustible ; et les plantes adventices des champs de céréales et lin. En outre, certaines de ces « mauvaises herbes » ont pu être consommées sous forme de feuilles fraîches ou de fleurs, ou avoir servi dans des préparations médicinales. C'est le cas des mauves, labiées, boraginacées ou solanacées.

Certaines espèces identifiées ont également pu servir pour la confection d'objets utilitaires de type vannerie (*Cyperus* spp., *Scirpus* spp., *Ceruana pratensis*) – la céruane en particulier a été jusqu'à récemment utilisée comme balai en Égypte.

Il est remarquable que, par rapport aux assemblages de la terrasse des limons, ceux des occupations Nagada IIA-B à IIC-D sont beaucoup plus riches en restes d'amidonnier, tant sous forme carbonisée que desséchée. Les catégories les plus représentées dans les assemblages sont les restes de traitement des céréales, incluant les semences de mauvaises herbes qui leur sont associées. Les vestiges de lin sont particulièrement peu abondants – en particulier les graines -, ainsi que ceux des légumineuses cultivées et des fruits sauvages. Il faut également souligner la présence dans les assemblages d'un unique tubercule de *Cyperus esculentus*.

L'étude de la végétation ligneuse spontanée, donc du milieu végétal spontané, sera à poursuivre par l'analyse d'assemblages de charbons de bois, qui ne peut être effectuée sur place.

2.3.2.2. *Étude des phytolithes*

A. Emery-Barbier

Le travail entrepris au cours des dernières campagnes de fouilles et tel qu'il a été exposé en 2002 a été poursuivi. Tout d'abord par un enrichissement de l'herbier destiné à accroître le référentiel de phytolithes. Ensuite par l'étude d'échantillons archéologiques issus de l'habitat et de la nécropole dans leur contexte.

La densité des phytolithes est toujours importante et les résultats souvent récurrents confirment les données paléoclimatiques et paléoethnologiques. L'étude des phytolithes présente un intérêt plus marqué au niveau de la nécropole, principalement dans les contenus abdominaux et quelquefois les vases associés aux sépultures dépourvues de matériel pour une analyse carpologique.

Une étude méthodologique des structures domestiques actuelles a été réalisée au cours de cette campagne. Les variations de morphotypes et de leurs concentrations dans les résultats obtenus, tout en tenant compte des différences liées à l'introduction récente et à la culture de certains végétaux, devraient pouvoir permettre d'interpréter les activités passées et l'occupation du sol.

2.4. *Conclusions*

B. Midant-Reynes

Les fouilles menées à Adaïma depuis 1989 touchent à leur fin. L'importance du site et des travaux qui y ont été développés se mesure au nombre de publications réalisées par les différents membres de l'équipe. Un souci d'interdisciplinarité a d'emblée conduit à déterminer et à privilégier des axes de recherche convergents. Eu égard aux conditions de sauvetage qui ont prévalu à la décision de fouiller Adaïma, il était évident que nous avions affaire à l'un des derniers sites prédynastiques de la vallée du Nil. Sa destruction progressive par le développement des cultures et des habitations a eu lieu sous nos yeux tout au long de ces quinze années de fouille. Il convenait donc de mettre en place le plus rapidement possible les compétences scientifiques susceptibles de fournir des résultats de haut niveau en un temps très court. Au total, ces quinze années se résument à un peu plus d'un an de fouille *stricto sensu*.

Une attention particulière a été accordée aux travaux sur l'habitat, domaine dont il est devenu banal de dire qu'il avait été totalement négligé par les études sur la préhistoire égyptienne. De 1989 à 1996, les fouilles se sont donc centrées sur un espace de surface peu développée, mais très riche en informations : le secteur « 1001 et extension », qui a fait l'objet d'une première monographie. De 1997 à 2000, l'effort s'est porté sur la zone des limons, où subsistaient sur une large étendue les vestiges très érodés du village prédynastique. De 1999 à 2002, des secteurs plus limités, sis en des points précis de la vaste aire d'habitat, ont été étudiés avec attention. Enfin, en 2003, on s'est penché sur les relations spatio-temporelles et fonctionnelles de ces différents morceaux du puzzle. Un soin particulier a été porté aux interactions avec l'environnement et à son évolution au cours du millénaire concerné. Enfin, le croisement des données avec les très riches informations issues des fouilles des nécropoles a constitué un constant va-et-vient qui donne tout leur relief aux résultats obtenus et permettra d'inscrire ce village prédynastique parmi les références obligées sur le IVe millénaire égyptien.

Les deux grandes nécropoles mises au jour, la nécropole de l'Ouest et la nécropole de l'Est, explorées sous la conduite d'É. Crubézy et déjà en partie publiées, ont bénéficié des derniers acquis méthodologiques dans le domaine de l'archéologie funéraire. La fouille menée par les anthropologues eux-mêmes a permis une reconstitution précise des gestes funéraires et la mise en évidence d'une complexité sociosymbolique qui va bien au-delà des scénarios « basiques » sur lesquels on était jusqu'alors resté. Les nombreuses études sur la pathologie apportent des données cruciales sur l'état sanitaire de ces populations et les recherches pionnières menées sur l'ADN ont apporté des données nouvelles sur l'épidémiologie. À plus grande échelle, elles joueront un rôle fondamental dans les recherches sur le peuplement de l'Afrique.

Les fouilles s'achèvent à Adaïma, mais les ressources archéologiques du site sont loin d'être épuisées. La nécropole de l'Est a livré cette année 114 tombes intactes sur une extension relativement réduite de la zone nord. Parmi les nombreux sondages ouverts sur l'habitat, il apparaît qu'un vaste secteur compris entre les ensembles 8000 et 9000 offre une densité de structures dans une homogénéité chronologique du plus haut intérêt. La question de l'espace compris entre le secteur OM, qui jouxte la nécropole de l'Est, et le secteur 9000 reste ouverte, ainsi que celle posée par les inhumations d'adultes sans matériel, à l'extrémité sud-est du site, en DNM.

Néanmoins, le programme arrive à son terme et le matériel accumulé depuis 1997 est impressionnant. Il convient à présent de centrer les études sur des problématiques communes, de développer ensemble des axes qui permettront d'élaborer une réelle synthèse, de fournir à la communauté scientifique non seulement un ensemble inestimable de données de première main, mais le fruit d'une réflexion commune sur cette période charnière de la civilisation égyptienne.

Les missions d'étude sont prévues sur deux ans. Pour l'année à venir, des interventions très ponctuelles sur le terrain seront nécessaires. Sur la nécropole de l'Est : achever la fouille des tombes réensablées en 2003 et contrôler l'extension des tombes d'adultes profondes. Sur l'habitat : réaliser une nouvelle passée dans le sondage VM, secteur très important dont il convient de vérifier l'homogénéité chronologique.

Concernant la géomorphologie, les études se poursuivront selon les trois points définis plus haut (2.3.1). Une attention toute particulière est accordée au niveau de l'inondation durant la période en question. La réponse à cette question conditionne l'extension possible (ou impossible ?) du secteur des limons sous les cultures actuelles. En d'autres mots, le village prédynastique dont les vestiges subsistent sur la zone des limons pouvait-il éventuellement s'étendre sous les cultures actuelles ?

Les « surveys » destinés à déterminer des gîtes d'approvisionnement en matière première, notamment lithique, seront poursuivis selon la systématique déjà mise en place.

L'étude en laboratoire sera menée conformément à ce qui a été annoncé dans les points précédents par chacun des spécialistes concernés, attentifs à faire converger les données vers une réflexion commune.

3. ʿAyn-Manâwir (oasis de Kharga)

Les travaux de la campagne 2003 ont débuté le 4 octobre et se sont achevés le 28 décembre. Une période d'environ six semaines a été consacrée à la poursuite de la fouille à ʿAyn-Manâwir : fouille d'une nouvelle tranche de l'habitat d'époque perse MMA, poursuite des sondages menés dans la zone est, celle des *qanâts* MQ08, MQ09 et MQ10, pour l'avancement du programme d'étude chronologique du réseau hydraulique, sondages d'évaluation sur le site néolithique KS043 ; fin du relevé topographique de ʿAyn-Ziyâda et relevé du versant sud de Dikura. Pendant toute la durée de la mission, a été poursuivie l'étude du mobilier céramique issu des fouilles antérieures ou en cours pour établir le corpus propre à chaque phase chronologique. L'étude des macrorestes végétaux a été reprise après une interruption de deux ans.

Ont participé aux travaux Michel Wuttmann, archéologue et restaurateur (chef de mission, Ifao), Thierry Gonon, archéologue, Christophe Thiers, égyptologue, archéologue, Béatrix Midant-Reynes, archéologue, préhistorienne, François Briois, archéologue, préhistorien, Yann Béliez, archéologue, préhistorien, Sylvie Marchand, céramologue (Ifao), Damien Laisney, topographe (Ifao), Catherine Defernez, céramologue, archéologue (Ifao), Claire Newton, paléobotaniste, Jean-François Gout, photographe (Ifao), Ayman Hussein, dessinateur (Ifao), Mohammad Chawqi, dessinateur (Ifao), Mohammad Gaber, aide-topographe (Ifao), Valérie Uzel, restauratrice, Hassân Mohammad, restaurateur (Ifao), Younis Ahmad, restaurateur (Ifao), Mohammad Sayyed, restaurateur, Christian Gaubert, informaticien (Ifao). Le CSA était représenté par les inspecteurs Hamdi Imâm Hassan et Ahmad ʿAbd el-Rahim ʿAbd al-Meguid.

3.1. *Les travaux de terrain*

Les divers secteurs d'intervention sur la colline de 'Ayn-Manâwir et de ses abords pendant la campagne 2003 sont identifiés et repérés sur le plan topographique du site : 1) l'habitat MMA ; 2) les sondages pour préciser la chronologie du réseau hydraulique. Les travaux de cette année sont la continuation directe de ceux de l'année dernière, la zone des *qanâts* MQ08, 09 et 10 ; 3) les sondages d'évaluation sur le site néolithique KS043, situé à 13 km au sud-ouest de Douch, répondent à des interrogations soulevées par la prospection de l'oasis.

3.1.1. L'AGGLOMÉRATION MMA

La fouille de l'agglomération MMA a été poursuivie sur deux points : l'habitat F (fin des travaux initiés en 2001) et l'habitat G, partiellement exposé par des pilleurs pendant l'entre-saisons.

L'habitat F (Chr. Thiers)

Il s'agissait dans cet habitat d'achever la fouille entreprise au cours de la campagne précédente dans la pièce FD. Les phases anciennes d'utilisation et d'aménagement de cette pièce ont pu ainsi être mises en évidence.

Dans le premier état identifié (phase 0), un mur nord-sud (739) divise l'espace FD en deux pièces distinctes. Un sol d'argile lissée occupe la seule partie est. Un foyer central et des cuvettes cendreuses installées le long des murs nord et est sont creusés dans le sol ; ces aménagements sont du même type que ceux des pièces FA et FB. Un dense niveau cendreux marque la phase d'occupation. L'accès à cet espace se fait par la porte 681 située dans l'angle sud-est, dotée de deux marches intérieures.

L'ouest de ce mur de séparation, sous le sol de la phase 1, est occupé par un épais niveau de sable jaune brun dans lequel ont été mis en évidence de menus aménagements : un foyer rectangulaire dont les parois sont plaquées de *mouna*, une cuvette cendreuse (foyer ?), une lentille cendreuse voisinant avec un lambeau de sol. Ces éléments occupent globalement le centre de la partie ouest de FD, qui diffère donc sensiblement de l'occupation de la partie orientale. Dans cette partie de FD, l'ouverture 650 vers FA, prévue dès la construction du bâtiment (chaînage du montant avec le mur 501) est en usage. La porte 657, ouverte dans le mur sud, permettait un accès vers le sud.

L'habitat G (C. Defernez)

Les investigations conduites dans la zone de l'habitat G résultent d'un pillage opéré au cours de l'année 2003 dans la pièce GM adossée à l'habitat B. Repéré lors de la campagne de 1996, l'habitat G se compose en réalité de 6 pièces, dépendances probables de l'habitat B.

L'espace GL est délimité au sud et à l'ouest par un mur courbe, peu épais, construit d'un seul tenant qui vient s'appuyer contre le mur sud de l'habitat AI/AH, également contre le mur ouest de l'habitat GM récemment pillé. La fouille a révélé trois étapes d'occupation ; cependant un sondage profond pratiqué au nord de la pièce GI suggère l'existence d'une phase antérieure. Il s'agit d'un espace voué aux activités culinaires des structures adjacentes.

On accède à l'espace GI, adossé au mur sud de la pièce GL et au mur ouest de la pièce BA, depuis l'espace GH par une porte aménagée dans le mur ouest. L'occupation initiale de cette pièce est marquée par un sol d'argile lissée, très épais, qui recouvre la base des murs. Contrairement à l'espace GL, la pièce GI était un espace propre voué à des activités culinaires réduites. Les aménagements associés à cette phase sont un petit foyer circulaire et un second foyer plus grand, circonscrit par un muret rectangulaire, occupant la partie centrale de la pièce.

Un ensemble céramique que l'on peut dater de la phase céramique 2 : une jarre-marmite, un col de jarre orné de bandes peintes, une *dokka*, ainsi que plusieurs autres fragments de vases (inv. 5849) reposait sur ce sol. Le mobilier non céramique se limite à une épingle ou aiguille en métal cuivreux (inv. 5831). Une couche épaisse de sable grisâtre témoigne de la démolition et de l'abandon de cette pièce dont la datation pourra sans doute être affinée grâce à l'étude de trois ostraca démotiques (inv. 5795, 5796 et 5805).

La pièce GH appartient, dans sa phase la plus ancienne, à un espace plus vaste dont l'accès se faisait par l'ouest. En effet, un sol épais d'argile lissée a été mis en évidence sur presque la totalité de la surface des espaces GN/GK et GH.

L'espace GK appartient, dans sa phase la plus ancienne, à l'ensemble GN-GH. Le sol 860 est lissé contre les parois, tandis que la porte 855 permet un accès vers l'extérieur. Limité plus tard au sud par le mur 870 puis par le muret 808, cet espace connaît une longue période d'ensablement suivie d'une démolition. Deux ostraca démotiques fragmentaires y ont été recueillis (inv. 5810-5811).

Fig. 11. ʿAyn Manâwir, 2003. MMA, habitat F : espaces FF/FD/FA/FB, vue du sud.

Située à l'extrémité ouest de l'habitat G, la pièce GN connaît une évolution comparable à celle de la pièce GH. En effet, le premier niveau d'occupation identifié est le sol 860. Au passage du seuil de la porte 855, le sol se confond avec celui du niveau de circulation extérieur ; celui-ci est masqué par une épaisse couche d'occupation cendreuse (836), tandis que le reste de la surface est recouvert d'un niveau de sable et de démolition. Outre la céramique, le mobilier extrait de cette épaisse couche sableuse comportait plusieurs ostraca démotiques fragmentaires (inv. 5814) dont deux, clairement lisibles, ont été recueillis à proximité de la porte 855 (inv. 5800 et 5809).

Comme dans la pièce voisine, l'abandon de cet espace est ensuite marqué par la présence d'une fosse profonde creusée dans les murs et vraisemblablement d'un grand foyer circulaire. L'élément le plus notable découvert sur le sol tapissant le fond de la cavité est une couronne de statuette en bronze (inv. 5934).

3.1.2. LES RÉSEAUX DES *QANÂTS* MQ08, 09 ET MQ10

Th. Gonon, assisté de Cl. Newton pour le bassin de MQ10

Ces trois ouvrages voisins et partiellement imbriqués dans leurs parties terminales forment un ensemble complexe qui a irrigué pendant un temps de leur fonctionnement les mêmes terrains. L'étude pendant les dernières saisons des chenaux terminaux de ces réseaux autorise un début de restitution technique et chronologique de leur fonctionnement.

Fig. 12. 'Ayn Manâwir, 2003. MMA : habitat G, vue générale, vue du nord.

3.1.2.1. MQ10

Les opérations menées cette année visaient principalement à étudier le bassin situé en contrebas de la branche MQ10A. Un sondage de 11 par 18 m a été effectué. Il comprend la totalité du bassin et une bande de 2 à 2,5 m sur le pourtour. Outre l'exceptionnelle conservation des vestiges organiques végétaux, ce bassin se distingue de ceux étudiés précédemment par la présence d'un dallage couvrant tout le fond.

Le dégagement de la couverture de sable superficielle a permis le repérage et l'identification, sur place ou après prélèvement d'un échantillon de bois, des « souches » et racines conservées dans le sédiment à l'intérieur et aux abords du bassin. Les 19 « souches » à l'extérieur du bassin consistent en la couronne de racines adventices de la base du stipe de palmiers, sans le stipe lui-même. L'espèce de palmier n'est pas directement identifiable. La présence de graines de dattes à l'intérieur et autour du bassin, à l'exclusion de fruits d'autres palmiers, pourrait indiquer qu'il s'agit au moins pour partie de palmiers dattiers (*Phoenix dactylifera*). Le sol a été érodé sur une dizaine de centimètres au minimum. Le sédiment entre ces souches de palmiers est un sable éolien recouvrant un sable à teneur en matière organique plus importante et comportant des restes végétaux non carbonisés.

Des restes végétaux épars repérés en cours de fouille (MQ10/29 et 30) ont été prélevés ponctuellement. Des prélèvements de sédiment en vrac ont été effectués, sous forme de petits sondages dans les remplissages à différents endroits du bassin. Des racines sont présentes dans toutes les couches. Les restes de parties aériennes – tiges, feuilles, fruits et graines – sont présents uniquement dans certaines. Un échantillon entier et les fractions les plus grandes de cinq autres échantillons ont été examinés.

Les restes végétaux sont des fragments de racines, de tiges, de feuilles, des fleurs, des fruits et graines de taxons divers. Hormis les graines de dattes omniprésentes, les arbres fruitiers représentés sont le sébestier (*Cordia* cf. *myxa* : endocarpes), le ricin (*Ricinus communis* : graines, bases de feuilles, fleur femelle), le perséa (*Mimusops laurifolia* : endocarpes, feuilles), l'olivier (*Olea europaea* : endocarpes, feuilles) et la vigne (*Vitis vinifera* : graines). Deux espèces d'acacia sont représentés par des fragments de gousses et des folioles : *Acacia laeta* et *A.* cf. *ehrenbergiana*. Des fleurs et graines d'acacia indéterminé sont également présentes dans le sédiment. Deux types de tamaris ont été identifiés sous forme de tiges feuillées : *Tamarix aphylla* et *T.* type *nilotica* (qui comprend toutes

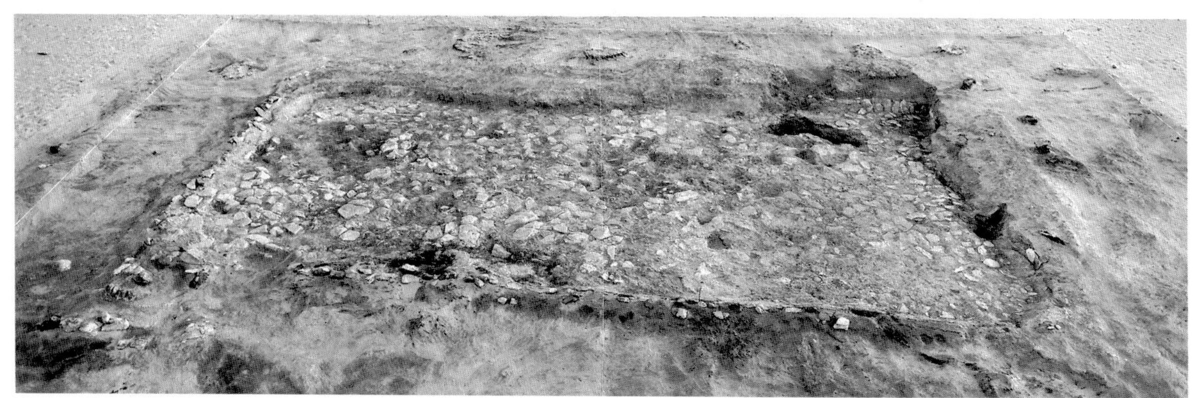

Fig. 13. ʿAyn Manâwir, 2003. MQ10 : bassin supérieur, vue générale du nord.

les autres espèces de *Tamarix*). Ces plantes ligneuses étaient probablement présentes à proximité du bassin, au-delà des premiers dattiers. Cela est confirmé en partie par l'identification de racines de vigne près de la limite sud du sondage.

La graminée *Cenchrus* cf. *ciliaris* est omniprésente et fut sans doute cultivée dans la région à l'époque romaine. Les épillets ont pu être apportés soit par le vent, soit par des animaux, car ils sont légers et portent des arêtes particulièrement « accrocheuses ». Des résidus de traitement de blé nu et d'orge, des semences d'herbacées sauvages ont également été identifiés.

3.1.2.2. MQ09

À l'issue de la fouille menée au cours de cette campagne sur la *qanât* MQ09, il apparaît que l'évolution de ce système est à la fois complexe et rapide.

Les parties connues de ce réseau se subdivisent en plusieurs ensembles logiques : le chenal axial et le chenal sud, le chenal « 1 », le chenal « 2 », l'habitat MMU, le débouché originel de MQ09.

Dans l'état actuel des travaux, on peut définir la séquence suivante : 1) le premier aménagement de cette *qanât* est le chenal 2, qui est établi pour desservir l'établissement MMU ; 2) à la suite d'un effondrement ou plutôt d'un colmatage du chenal, on creuse la partie haute du chenal 1, jusqu'à la galerie de jonction où il reprend le tracé du chenal 2 pour déboucher au même endroit ; 3) conséquence d'un ensablement très important du chenal 2 (à ciel ouvert dans l'axe des vents

Fig. 14. 'Ayn Manâwir, 2003.
MQ09, chenal 2 : vue vers l'ouest de la partie voûtée (au premier plan : chenal 1).

dominants), on prolonge le chenal 1 un peu plus à l'est puis on creuse la partie sud-nord de ce chenal qui semble passer sous MMU pour rejoindre le bassin ; 4) par suite d'un abaissement de la nappe, on surcreuse les galeries, on établit le chenal axial que l'on équipe d'auges en céramique et on construit le regard monumental. Ce chenal débouche dans le bassin est, étudié lors de la campagne 2002 ; 5) les auges sont ensuite remplacées par des tuyaux de petit diamètre, sans changement de plan ; 6) enfin, à la suite d'un nouvel abaissement de la nappe, on creuse le chenal sud, équipé de tuyaux de gros diamètre. Celui-ci vient recouper le bassin MQ10B qui n'est plus en usage.

3.1.2.3. MQ08

Les travaux menés cette année sur la partie inférieure de la *qanât* MQ08 ont mis en évidence, comme sur les autres *qanâts* du site, de nombreuses phases d'aménagement et de réaménagements.

Six éléments peuvent être isolés : le chenal nord et le bassin 2 tout d'abord ; puis la zone de contact entre le chenal nord et le chenal médian ; le chenal médian ; le chenal sud et enfin le bassin 1.

Cinq phases d'aménagement de cette *qanât* ont été mises en évidence grâce aux travaux de cette année. Le mobilier céramique associé aux différentes périodes de fonctionnement observées cette saison appartient à la phase 6 (Ier-IIe s. apr. J.-C.) :

Fig. 15. 'Ayn Manâwir, 2003.
MQ08 : au premier plan, chenal nord et chenal médian ; à l'arrière plan, bassins 1 et 2.

1) Dans un secteur occupé par des bâtiments, on aménage le chenal nord qui déverse ses eaux dans le bassin 2 ; 2) à la suite d'une baisse du niveau des eaux, on creuse le chenal médian qui débouche dans le bassin 1. Peut-être, dès cette époque, le bassin 2 est-il déjà envahi par des enclos ; 3) on bâtit le chenal sud qui débouche dans le bassin 1, sans doute réduit à sa partie axiale. Il est peut-être alors déjà partiellement réoccupé par les murs d'enclos et le puits à balancier ; 4) on prolonge le conduit principal en bâtissant les derniers regards pour rejoindre le chenal 2 de la *qanât* MQ09 ; 5) le faible approfondissement constaté entre les différents états ainsi que l'homogénéité chronologique du matériel nous incitent à penser que tous ces aménagements se seraient déroulés sur une période assez brève.

3.1.3. TRAVAUX TOPOGRAPHIQUES

D. Laisney

Le plan topographique de 'Ayn-Ziyâda a été achevé cette année. L'échelle du 1/1000 a été retenue pour réaliser ce levé. La partie sud de la zone située entre Tell Douch et 'Ayn-Ziyâda a fait l'objet d'un levé cette saison. La grande densité de vestiges de toutes époques constatée sur le site KS098 ('Ayn-Boreq) justifie d'en faire le plan à l'échelle du 1/1000 pendant une prochaine campagne.

3.2. *Étude du mobilier archéologique*

3.2.1. LA CÉRAMIQUE

S. Marchand

La campagne de l'automne 2003 a été mise à profit pour achever la constitution des corpus chronologiques et thématiques de l'ensemble du mobilier céramique mis au jour par les fouilles de 'Ayn-Manâwir ou prélevé pendant la prospection. Nous disposons maintenant d'instruments de travail qui sont mis à jour en continu. Les corpus chronologiques assemblés à ce jour sont : la céramique néolithique, la céramique prédynastique et Ancien Empire, la céramique des phases 1 et 2 (Ve-IVe siècles), la céramique ptolémaïque, la céramique romaine. Les corpus thématiques rassemblent les formes céramiques supports d'ostraca, les tuyaux, et les décors.

3.2.2. LES MACRORESTES VÉGÉTAUX

Cl. Newton

Objectifs

Après l'étude préliminaire effectuée en 2000, et les activités de fouille et de prospection des deux dernières campagnes, les axes d'étude de cette année étaient les suivants : 1) étude de l'économie végétale à l'époque perse (phases 1 et 2) par la poursuite de l'étude du matériel issu de la fouille du secteur d'habitat d'époque perse MMA ; 2) étude préliminaire du secteur de l'Ancien Empire fouillé en 2000 (DAA) ; 3) étude du matériel issu des fouilles du secteur épipaléolithique ML1 ; 4) examen du matériel provenant des sites prospectés et visites de certains sites repérés lors des prospections, en vue d'évaluer leur intérêt archéobotanique (site romain avec vestiges d'une palmeraie, site néolithique) ; 5) début de l'étude morphologique des endocarpes d'olives archéologiques, afin de déterminer la nature et la provenance des variétés cultivées. Collecte dans le cadre de ce projet de matériel de référence dans les localités agricoles de la région ; 6) fouille d'un bassin de rétention d'eau au débouché de la *qanât* 10, dans lequel des restes végétaux avaient été repérés lors d'un premier dégagement en 2001.

Résumé des résultats

Secteur DAA, Ancien Empire

Trois échantillons provenant de deux épandages cendreux ont été étudiés. Le sédiment fin est aggloméré en petites masses, dans lesquelles des traces de matière organique carbonisée sont visibles. Cependant, les restes organiques réellement préservés sont rares. Les charbons de bois ne sont eux-mêmes pas toujours identifiables en raison de la mauvaise conservation des caractères anatomiques et de la petite taille des fragments. Le genre *Tamarix* est prédominant avec 74 % des fragments pour l'ensemble des échantillons. Les autres taxons identifiés sont le genre *Acacia* (12 %), *Salvadora persica*, cf. *Capparis decidua*, une légumineuse papilionacée, et un indéterminé.

Secteur ZMA, époque perse

Deux échantillons provenant du dépotoir ont été étudiés ; il s'agit d'un prélèvement ponctuel de charbon et fruits dont seuls les fruits ont été identifiés, et d'un prélèvement de sédiment dont le charbon et les autres macrorestes ont été analysés. Le premier comprenait des graines de dattes (*Phoenix dactylifera*) et un fruit de Palmier Argoun (*Medemia argun*). Le deuxième était un ensemble de résidus très variés, comprenant comme matrice de la matière organique partiellement dégradée agglomérée avec des fécès de capriné, des insectes, des restes végétatifs et divers résidus de consommation et de traitement de produits cultivés : restes de fruits consommés – datte, raisin, « pastèque », sébeste, figuier –, résidus de traitement des céréales – orge, blé amidonnier – dont des semences de leurs mauvaises herbes, restes d'aromates ou plantes maraîchères – ombellifères –, probablement restes de fourrage – sétaire, paille –, restes de produits non alimentaires, cultivés ou non — lin, ricin, acacia, tamaris.

Secteur MMA, époque perse (et postperse)

Sept échantillons supplémentaires ont été triés et étudiés qui proviennent des pièces FC (fouilles 2001) et CM (fouilles 2000) de l'agglomération MMA. Il s'agit pour la plupart d'échantillons pris dans des épandages cendreux, riches en graines de dattes et en charbon, mais relativement pauvres en d'autres macrorestes. Ils ont été triés prioritairement dans le but d'obtenir des assemblages de charbon représentatifs de la végétation ligneuse de ces époques, à savoir des restes de combustibles accumulés sur la durée et non une concentration de charbons issus d'un seul épisode de combustion, comme c'est le cas dans les fours et foyers. En ce qui concerne les restes non ligneux, la nouveauté par rapport aux analyses effectuées en 2000 est l'attestation de l'olivier (endocarpes), du perséa (endocarpes), du sébestier (endocarpes) et du ricin (graines).

Tous les endocarpes d'olives entiers identifiés au cours des tris des échantillons de toutes les périodes pendant les saisons 2000 et 2003 ont été photographiés sous loupe binoculaire avec l'appareil numérique, afin de procéder à leur analyse morphométrique géométrique au Cbae, à Montpellier, en collaboration avec Jean-Frédéric Terral et Sarah Ivorra.

Des échantillons ponctuels provenant des secteurs liés au système d'irrigation (MQ9d, MQ9, MQ10) ont été examinés. En particulier, des feuilles ont été trouvées dans des vases appartenant probablement à une tombe romaine sur le tracé de la *qanât* MQ9. Il s'agit principalement de feuilles du type Sycomore (*Ficus sycomorus*), avec présence également de feuilles d'olivier (*Olea europaea*). Dans un vase avaient été placés des graines de dattes (*Phoenix dactylifera*) ainsi que des fruits et endocarpes d'olives partiellement carbonisés.

3.3. *Restauration-conservation du mobilier archéologique*

V. Uzel, restauratrice employée au laboratoire « Materia Viva », à Toulouse, a participé au chantier en apportant une formation aux restaurateurs présents autour des techniques de comblement des lacunes des vases céramiques. Son séjour s'est effectué dans le cadre de la convention qui lie l'Ifao à « Materia Viva ».

Par ailleurs, les interventions de restauration ont porté essentiellement sur le traitement au quotidien du mobilier issu de la fouille et sur la restauration de monnaies de bronze mises au jour pendant les premières campagnes de l'Ifao sur le site et conservées dans le magasin du CSA.

3.4. *La prospection de l'oasis de Kharga*

M. Wuttmann

3.4.1. LA MÉTHODE

La stratégie et la méthode retenues pour conduire la prospection de l'oasis ont été exposées en détail dans les rapports précédents (*BIFAO* 102, p. 482-483 et *BIFAO* 103, p. 525).

La transposition des données géo-référencées, les informations fournies par le système GPS en particulier, ont posé, dès le début, des problèmes de report sur les cartes égyptiennes. Mais on dispose désormais d'images satellitaires multispectrales redressées provenant des prises de vues Landsat (scènes Aster 1B, NASA) à la résolution de 1 pixel pour 15 m, et on envisage d'acquérir une couverture complète en plusieurs scènes Spot (1 pixel pour 5 m, multispectral) et si possible une couverture partielle en images Ikonos ou Quickbird (respectivement 1 pixel pour 1 m et 1 pixel pour 0,60 m). Il s'avère maintenant nécessaire de gérer toutes ces données par un système d'information géographique (SIG), dont le logiciel reste à acquérir. Pour l'instant, une base de données informatique (sous 4D) reçoit les informations au fur et à mesure de leur traitement.

Les photographies sont situées par des points GPS qui identifient également les prélèvements de mobilier. L'appareil de prises de vues (numérique) est maintenant relié au GPS : les coordonnées du point sont enregistrées automatiquement dans le fichier de la photographie.

3.4.2. LE PROGRAMME

La zone prospectée cette saison complète celles explorées depuis 2001, dans les mêmes limites : la limite nord est constituée approximativement par la route moderne qui relie Douch à Meks al-Qibli. 119 sites y sont maintenant identifiés. Deux sites (KS120 et KS121) ont été visités plus au nord, à 15 km au nord-ouest de Baris, à l'intérieur du cordon dunaire. Presque toutes les lacunes qui subsistaient dans notre connaissance de ce secteur sont résorbées : le triangle s'appuyant au nord sur une ligne Tell-Douch / 'Ayn Ziyâda ; le piémont au sud et à l'est de 'Ayn-Ziyâda, la bordure ouest de l'oasis entre Meks al-Qibli et Al-Qasr. Les sites KS010 à KS015, examinés lors de la première campagne, en l'absence de GPS, ont été revus, tout comme les sites KS090 et KS091, repérés rapidement l'année dernière. Il ne reste à étudier dans cette région sud que les abords ouest d'Al-Qasr ainsi que certaines zones du piémont près de l'extrémité est du gebel Bayyân.

3.4.3. LES RÉSULTATS

Les synthèses élaborées à l'issue des campagnes précédentes restent valides dans leurs grandes lignes. La reconstitution de l'occupation de cette région au sud de Douch s'affine progressivement. Les données cumulées des trois campagnes de prospection donnent le tableau chronologique suivant : 83 sites comportent une occupation paléolithique, 21 sites une occupation épipaléolithique, 17 sites une occupation néolithique, 12 sites sont occupés à l'époque prédynastique ou à l'Ancien Empire, 19 sites sont occupés aux Ve et IVe s. av. J.-C., 20 sites sont occupés pendant la période ptolémaïque, 88 sites sont occupés pendant la période romaine (Ier au IVe s. apr. J.-C.), 12 sites sont occupés au Ve s. apr. J.-C.

Les concentrations d'outillage lithique paléolithiques sont toutes regroupées autour de sources artésiennes fossiles, à l'exception notable de la carrière KS046. Cet état se poursuit au néolithique. À quelques exceptions près, les concentrations à caractère épipaléolithique et néolithique se retrouvent sur les mêmes sites, parfois autour des mêmes sources, ce qui traduit bien les modifications climatiques survenues et la restriction de l'accès à l'eau aux seules sources artésiennes.

Les sites présentant des vestiges datables de l'époque prédynastique (tessons de jarres Nagada III) ou de l'Ancien Empire se limitent à des concentrations ou des dispersions de mobilier, en général sur des horizons rubéfiés. Leur nombre est plus réduit que les sites néolithiques. Un élément récurrent de ce mobilier est constitué par les « Clayton rings » généralement datés dans une fourchette allant du Prédynastique à la Ve dynastie, et toujours repérés dans des contextes désertiques. Ces constatations traduisent l'assèchement progressif des sources artésiennes. A-t-il existé un habitat permanent dans la région à ces époques ? Rien ne le prouve pour l'instant. En revanche, on devait y circuler régulièrement, au moins vers les carrières de gneiss de la région de Tochka.

Aucun indice d'une quelconque occupation ou circulation entre la fin de l'Ancien Empire et la deuxième moitié du Ier millénaire av. J.-C. n'a jusqu'ici été identifié.

Pendant les Ve et IVe siècles av. J.-C., c'est le creusement des galeries drainantes, les *qanâts*, dans les collines gréseuses de 'Ayn-Manâwir, Tell Douch, 'Ayn-Ziyâda et 'Ayn-Boreq qui permet une réoccupation permanente de la région. Celle-ci est concentrée sur les pentes des collines, mais ne s'y limite pas : elle s'observe également à l'ouest de Meks al-Qibli et au sud de 'Ayn-Manâwir, au sud de Tell-Douch. Une nécropole utilisée à cette période a pu être identifiée : KS107, à l'est de 'Ayn-Ziyâda. On note peu de changements par rapport à cette dernière période quand on examine la carte des sites de la période ptolémaïque.

Dès le Haut Empire romain, on observe une « colonisation » de la plaine au sud de 'Ayn-Manâwir / Tell-Douch : une trentaine de fermes occupent environ 150 km^2, laissant peu d'espaces libres entre elles. Dans ce même secteur, 9 nécropoles ont été reconnues. Ces fermes possèdent de vastes parcellaires irrigués par un ou plusieurs puits de plaine qui devaient être équipés de dispositif de relevage des eaux et d'un ou plusieurs bassins de distribution. Les bâtiments, pas toujours repérés, sont en général de taille modeste. À l'ouest de Meks al-Qibli, on retrouve une organisation analogue : 15 sites, en maillage plus serré. Les agglomérations, villages ou petites villes, sont peu nombreuses. Leur occupation connaît un net déclin vers le IIIe siècle apr. J.-C. et ne persiste, au Ve siècle que sur 12 sites (9 fermes et 3 agglomérations) qui, à l'exception de Tell-Douch, sont tous situés en bordure occidentale de l'oasis, autour de 'Ayn-Waqfa.

Très peu d'indices appartiennent aux périodes postérieures : un vase isolé (KS060) et quelques tessons (KS093, 105) d'époque mamelouke.

4. Bahariya

Les travaux à Bahariya se sont déroulés du 27 mars au 18 mai 2004. Ont participé à la mission Frédéric Colin, ancien membre scientifique de l'Ifao, chef de mission (univ. Strasbourg II, UMR 7044), Samir Abd al-'Alim, inspecteur du CSA, Iñes Bena, archéologue (univ. Strasbourg II, UMR 7044), Éliane Béraud-Collomb (Inserm), Monica Caselles-Barriac (univ. Franche-Comté, UMR 6048), Luc Delvaux (univ. Strasbourg II), Emmanuelle Devaux, architecte (mission de l'univ. Strasbourg II), Catherine Duvette, architecte archéologue (Cnrs FRE 2379), Hassan Ibrahim al-Amir, restaurateur (Ifao), Mohammad Ibrahim Mohammad, photographe (Ifao), Françoise Labrique, égyptologue (univ. Franche-Comté, UMR 6048), Damien Laisney, topographe (Ifao), Alain Lecler, photographe (Ifao), Sylvie Marchand, céramologue (Ifao), Line Pastor, archéologue (univ. Strasbourg II, UMR 7044), Isabelle Régen, égyptologue (Ifao), Younis Ahmad Mohammadeyn, restaurateur (Ifao), Sandrine Zanatta, égyptologue (univ. Strasbourg II, UMR 7044), Khaled Zaza, dessinateur (Ifao).

4.1. *Qasr 'Allam*

4.1.1. LES OBJECTIFS

La campagne précédente avait permis de comprendre le cadre général de la chronologie relative du site et ses principales subdivisions fonctionnelles. Sur ces bases, en 2004, Fr. Colin, I. Bena, L. Delvaux, E. Devaux, C. Duvette, L. Pastor, I. Régen et S. Zanatta ont, d'une part, concentré leurs efforts en commençant une fouille en *open area* dans le secteur 7, le plus ancien du site, et, d'autre part, ouvert des carrés de fouille complémentaires visant à répondre à plusieurs questions, comme la localisation de l'accès ou des accès à la plate-forme, l'existence d'une enceinte correspondant à la période d'occupation récente et la confirmation de la présence d'une carrière de grès antique à proximité immédiate de Qasr 'Allam. Cette méthode et la période de fouille plus longue (24 jours) ont permis des progrès importants dans l'interprétation du site.

4.1.2. LES RÉSULTATS

Secteur 5

Une rampe d'accès sur la face ouest de la plate-forme menait directement à la pièce qui devait s'élever au-dessus d'une des cellules de fondation. Ce dispositif, qui constituait probablement la voie d'accès principale du bâtiment surélevé, suit une direction nord/est - sud/ouest et pourrait bien être orienté vers le lieu où, probablement, s'élevait un temple fouillé par Ahmad Fakhry, qui fut notamment en activité à l'époque d'un pharaon Chéchonq (voir *infra*, 4.4. Prospection).

Secteur 7

La fouille a permis cette année de définir le tracé de deux côtés partiels et d'un côté complet d'un grand enclos – une enceinte délimitant le secteur le plus ancien du site (secteur 7). Les côtés méridional et septentrional de cet enclos ont été en partie détruits lors de la construction de la plate-forme à caissons (les hypothèses de chronologie relative fondées sur la tranchée fouillée l'an dernier ont donc été confirmées et doivent être désormais considérées comme des faits établis). Trois carrés de fouille ont été établis au sein de cet espace.

À l'est de la plate-forme, dans la continuation de l'espace fouillé en 2003, apparaît un espace ouvert, non couvert, dépourvu de constructions importantes. Appuyé à un mur se trouvait un four domestique intéressant, car la destruction de sa superstructure avait conservé des artefacts liés à la dernière cuisson : outre des moules à pains, une *terra cotta* représentant un quadrupède se trouvait en place, ce qui fournit une première information sur la phase de production de ces petits objets. Par-dessus le four et dans toute la zone se trouvait une succession de couches formant un dépotoir, qui s'était constitué lors de la période récente du site, lorsque la plupart des bâtiments du secteur 7 étaient dans un état de délabrement. Ces couches comprenaient notamment de nombreuses figurines en terre cuite. Sous le seuil en pierre d'un passage étroit ménagé dans un mur, a été trouvé un dépôt de fondation comprenant un cauris, une bague en plomb (?) dont le chaton est gravé d'hiéroglyphes et une petite pierre gravée d'un nœud d'Isis.

Dans l'angle sud-est du secteur 7 a été implanté un carré de fouille destiné à tester l'hypothèse selon laquelle le mur nord-sud de l'enclos formait un retour à cet endroit et se dirigeait ensuite vers l'ouest, et donc à vérifier si le secteur 7 était délimité par une première enceinte, qui fut agrandie par la suite. Cet ensemble de suppositions a été confirmé. Une porte ouverte dans le mur nord-sud de l'enclos donnait accès à l'intérieur du secteur délimité par l'enceinte au départ de la piste longeant le site de Qasr 'Allam. Après l'élargissement du site et la construction de la plate-forme à caissons, les bâtiments de l'angle sud-est (deux pièces et trois espaces non couverts), délabrés, ont été laissés à l'état d'abandon et ont servi d'espace de rejet des déchets, vraisemblablement en rapport avec la maison située immédiatement au sud-est. Ces dépotoirs ont livré des documents précieux pour interpréter la fonction du site, en particulier une série de panses d'amphores estampillées d'inscriptions hiéroglyphiques. Dans la dernière phase de fréquentation du site, un canal a été établi dans ce secteur; il passait au travers du seuil de la porte de l'enclos; la stratigraphie montre trois lits successifs de cet aménagement, qui se rétrécissent et s'élèvent à mesure que les dépôts sédimentaires s'accumulent et subissent des interventions anthropiques (rectifications des berges). On espère comprendre lors de la prochaine campagne la fonction de cette amenée d'eau (irrigation de champ, jardin ?).

Au sud de la plate-forme, un carré de fouille a établi définitivement la chronologie relative entre la plate-forme et les bâtiments du secteur 7. On y a notamment trouvé une cage d'escalier construite au-dessus d'un réduit auquel on accédait par une porte dont l'arc a été entièrement conservé. Il est possible que cet escalier soit un aménagement de la période récente du site, qui donnait accès à la plate-forme par sa face sud. À cet endroit, celle-ci s'élève encore jusqu'à une hauteur de 4,7 à 5 m.

Secteur 8

Au nord du secteur 7, à l'extérieur de la première enceinte et des bâtiments du secteur 2, une série de trous de poteaux correspond à une construction longeant l'enceinte, recouverte ensuite par un ensemble de deux pièces. Deux magasins allongés munis de murs très épais (une forme de *pyrgos* ?) avaient en outre été construits à la limite du plateau de grès sur lequel la majeure partie du site est établie. Leurs fondations, implantées sur un ressaut du substrat rocheux, avaient nécessité des opérations de terrassement importantes pour rattraper les irrégularités du terrain, notamment l'apport d'un remblai composé de gravats (briques crues), de pierres et de céramique. Les surfaces à bâtir les plus propices ayant été toutes exploitées, les bâtisseurs de Qasr 'Allam ont fini par devoir s'étendre dans une zone moins favorable. Cherchant à déterminer la limite nord du site, on a trouvé, au nord du secteur 8, un mur de direction est-ouest qui pourrait correspondre au tracé d'une probable seconde enceinte, englobant la plate-forme à caissons et les autres extensions de la période récente du site. Au contact des secteurs 8 et 2, le mur délimitant ce dernier est conservé jusqu'à une hauteur de 2,5 à 2,66 m. Une porte y était percée, qui fut ensuite bouchée et précédée d'un escalier, dont les premières marches sont conservées.

La carrière

Au sud de la plate-forme se trouve une vaste zone de carrière de grès. Afin d'en confirmer la nature et l'ancienneté, a été fouillé un segment d'un des fronts de taille, qui se succèdent selon différentes orientations depuis les abords de la plate-forme vers le sud. Cela a permis, d'une part, de trouver en place, contre la paroi rocheuse, un coin en pierre dure, qui avait été abandonné par les carriers en même temps que le front de taille et, d'autre part, d'étudier les quantités relatives des différents modules d'éclats de grès liés à la taille de la pierre, afin de disposer d'un échantillon de référence pour pouvoir procéder à des comparaisons avec les dépotoirs de déchets de récupération des blocs de grès qui formaient vraisemblablement la maçonnerie et les parements des bâtiments en pierre de Qasr ʿAllam (entièrement démontés dans l'Antiquité). Il est impossible, dans l'état présent, de dater la période d'utilisation de la carrière, mais il est probable qu'elle a notamment servi à l'extraction des matériaux de construction en pierre de Qasr ʿAllam.

4.1.3. ÉTUDE DES OBJETS

Fr. Colin a commencé l'étude des artefacts autres que la poterie et que les blocs de construction et outils en pierre découverts sur le site. Sept estampilles hiéroglyphiques sur récipients en céramique, ainsi qu'un *ostracon* démotique ont été examinés. 77 scellements et fragments de scellements en argile crue, dont de nombreux exemples marqués d'un sceau hiéroglyphique, ont été étudiés au binoculaire et un protocole d'identification des fragments non inscrits a été mis au point (enfoncements de doigts et d'ongles, empreintes digitales, empreintes de cordelettes et de divers objets, inclusions décollées de l'objet scellé, texture et aspect de la surface), afin de tirer profit de cette catégorie de matériel pour l'interprétation des espaces fouillés, de leur chronologie et de leurs fonctions. Un corpus de 47 figurines et fragments de figurines modelées en terre cuite a été réuni. Il se répartit en trois catégories principales d'objets définies en fonction de leur thématique, subdivisées en sous-ensembles d'après la technique de modelage et de décoration. Les éléments de parure, provenant soit de trouvailles isolées (bris de collier, etc.), soit de dépôts funéraires ou de fondation, comprennent 121 perles non figurées, 9 perles en faïence figurées (divinités, *oudjat*, scarabée inscrit), 2 chatons de bague (?), 1 bague en métal décorée d'hiéroglyphes et 2 bracelets en métal. On signalera encore 4 briquettes en faïence et en pâte de verre, ainsi qu'une plaquette en métal provenant de deux dépôts de fondation de la plate-forme.

La céramique a été étudiée par S. Marchand, avec l'assistance d'I. Bena et de L. Pastor.

4.1.4. CONCLUSIONS

Il n'est plus nécessaire, désormais, d'insister sur le fait que Qasr ʿAllam n'a rien à voir ni avec un fort romain, ni avec une fortification d'époque arabe. L'immense majorité des tessons datables sur le site remonte au début de la XXVIe dynastie, et les rares poteries datées du IIe s. de notre ère appartiennent à des campements temporaires au-dessus des ruines, peut-être installés par les ouvriers qui récupérèrent les matériaux de construction en pierre des bâtiments d'époque pharaonique. Aucun artefact remontant à l'époque arabe n'a jusqu'ici été retrouvé, pas même dans les couches de surface.

Les trouvailles de 2004 et l'étude du matériel permettent de proposer des hypothèses répondant à quelques questions importantes ouvertes par les précédentes conclusions. Ainsi, il y a désormais de bonnes raisons de supposer que le site de Qasr 'Allam comprenait un temple d'Amon (peut-être accompagné de dieux *synnaoi*), un enclos abritant peut-être, entre autres, un élevage d'animaux sacrés, des bâtiments de service et de stockage et un habitat où logeaient les prêtres et autres responsables locaux. En outre, les produits stockés et contrôlés étaient sous l'autorité directe du *ḥꜣty-ʿ*, autrement dit du plus haut responsable politique local. Les nouvelles informations textuelles dont nous disposons à présent incitent à penser qu'au moins un des *ḥꜣty-ʿ* qui exercèrent de hautes responsabilités dans le cadre de l'institution dont dépendait Qasr 'Allam est un ancêtre direct du bâtisseur de Mouftella, aïeul qui fut vraisemblablement actif vers la fin de la période « libyenne ». Les données archéologiques confirment que la période « récente » du développement de Qasr 'Allam est antérieure à la fondation de Mouftella, puisqu'elle remonterait, dans l'état présent de l'étude du corpus céramique, à la première moitié du VIIe siècle.

4.2. *Qaret al-Toub*

4.2.1. LES OBJECTIFS

Les objectifs étaient cette année d'avancer suffisamment dans la fouille de l'église de Qaret al-Toub pour pouvoir en commencer l'étude typologique et architecturale pendant l'année 2003-2004, en vue de sa publication. Nous voulions également progresser dans la fouille du « puits » situé dans l'angle nord-est du fort et dans celle du secteur des *principia* (secteur 4). À ce programme se sont ajoutées des trouvailles inattendues (tombes 6 et 7), qui ont mobilisé une part importante des travaux, conduits par Fr. Colin, I. Bena, L. Delvaux et C. Duvette.

4.2.2. LES RÉSULTATS

Secteur 2

La fouille du « puits » a été poursuivie : après une série de couches sédimentaires, qui faisaient suite à d'autres couches de même nature fouillées les années précédentes, on a rencontré une très épaisse couche de dépotoir comblant l'excavation (fragments de briques crues, terre, tessons, pierres, fragment d'inscription latine, lampe à huile, etc.), dont la fouille n'est pas terminée. Il est vraisemblable que cette structure est plus complexe qu'un simple puits.

Lors de la fouille de l'angle sud-ouest de l'église, qui était en partie couvert par un mur de protection lié à un four à haute température d'époque arabe installé au sud, une fosse taillée dans le rocher correspond peut-être à l'emplacement d'un baptistère. Le four a également été fouillé ; il est installé directement sur le sol d'une pièce rectangulaire couvert d'un épais enduit hydraulique, qui couvrait également la base des murs bâtis en briques cuites de la pièce. La fonction de cette pièce (bassin, citerne, bains ?), dont la fouille n'est pas terminée, ainsi que ses rapports éventuels avec l'église seront étudiés lors de la prochaine campagne.

Secteur 4

La fouille des espaces situés au nord de la chapelle du culte impérial, destinée à déterminer si celle-ci était autonome ou reliée à d'autres bâtiments, a progressé. Sous les niveaux arabes ont été trouvées trois pièces (408, 410 et 411), dont le sol n'a pas encore été atteint.

La tombe 6 dans le secteur 4 [7]

Au milieu de l'allée centrale du fort, un puits carré creusé dans le grès et dans la marne mène à l'une des chambres (T601) d'un hypogée. Deux squelettes y reposaient ; un des deux a été laissé en place en vue d'une étude lors de la prochaine campagne, l'autre a été fouillé. Seuls les os situés sous le bassin étaient conservés, car la partie supérieure du corps avait été coupée dans l'Antiquité lors du creusement ou du surcreusement du puits. Une fois la maladresse constatée, les responsables traitèrent avec soin la dépouille sectionnée en la protégeant au moyen d'un muret de pierre. La chambre T601 donne accès à trois ouvertures : un couloir étroit comblé de terre pulvérulente, qui descend vers le bas ; deux portes scellées chacune par une dalle (couverte d'un enduit blanc dans un des deux cas) et un calage de pierres. L'ensemble atteint cette année est vraisemblablement complexe ; outre les structures décrites ci-dessus, on a pu observer, par une étroite ouverture située dans la paroi sud de la cuvette d'effondrement, une autre salle excavée dans le rocher.

La tombe 7 au nord du fort

Pendant la fouille, une cavité située dans la nécropole de Qaret al-Toub s'est effondrée sous les roues d'un cycliste habitant le village voisin ; au travers de la petite ouverture provoquée par cet accident, on a pu constater la présence d'un caveau scellé par une fermeture de pierres plates, dans lequel reposait un squelette. Fr. Colin, L. Delvaux et C. Duvette ont sans tarder fouillé et nettoyé la tombe, constituée d'un puits donnant accès à deux caveaux, effectué tous les relevés, consolidé la fermeture des deux caveaux et recouvert l'ensemble de sable une fois l'opération terminée (les squelettes ont été laissés en place). Cette sépulture remonterait au Bronze moyen ou final.

4.2.3. ÉTUDE DES OBJETS

I. Bena a commencé l'étude des lampes à huile en terre cuite trouvées depuis la première campagne, L. Pastor, d'un masque de sarcophage en terre cuite découvert en 2002, et S. Zanatta, de la vaisselle en faïence.

7 Les tombes 1 à 5 de la nécropole de Qaret al-Toub ont été décrites lors de la prospection de 1999 (Fr. COLIN, D. LAISNEY, S. MARCHAND, « Qaret el-Toub : un fort romain et une nécropole pharaonique. Prospection archéologique dans l'oasis de Bahariya 1999 », *BIFAO* 100, 2000, p. 145-192.

4.2.4. CONCLUSIONS

Outre les dégagements liés à l'étude de l'église, la campagne 2004 a précisé les rapports entre la nécropole et le fort de Qaret al-Toub. La présence de tombes fouillées ou pillées anciennement au nord, au sud et à l'ouest des *castra*, ainsi que la découverte en 2001 d'une tombe à fosse intacte à 1 m du pied de la tour d'angle sud-ouest permettaient de supposer que le fort avait été établi au milieu d'un cimetière, et qu'il avait vraisemblablement recouvert des tombes. La présence occasionnelle de tessons d'époque pharaonique à l'état résiduel à tous les niveaux de la stratigraphie fouillée constituait un indice supplémentaire. Désormais, cette présomption a été confirmée par la découverte, au milieu de l'allée centrale de Qaret al-Toub, d'un hypogée dont plusieurs salles pourraient être intactes, d'après l'état des fermetures de deux des accès aux chambres. La problématique de fouille s'est ainsi trouvée largement renouvelée et les possibilités d'exploitation archéologique et de mise en valeur du site se sont élargies à la période pharaonique.

4.3. *Mouftella*

Fr. Labrique a continué la copie des inscriptions des chapelles, en particulier dans la chapelle n° 1 ; A. Lecler et M. Ibrahim ont réalisé une couverture photographique complète de la décoration et des inscriptions. Cette opération a donné lieu à la rédaction par Fr. Labrique d'un article publié dans la présente revue. D. Laisney a réalisé un plan topographique du site et de son environnement, auquel a été couplé un relevé architectural de l'ensemble des structures en brique crue et en pierre visibles, aussi bien saïtes que romaines tardives, accompli par E. Devaux (A. Fakhry avait seulement publié des plans schématiques et incomplets des monuments de pierre). Dans le même cadre, M. Caselles-Barriac a terminé le relevé des colonnades en briques crues et cuites de l'époque romaine tardive qu'elle avait commencé la saison dernière.

4.4. *Prospection*

À proximité immédiate d'une mosquée récente du village d'Al-Qasr, a été repéré un vaste dépotoir de céramiques, qui comprenait aussi une couche de fragments d'argile vitrifiée laissant supposer la présence, dans le voisinage, d'un four de potier. La construction de la route asphaltée moderne avait opéré une coupe stratigraphique au travers des couches archéologiques ; l'étude des céramiques visibles en surface sera entreprise lors d'une prochaine campagne. Outre les déchets industriels, on a observé la présence d'ossements humains dans des déblais couvrant des structures en briques crues correspondant vraisemblablement à des tombes. Ces vestiges constituent un jalon supplémentaire sur la carte archéologique des ruines de l'antique Psôbthis, métropole de l'oasis à l'époque romaine et vraisemblablement principal établissement de Bahariya depuis l'époque pharaonique (la nécropole de Qaret al-Toub, comme d'autres sites funéraires du secteur, sont probablement reliés à l'habitat de ce chef-lieu).

Avec l'aide d'un habitant d'Al-Qasr qui avait jadis été employé par Ahmad Fakhry pour la fouille d'un sanctuaire proche de la palmeraie d'Al-ʿAyoun, on a pu repérer l'emplacement probable de ce site, aujourd'hui complètement ensablé, à proximité duquel (400 m) le botaniste Ascherson avait découvert une stèle datée par un cartouche dont la lecture est controversée. La rampe d'accès de Qasr ʿAllam, dont l'axe n'est pas perpendiculaire à la plate-forme, est probablement orientée en direction de ce temple.

4.5. *Restauration*

Les petits objets (poterie, ostraca, *terra cottas*, monnaies, bague, bracelets, plateau de balance, etc. en métal) découverts à Qaret al-Toub et à Qasr ʿAllam ont été restaurés par Younis Ahmad Mohammadeyn et Hassan Ibrahim al-Amir.

4.6. *Conclusion générale*

Les jalons mis en place depuis plusieurs années sur des sites de référence distincts ont pu être reliés dans une perspective unifiée. Du matériel céramique observé en prospection sur la nécropole de Qaret al-Dabaʿ en 2000 (plan topographique réalisé en 2003) a pu être attribué à un des hauts responsables du site de Qasr ʿAllam ; les rapports entre ce dernier et la famille du bâtisseur de Mouftella ont pu être établis ; à Mouftella, dont la stratigraphie est largement perdue à la suite de travaux antérieurs aux nôtres, l'étude du puzzle complexe constitué de l'enchevêtrement des structures saïtes et romaines tardives a été commencée grâce aux points de comparaison offerts par les sites de Qasr ʿAllam et de Qaret al-Toub, qui servent respectivement de référence pour ces deux périodes (notamment pour l'étude de la maçonnerie et des modules de briques comme indices chronologiques). La présence contemporaine d'un fort romain à Qaret al-Toub et de bâtiments vraisemblablement officiels dans les phases de réoccupation de Mouftella, enfin, peut être mise en parallèle avec la proximité probable du site urbain de Psôbthis, dont on repère des indices épars sous l'habitat moderne d'Al-Qasr.

5. Balat, ʿAyn-Asil (oasis de Dakhla)

La campagne de cette année s'est tenue du 20 décembre 2003 au 4 mai 2004. Y ont participé Georges Soukiassian, archéologue (Ifao, chef de mission), Ayman Hussein, dessinateur (Ifao), Reis Azab, Hassan Mohammad, restaurateur (Ifao), Valérie Le Provost, doctorante céramologue (univ. de Poitiers), Alain Lecler, photographe (Ifao), Sylvie Marchand, céramologue (Ifao), Laure Pantalacci, égyptologue (univ. Lyon 2), Michel Wuttmann, archéologue restaurateur (Ifao), Mohammad Chawqi, dessinateur (Ifao), Mohammad Ibrahim, restaurateur (Ifao), Younis Ahmad, restaurateur (Ifao). Le CSA était représenté par Magdi Ibrahim et Ibrahim Rifaat, inspecteurs.

5.1. *La fouille du palais des gouverneurs*

La fouille des maisons postérieures à l'incendie, sur la bordure ouest du palais, a été terminée. Le niveau d'abandon de la phase 1 de la maison 9 complète l'abondant matériel céramique déjà recueilli en place. Les maisons 7, 8 et 9 qui appartiennent au même ensemble que les maisons 1 à 6 étudiées dans *Balat VI* [8] seront publiées en priorité.

Dans la même zone, on a dégagé la suite de l'arase du mur d'enceinte premier du palais couverte par le sol du niveau incendié. Le sortant déjà observé en 2003 se referme du côté sud selon un tracé en forme de demi-cercle aplati d'une dizaine de mètres de rayon. Sous l'esplanade du niveau incendié se trouve l'arase d'un mur de la phase antérieure qui borde le couloir N/S du palais du côté ouest. Les sols contemporains du mur d'enceinte courbe restent à fouiller en 2005.

Deux sondages sur la ligne du mur d'enceinte ouest du palais et un nettoyage de surface au sud ont permis de déterminer l'angle sud-ouest de l'enceinte finale du palais et de suivre le tracé de son mur sud sur une distance de 70 m. Ainsi le palais est-il compris dans une enceinte légèrement trapézoïdale dont les plus longs côtés mesurent 240 m N/S (côté ouest) et 100 m E/W (côté nord), soit une surface d'environ 21000 m^2.

Fig. 16. 'Ayn Asil, 2004. Enceinte fortifiée nord, tour SW vue SW/NE (© A. Lecler, Ifao).

8 G. Soukiassian, M. Wuttmann, L. Pantalacci, *Balat VI. Le palais des gouverneurs de l'époque de Pépy II*, *FIFAO* 46, Le Caire, 2002.

La tour sud-ouest de l'enceinte fortifiée nord figurait sur le plan du site, mais n'avait été que très partiellement sondée. Elle a été fouillée en 2004 jusqu'au niveau des fondations [fig. 16]. Outre les données architecturales, le sondage, situé en un point clé du développement du site a fourni une séquence d'occupation qui met en évidence le passage d'une structure défensive à une structure non fortifiée.

Les études de matériel se sont poursuivies : matériel épigraphique (L. Pantalacci), céramique VIe dyn. - Première Période intermédiaire (M. Wuttmann), céramique Deuxième Période intermédiaire (S. Marchand).

5.2. Qilaʿ *al-Dabba*

On a construit cette année le bâtiment destiné à la présentation de la chambre funéraire du gouverneur Betjou (Première Période intermédiaire). L'assemblage des blocs reste à faire en 2005.

V. Le Provost a poursuivi l'étude de la céramique Deuxième Période intermédiaire de Qilaʿ al-Dabba.

5.3. *L'étude du matériel épigraphique*

L. Pantalacci

La mission de L. Pantalacci s'est déroulée du 25 janvier au 19 février 2004, avec une période de terrain du 28 janvier au 17 février.

5.3.1. PUBLICATION DU MATÉRIEL INSCRIT DE LA PARTIE NORD

Cette saison, l'essentiel du temps a été consacré au dossier graphique du matériel mis au jour dans la partie nord du site « sondage nord » effectué par L. Giddy, N. Grimal et D. Jeffreys de 1979 à 1982, puis « sondage q » (G. Soukiassian et D. Schaad) durant la saison 2002.

Trois types de matériel épigraphique seront analysés dans la publication : éléments lapidaires hiéroglyphiques, inscriptions hiératiques sur tablettes et scellés, et empreintes de sceaux sur scellés et céramique (« moules à pain » pour la fabrication de produits de boulangerie spécifiques).

Les éléments lapidaires sont rares. Les principaux documents ont déjà été publiés (stèle de Pépy II et Hathor, jambage d'un gouverneur ancien). Deux fragments inédits de stèles funéraires, trouvés dans cette partie du site, sont proches par le style des dernières occupations autour des grands mastabas, toute fin VIe dynastie ou immédiatement après.

Les inscriptions hiératiques.

Les étiquettes sont des objets cordiformes qui peuvent porter soit des notes hiératiques, soit des empreintes de sceaux, au lieu ou en plus de ces notes. Une dernière révision des encrages et des notices des 23 exemplaires hiératiques de la collection a été effectuée ; elle a permis d'améliorer encore quelques lectures. Un ensemble cohérent, trouvé en couche scellée, forme une petite archive, ces étiquettes devant servir comme marques de propriété de contenants, difficiles, sans connaissance du matériel associé, à identifier : céramiques ou vanneries, qui étaient rangées dans la même pièce. Il serait intéressant de savoir si ces contenants renfermaient les biens consommables eux-mêmes, ou des « dossiers » documentaires relatant les opérations sur l'avoir (*ʿḥʿ*) des personnages cités.

On a revu également les 83 encrages de la collection des 113 scellés inscrits. Là encore, des lectures ont été améliorées et des corrections apportées. Les cachets datés, retrouvés en plusieurs dépôts, font principalement état de prélèvements de produits céréaliers, d'animaux, de volailles, dans les réserves du bâtiment. Les dates notées pour ces opérations, et le regroupement volontaire des scellés en collection, les désignent comme archives vivantes, conservées sur le lieu même des opérations en attendant récolement. Le fait que tous les mois de l'année, sauf un, soient mentionnés dans ces dates, suggère – comme on l'écrit souvent, sans en avoir de preuve formelle – une fréquence annuelle de ce récolement. Une étude plus fine du calendrier ainsi établi permettra peut-être de mettre ces prélèvements en rapport avec des dates marquantes du calendrier férial, ce que suggèrent plusieurs mentions du nom divin Taout(y) comme bénéficiaire de ces opérations. Sur le scellé 2199, un complément de déchiffrement a permis de reconnaître le nom de Khenty-kaou-Pépy, sans doute un des premiers gouverneurs de la lignée, contemporain du début du règne de Pépy Ier. Datant de la « phase 2 » définie par L. Giddy, il apporte un nouveau témoignage de la durée des cultes mémoriaux sur plusieurs générations.

37 tablettes hiératiques seront incluses dans la publication. Quelques corrections et compléments ont pu être apportés sur des documents particulièrement retors, en particulier la minuscule lettre 1508, inscrite recto-verso. La statuette d'envoûtement 2326, publiée par N. Grimal [9], a pu être relue dans des conditions particulièrement favorables, après un nettoyage dans l'atelier de restauration.

Les empreintes de sceaux

Le dossier le plus lourd de cette saison aura été celui des 331 empreintes de sceaux. À l'exception d'une trentaine très mal conservées, toutes méritent publication. Le travail s'est concentré sur les 240 empreintes issues de la fouille ancienne. Dans cette collection, le nombre élevé des empreintes de cylindre est notable. Les dessins préparatoires au crayon, dont une centaine avait déjà été réalisée lors des deux précédentes saisons d'étude, ont été poursuivis. L'ensemble du dossier ancien s'est ainsi trouvé préparé pour encrage. Ce travail graphique délicat, jusqu'ici réalisé manuellement, a été traité sur ordinateur par M. Chawqi à partir des calques au crayon, numérisés à haute résolution.

L'ensemble de ce matériel indique donc un fonctionnement administratif pas moins structuré que celui du palais gouvernoral, mais organisé selon des modalités distinctes. Par exemple, dans les collections du palais, étiquettes et cachets datés sont très rares. En revanche, le formulaire et la teneur des lettres – qui sont très peu nombreuses – sont voisins. Plusieurs comptabilités muettes signalent la présence, dans cet environnement de contrôle économique serré, de comptables ne

9 « Les noyés de Balat », *Mélanges J. Vercoutter*, Paris, 1985, p. 111-121.

maîtrisant pas nécessairement l'écriture. Pourtant, les estampilles utilisées permettent d'identifier plusieurs fonctionnaires, grands ou petits, qui intervenaient régulièrement à la fois dans le palais, et dans le bâtiment nord.

5.3.2. MATÉRIEL TROUVÉ DANS LES FOUILLES DU PALAIS SUD

Les dégagements importants réalisés durant cette campagne n'ont produit que peu de matériel sigillaire : deux fragments de tablettes (une lettre et une comptabilité) et une quinzaine d'empreintes de sceaux. Un fragment lapidaire, trouvé non loin de la *ḥwt-kꜣ* du nord-ouest et qui pourrait en provenir, conserve sur trois lignes quelques signes d'une grande inscription hiéroglyphique (hauteur des quadrats : 7 cm), proche, d'après son style, de la destruction du palais.

6. Centre d'études alexandrines (CEAlex)

Durant la campagne 2003-2004, l'activité de fouilles du CEAlex (UMS 1812 du Cnrs, soutenue par le ministère des Affaires étrangères) s'est poursuivie, avec la fin de la fouille d'une première partie du terrain du patriarcat grec orthodoxe ainsi que du cimetière de Terra Santa n° 2. Une nouvelle fouille a été entreprise à Maréa, sur la rive méridionale du lac Mariout, à une cinquantaine de kilomètres au sud-est d'Alexandrie. Les fouilles sous-marines se sont également déroulées suivant le rythme devenu habituel des deux campagnes annuelles, au printemps et à l'automne, portant sur le site du Phare et une épave localisée l'année dernière.

6.1. *Les fouilles terrestres*

6.1.1. LE PATRIARCAT GREC ORTHODOXE

En 2004, le CEAlex a mené une nouvelle campagne de fouilles sur le terrain du patriarcat grec orthodoxe d'Alexandrie, sous les ordres de Francis Choël et Marie Jacquemin, archéologues. Le CSA était représenté par des inspecteurs qui se sont succédé tous les deux mois, avec Mona Ahmad, Fahima Ibrahim, Hasna Amahoud, Abtihal Mohammad et Rihab Mohammad.

Les unités stratigraphiques les plus profondes ont été atteintes par environ 2 m d'altitude par rapport au niveau de la mer, soit plus de 8 m sous le sol moderne. Les caves d'habitations avec du matériel hellénistique, des puits, un foyer sont les derniers vestiges qui ont été mis au jour, avant que l'ensemble du terrain ne soit noyé par la nappe phréatique qui a obligé à abandonner la fouille. Le remblaiement de la parcelle a été effectué. Une seconde tranche de fouille dans une zone située plus au sud de cet îlot sera entreprise après la post fouille de cette première étape. Cette phase d'étude permettra de reprendre l'examen des structures médiévales qui reposaient directement sur les vestiges romains, des maisons antiques, des recreusements profonds de l'époque ottomane, à la recherche de matériaux de construction, de la gestion de l'hydraulique – citernes, bassins, puits, canalisations à la forte densité dans ce secteur – et d'examiner un riche mobilier d'une variété et d'une richesse remarquables, avec des contextes stratigraphiques, souvent d'une grande précision.

6.1.2. TERRA SANTA

Pendant toute l'année 2003 et jusqu'au mois de mai 2004, deux grandes zones ont été explorées dans le cimetière latin Terra Santa n° 2, près du tombeau d'albâtre. La nature inattendue des résultats a amené à fermer le chantier après 21 mois de fouilles.

Les deux grands secteurs étaient dirigés pour la partie nord (à l'est du tombeau) par les archéologues Jean Siguoirt, Marie-Christine Petitpa et Sylvie Boulud et pour le secteur sud (près de la rue d'Aboukir) par Samuel Desoutter, Thierry Gonon, Guillaume Hairy et Jean Curnier. La topographie était assurée par Cécile Shaalan et la gestion de l'inventaire par Antoine Delauney. Le CSA était représenté par les inspecteurs Bassam Ibrahim et Inès Saphie.

Dans la zone nord, deux grands sondages ont été ouverts, avec des résultats identiques. Le substrat rocheux est apparu moins d'1 m sous la surface actuelle. Il présentait des cavités grossièrement circulaires, séparées les unes des autres par des parois réservées dans la roche, sans aucune trace de revêtement ni d'aucune activité ou occupation. Du mobilier résiduel hétérogène datant de l'époque ptolémaïque comme du XIXe siècle jonchait le rocher. Dans les deux sondages, des parois de taille d'une carrière exploitée sans doute durant l'Antiquité descendent jusqu'à plus de 5 m de profondeur. Là aussi, on trouve le même mélange de mobilier antique et moderne. Dans la zone sud, le substrat rocheux est en pente est-ouest, à quelques centimètres sous le niveau de la rue moderne. Comme au nord, aucune structure ne subsiste.

Que le site ait été occupé dans l'Antiquité ne fait aucun doute : dans les deux zones, un important réseau hydraulique souterrain a été mis au jour, avec une dizaine de puits, dont certains sont chemisés d'assises de blocs à joint vif, menant à des galeries revêtues d'un ciment hydraulique, de 60 à 80 cm de largeur sur environ 2 m de hauteur. Dans le remplissage d'une citerne, on trouve du matériel de la haute période hellénistique dont 3 monnaies de Ptolémée Ier. Ce réseau d'eau courante et de puisage a été aménagé peu après la fondation de la ville en 331 av. J.-C. Il a été exploité d'une autre manière, par capillarité, au cours de l'époque romaine tardive, avec une *saqieh* dont la fouille a permis de retrouver 9 assises (les blocs de la partie supérieure ayant été remployés). Elles ont été démontées et placées de façon provisoire dans l'enceinte du Tombeau d'albâtre. Cette partie de la ville se trouvait à l'extérieur des murailles reconstruites par Mohammad Ali et il semble qu'on ait démonté tous les monuments s'élevant à cet endroit, raclant jusqu'au rocher naturel, formant une sorte de glacis en interdisant toute nouvelle construction.

6.1.3. LES CITERNES

Le travail sur les citernes d'Alexandrie a suivi trois directions : 1. la continuation du dégagement de la citerne Gharaba, dans le quartier de Kôm al-Nadoura ; 2. la préparation, sous la direction d'Isabelle Hairy, d'une exposition sur l'hydraulique alexandrine qui sera présentée en région Paca au cours de l'année 2005 ; 3. la mise en valeur, grâce à un financement de Gaz de France, de la citerne al-Nabih : les relevés sont assurés par Marc Fautrez et Jasmine Badr, architectes, et le projet de réhabilitation et de présentation au public avec un musée de site, pour une inauguration à la fin de l'année 2006, est mené par Laurent Borel et Chrystelle March, architectes, tandis qu'Yvan Vigouroux, tailleur de pierre, assurera la reprise de la maçonnerie.

6.1.4. MARÉA

Le CEAlex a commencé une nouvelle fouille à Maréa, à une quarantaine de kilomètres d'Alexandrie, sur la rive méridionale du lac Mariout. La concession s'étend sur la chaussée et l'île située à une centaine de mètres à l'est de la ville qui fait l'objet d'une autre fouille par une équipe du Centre polonais d'archéologie méditerranéenne. L'objectif est très ciblé : une simple prospection de surface montrait les traces d'une intense activité métallurgique et la fouille devait permettre de vérifier la nature de ces concentrations et dégager les fours et les installations artisanales. Les travaux ont été menés sur le terrain sous la direction de Valérie Pichot, archéologue-archéométallurgiste, durant deux campagnes, du 3 au 17 juillet 2003, puis du 6 décembre 2003 au 28 février 2004, avec l'archéologue Véronique Merle et des interventions d'Isabelle Hairy, architecte-archéologue et Mourad al-Amouri, archéologue, de Cécile Shaalan et Ismail Awad, topographes. Le CSA était représenté successivement par les inspecteurs Aliaa Adel, Yousri Mohammad et Riham Essam. Ces travaux ont conduit à une collaboration avec l'Institut de recherche sur les archéomatériaux (UMR 5660 du Cnrs) dirigé par Philippe Fluzin.

Les sites antiques qui bordent le lac Mariout se trouvent en milieu subdésertique et les murs affleurent à la surface. Un rapide nettoyage permet de procéder à des couvertures topographiques et de dresser des plans avec le tracé de la chaussée bordée sur ses deux côtés par une assise de pierre locale, reliant l'île à la terre ferme et, sur l'île, des ensembles de bâtiments séparés par un espace de circulation orienté nord-sud.

Dans l'île, la surface révèle au promeneur des traces de foyers, de structures de fours et de zones de dépotoir. Une partie de la zone sud-ouest de l'île a fait l'objet d'un nettoyage et là où apparaissent des vestiges de sols d'ateliers et de fosses, une ruelle orientée est-ouest sépare deux complexes d'ateliers. Des sondages ont révélé une activité métallurgique mettant en œuvre le cuivre et le fer, avec les structures et les traces d'occupation, des foyers et trois sols superposés, de même que des concentrations de mobilier détritique, scories, battitures, ratés, objets non finis, outils, etc. Ce type de fouille nécessite une grande minutie et le travail de post fouille sur les scories demande beaucoup de temps. La découverte de cet ensemble d'ateliers de bronziers peut être considérée comme importante. Sa chronologie reste à déterminer : alors que la cité de Maréa est généralement datée de l'époque romaine tardive (V^{e}-VIIe siècle apr. J.-C.), la fouille a mis au jour du mobilier remontant à l'époque hellénistique, notamment dans un sondage avec des sols en place datant du IIe siècle av. J.-C.

La réalisation d'une carte géophysique est prévue pour l'automne 2004, afin de guider les choix de la fouille qui reprendra au cours du printemps 2005.

6.2. *Les fouilles sous-marines sur le site de Qaitbay*

6.2.1. LE SITE MONUMENTAL

L'équipe, placée sous la direction de Jean-Yves Empereur et Isabelle Hairy, architecte-plongeuse, était dirigée sur le terrain par Mourad al-Amouri, archéologue-plongeur, et comprenait Laure Déodat, Guillaume Hairy, Henri-Louis Guillaume, Jean Curnier, archéologues-plongeurs, Myriam Seco Alvarez, égyptologue-plongeuse, Sherin al-Sayed, plongeur-dessinateur, et André Pelle, photographe-plongeur (Cnrs). La topographie était assurée par Cécile Shaalan et Ismail Awad. Le CSA était représenté par les inspecteurs Sameh Ramsis, Aschraf Abdel Raouf, Megdi Abdallah, Bassem Ahmad et Hani Ezzedine (automne 2003), Atef Ibrahim, Ahmad Adel, Dhia Abdelaaziz et Mohammad Mohammad (printemps 2004) et la marine égyptienne par les capitaines Khaled Mohammad (2003), Loueï al-Din et Walid Ahmad (2004).

Fig. 17. Site sous-marin de Qaitbay, 2004. Détail d'un fragment de naos en granit avec scène pharaonique en creux,entourée de deux côtés par une colonne de hiéroglyphes (cliché A. Pelle, archives CEAlex).

Les deux campagnes, à l'automne 2003 et au printemps 2004, avaient pour but de continuer la cartographie de la zone située près des dalles de la porte du Phare. Une centaine de blocs architecturaux ont été ajoutés à la carte (qui en comptait plus 2 655 en 2002) : colonnes, fragments de parements, un sphinx. Par ailleurs, un sondage est prévu dans le secteur des statues colossales et de leurs bases, dans une zone près du rivage, actuellement couverte par des blocs de béton moderne. Le déplacement grâce à des ballons gonflés à l'air comprimé d'une douzaine de pièces a permis de dégager 13 nouveaux blocs dont au moins deux pourraient être des fragments de statues. Trois fragments appartenant à un naos de granite rose ont été identifiés. L'un d'entre eux porte une scène pharaonique avec deux inscriptions hiéroglyphiques.

6.2.2. LES ÉPAVES GRECQUES ET ROMAINES

L'exploration des épaves a continué durant l'automne 2003, avec Georges Soukiassian (Ifao), Jean-François Mariotti et Jean Curnier, archéologues. L'épave d'amphores de type *Late Roman 1* repérée lors des précédentes campagnes a fait l'objet d'un premier relevé. Une partie de la cargaison se trouve dans le sable et une autre, sans doute la mieux conservée, est prise sous une couche de sédiments coralliens récents qu'il faudra traverser pour atteindre les amphores. Dans deux zones, on note des concentrations de tuiles plates qui font sans doute partie du chargement de ce bateau, à dater de l'époque romaine tardive.

6.3. *Colloques et publications*

Sous la direction de Michel Tuchscherer, un programme, réunissant l'Ifao au Cedej, à l'université d'Aix-Marseille et au CEAlex, prévoit la collecte et l'étude d'archives manuscrites dans les différentes villes qui ont commercé avec Alexandrie : Venise, Marseille, Raguse, etc., et une première réunion a été organisée au mois d'octobre 2003. Les actes en paraîtront dans une nouvelle série consacrée à Alexandrie ottomane, dans la collection des *Études alexandrines*, aux presses de l'Ifao.

Pour la mise à jour détaillée des études publiées dans le cadre du CEAlex, on continuera de se reporter à la chronique publiée tous les ans dans le *Bulletin de correspondance hellénique*. La série des *Études alexandrines*, publiée aux presses de l'Ifao, continue de s'enrichir : les épreuves du volume *Une exception égyptienne ? Production et échanges monétaires en Égypte hellénistique et romaine* (Actes du colloque qui s'est tenu à Alexandrie en avril 2002) ont été corrigées, tandis qu'une monographie sur *Les tanagréennes d'Alexandrie* par D. Kassab a été remise à l'éditeur et qu'*Alexandrie médiévale* 3 le sera prochainement.

7. Deir al-Bahari

7.1. *Chapelle d'Hathor d'Hatchepsout*

Le relevé de la chapelle d'Hathor du temple d'Hatchepsout a été réalisé par Nathalie Beaux-Grimal, égyptologue (chercheur associé Ifao), et Januscz Karkowski, égyptologue (Cpam). Les planches du volume I (sanctuaire de la barque et sanctuaire), encrées par Élisabeth Majerus-Janosi, dessinatrice, et celles du volume II (vestibule), excepté quelques dernières corrections, sont achevées. La correction des planches du volume III (deux salles hypostyles), déjà encrées, est programmée pour 2005.

7.2. *Chapelle d'Hathor de Thoutmosis III*

La publication du relevé de la chapelle d'Hathor du temple de Thoutmosis III, assurée par N. Beaux-Grimal et Ramez W. Boutros, architecte (Ifao), est désormais en cours.

8. Deir al-Médîna

8.1. *Synthèse des travaux*

Coordonnée par N. Cherpion, égyptologue, responsable du service des archives de l'Ifao, la mission a vu se succéder plusieurs chercheurs travaillant chacun sur des secteurs différents. Elle a bénéficié du précieux concours de nos collègues du CSA, Yahya Abd al-Alem Abdallah et Mahmoud Abdallah Mohammad, inspecteurs. À l'inspectorat de la rive gauche, MM. Ali Ibrahim al-Asfar et Sultan Mohammad Aid ont veillé au bon déroulement des travaux.

Du 6 au 13 décembre 2003, Frédéric Servajean, égyptologue (Ifao), a complété les relevés architecturaux de la descenderie, de la salle A, de la salle B, du couloir A-C et de la salle C de la tombe TT 335 (Nakhtamon). Il a également vérifié un certain nombre d'éléments en vue de l'achèvement de la restitution des caveaux en trois dimensions et préparé le travail de paléographie.

Dans le cadre d'une étude générale sur la vannerie égyptienne, Christiane Hochstrasser-Petit a repris cette année, en décembre 2003, le travail d'Y. Gourlay sur la vannerie de Deir al-Medîna commencé dans les années 70. Balais, paniers, nattes et éléments de cannage ont été sortis du magasin 12, fichés sur File Maker Pro, et les détails intéressants pour la compréhension de différents points techniques ont été photographiés. Une redistribution par catégorie dans des cartons étiquetés (avec une liste des objets qu'ils contiennent) a été commencée, permettant une gestion plus adaptée au cas par cas.

Du 8 janvier au 7 février 2004, Hanane Gaber a poursuivi son étude, pour publication, des tombes TT 218 (Amennakht), 219 (Nebenmaât) et 220 (Khâmeteri). Le travail s'est effectué selon trois axes principaux : poursuite du relevé architectural, vérification des textes et examen des fragments de peinture réunis dans un angle de la chapelle d'Amennakht et dans la niche de la chapelle de Nebenmaât. Le nombre total de ces fragments, signalés par B. Bruyère lors du déblaiement des deux chapelles, s'élève à 132. H. Gaber a trié les fragments d'après la couleur du fond, les représentations (personnages, fleurs, offrandes), les textes et les dimensions ; elle a ainsi pu proposer quelques origines pour ces éléments de peinture murale. Dix fragments se raccordent avec les parois sud et ouest de la chapelle d'Amennakht ; trois autres fragments ont été identifiés avec certitude, car ils se rapportent au chapitre 71 du Livre des Morts figurant sur la paroi est du second caveau d'Amennakht. Leïla Menassa, dessinatrice (Ifao), a relevé sur Kodatrace les parois PM 2, 3 et 4 de la chapelle d'Amennakht.

Jean-Marie Guillon, du 11 janvier au 7 février 2004, a procédé à une dernière vérification des textes de la tombe TT 323 (Pached), poursuivi les relevés architecturaux (coupes et plans), effectué un nettoyage complet des deux chapelles et percé le mur qui ferme le cæcum prenant naissance dans la descenderie ; la caverne qui doit correspondre à un hypogée non terminé contenait 27 momies appartenant peut-être à la même famille ; l'étude de ces momies par un radiologue est inscrite au programme de l'an prochain.

Dans le cadre de l'acheminement vers le « magasin Carter » (CSA) de tout le matériel de fouilles entreposé dans la maison de Deir al-Medîna, Pascale Ballet et Grégory Marouard ont entrepris, du 21 au 29 janvier 2004, de réorganiser et d'étudier la céramique trouvée lors des fouilles par l'Ifao dans les années soixante du monastère de Saint-Marc, céramique qui était stockée dans le magasin 9 (voir *infra*, 8.4. Transfert de la céramique du magasin 9). Vu l'abondance de cette céramique et la nécessité de refaire de nombreux dessins, le matériel a été provisoirement transporté dans le magasin 21, sur la terrasse inférieure du site, en vue de poursuivre l'étude de celle-ci l'an prochain.

Du 26 janvier au 3 mars 2004 s'est déroulée la mission conjointe Ifao - musée du Louvre conduite par Guillemette Andreu, égyptologue (voir *infra*, 8.2. Secteur sud du Grand Puits).

Parallèlement aux travaux de déblaiement au sud du Grand Puits, Laurent Bavay, céramologue, a poursuivi, du 1er février au 2 mars 2004, l'étude de la céramique du Nouvel Empire conservée dans le magasin 28. Il était assisté pour le dessin par Anja Stoll et C. François (voir *infra*, 8.3. Céramique du Nouvel Empire).

Enfin, Jean-François Gout (Ifao) a photographié en couleurs la tombe n° 10 de Penbouy et Kasa, en vue de sa publication par Sara Demichelis et Francis Janot. Ces deux derniers n'ont pu se rendre à Deir al-Medîna cette année.

8.2. *Secteur sud du Grand Puits*

G. Andreu

Mené dans le cadre d'une convention signée entre le musée du Louvre et l'Ifao, ce programme entend finir le travail que le fouilleur Bernard Bruyère n'avait pu achever en 1952, alors que les événements politiques rendaient difficile l'activité des archéologues français en Égypte. Il restait peu à faire selon Bruyère, son regret principal étant de n'avoir pas tamisé finement ses propres déblais amassés sur le côté sud du Grand Puits. « Les déblais qui en bordent le flanc sud restent à voir et offrent aussi des possibilités d'enrichissement de nos collections », écrivait-il en 1952 [10]. C'est à cette tâche que la mission s'est attelée sur le terrain entre le 3 février et le 2 mars 2004. L'équipe, conduite par Guillemette Andreu, égyptologue, était constituée de L. Bavay, céramologue, J.-Fr. Gout, photographe (Ifao), Pierre Grandet, égyptologue, D. Laisney, topographe (Ifao), Vanessa Ritter, égyptologue, et Anja Stoll, archéologue dessinatrice.

Le cavalier de déblais situé au sud du Grand Puits est long d'environ 50 m, sur une largeur de 12,50 m et une épaisseur d'environ 4 m. Quatre sondages préliminaires disposés sur quatre points dispersés de ce talus ont permis d'observer qu'aucune couche privilégiée ne recelait particulièrement d'objets oubliés par Bruyère, et que l'on pouvait donc enlever ces déblais d'ouest en est, par

Fig. 19. Deir al-Medîna, 2004.
Vue générale du chantier au sud du Grand Puits depuis la montagne thébaine.

10 *BSFE* 9, 1952, p. 8.

niveaux, de façon régulière. Au bout de quatre semaines d'un tamisage fin, on a ôté une couche épaisse de 1,50 m sur une longueur d'environ 40 m. Force a été de constater que de nombreux objets, de petite taille, souvent difficiles à distinguer des nombreux cailloux et tessons qui forment le courant des déblais, avaient échappé aux précédents fouilleurs. À quelques exceptions près, ce matériel est datable de l'époque ramesside.

C'est ainsi que furent retrouvés 150 ostraca, dont 116 inscrits en hiératique, les autres étant démotiques, coptes ou figurés (10 figurés, dessinés au charbon pour la plupart). L'étude des ostraca hiératiques, dont beaucoup portent des textes assez effacés ou fragmentaires, a été confiée à V. Ritter (textes littéraires) et P. Grandet (textes documentaires). Ce dernier a procédé à l'examen d'une vingtaine d'ostraca, qui apportent chacun quelques éléments nouveaux à notre connaissance du village. La pièce la plus intéressante est manifestement un bloc de calcaire portant, ce qui est tout à fait nouveau, un texte incisé.

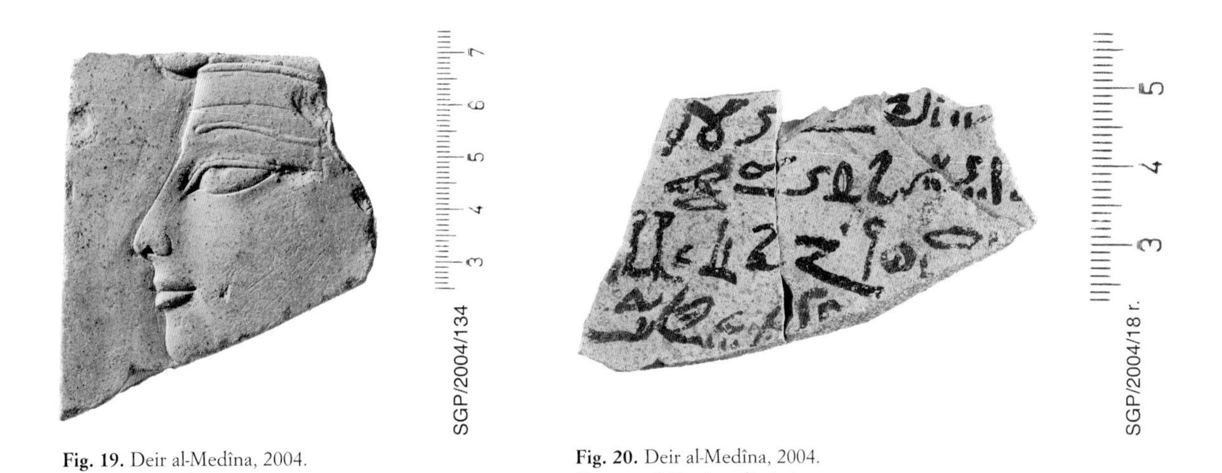

Fig. 19. Deir al-Medîna, 2004.
Esquisse de sculpteur.

Fig. 20. Deir al-Medîna, 2004.
Ostracon hiératique littéraire.

Parmi les autres objets découverts, signalons deux petites têtes royales sculptées en relief, d'une facture remarquable. L'une s'apparente à un caillou retaillé, qui figure le profil d'un roi ramesside, dont la perruque épouse la forme du caillou. L'autre est une esquisse de sculpteur, montrant en bas-relief un profil de roi aux traits modelés avec une grande subtilité. Les autres objets retenus sont de nombreux fragments de calcaire inscrits ou décorés provenant de stèles, de bassins, de tables d'offrande ; des fragments de peintures murales sur *mouna*, des sceaux estampillés de jarres sur limon, des éléments de mobilier en bois, des figurines féminines, et beaucoup de fragments d'objets couramment trouvés par Bruyère lors de ses fouilles : cordes, paniers, sandales, cuir, lampes, matériel de tissage. Quelques objets ont été nettoyés et consolidés par Hassan Mohammad Ahmad, restaurateur (Ifao).

D. Laisney (Ifao) a effectué un relevé topographique de tous les cavaliers de déblais qui se situent au nord du temple de Deir al-Medîna, le long des derniers contreforts de la montagne thébaine, au nord de la colline de Gournet Mar῾ei (jusqu'à la route du Ramesseum, aux abords de la maison de l'Institut allemand). Cette zone est le seul secteur archéologique inexploré de la concession de l'Ifao et il a paru utile de relever précisément les *kôms* de déblais qui l'encombrent.

Le dégagement des déblais situés au sud du Grand Puits devrait encore occuper une deuxième campagne en février 2005, peut-être une troisième et dernière en 2006, avant de déboucher sur une publication consacrée aux objets découverts.

8.3. *Céramique du Nouvel Empire*

L. Bavay

Les efforts de cette quatrième campagne ont porté sur la céramique provenant des tombes n°s 1164, 1165 et TT 356 d'une part, et de la tombe 1169 d'autre part, toutes fouillées par B. Bruyère durant la campagne de 1928.

Les tombes 1164 et 1165, datées par le fouilleur de la XVIIIe dynastie, et la TT 356 appartenant au *sedjem ach* Amenemouia de la XIXe dynastie se situent dans la partie médiane du cimetière de l'ouest. Les différents caveaux se trouvent en relation l'un avec l'autre par plusieurs brèches, qui ont entraîné un mélange du matériel funéraire dont attestent les fragments de poterie jointifs retrouvés dans les trois hypogées. Le matériel céramique provenant de cet ensemble a été brièvement présenté par G. Nagel, à la fois dans le rapport de la campagne (tombes 1164 et TT 356 ; cf. B. Bruyère, *Rapport de 1928,* p. 100-109, 112-118) et dans sa monographie consacrée à la céramique du Nouvel Empire (p. 3-8, 70-87). Le travail mené cette année a montré l'utilité de reprendre les dessins publiés, souvent approximatifs, et surtout les descriptions des vases. Ces tombes constituent des ensembles importants par le nombre de poteries qu'elles ont livrées comme par leur diversité. Des liens intéressants ont déjà pu être établis avec le matériel provenant des fouilles récentes menées par l'université de Bâle dans les « cabanes d'ouvriers » à proximité de la tombe de Ramsès X (matériel étudié par Andreas Dorn).

La tombe 1169, située immédiatement au sud des trois précédentes, représente elle aussi un ensemble céramique particulièrement intéressant, illustrant le mobilier d'une riche inhumation qui peut vraisemblablement être située durant le règne de Thoutmosis IV ou d'Amenhotep III.

Toutes les pièces constituant ces quatre ensembles ont été dessinées et cataloguées. Malgré le fait qu'A. Stoll ait été largement occupée par le dessin des objets et ostraca figurés provenant de l'opération de tamisage des déblais du Grand Puits, plus de 200 dessins de céramique ont ainsi été réalisés durant cette campagne.

Un grand vase Bès a fait l'objet d'une restauration. Il provient d'un dépôt de poteries mis au jour en 1933-1934 aux abords de la tombe 1348, contre le flanc externe nord de la chapelle du nord et résultant, selon le fouilleur, du pillage d'une tombe voisine (B. Bruyère, *Rapport de 1933-1934*, p. 110-116). Bruyère donne une description détaillée du vase et de son décor, qui occupe trois pages de son rapport. Par sa taille (plus de 65 cm de hauteur conservée), son modelé en haut-relief, son décor peint figurant notamment trois Bès musiciens et dansant, ce vase est considéré comme l'une des pièces majeures de l'art céramique du Nouvel Empire et se trouve reproduit dans les synthèses consacrées à la poterie égyptienne. Très fragmentée, la pièce avait fait l'objet d'une première restauration au moment de sa découverte, et sans doute de consolidations ultérieures à l'aide de lattes de bois et de fragments de plastic. Son état déplorable méritait une nouvelle restauration, qui donnerait aussi l'occasion de réaliser une série de photographies en couleurs du vase. La restauration a été menée par Hassan M. Ahmad (Ifao). Les collages anciens ont été démontés et nettoyés, pour permettre un nouveau remontage propre. Certaines lacunes, notamment dans la partie médiane du vase, ont été comblées à l'aide de plâtre dans le but d'assurer une meilleure solidité à l'assemblage, et d'éviter ainsi le recours à des soutiens de bois peu esthétiques. Enfin, un nettoyage superficiel de la surface du vase a été réalisé en vue des photographies en couleurs, faites en fin de campagne par J.-Fr. Gout.

8.4. *Transfert de la céramique du magasin 9*

P. Ballet, Gr. Marouard

Quel est le faciès céramique de Saint-Marc ? La part des importations provenant de la région d'Assouan constitue un fait notable. Ces céramiques à pâte kaolinitique, tout à fait caractéristiques des ateliers de la Première Cataracte, peuvent être divisées en deux groupes : un groupe à engobe rouge orangé très abondant et portant parfois des décors imprimés en creux, qualifié de *Groupe O(rangé)* dans la littérature archéologique ; un groupe à engobe beige jaune et à décor peint, appelé *Groupe W(hite)*. Ces deux ensembles techniquement bien identifiés appartiennent au répertoire habituel de la céramique copto-byzantine d'Égypte.

Il existe, et c'est un aspect inédit de la documentation de Saint-Marc, une série de plats à décor peint, imitant le *Groupe W(hite)* peint, fabriqués à partir d'une pâte non assouannaise, vraisemblablement siliceuse, issus d'un atelier égyptien non repéré toutefois dans le réseau des ateliers connus de la Vallée du Nil.

Quelques exemplaires de jattes carénées, à décor peint d'arceaux, proviennent de Moyenne-Égypte : ils sont apparentés, sur le plan technique, aux céramiques fines du *Groupe K(armin)*, à engobe rouge et à pâte siliceuse, également produites dans les centres de Moyenne-Égypte (Antinoopolis, selon toute vraisemblance).

Il faut enfin souligner la présence d'un ensemble de céramiques fines à engobe rouge, imitant les types habituels de la sigillée tardive, et dont une fraction pourrait être d'origine locale.

Quelques ensembles céramiques de fabrication régionale ont aussi pu être identifiés (présence d'un décor peint monochrome constitué de spirales et associé à des formes telles des gargoulettes et des jarres ; présence de cratères à décor peint). On retrouve ces caractéristiques dans un périmètre proche (niveaux tardifs du sanctuaire de Séthy Ier et de la Vallée des Reines), ce qui accrédite l'hypothèse d'une production régionale. En revanche, elles paraissent absentes de la région d'Éléphantine et de l'Égypte du nord.

Par comparaison avec cet ensemble local, quelques gargoulettes à décor de points et à pâte alluviale plus fine et plus dense, font figure d'intrus. On trouve ce type de vase à eau aux Kellia et dans la région d'Alexandrie, sans que l'on puisse savoir s'il est produit dans le Delta occidental ou sur ses franges. Le petit nombre d'exemplaires appartenant à ce groupe confirme l'hypothèse d'une production exogène au site ou à la région thébaine.

En termes de datation et dans l'état actuel des recherches, l'ensemble du matériel semble correspondre au faciès de la fin du VIe au VIIe siècle. L'un des objectifs consistera à faire état, dans la publication finale, des critères retenus permettant l'établissement d'une production locale et régionale, en dépit de l'absence d'ateliers clairement identifiés, à l'exception peut-être des ateliers de Gourna, qui se sont implantés dans l'enceinte du temple de Séthy Ier (étude de K. Myśliwiec) à la période copto-byzantine.

8.5. *Inscriptions démotiques du temple*

J.-Fr. Gout a photographié les graffiti démotiques du temple en vue de leur publication par Didier Devauchelle et Ghislaine Widmer.

9. Dendara

9.1. *Campagne épigraphique*

La campagne épigraphique de Dendara, menée par Sylvie Cauville, égyptologue, s'est déroulée cette année du 27 septembre au 25 octobre 2003, avec le concours d'Alain Lecler, photographe (Ifao), Yousreya Hamed, dessinatrice (Ifao), et Amr Gad al-Karim Abou al-Hassan, inspecteur du CSA.

9.1.1. LE TEMPLE D'ISIS

La publication des inscriptions du temple d'Isis est en bonne voie. Le texte hiéroglyphique (660 pages) a été composé par l'imprimerie ; les corrections de l'automne 2002 et les ultimes vérifications de cette année ont été portées sur les épreuves remises à l'imprimerie en octobre 2003. Toutes les photographies du temple ont été numérisées par A. Lecler, le montage effectué, et, cette année, les numéros des colonnes ont été portés sur chacun des tableaux.

Un seul dessin sera joint : celui du relief de la naissance d'Isis, fort endommagé mais qui peut être reconstitué grâce à un modèle d'artiste provenant de Dendara et conservé au musée du Caire. Il a été réalisé *in situ* par Y. Hamed.

9.1.2. LE PRONAOS

Tous les textes du pronaos ont été copiés sur place ou sur photos (photos anciennes de J. Marthelot et récentes d'A. Lecler). Les textes correspondant au volume XIII de la collection *Dendara* ont été intégralement revus lors de cette mission.

A. Lecler a photographié les piliers de la façade, les parois latérales est et ouest et la paroi extérieure du pronaos sud (sur le toit du temple). Les différents volumes se présenteront ainsi :

Dendara XIII (600 pages) : porte axiale et tores (Claude), piliers de la façade (Claude), tableaux d'entre-colonnement de la façade (Claude), colonnes d'entre-colonnement (Claude), paroi sud du pronaos ou façade du naos (Auguste, Tibère, Caligula, Claude), parois nord-est et est (Néron), parois nord-ouest et ouest (Néron).

Dendara XIV (450 pages) : colonnes (Claude).

Dendara XV (450 pages) : plafond et architraves (Claude), parois extérieures (Néron).

Chronologie

Le pronaos est la dernière étape de construction du temple d'Hathor (décoration achevée par Néron). La totalité de l'entreprise s'est déroulée de 51 av. J.-C. à 68 apr. J.-C. (au plus tard), soit une période de 119 ans. L'inventaire réalisé par J.-Cl. Grenier est complété par plusieurs titulatures nouvelles : 1) Auguste (30 av. J.-C. - 14 apr. J.-C.) : paroi sud, registres supérieurs ; 2) Tibère (14-37 apr. J.-C.) : paroi sud, soubassement ; 3) Caligula (37-41 apr. J.-C.) : paroi sud, registres inférieurs, linteau de la paroi nord, corniche de la façade ; 4) Claude (41-54 apr. J.-C.) : paroi sud, bandeau du soubassement, porte axiale, façade, colonnes ; 5) Néron (54-68 apr. J.-C.) : bases des colonnes 7, 8, 9, parois nord, est et ouest, parois extérieures.

Brève description de la décoration

Porte axiale (Claude). Montants : soubassement, six registres, entablement. Tore est : hymne à Hathor parallèle à *Dendara* III, 45 (porte de la chapelle axiale). Tore ouest : hymne à Hathor parallèle à *Dendara* III, 53 (porte de la chapelle axiale) ; la formule finale explique qu'il est récité lorsque la déesse retourne au temple après les processions fériales. Revers des montants est : texte parallèle à *Dendara* I, 20-21 (porte du sanctuaire). Entablement des montants : objets sacrés d'Hathor et Hathor sous forme de vache. Embrasures : textes de type classique. Plafond : hymne à Horus. Montants intérieurs est et tores : soubassements : purification par Horus et Thot ; textes : fêtes du 5 *paophi* et du 1er *thot* ; serpents sacrés.

Façade du pronaos (Claude). Piliers est et ouest : soubassement et quatre registres ; revers du pilier est : hymne à Imhotep ; revers des montants : trois registres. Faces intérieures : textes concernant les fêtes du 20 *thot* et d'*epiphi*. Murs d'entre-colonnement : trois tableaux. Murs d'entre-colonnement ouest : trois tableaux. Colonnes d'entre-colonnement. Face inférieure des architraves : dieux protecteurs des heures du jour (est) et de la nuit (ouest). Corniche inférieure : objets sacrés d'Hathor et procession de dieux adorant Hathor et Isis. Inscription grecque dédicatoire au nom de Tibère. Corniche supérieure.

Paroi sud du pronaos (= façade du naos) (Auguste, Tibère, Caligula). Bandeaux. Soubassement : procession de 2 × 22 génies de la fécondité. Quatre registres de huit tableaux. Tableaux supérieurs : dieux morts d'Edfou (est) et de Dendara (ouest), intronisations des déesses sur l'axe, au-dessus de la porte menant à l'hypostyle.

Parois intérieures (Néron). Bandeaux. Soubassements : 2 × 26 Nils et Campagnes. Quatre registres de sept tableaux. Corniches. Raccordement au pronaos : 18 génies protecteurs (présents dans la salle des offrandes, sur le kiosque, sur les gargouilles ouest et sur la porte d'Hathor).

Colonnes (Claude). 18 colonnes : 11 registres, dont 9 inscrits. Disposition symétrique et complémentaire des tableaux. Jeux de correspondances entre les colonnes. Le dessin d'une colonne type a été effectué par Héléna Zacharias.

Architraves et plafond (Claude). Travée I : voyage solaire, chronocrates des mois de *thot* et *paophi*. Travée II : heures du jour, décans, chronocrates des mois d'*hathyr* et de *khoiak*, vents du sud et de l'est, hymnes à Hathor et à Sekhmet. Travée III : Orion, Sirius, planètes, zodiaque (début), décans, chronocrates des mois de *tybi* et *mechir*, hymnes à Hathor et à Sothis. Travée I' : cycle lunaire, chronocrates des mois de *phamenoth* et *pharmouthi*. Travée II' : heures de la nuit, chronocrates des mois de *pachons* et *paoni*, vents du nord et de l'ouest, hymnes à Hathor et à Sekhmet. Travée III' : zodiaque (fin), chronocrates des mois d'*epiphi* et de *mesorê*, hymne à Hathor. Travée axiale : déesses de la Nouvelle Année dans une version textuelle plus complète que celles déjà recensées (à Dendara, sur le kiosque et dans le mammisi romain). Elles accompagnent la marche du roi lors de la fête du Nouvel An.

Portes latérales (Néron). Linteaux extérieurs supérieurs : dieux morts d'Edfou et de Dendara. Linteaux : offrandes alimentaires. Montants et revers des montants : quatre registres. Montant intérieur est : instruction aux prêtres. Embrasures : inventaire sacré (noms de la ville, noms des dieux et des prêtres).

Parois extérieures (Néron). Bandeaux : naissances d'Hathor et d'Isis, description du pronaos. Soubassements : Kaou et Hemsout. Quatre registres de cinq tableaux (dont de grands tableaux d'intronisation des déesses). Paroi sud-est : consacrée à Harsomtous. Paroi sud-ouest : consacrée à Horus d'Edfou et de Mesen. Corniches.

9.1.3. DIVERS

Les textes des cryptes ont été vérifiés lors de la mission 2002. Les volumes d'analyse, de traduction et d'index phraséologique ont été remis aux éditions Peeters et paraîtront au cours de l'année 2004 (*OLA* 131 et 132).

S. Cauville a revu les 215 hiéroglyphes dessinés par Y. Hamed en leur donnant un numéro complémentaire. Ils seront numérisés par Éric Aubourg et intégrés à la fonte informatique de l'Ifao.

A. Lecler a photographié les soubassements du sanctuaire, de la salle des offrandes et des chambres A', B', C', U. Les autres soubassements du temple avaient été photographiés lors des années précédentes. Cet ultime travail livre ainsi une documentation complète de ces processions fondamentales pour l'égyptologue ; elle pourrait être publiée sous forme de cédérom.

Les objectifs de la campagne 2004 sont : l'achèvement du relevé des inscriptions et de la couverture photographique du pronaos du temple d'Hathor ; la numérisation et la reconstitution photographique du pronaos.

9.2. *Étude archéométallurgique du temple d'Hathor*

Sous la conduite de Pierre Zignani, architecte (Ifao), et de Philippe Fluzin, archéométallurgiste (Cnrs), l'étude archéométallurgique et celle des techniques d'assemblage de la maçonnerie ont été poursuivies par le relevé du plafond de la partie occidentale du pronaos. Sur le terrain du 9 au 18 mars, l'équipe était complétée par Michel Aubert, archéométallurgiste (Cnrs) et Damien Laisney, topographe (Ifao).

Fig. 21. Dendara, Temple d'Hathor. Élément de cale utilisé dans la travée orientale, de la partie ouest du pronaos. (Cliché Ph. Fluzin, Cnrs-UMR 5060).

Commencée l'an passé, la documentation sur le système de chevilles destiné à accrocher une structure secondaire (plancher de travail) nécessaire dans la logistique du chantier a été achevée. Les cales en bois visibles dans le joint entre les dalles structurelles et leurs supports ont été également relevées pour l'étude de la mise en place des monolithes de la couverture. Parmi ces cales se trouvaient quelques éléments métalliques, du fer, dont l'absence de corrosion est surprenante.

Des échantillons du métal, des boucles de cheville et des cales ont été prélevés avec l'autorisation du CSA afin de déterminer leur nature exacte ainsi que leurs propriétés. Certaines cales réutilisent un fragment qui semble appartenir à une agrafe en forme de queue d'aronde [fig. 21]. Le travail de ces « cales » est frappant par la régularité de la mise en forme, tant du point de vue de l'épaisseur (parfaitement constante à 0,5 mm près pour l'intégralité du morceau) que pour l'aspect de surface qui est parfaitement plan indépendamment d'un saussage au plomb. Avant son utilisation comme cale, l'élément paraît avoir été scellé au plomb, avant d'être récupéré et mis au feu pour dégager l'âme en fer.

9.3. *Étude architecturale de la basilique*

La mission destinée au programme d'étude de la basilique de Dendara, mené par Ramez W. Boutros, a été reportée à l'année prochaine.

9.4. *Fouilles franco-polonaises des « quartiers civils »*

L'étude du matériel archéologique provenant de la fouille du secteur urbain situé à l'extérieur de l'enceinte du temple de Dendara s'est déroulée lors d'une campagne sur le site du 20 au 29 février 2004. L'objectif de cette dernière mission d'étude a principalement porté sur l'examen des restes de la faune qui ont été recueillis pendant la fouille d'une partie du secteur urbain (1999-2002). Cette étude a été menée à son terme cette saison par Salima Ikram (spécialiste de la faune, AUC, Le Caire), qui a identifié une quinzaine d'espèces, apportant des précisions sur les animaux domestiques et sur les ressources alimentaires de la population.

Parallèlement, Claire Newton, archéobotaniste, a procédé à une anthraco-analyse des échantillons de charbon de bois et de macrorestes transférés à l'Ifao. Six échantillons de charbon de bois ont été examinés, provenant d'un sol (1.106), d'un fond de jarre (1.141) et de rejets cendreux (1.54, 1.171.1, 1.144 et 1.202). La jarre dont provient l'échantillon 1.141.1 est datée de la phase 1 d'occupation du site (S. Marchand), soit de la VIe dynastie. Les autres contextes sont des phases 2 et 3 correspondant à la Première Période intermédiaire et à la XIe dynastie. Dans l'ensemble, 14 taxons différents ont été identifiés. Parmi ceux-ci, deux sont particulièrement abondants : *Acacia* sp. représentant 50 % des individus et *Tamarix* sp. qui en représente 31 %. Cette prédominance est certainement liée à la fois à leur disponibilité dans le milieu (plaine inondable et marge désertique) et à un choix pour la qualité du combustible.

Le travail des autres membres de la mission, Sylvie Marchand, céramologue (Ifao), Lilian Postel, égyptologue (Ifao) et Khaled Zaza, dessinateur (Ifao), fut consacré à des corrections et des compléments de la documentation graphique et photographique. S. Marchand et Kh. Zaza ont dessiné le matériel céramique et les meules de pierre, et vérifié les dessins des objets des saisons précédentes. L. Postel a poursuivi son étude du matériel épigraphique : il s'agissait cette année d'effectuer les ultimes vérifications avant publication sur le matériel inscrit et sur les objets associés (scellements, statuettes en terre crue, stylets). Le fac-similé de l'inscription hiératique du bol inv. Ifao 68 a été collationné avec l'original. Quelques points ont pu être améliorés, tant dans la lecture de l'inscription en grande partie effacée que dans le fac-similé lui-même. La couverture photographique des 26 lignes conservées (20 au recto, 6 au verso) a été complétée par des vues de détail sous différents éclairages. Le réexamen de l'objet confirme qu'il s'agit d'une liste de personnages, sans doute associés à des livraisons de produits dont le nom reste malheureusement difficilement lisible. La paléographie suggère une date entre la Première Période intermédiaire et le début de la XIIe dynastie. Les dessins des scellements et des autres objets effectués lors des précédentes campagnes ont été vérifiés avec Kh. Zaza et, si besoin, corrigés ou complétés.

10. Désert Oriental (sites miniers)

Collaborant à la rédaction de la monographie *Gebel el-Zeit II : Habitats et sanctuaires* (*FIFAO*), préparée par Georges Castel et Georges Soukiassian, Isabelle Régen, égyptologue (Ifao), a achevé le chapitre relatif aux bagues de faïence et sceaux qui lui avait été confié l'an dernier.

11. Désert Oriental (fortins romains)

La campagne de cette année (décembre 2003 - janvier 2004) s'est réduite à l'étude de certaines catégories de matériel archéologique conservé au magasin du Conseil suprême des antiquités à Quft. Les fouilles ont en effet été suspendues pour deux ans afin de préparer la publication des sites Didymoi et d'Umm Balad. La mission comprenait Hélène Cuvigny, papyrologue (Cnrs, chef de mission), Adam Bülow-Jacobsen, papyrologue, photographe (univ. de Copenhague), Dominique

Cardon, spécialiste des textiles (Cnrs, UMR 5648), Hero Granger-Taylor, spécialiste des textiles (Londres), Danielle Nadal, restauratrice de textiles, Hélène Eristov, spécialiste de la peinture romaine (Cnrs, Aoroc, Paris), Claire Newton, archéobotaniste (univ. Montpellier I).

Cette année a été consacrée au matériel de Didymoi, sauf pour la botanique, qui avait déjà été traitée sur place en 1999 par Margareta Tenger. Cl. Newton s'est employée à combler une lacune dans la publication générale de la *Route de Myos Hormos* en étudiant les restes botaniques de Maximianon.

11.1. *Les textes de Didymoi*

H. Cuvigny et A. Bülow-Jacobsen ont revu tous les textes sur ostraca et papyrus (970 inventoriés) en vue de la publication ; A. Bülow-Jacobsen publiera les lettres privées, H. Cuvigny le reste du corpus documentaire (correspondance administrative, comptes, contrats, listes de noms, *dipinti* vasculaires, sceaux) ; les textes scolaires et littéraires seront confiés à Jean-Luc Fournet. Beaucoup de lectures sur lesquelles des doutes subsistaient ont été vérifiées et améliorées, beaucoup de raccords ont été faits entre des tessons issus d'années différentes et aussi avec les tessons du « purgatoire », grâce à un étalage raisonné de ceux-ci (le purgatoire réunit sous un seul numéro d'inventaire des centaines de tessons insignifiants par eux-mêmes mais qui peuvent s'avérer utiles en cas de raccord). Les photos manquantes ou médiocres ont été refaites. Parmi les avancées les plus notables, notons l'identification d'un papyrus littéraire comme un commentaire du chant III de l'Odyssée, ou les progrès faits sur une petite inscription votive provenant de la seconde chapelle de Didymoi qui a permis de découvrir le nom d'un nouveau préfet de Bérénice.

11.2. *Étude des textiles*

L'étude des textiles a été réalisée en collaboration par deux historiennes spécialistes de l'étude des textiles archéologiques, D. Cardon et H. Granger-Taylor, et une restauratrice expérimentée dans le traitement des textiles archéologiques, D. Nadal. L'objectif de la mission était de préparer la publication du chapitre sur les textiles de Didymoi, devant faire partie de l'ouvrage sur ce site en cours de rédaction sous la direction d'H. Cuvigny.

La mission s'est déroulée en trois phases : dans un premier temps, H. Granger-Taylor et D. Cardon ont achevé l'examen et la sélection des textiles encore en attente. Rappelons en effet que le dépotoir de Didymoi s'est révélé, dès 1998 puis en 1999 et en 2000, excessivement riche en trouvailles textiles et qu'il s'agit d'un matériel hors du commun, non seulement par la quantité des fragments exhumés mais aussi par leur variété : certains documents n'ont pas d'équivalent publié à ce jour. Malgré l'aide précieuse apportée par H. Granger-Taylor depuis 1999, il s'est donc révélé impossible, durant les missions précédentes, d'étudier, de façon aussi approfondie qu'ils le méritent, une telle masse de textiles au fur et à mesure qu'ils sortaient de terre. L'examen de ce reliquat a permis le repérage et l'analyse de nouveaux documents précieux.

La seconde phase des travaux, commencée durant la fin de la mission de H. Granger-Taylor, avait pour but de trier et répartir l'ensemble des textiles de Didymoi sélectionnés pour la publication en groupes correspondant à la structure envisagée pour notre chapitre sur les textiles : à la différence de la publication précédente par D. Cardon sur les textiles de Maximianon et de Krokodilô dans *La Route de Myos Hormos* (H. Cuvigny éd.), la publication des textiles de Didymoi tentera de présenter les fragments textiles en fonction de leur usage, dans la mesure où leur confrontation avec les informations apportées par les sources écrites et l'iconographie permet de proposer des hypothèses plausibles. Cette nouvelle façon de présenter les textiles bénéficiera des recherches antérieures de H. Granger-Taylor.

La troisième phase de la mission a consisté en un travail mené parallèlement par D. Cardon et D. Nadal : la première sélectionnant, pour chaque groupe, les documents les plus intéressants en vue de leur publication et les confiant à D. Nadal pour leur nettoyage et leur présentation préalablement à la photo, ainsi que pour leur conditionnement avant stockage. Une très abondante documentation photographique a pu être réalisée lors de cette mission, sous forme de diapositives couleurs et de photos numériques.

11.3. *Restauration des textiles*

Quatre-vingt-dix-neuf pièces ont été traitées par D. Nadal, chacune d'entre elles comportant souvent plusieurs fragments.

La pièce la plus importante traitée durant cette campagne est le n° 12209.3. Il s'agit d'un bonnet faisant office de sous-casque qui a été lavé et mis en forme après avoir été monté sur une calotte et des joues en non-tissé [fig. 22]. Une structure a été confectionnée pour qu'il supporte sans dégâts le lavage et le rinçage. Un autre fragment de sous-casque (13501.10.D99) a été lavé à plat et mis sur une structure ronde en volume pour stockage.

Les autres tissus ont été lavés à plat, en eau dure avec la mousse Hostapon, rincés en eau dure et mis à plat : la trame et la chaîne ont été redressées, tantôt en épinglant le tissu sur un carton compensé, tantôt en le tendant sur une plaquette de verre ou sur une feuille de Mélinex, selon ce qu'autorisait son état.

Les feutres ont été brossés ; les petites plaques de boue ont été éclatées à l'aide de pinces. Avec un pinceau léger, on peut tapoter la surface pour faire tomber la poussière et retrouver les couleurs. Les tissages en poil de chèvre ont été piquetés sur une feuille de polystyrène préalablement recouverte de plastique.

Leur imprégnation d'eau dure à l'aide d'un spray donne d'excellents résultats. Le poil redevient brillant et retrouve sa forme première. Les cordes, cordelettes, lisières, ont été traitées comme les tissus, mais piquetées sur du carton compensé (Isorel mou) avec des épingles d'entomologiste pour éviter leur retour à des formes en spirales.

Fig. 22. Didymoi, 2004.
Bonnet faisant office de sous-casque.

11.4. *Peintures et dessins*

Du 17 au 24 janvier 2004, H. Eristov a étudié plusieurs documents figurés provenant des fouilles de Didymoi.

Les plus exceptionnels sont constitués par des fragments de parchemin, découverts en 1999 (inv. 739). Ils ont fait l'objet d'une consolidation par un restaurateur de l'Ifao, Hassan al-Amir, la même année : les revers du fragment le plus grand ont été contrecollés sur de la gaze et tous ont été vernis.

Le fragment le plus complet (33 × 16 cm) porte une composition en registres séparés par des bandeaux horizontaux ornés de guirlandes de fruits – sans doute des grenades – entre deux doubles filets blancs. Les limites latérales des bandeaux sont données à droite par un filet vertical qui interrompt la guirlande, et à gauche par un arrêt des filets horizontaux au-delà desquels aucun vestige de motif n'apparaît. La largeur du panneau décoré mesurait donc 13 cm, et il est probable que la bordure gauche n'était pas visible sur l'objet originel. Cette peau devait recouvrir un élément de mobilier ou un coffre haut d'une quarantaine de centimètres au moins.

Une autre série de documents est constituée d'ostraca figurés représentant des scènes, des divinités ou des objets de culte, des animaux, des bateaux. Certains de ces dessins sont maladroits ou dérisoires, d'autres bien observés et assez habiles. La relative fréquence des images maritimes est à noter.

11.5. *Botanique*

L'objectif de cette mission, confiée à Cl. Newton, était d'avancer autant que possible l'étude archéobotanique de trois sites du désert Oriental dont la fouille est terminée : Al-Zerqa, Al-Muwayh et Umm Balad. Seul le matériel d'Al-Zerqa/Maximianon a pu être étudié dans le temps imparti. Ont été étudiés d'une part les échantillons prélevés à la main lors de la fouille, et d'autre part les prélèvements en vrac de sédiment. Les résultats de ces deux types de prélèvements sont donnés à part, car les prélèvements à la main (échantillons ponctuels) ont une valeur qualitative, tandis que les autres ont également une signification quantitative.

Les prélèvements à la main comprennent des échantillons de bois et charbon de bois ainsi que des restes de fruits de grande taille, repérables à la fouille. 150 échantillons comprennent du bois (121), du charbon de bois (45) et/ou du palmier (23). Les bois et charbons seront identifiés à l'Ifao. 81 échantillons comprennent des restes de fruits ; en tout, 455 restes ont été identifiés à différents degrés de précision comprenant 28 taxons. Il s'agit principalement de restes de consommation de fruits. Des restes de fruits de la végétation locale sont également présents (*Solenostemma arghel*, *Zilla spinosa*).

Autres échantillons : 29 prélèvements de sédiment provenant de 26 couches archéologiques ont été traités et analysés, livrant plus de 9 800 restes végétaux. Presque 90 taxons ont été identifiés avec un degré de précision variable. Dans l'ensemble, la richesse taxinomique des échantillons est importante, si l'on inclut les espèces domestiques et sauvages/adventices. Les assemblages sont dominés par les restes de litière, paillage, fumier des animaux domestiques nourris sur le site. Les vestiges alimentaires humains et d'activités artisanales sont plus rares. Quelques échantillons plus cendreux ont livré des vestiges de combustible carbonisé.

De nombreux restes de plantes adventices des champs cultivés sont présents dans les échantillons. Ils ont certainement été apportés sur le site avec d'autres produits végétaux, en particulier avec la balle et la paille de céréales. Leur assemblage pourrait permettre de nous donner des indications sur le lieu de production des espèces cultivées auxquelles elles étaient associées (vallée du Nil ou site oasien, soit Laqita soit ouadi Hammamat).

12. Épigraphie et lexicographie de l'Égypte ancienne

12.1. *Programme international de paléographie hiéroglyphique*

Placé sous la responsabilité de Dimitri Meeks (Cnrs, Ifao), le programme de paléographie hiéroglyphique a acquis désormais une large assise internationale. Plus de 20 000 dessins de hiéroglyphes ont été achevés à ce jour, grâce à la compétence de Mahmoud Bekhit, dessinateur DAO affecté au programme.

Le premier volume de la série *Paléographie hiéroglyphique* de l'Ifao, consacré aux textes des architraves du temple d'Esna, a été remis à l'imprimerie. Deux autres volumes seront mis sous presse d'ici la fin de la même année, celui consacré au tombeau de Sennédjem à Deir al-Médîna (par B.J.J. Haring, univ. de Leyde) et celui consacré au petit temple d'Abou Simbel (par Khaled el-Enany Ezz, univ. de Hélouan).

Les dessins de trois autres monuments ou groupes de monuments sont totalement achevés, corrigés et classés, la rédaction des commentaires correspondants étant en cours : le tombeau de Mérérouka (par Ph. Collombert, univ. de Genève, univ. Montpellier III), la tombe memphite de Horemheb (par G.T. Martin, Cambridge), ainsi que les temples nubiens de la XVIIIe dynastie, Amada, Buhen, Kumma et Semna (par Chr. Favard-Meeks, Le Caire). La mise sous presse des volumes correspondants s'échelonnera de l'été 2005 au printemps 2006.

Trois projets ont vu leurs dessins mis en route : le mammisi de Philae (par I. Guermeur, Ifao), la tombe de Nakhtamon à Deir al-Medîna (par Fr. Servajean, Ifao), les inscriptions gravées sur vases du complexe funéraire de Djéser (par J.-P. Pätznick, Heidelberg). Ce dernier a effectué une mission d'un mois au Caire (avril 2004) pour identifier au Musée égyptien les objets à inclure dans son travail. Pour sa part, I. Guermeur a séjourné à Philae en juin 2003 pour quelques vérifications sur place.

Trois autres projets verront leurs dessins mis en route au cours du second semestre 2004 : les tombes de la Première Période intermédiaire de Hawawish (par V.G. Callender, université de Macquarie, avec l'aimable autorisation du professeur N. Kanawati), le naos de Saft al-Henneh (par Å. Engsheden, Uppsala) et les stèles de Kawa datant du règne de Taharqa (par G. Lenzo, université de Genève). Enfin, E.C. Brock (Arce) a accepté d'inclure dans le programme les sarcophages royaux des XIXe et XXe dynasties qu'il est en train de restaurer et d'étudier. La mise sous presse des différents volumes dont le dessin est en cours ou dont le travail débutera en 2004, devrait s'échelonner, selon le calendrier prévisionnel, du printemps 2006 au printemps 2008.

D. Meeks a présenté le programme « Paléographie hiéroglyphique » et ses premiers résultats à la conférence internationale « Ancient Egyptian Calligraphy », organisée par le Pr M.A. Nur el-Din au Centre de calligraphie de la Bibliotheca Alexandrina, du 24 au 26 avril 2004.

12.2. *Séminaire thématique égyptologique*

Coordonné et co-dirigé par D. Meeks et B. Mathieu, le séminaire égyptologique de l'Institut a porté, comme l'année passée, sur « Le lexique entre profane et sacré : tournures familières et discours religieux dans l'Égypte ancienne ». Huit séances ont eu lieu, à un rythme mensuel, de novembre 2003 à juin 2004 (voir *infra*, F. Séminaires égyptologiques).

13. Ermant (temple de Montou)

Christophe Thiers, égyptologue, a mené une courte mission épigraphique dans la ville d'Ermant (Haute-Égypte), du 12 au 15 décembre 2003. Le CSA était représenté par les membres de l'inspectorat d'Ermant, sous la direction de M. Mohammad Abdel Satar (Esna). Il s'agissait d'évaluer les potentialités épigraphiques des vestiges disséminés dans la ville d'Ermant, après deux campagnes orientées sur les vestiges des cryptes [11] du temple de Montou et sur la porte de Bab al-Maganin. Une attention particulière a été portée sur un mur situé à proximité de la mosquée Al-Amri ; ce mur est entièrement constitué de blocs de réemplois ptolémaïques et/ou romains, disposés sur au moins sur trois assises. Une quinzaine de blocs épigraphiés présentent des restes de scènes d'offrandes de grandes dimensions, en relief levé ou en relief dans le creux. Aucun cartouche ne permet d'apporter une précision quant à la datation ; un bloc, en partie enterré, présente les noms de roi de Haute et Basse-Égypte et de fils de Rê, mais son niveau d'enfouissement empêche actuellement de lire les cartouches.

Dans la ville, d'importants travaux d'assainissement (mise en place d'un réseau hydraulique) ont permis de mettre au jour plusieurs blocs ayant vraisemblablement appartenu au temple ptolémaïque. De même, la construction d'un hôpital a révélé d'autres blocs, de grandes dimensions, en relief dans le creux, présentant des restes de scènes (Iounyt, Hathor Nebet-hetepet ; parties inférieures de figures féminines).

Enfin, une quinzaine de blocs ont été examinés à l'est de la ville, en bordure du chemin de fer pour le transport de la canne à sucre. Ils proviennent également de la ville d'Ermant mais l'origine exacte n'a pu être précisée. Ces blocs, dont un avait déjà fait l'objet de pillage, devaient être transportés dans l'enceinte du temple pour en assurer une meilleure conservation.

Au cours des prochaines campagnes, le travail d'inventaire des blocs épars et de l'ensemble des vestiges disséminés dans la ville devra se poursuivre.

11 Chr. THIERS, Y. VOLOKHINE, *Ermant I. Les cryptes du temple ptolémaïque. Étude épigraphique*, *MIFAO* (sous presse).

14. Fonds documentaires de l'Ifao

14.1. *Fonds égyptien*

Laurent Bavay, céramologue, et Anja Stoll, dessinatrice, ont poursuivi l'étude de la céramique du Nouvel Empire de Deir al-Medîna conservée à l'Ifao, du 3 octobre au 3 novembre 2003, en parallèle avec leur participation à la mission archéologique de Tabbet al-Guech (*infra*, n° 19).

Depuis 2001, trois campagnes ont été menées à Deir al-Medîna afin de préparer la publication de la céramique du Nouvel Empire conservée dans les magasins du site. Ce matériel ne représente en réalité qu'une partie de la céramique provenant des fouilles menées par B. Bruyère dans le village et la nécropole des artisans de la Tombe ; un grand nombre de vases, principalement complets, sont aujourd'hui conservés au musée égyptien du Caire et au musée du Louvre. Un quatrième lot est conservé dans les réserves de l'Ifao au Caire. Les marques de provenance portées à l'encre sur certaines poteries par les fouilleurs révèlent que de nombreux ensembles, notamment funéraires, ont ainsi été dispersés dans plusieurs lieux de conservation. Il apparaît donc indispensable, dans le cadre de la publication et dans la mesure du possible, d'envisager ces ensembles dans leur intégralité archéologique [12].

Durant cette campagne 2003 ont été triés 34 cartons de céramiques portant une indication « Deir el-Medina ». Il s'agissait, comme cela avait été fait dans les magasins du site, d'identifier tous les fragments portant une indication de provenance précise (village ou numéro de tombe). Ceux-ci ont ensuite été dessinés et catalogués suivant le système utilisé à Deir al-Medîna. On peut ainsi considérer que le matériel céramique du site conservé à l'Ifao a été intégralement documenté (du moins en ce qui concerne les pièces dont la provenance est identifiée). Parmi les fragments étudiés, on notera huit tessons de céramique mycénienne, portant ainsi à 225 le nombre de fragments inventoriés dans le cadre du projet. La publication de ce matériel inédit, important pour l'étude des échanges au Nouvel Empire, est en cours de préparation (dessins, photos et catalogue sont prêts, le texte est en cours de rédaction). La moitié supérieure et la base de deux *base ring ware* ou « bilbil » représentent les importations chypriotes ou levantines, plus rares dans le matériel céramique de Deir al-Medîna. Le reste du mobilier inventorié cette année comprend essentiellement des productions égyptiennes variées provenant de tombes du cimetière occidental.

En janvier 2004, Yvan Koenig, égyptologue, a consacré sa mission à l'étude de deux papyrus magiques provenant de Deir al-Medîna. Le premier se trouve au Louvre, le second fait partie des collections de l'Ifao. Les difficultés que posait le papyrus du Louvre ont pu être résolues, grâce à la richesse de la bibliothèque, et les résultats paraîtront sous la forme d'un article dans le *BIFAO*. En ce qui concerne le papyrus de l'Ifao, le travail en est encore à ses débuts, et concerne surtout la transcription de ce document écrit dans une écriture difficile.

12 Un premier travail a pu être mené sur les céramiques conservées au Louvre à l'occasion de l'exposition présentée à Paris, Bruxelles et Turin en 2002 et 2003 (sélection des poteries par L. Bavay).

Du 1er février au 1er mars 2004, Pierre Grandet, égyptologue, a effectué à l'Ifao une nouvelle mission dans le cadre du programme de publication des ostraca hiératiques non-littéraires de Deir al-Medîna. Il s'est attaché principalement à arrêter une sélection définitive d'ostraca pour le futur volume X du *Catalogue des ostraca hiératiques non littéraires de Deîr el-Médînéh*. La mise au point de ce volume est pratiquement achevée ; il devrait comprendre environ 130 ostraca. La transcription hiéroglyphique manuelle, de qualité inégale, a été abandonnée au profit d'une transcription dessinée sur ordinateur. On pourra voir un exemple de ce procédé dans la publication préliminaire de l'O. Ifao 10044 [13].

Vingt-cinq ostraca nouveaux ont été copiés, qui viennent s'ajouter au matériel déjà traité pour la réalisation des fascicules ultérieurs. Le dernier numéro d'inventaire attribué est le n° 10104. Ces documents sont représentatifs du matériel déjà connu de Deir al-Medîna, institutionnel et privé : livraisons de poisson [10082] ou de bois [10086], livraison complémentaire de beignets [10090], distribution de rations [10093], déposition devant la *qenbet* [10084], mémoires relatifs à des paiements ou à des dons [10080, 10081, 10087, 10096], reconnaissance de dette [10088], petites lettres [10089, 10092]. Un document vient s'ajouter à une catégorie dont on aimerait posséder davantage d'exemples, puisqu'il s'agit de notes relatives à la progression de travaux d'excavation d'une tombe [10091]. Un autre document témoigne d'une phase ultérieure du travail dans les tombes, puisque son verso porte le brouillon d'une légende de scène [10081].

Quelques détails singularisent certains de ces documents, comme le fait que le n° 10084 soit une pièce de grandes dimensions ou que le n° 10081 soit une plaque de calcaire. Notons aussi la présence, sur le n° 10080, du terme *šsp(=w)*, *reçu*, ajouté en rouge, en grands caractères, après une liste de produits donnés à une dame lorsqu'elle était malade. On relève encore, parmi ces documents, des raretés onomastiques, comme les noms des dames *T(ꜣ)-n(y).t-Njw.t*, *Celle-de-No* [10080], et *T(ꜣ)-n(y).t-pꜣ-Jpw* [10088]. Enfin, notons que le n° 10102 est un fragment complétant O. DeM 899. Il est d'ailleurs à présumer qu'il existe d'autres fragments complétant cet ostracon. Quatre nouveaux fragments ont pu être raccordés à l'O. Ifao 10065, copié l'année dernière. L'ensemble forme un document remarquable puisqu'il ne mesure pas moins de 25 × 20 cm environ. Il contient un journal de travail, malheureusement très effacé au verso.

14.2. *Fonds copte*

Catherine Louis, qui prépare une thèse sous la direction de Jean-Daniel Dubois (Ephe Ve section, Paris), a pu achever le catalogue des manuscrits littéraires coptes de l'Ifao. Grâce à son concours, le fonds de manuscrits coptes de l'Institut a été entièrement reconditionné.

Comme l'an passé, Geneviève Favrelle a scindé sa mission à l'Ifao en deux périodes : du 1er au 17 décembre 2003 et du 8 au 24 mars 2004. Poursuivant son analyse des papyrus coptes de la « jarre d'Edfou », elle a pu classer les documents significatifs en dossiers : dossier « des brigands », gestion du

13 P. GRANDET, « Les ânes de Sennéfer (O. Ifao 10044) », *BIFAO* 103, 2003, p. 257-265.

fisc à l'intérieur de la pagarchie, relations commerciales, questions judiciaires, lettres personnelles. Un classement des petits fragments, en fonction de leurs caractères matériels (support, écriture, calame), a été entrepris. L'élégance, la maîtrise et la diversité de ces écritures évoquent un milieu cultivé.

Florence Calament, du 8 au 22 octobre 2003, a pu achever sa recherche sur un lot d'une cinquantaine d'ostraca, majoritairement en calcaire et d'origine probablement thébaine, conservés à l'Institut (voir la publication dans le présent *BIFAO*). Ces ostraca ne constituent pas un ensemble véritablement homogène, du moins par leur provenance. Sept d'entre eux seulement ont une origine assurée (les travaux de Bernard Bruyère sur le site de Deir al-Médîna) tandis qu'un huitième pourrait provenir de Qurnat Mareï.

La thématique générale de ce lot d'ostraca illustre les rapports existant entre les moines vivant dans la montagne thébaine aux VIIe et VIIIe siècles, à une période charnière située entre la fin de l'Antiquité tardive et le début de l'époque islamique, et dans un milieu socio-économique qui est vraisemblablement de type semi-anachorétique. Particulièrement marquants sont trois ostraca de la même main venant enrichir le dossier d'un certain Élie, dont plusieurs autres pièces ont été publiées par Walter E. Crum dans *Coptic Ostraca*, Londres, 1902 ; identifié comme co-rédacteur du testament de Saint-Épiphane, ce personnage aurait été le supérieur du monastère et aurait probablement vécu peu après l'évêque fameux Pesunthios de Coptos.

14.3. *Documents de fouilles et archives scientifiques*

Le service des Archives a fait cette année un effort particulier en matière de reconditionnement de la documentation dans des matériaux neutres (papiers et cartons sans bois ni acide). Le fonds de manuscrits coptes de l'Ifao a été entièrement reconditionné avec l'aide de Catherine Louis ; à cette occasion, l'ensemble des parchemins et papyrus coptes ont été photographiés puis dûment identifiés sur la base « Orphea ». Une autre doctorante, Oueded Sennoune, a reclassé et reconditionné le fonds des « Voyageurs anciens en Égypte », constitué par Serge Sauneron.

Le recrutement d'une assistante supplémentaire, Nevine Kamal, depuis octobre 2003, a rendu possible une forte avancée en ce qui concerne le tri et le reconditionnement d'autres archives manuscrites, comme celles de B. Bruyère, F. Bisson de La Roque, J. Leroy, G. Nagel, Cl. Robichon et A. Varille, J.-Fr. Champollion, J. Černý, J. Sainte Fare Garnot et le père M. Martin. Le fonds de diapositives de l'Ifao, dont le reconditionnement et l'identification avaient été entamés ces deux dernières années, est à présent presque en ordre.

La nouvelle base de données, créée il y a un peu plus d'un an, totalise maintenant 35 000 images environ et comprend la documentation photographique (tous supports confondus) des chantiers de l'année en cours ainsi que le rétrospectif des chantiers de 2003 à 1999 ; en outre, quelque 2 000 plaques de verre sur les 15 000 que compte la collection de l'Institut ont été numérisées et ajoutées à la base. L'identification de toutes ces images est en cours.

15. Gîza - Saqqâra (étude paléographique)

Nathalie Beaux-Grimal, chercheur associé égyptologue (Ifao), prépare la publication de la paléographie du tombeau de Ti à Saqqâra ; les planches, mises au point en collaboration avec Pierre Laferrière, dessinateur (Ifao), sont en cours de montage.

16. Héliopolis (« Sources héliopolitaines »)

Participent à ce programme le Pr Essam al-Banna, doyen de la faculté de tourisme du Caire, Susanne Bickel, égyptologue (univ. de Fribourg et de Bâle), Jean-Pierre Corteggiani, égyptologue (Ifao), Bernard Mathieu, égyptologue (Ifao), Isabelle Régen, égyptologue (Ifao), Frédéric Servajean, égyptologue (Ifao), et Pierre Tallet, égyptologue (univ. Paris IV - Sorbonne).

Le premier volume de la série, issu de la thèse du Pr Essam al-Banna, consacré aux témoignages de voyageurs arabes et occidentaux sur Héliopolis et à la description du site, préparé par Fr. Servajean, sera prochainement remis à l'imprimerie.

Une documentation héliopolitaine nouvelle est apparue au cours des fouilles récentes réalisées sur la muraille ayyoubide du Caire (*infra*, no 26.3), plus précisément lors des dégagements pratiqués autour de la porte fatimide de Bab al-Tawfik. Un important dallage s'est révélé être composé de blocs de remploi pharaoniques, essentiellement en granit rose, datant du règne de Sésostris Ier.

17. Karnak-Nord (Trésor de Thoutmosis Ier)

La mission s'est tenue cette année entre novembre 2003 et février 2004 ; ont participé Jean Jacquet, archéologue (chef de mission), Helen Jacquet-Gordon, céramologue, et Irmgard Hein, céramologue (univ. de Vienne).

17.1. *La céramique du Trésor de Thoutmosis Ier*

H. Jacquet-Gordon a poursuivi la préparation du matériel céramique issu des fouilles du Trésor de Thoutmosis Ier. Le volume consacré au matériel daté du Moyen Empire et de la Deuxième Période intermédiaire, enrichi d'un chapitre dévolu aux importations palestiniennes, sera remis à l'Ifao l'hiver prochain. Le deuxième volume, en voie d'achèvement, comprendra la céramique du Nouvel Empire (dont un chapitre important dû à Colin Hope sur les poteries peintes) et de la Troisième Période intermédiaire jusqu'à la XXVe dynastie. H. Jacquet-Gordon a concentré son travail sur le troisième volume, consacré à la céramique de l'époque ptolémaïque et romaine, dans lequel figure un corpus substantiel de céramique peinte.

17.2. *Publication de fouilles (ermitages d'Adaïma, village de Ouadi es-Seboua)*

De son côté, J. Jacquet a complété le manuscrit de la publication des ermitages chrétiens d'Adaïma (fouilles de Serge Sauneron, 1974) et du « site 11 » des ermitages d'Esna-Ouest (fouilles de J. Jacquet, 1968) ; collaborent à cette publication Jean-Luc Fournet, pour une inscription grecque, Anne Boud'hors et Marie-Hélène Rutschowskaya, pour les stèles funéraires coptes du « site 11 », et H. Jacquet-Gordon pour le matériel céramique.

Parallèlement, J. Jacquet a repris le dossier de la fouille d'un village fortifié du Groupe C, en Nubie, en face du temple pharaonique de Ouadi es-Seboua. Cette fouille, menée par S. Sauneron en 1965, avait permis de recueillir une abondante documentation, déposée aux archives de l'Ifao.

18. Qasr al-Agoûz (temple)

18.1. *Les campagnes précédentes*

Une première campagne, menée par le Pr Claude Traunecker (Institut d'égyptologie, univ. Marc-Bloch, Strasbourg II), a eu lieu en avril 2001. Elle a réuni une équipe archéologique, épigraphique et architecturale de six personnes (trois de Strasbourg et trois de l'Ifao). La campagne 2002, de la même importance, a permis d'achever une première copie des textes et de relever les scènes du décor du temple ; l'équipe d'architecture a bien avancé l'enregistrement des données du monument ; l'équipe archéologique a découvert dans le sondage sud du sanctuaire un mur de brique antérieur au temple ptolémaïque ; ce dernier passe sous le mur ouest du temple. Des informations recueillies dans la salle des offrandes permettent d'y situer une petite église. Au cours de la campagne 2003, un mur de brique ancien orienté sud-nord a été découvert pendant le nettoyage de l'étroite zone qui à l'est longe la façade du temple. Ce mur est exactement orienté comme le temple ptolémaïque. Deux départs de murs de refend recoupés par la construction du temple de Ptolémée VIII permettent de penser que nous sommes en présence d'un édifice cultuel à trois sanctuaires antérieur au temple ptolémaïque. Son extension vers le nord et vers l'est n'a pas été reconnue pendant la campagne 2004.

18.2. *Les objectifs de la campagne 2004*

Les objectifs de la campagne 2004 étaient les suivants : 1. Poursuivre la reconnaissance du bâtiment ancien découvert sous le temple. Délimiter son extension vers le nord et si possible vers l'est. Essayer de trouver des éléments de datation de cet édifice ; 2. Collationner le décor et les textes de la salle des offrandes et préparer leur publication ; 3. Déposer les dalles encore en place dans le sanctuaire, faire un sondage nord afin de vérifier la continuation des murs de l'édifice ancien ; niveler le sol et reposer les dalles anciennes avec complément de nouvelles dalles fournies par le CSA ; 4. Relever les traces de décor copte de la salle des offrandes et étudier leur sauvegarde ;

5. Travaux de mise en valeur du temple : nivellement des dalles du sanctuaire et remplacement des enduits anciens ; 6. Préparer sur place le rapport préliminaire destiné au prochain *BIFAO*. Ce rapport préliminaire rendra compte de l'avancement du projet et exposera les acquis scientifiques des travaux.

L'intervention de l'équipe d'étude architecturale du temple (Pierre Zignani, Ifao) qui doit compléter ses relevés est prévue pour l'automne 2004.

18.3. *Déroulement de la mission*

La mission, dirigée par Cl. Traunecker, était composée d'Annie Schweitzer, égyptologue et archéologue, et d'Amandine Meunier, dessinatrice. Le CSA était représenté sur le terrain par Mlle Mona Fathy Sayed, inspecteur. Les travaux effectifs ont commencé le 10 avril et ont été clos le jeudi 29 avril 2004. À la demande de M. Holeil al-Ghaly, directeur des Antiquités de Haute-Égypte, Cl. Traunecker a présenté le 24 avril une conférence publique au musée de la Momification sur les travaux de la mission intitulée « Travaux récents à Qasr al-Agouz ou les dernières fêtes de Thèbes ».

On a porté une attention particulière à la mise en valeur du site. Tous les sondages ont été comblés avec sable et gravier et la première phase de la restauration définitive du sanctuaire a été réalisée avec le nivellement d'une grande partie du dallage.

18.3.1. ARCHÉOLOGIE

A. Schweitzer

Après relevé et nivellement précis, le dallage du sanctuaire a été démonté. Il est vite apparu que ses irrégularités de nivellement étaient dues à une mauvaise remise en place après des fouilles antérieures. L'angle nord-ouest était perturbé par une fosse de pillage ancienne. À ce point, les niveaux de base du bâtiment de brique antérieur ont pu être atteints, soit 1 m sous le niveau d'utilisation du temple (façade du pronaos). Les deux murs de refend du bâtiment antérieur ont été repérés, coupés par les fondations ptolémaïques des murs ouest et est du sanctuaire. Entre ces deux murs, à 1,10 m du mur ouest du sanctuaire, se trouve un grand massif de briques crues, déjà signalé par la mission américaine mais dont aucun relevé n'avait été publié. La face est du massif a été perturbée par une fosse de pillage ancienne. Sous la première couche de brique, près de l'angle nord-ouest, a été découvert un dépôt votif constitué de trois petits vases globulaires en terre crue dont un percé de trous et associé à un petit silex taillé.

Le tiers nord de la salle des offrandes a été dégagé. Cette zone, dépourvue de dallages, était fortement perturbée par une fosse de pillage remplie de débris divers (fragments de blocs, briques cuites, etc.) d'époque romaine et copte. Parmi ces débris se trouvaient trois blocs du montant sud de la porte du sanctuaire et, associé à ces fragments, un bloc décoré ptolémaïque ou romain profondément engagé sous les fondations ptolémaïques.

Pour délimiter exactement la pièce nord du bâtiment ancien, on a rouvert le sondage de 2003 et trouvé le niveau bas du bâtiment. Un petit caisson de brique crue contenait un fragment de mâchoire de bovidé, un fragment de brique cuite et un silex.

À l'extérieur, dans la zone nord, à un niveau intermédiaire entre le déambulatoire d'usage du temple et le pavement copte contemporain du percement des portes du narthex, on a trouvé des restes d'une réserve de vaisselle utilitaire dont un mortier et son broyeur et une lampe. Il s'agit probablement d'un quartier annexe avec des cuisines.

Le dégagement de l'angle de la fondation nord-est du pronaos a permis de fixer les niveaux d'utilisation du temple et la chronologie des constructions. Les fondations du pronaos sont très différentes de celles du temple. Cette construction pourrait être romaine. Les cinq assises en place à l'angle ne sont pas ravalées. Un mur de brique court au nord. Il pourrait s'agir d'un élément conservé du bâtiment de brique ancien.

À la fin de cette campagne et avant l'étude détaillée du matériel, on peut proposer une chronologie provisoire : 1. Un grand bâtiment en brique crue, probablement cultuel avec trois *cella*, dont la date reste hypothétique ; 2. Le temple de Ptolémée VIII Evergète II avec un déambulatoire pavé ; 3. Construction du pronaos, inachevé, et projet d'une enceinte avec déambulatoire, projet semble-t-il jamais réalisé ; 4. Des constructions modestes et utilitaires s'établissent au nord au-dessus du déambulatoire ptolémaïque à l'époque copte ou romaine ; 5. Percement des portes latérales du sanctuaire et réutilisation du temple comme église. Grand pavement au nord.

18.3.2. ÉPIGRAPHIE

Cl. Traunecker

Les blocs décorés découverts dans la salle des offrandes

Les trois fragments du montant de la porte du sanctuaire donnent la titulature de Ptolémée VIII Évergète II opposée aux épithètes de Thot Setem de Djemé, le dieu du temple. Ces fragments seront remis en place lors de la restauration définitive du temple.

Le bloc engagé sous les fondations ptolémaïques provient de l'assise de couronnement d'une paroi intérieure d'une chapelle ptolémaïque ou romaine. Ce bloc ne provient pas du temple de Qasr al-Agouz, ni des constructions contemporaines de Médinet Habou. Il atteste donc de la présence dans le secteur d'un temple disparu. Malheureusement, le peu de décor lisible actuellement ne permet pas de préciser la divinité de ce temple.

La nouvelle édition du temple

À la suite des travaux des campagnes précédentes, nous disposons à présent d'une copie complète des scènes et textes du temple (paroi au 1/20, dessins de mise en place des textes au 1/10 et copie proportionnelle des textes). Cette documentation compte 150 numéros de scènes. Un collationnement complet du décor du sanctuaire a été réalisé avec transcription et traduction courante introduite dans une base de données sur ordinateur. Ce travail permet de planifier et de préparer les documents pour l'édition définitive. Un exemple de paroi (paroi est du sanctuaire, moitié nord, scènes n°s 7, 20 et 21) et son traitement seront publiés dans le rapport préliminaire. La frise de couronnement a également été relevée.

Ces travaux ont confirmé les hypothèses avancées quant aux fonctions du monument : pas de trace d'un usage oraculaire ou de culte de héros ou de défunt divinisé comme le supposait Dominique Mallet. Plusieurs arguments supplémentaires montrent le rôle du temple dans les cérémonies décadaires et le rôle de Thot, officiant divin et porteur de la royauté thébaine.

Au cours de la campagne 2004 a été collationné environ un tiers du décor de la salle des offrandes. Ces textes en grande partie peints et parfois en mauvais état exigent beaucoup de temps. La prochaine saison devrait permettre de clore le programme épigraphique.

18.4. *Les buts de la prochaine campagne*

Les objectifs de la campagne 2005 sont : 1. De poursuivre la reconnaissance vers l'est du bâtiment ancien découvert sous le temple ; 2. D'achever les collationnements du décor et des textes de la salle des offrandes et de préparer leur publication (étude des mises à carreaux) ; 3. De déposer les restaurations anciennes au ciment et de les remplacer par des enduits appropriés ; 4. D'achever le dallage du sanctuaire et d'étudier un projet d'éclairage ; 5. De concevoir un projet de reconstruction du mur d'enceinte actuel et de mise en valeur du site avec accès aux visiteurs.

19. Saqqâra-Sud (Tabbet al-Guech)

Les travaux de l'équipe sur le terrain se sont déroulés du 8 octobre au 30 décembre 2003, dans la partie sud-est du petit plateau (400 m du nord au sud, 200 m d'est en ouest), qui occupe le quart nord-ouest du site de Tabbet al-Guech.

Conduite par Vassil Dobrev, égyptologue archéologue (Ifao), l'équipe était composée de Giulia Agrosí, architecte (Rome), Laurent Bavay, archéologue céramologue (ULB), Christian Chamerlynck, géophysicien (Cnrs), Jean-François Gout, photographe (Ifao), Roger Guérin, géophysicien (Cnrs), Abeid Mahmoud Ahmad, restaurateur (Ifao), Damien Laisney, topographe (Ifao), Roger Lichtenberg, radiologue, Bernard Mathieu, égyptologue (Ifao), Daniel Parrent architecte topographe (Inrap), Annie Perraud, spécialiste des momies (Montpellier), Fayçal Rejiba, géophysicien (Cnrs), Quentin Vandevelde, archéologue céramologue (ULB), Roxie Walker, anthropologue, Khaled Zaza, dessinateur (Ifao). Le CSA était représenté par Sabri Abd al-Ghafar, restaurateur, Raïs Mahrouz al-Baheri, Bakr Hashim, restaurateur, Zaki Awad Hussein, inspecteur, Galal Moaouad, inspecteur, Samia al-Merghani, superviseur du travail de rayons X, Hagag Youssef et Hamdi Youssef, restaurateurs ; Naglaa Ahmad Fouad, inspectrice, a rejoint l'équipe pour suivre une formation sur le terrain.

Le travail s'est concentré sur les abords et l'intérieur de la tombe rupestre de Haounéfer, prêtre ritualiste de la VIe dynastie. Cette tombe est entourée d'au moins quatre autres tombes rupestres dont une appartenait à Khnoumhotep, également prêtre ritualiste et probablement beau-père de Haounéfer.

Le relevé des murs de la tombe de Haounéfer est en cours, de même que la vérification des signes hiéroglyphiques. Les relevés architecturaux de la complexe structure interne de la tombe ont débuté. Après avoir achevé les plans et les coupes de sept puits (1058 et 1059 dans la pièce HN2, 1046, 1048 et 1049 dans HN3, 1047 et 1063 dans HN4), on les a remplis de sable, afin de rendre le sous-sol de la tombe plus stable. Pour des raisons évidentes de sécurité, la chambre HN4, qui semble avoir été ajoutée postérieurement, a également été remplie de sable et soutenue au moyen de quelques murets en maçonnerie de pierre. De cette façon, le fond de la petite pièce voûtée HN3 a pu être reconstitué.

Restent à fouiller les puits 1050, 1051 et 1052, creusés dans le sol de la pièce centrale de la tombe (HN1). La présence de deux tables d'offrandes en briques crues couvertes d'un enduit blanc, l'une déposée au centre de l'un des puits, l'autre, à cheval entre deux puits [fig. 23], suggère que ces puits n'ont pas été perturbés depuis une époque très reculée.

Tout au long de la saison 2003, la consolidation et la restauration du tombeau de Haounéfer constituèrent l'une des activités principales. Découvert en 2002, le linteau de la porte d'entrée présentait en son centre une cassure importante, étayée provisoirement avec une poutre en bois [fig. 24]. Les deux fragments du linteau ont été déposés pour être consolidés avec des tiges métalliques inoxydables. Les éléments de l'encadrement de la porte ont été restaurés et le linteau remis en place [fig. 25].

Un travail similaire a été accompli dans la tombe voisine de Khnoumhotep. Le linteau de l'entrée, découvert en fragments dispersés autour et à l'intérieur de l'un des puits de la

Fig. 23. Tabbet al-Guech, 2003. Tombe de Haounéfer.
Tables d'offrandes en briques crues au-dessus des puits 1050, 1051 et 1052.

tombe, a été assemblé, puis consolidé avec des tiges métalliques inoxydables et remis à sa place d'origine. À l'exception de deux dalles inscrites à la base des montants de la porte, les éléments qui servaient d'appui au linteau n'ont pas été retrouvés; ils ont été remplacés par deux dalles de pierre. Étant donné que l'ensemble du linteau restauré est un élément lourd de plus de 100 kg, les montants modernes de la porte et le linteau lui-même ont été solidement ancrés aux parois de la montagne.

Le travail de restauration à l'intérieur de la pièce principale (HN1) de la tombe de Haounéfer a été poursuivi. Afin d'assurer une meilleure consolidation des murs décorés, certaines dalles de relief ont dû être déposées, puis consolidées et remises en place. Cette délicate opération de restauration, indispensable pour la stabilité des murs, a aussi permis de constater que la plupart des dalles des murs sont des remplois. Une inscription donne peut-être le nom du véritable propriétaire de ces dalles : le prêtre ritualiste Isda.

Assurer la stabilité statique de la tombe, creusée dans des couches géologiques de qualité inégale, était la priorité des travaux de restauration. À cet égard, le passage entre les pièces HN3 et HN4 (remplie de sable) a été comblé avec un mur de maçonnerie de pierres, afin de permettre la restauration de la voûte de HN3, initialement creusée dans le *gebel*. Grâce aux traces de la voûte encore visible sur la paroi sud-est de la pièce, il a été possible de redonner l'aspect ancien de cette chambrette basse, qui aurait pu servir de magasin pour le stockage des offrandes. Au cours de ces travaux, une installation électrique discrète a pu être placée dans les murs restaurés, qui permettra la mise en valeur ultérieure du décor polychrome de la tombe.

Les travaux de fouilles à l'extérieur des tombes rupestres ont permis le dégagement complet des murs et des structures en brique crues. Ainsi, les murs 1009 et 1010 ont pu être restaurés et protégés par une assise de briques crues modernes couvertes de *mouna* avec de la paille.

De même, la grande structure en briques crues 1006 (env. 10 × 7 m), découverte pendant la première saison, en octobre 2000, a pu être dégagée et restaurée [fig. 26]. Le mur ouest a été sérieusement endommagé par ce qui paraît être un « passage de voleurs ». La présence de différents types de briques crues laisse supposer qu'au moins trois ou quatre étapes de construction se sont succédé dans un laps de temps de plusieurs siècles. Néanmoins, il est certain que la structure fut restaurée et réutilisée à la Basse Époque.

Fig. 24. Tabbet al-Guech, 2003. Tombe de Haounéfer. Porte de la tombe avant restauration.

Fig. 25. Tabbet al-Guech, 2003. Tombe de Haounéfer. Même porte après restauration.

Pendant le dégagement des structures en briques crues, de nombreux enterrements tardifs intacts ont été mis au jour : de simples squelettes, souvent enveloppés de nattes végétales, des sarcophages anthropoïdes en bois, placés directement sur des couches compactes de sable et de galets, ou des sarcophages en terre cuite. Près d'un sarcophage anthropoïde, dans lequel reposait une femme, a été découverte une belle statuette d'une divinité, dont le visage garde encore des traces de dorure [fig. 27]. De nombreuses amulettes, boucles d'oreilles et perles ont été recueillies.

L'équipe a poursuivi l'étude du matériel archéologique dans un petit magasin, provisoirement mis à disposition par le CSA. Quelques momies, placées dans des sarcophages anthropoïdes en bois (Tb 5, 11, 19, 29, 30, 50, 114), ont été plus particulièrement étudiées ; la datation varie entre la Basse Époque et l'époque gréco-romaine.

Peint en noir, le sarcophage Tb 5 a une décoration au trait blanc ; sur le couvercle se trouve une inscription funéraire. L'état de conservation de la momie (1,67 m) est moyen. Tb 11 n'a ni décoration, ni inscription ; la momie (1,52 m) est bien conservée. La décoration du sarcophage Tb 19 est très fragile, car elle a été peinte directement sur une couche de *mouna* qui couvre entièrement le bois. En revanche, l'état de conservation de la momie (1,59 m) est bon. Le petit sarcophage Tb 29 est celui d'un enfant ; il est fragile et ne porte aucune décoration. Les bandelettes de la momie (0,76 m) ont été trempées dans un baume non identifié, qui pourrait expliquer leur couleur noire. Le même procédé de momification a également été utilisé pour la momie d'une femme (1,46 m), découverte dans le sarcophage Tb 30, qui ne porte aucune décoration. Trouvés

Fig. 26. Tabbet al-Guech, 2003.
La grande structure 1006 après restauration (vue de l'ouest vers l'est).

l'un à côté de l'autre, la femme et l'enfant pourraient avoir un lien de parenté. Le sarcophage Tb 50 est entièrement peint en jaune, sans décoration. Il enferme un squelette (1,65 m) dont les os gardent encore des traces de momification.

Fig. 27. Tabbet al-Guech, 2003.
Sarcophage en bois d'une femme avec une statuette divine.

Taillé dans une seule pièce de bois, le sarcophage Tb 114 est peint en blanc et ne comporte pas d'inscriptions. Il appartient à un personnage féminin dont la perruque était peinte en bleu. Des traces au niveau de la poitrine suggèrent la présence de deux mains sculptées (en métal ?), mais elles semblent avoir été arrachées. Un petit trou au niveau du cou du personnage confirme que cette sépulture a été violée. La momie (1,50 m), très bien conservée, est couverte de neuf guirlandes végétales. Le masque doré du visage porte les stigmates du vol, car il est partiellement arraché. Les stries bleues de la perruque sont peintes sur une couche de stuc blanc, ainsi qu'un collier avec des fleurs stylisées, colorées en bleu, blanc et rouge.

Grâce à un appareil portable, neuf momies (Tb 5, 17, 18, 19, 21, 29, 30, 46, 114) ont pu être radiographiées du 21 au 25 décembre 2003. Plus de cinquante clichés sont en cours d'étude. L'analyse préliminaire permet de constater que la plupart des sujets ont dû souffrir d'arthrose. La détermination du sexe a pu être réalisée avec, toutefois, les réserves d'usage : trois hommes (Tb 5, 21, 46), cinq femmes (Tb 17, 18, 19, 30, 114) et un enfant (Tb 29, sexe indéterminé). À l'exception de la momie de Tb 114, dont le bras gauche est replié, la main venant sous le menton et le bras droit disposé le long du tronc, toutes les autres ont les membres supérieurs disposés le long du corps. Un petit anneau métallique d'environ 1 cm de diamètre a été détecté au niveau de l'oreille droite de la momie de Tb 46 ; il s'agit peut-être d'une boucle d'oreille.

La première campagne d'un survey géophysique du quart nord-ouest du site de Tabbet al-Guech s'est déroulée du 19 au 27 décembre 2003. Trois différents appareils ont été utilisés : un magnétomètre, un électro-magnétomètre et un radar. Les mesures électro-magnétiques semblent être les plus probantes. De nombreuses anomalies ont pu être notées sur le site, entre autres deux zones, l'une de 80 × 80 m, l'autre de 80 × 60 m, qui pourraient correspondre à des structures attendues pour un complexe funéraire royal. L'exploration archéologique de ces zones, qui occupent la partie centrale du plateau, permettra de vérifier ou d'infirmer cette hypothèse.

20. Tebtynis

La campagne annuelle de la mission conjointe de l'Ifao et de l'université de Milan a été effectuée à Umm al-Breigât, sur le site de l'ancienne Tebtynis, du 25 août au 30 octobre 2003. Les participants étaient Claudio Gallazzi, papyrologue (chef de mission), Gisèle Hadji-Minaglou archéologue-architecte (Ifao), Anna Poludnikiewicz, céramologue, Philippe Collombert (univ. de Genève), Christina Di Cerbo, Brigit Flanery, Ivan Guermeur (Ifao), Andrew Monson et Vincent Rondot, égyptologues, Nikolas Litinas et Fabian Reiter, papyrologues, Roger Lichtenberg, anthropologue, Norman Muller, historien de l'art, Christiane Hochstrasser-Petit, spécialiste de vanneries, Clothilde Giorgetti, architecte, Mohammad Chawqi et Khaled Zaza, dessinateurs (Ifao), Mohammad Ibrahim Mohammad, photographe (Ifao), Younis Ahmad, restaurateur (Ifao). Le CSA était représenté par Ashour Khamis Abbas et Mohammad Mohammad Abdel Badiʿ, inspecteurs.

Comme les années précédentes, les travaux se sont déroulés au nord et à l'est du temple de Soknebtynis : au nord, le long du *dromos* menant au sanctuaire, et à l'est dans le grand dépotoir systématiquement fouillé depuis 1994.

20.1. *Le secteur du dromos du temple de Soknebtynis*

En 2001, la mission avait de nouveau mis au jour trois des *deipneteria* découverts dans les années trente à proximité du vestibule du temple : A4300 et A5300, situés sur le bas-côté ouest de l'allée sacrée, et A6300 bâti sur le bas-côté est. L'année suivante, l'espace au nord de A6300 a été fouillé sur une longueur de 14 m, entre les façades des maisons bordant le *dromos* à l'est et le kiosque découvert en 1931 à l'ouest. En 2003, l'exploration du bas-côté oriental de la rue s'étendit encore plus vers le nord. C'est ainsi que le mur sud d'un autre *deipneterion*, très mal conservé, a été atteint à 29 m de A6300 ; les façades des bâtiments longeant le *dromos* à l'est ont été repérées dans la continuité de celles situées plus au sud et le dégagement des fondations du kiosque a été complété. Dans la surface explorée ont été retrouvées, comme en 2002, diverses installations témoignant de l'existence d'un marché sur les lieux, principalement au Ier s. av. et au Ier s. apr. J.-C., de même que des fosses de plantation remontant à la même période. Les aménagements plus anciens ont disparu, à cause d'une grande fosse creusée à la fin du IIe s. av. J.-C., au moment où le kiosque a été bâti. Sur le côté opposé de la rue, au nord du *deipneterion* A5300, la fouille a été menée sur une surface beaucoup plus importante, s'étendant sur plus de 30 m le long de l'allée dallée et sur une quinzaine de mètres en direction est-ouest. L'endroit était recouvert par les déblais des missions italiennes d'Evaristo Breccia et de Carlo Anti, qui s'élevaient sur plus de 3 m de hauteur. Le déplacement de ces détritus a permis de récupérer plus de 100 ostraca grecs datant du IIe s apr. J.-C., plusieurs moules de monnaies du IVe s. apr. J.-C. provenant de l'atelier de fusion découvert par Breccia en 1929 et une très grande quantité de fragments de verre. Le monticule de déblais recouvrait deux *deipneteria* jamais repérés auparavant.

La construction située le plus au sud, A3500, mesure 10,60 × 8,20 m. Construite à l'époque de Trajan, elle est contemporaine des *deipneteria* A4300 et A5300 fouillés plus au sud en 2001, et elle est, comme eux, surélevée d'environ 1 m par rapport au dallage du *dromos* posé à l'époque d'Auguste. On y accédait par un escalier de quelques marches encadré par deux murs aujourd'hui presque entièrement détruits, qui étaient reliés au mur longeant le *dromos* et qui servaient de soutènement à la plate-forme où s'élève le *deipneterion*. Le plan de la construction a été établi sur le même principe que celui des *deipneteria* que nous connaissons déjà, avec une salle entourée, sur trois côtés, de banquettes surélevées et une cave située sous la banquette nord. La salle était décorée de petits pilastres engagés qui ont peu à peu disparu sous les nombreuses couches d'enduit venues recouvrir les murs et le sol. À l'intérieur du bâtiment, ont été retrouvés les fragments de trois statues en plâtre de style grec et trois stèles en pierre, deux représentant la déesse Renenoutet et la troisième les Dioscures. Ces éléments étaient vraisemblablement fixés à l'origine sur les parois ou posés sur des bases. La trace de trois bases a été conservée sur le sol en argile de la salle. Contrairement aux autres constructions du même type, A3500 comportait une annexe sur son côté nord : un grand espace oblong de 3,35 × 7,40 m avec une petite pièce de 3,55 × 1,55m à l'ouest, auquel on ne pouvait accéder qu'à partir du *deipneterion* lui-même.

Le *deipneterion* plus au nord, A4500, date du Ier s. apr. J.-C. De plan similaire aux autres constructions du même type, il est toutefois plus grand (9,60 × 12 m) et présente quelques traits architecturaux différents. Chacune de ses façades était ornée de quatre colonnes engagées et sur la façade principale, celle donnant sur le *dromos*, deux des colonnes encadraient l'entrée. Le bâtiment était également surélevé par rapport au dallage de la rue ; les deux premières marches en pierre de l'escalier sont encore préservées. À l'intérieur de la salle, trois bases, probablement destinées à des statues, ont été conservées. Contrairement aux autres *deipneteria*, conçus dès l'origine comme

Fig. 28. Tebtynis, 2003. Le dromos.

des espaces fermés, A4500 consistait dans un premier temps en un simple podium en forme de « pi » ouvert sur le *dromos ;* ce n'est que plus tard, lorsque les autres *deipneteria* furent érigés, qu'un mur fut construit à l'est, parallèlement à la rue, et le podium fut transformé en un bâtiment fermé tout à fait semblable aux autres.

Aucune trace de constructions antérieures à A3500 et à A4500 n'a été retrouvée. Les deux *deipneteria* ont été érigés sur le bas-côté du *dromos*, qui était seulement planté d'arbres. Quatre fosses de plantation, datant du Ier s. av. et du début du Ier s. apr. J.-C., ont été repérées, sur le même alignement, de 2,50 à 3,50 m de l'allée pavée. Une autre du IIe s. av. J.-C., plus grande que les précédentes et entourée d'un muret en brique, était située à 6 m du dallage. Enfin, une cinquième fosse, du IIIe s. av. J.-C, était creusée dans le sable naturel et présentait un système d'arrosage remarquable. Elle était entourée d'un haut muret dans lequel était insérée à l'oblique une amphore au col fiché dans le sable ; l'eau était versée dans la panse de l'amphore, cassée à cet effet, et s'écoulait en profondeur jusqu'aux racines de l'arbre.

20.2. *Le dépotoir à l'est du temple de Soknebtynis*

En 2003, le dépotoir a été fouillé sur une surface de près de 200 m^2, une soixantaine de mètres à l'est du mur d'enceinte du temple. Les couches supérieures étaient fortement perturbées par les fosses de fouilleurs et de chercheurs d'antiquités, mais les niveaux inférieurs étaient intacts. Ces derniers ont livré une bonne quantité de papyrus, ostraca et *dipinti*, tous remontant à l'époque ptolémaïque.

Si les papyrus hiératiques n'ont pas été nombreux, ceux écrits en démotique et en grec ont atteint un nombre proche de 200. Plusieurs ont été retrouvés encore enroulés, les uns à côté des autres, et ils proviennent sûrement des archives du sanctuaire de Soknebtynis, ainsi que leur contenu le montre. Parmi ces textes figurent des lettres échangées entre les autorités et le clergé, des baux de terre sacrée, des comptes concernant l'administration du temple et des rapports sur l'activité des prêtres : un dossier remarquable de témoignages nous éclairant sur la vie et le fonctionnement du sanctuaire à l'époque de Ptolémée VI et Ptolémée VIII.

Les textes écrits sur poterie, c'est-à-dire les ostraca et les *dipinti* d'amphore, ont dépassé la centaine. 60 % sont rédigés en grec, la plupart des autres étant en démotique et quelques exemplaires se présentant en hiéroglyphes et en hiératique. Les ostraca comme les *dipinti* sont tout à fait comparables à ceux récupérés les années précédentes, mais les données économiques et prosopographiques supplémentaires qu'ils offrent ne sont pas négligeables.

21. Tôd

La sixième campagne épigraphique dans le temple de Tôd s'est déroulée du 15 novembre au 11 décembre 2003. Les participants étaient Christophe Thiers, égyptologue (chef de mission), Lilian Postel, égyptologue (Ifao), Sophie Duberson, restauratrice, Khaled Zaza, dessinateur (Ifao), Hassan al-Amir, restaurateur (Ifao) ; le CSA était représenté par Yahyia Abdel Latif, inspecteur à Louqsor et Mme Sanaa, inspectrice à Louqsor, en charge du magasin de Tôd.

Il s'agissait de poursuivre l'étude des blocs épars ayant appartenu aux différents états de construction du temple de Montou. La plupart de ces blocs ont été entreposés sur des banquettes lors des deux dernières missions ; d'autres aménagements de ce type seront nécessaires à l'avenir pour permettre une préservation accrue de ces vestiges. S'ajoute à l'étude de ces blocs, la plupart en grès, celle de nombreux fragments en calcaire conservés dans le magasin du CSA.

En ce qui concerne l'étude des vestiges les plus récents (ptolémaïques et romains), Chr. Thiers a principalement étudié les blocs au nom d'Antonin le Pieux entreposés au sud du temple. La majeure partie de ces blocs provient de l'église copte fouillée en 1935. Déjà notés par F. Bisson de La Roque lors du démontage de l'église, les nombreux raccords permettent de reconstituer une partie de la décoration du mur sud du temple. On signalera une offrande des épis de blé au taureau vénérable de Médamoud et une scène plus incomplète décrivant le rite de « soulever le ciel ». Deux autres blocs présentent l'offrande du souffle (voile gonflée) à Chou et Tefnout ; d'après l'orientation des figures et les particularités épigraphiques, ces deux blocs appartiennent à la paroi extérieure nord du premier vestibule, et semblent devoir être raccordés à *Tôd*, n° 75. Dans le magasin du CSA, l'attention s'est portée sur les blocs en calcaire, dont plusieurs ont appartenu au programme iconographique des cryptes.

Un second objectif de la mission visait l'inventaire des fragments du Moyen Empire et de la Deuxième Période intermédiaire mis au jour durant les dernières années des fouilles de l'Ifao entre 1937 et 1950 et restés pour la plupart inédits. Vingt-cinq de ces fragments, répartis entre les banquettes extérieures et le magasin du CSA, ont pu être catalogués, relevés et photographiés par L. Postel. À cet ensemble se sont ajoutés d'autres fragments trouvés postérieurement aux fouilles de l'Ifao, portant ainsi à une cinquantaine le nombre de pièces étudiées. Enfin, un *survey* des blocs rangés sur les étagères et sur les banquettes à la périphérie du temple a permis de répertorier et photographier les éléments datables du Moyen Empire, soit une centaine de fragments, généralement en calcaire et encore pourvus, pour plusieurs d'entre eux, d'un décor identifiable. Les fragments étudiés appartiennent dans leur grande majorité aux sanctuaires successifs de Tôd et à leurs agrandissements entre la XIe et la XVIIe dynastie. Sont représentés : Nebhépetrê Montouhotep II, Séânkhkarê Montouhotep III, sans doute Amenemhat Ier, Sésostris Ier, Amenemhat VII, Sékhemrê-Ouadjkhâou, Sobekemsaf II. Les documents attribuables au règne de Sésostris Ier sont prépondérants. Quelques stèles votives des XIIe et XIIIe dynasties proviennent des abords du temple. Enfin, un lot de fragments de stèles, d'inscriptions et de pièces de mobilier cultuel a été identifié dans le magasin du CSA : la provenance de ces objets reste inconnue (nécropole de Tôd ?), comme la date de leur découverte ; leur datation est en revanche mieux circonscrite et beaucoup s'apparentent étroitement, par le style et l'épigraphie, aux monuments thébains de la XIe dynastie.

En marge de ces travaux, des fragments publiés de manière partielle par F. Bisson de La Roque ont pu être ponctuellement localisés et photographiés. C'est le cas notamment du « fragment de bande gravée, mentionnant un prince Antef » (T.1859), personnage dont on s'est longtemps demandé s'il fallait le ranger parmi les attestations des premiers nomarques thébains, fondateurs de la XIe dynastie. En fait, il s'agit plus sûrement d'un fragment de linteau (?) au nom d'un simple particulier de la Première Période intermédiaire nommé Antef(i).

S. Duberson a effectué une première mission dont l'objectif était de répondre à quelques urgences sur des blocs présentant des altérations pouvant s'aggraver rapidement. L'état de conservation général de la collection est bon. La construction de banquettes maçonnées aux abords du temple a permis de ranger et d'isoler du sol la majorité des blocs. Cette mesure de conservation devrait se poursuivre pour les blocs encore à terre et donc soumis à des cycles d'humidification par capillarité. On n'a pas observé d'efflorescences salines sur la surface des blocs placés sur les banquettes. Sur certains blocs présentant des pertes de cohésion en surface, la consolidation des zones désagrégées a été effectuée par imprégnation avec un consolidant inorganique, à base de silicate d'éthyle. Cette intervention a pour but de stopper la perte de grains de pierre et de redonner à la pierre abîmée ses caractéristiques de cohésion ou d'adhésion entre les constituants minéraux (reminéralisation). Les traitements réalisés sont locaux, les blocs ne sont pas imprégnés à cœur par ce moyen et ils devront rester sous surveillance. Ce traitement pourra être renouvelé ultérieurement si nécessaire. Une soixantaine de blocs ont ainsi été traités au silicate. En outre, sept assemblages entre blocs ont été réalisés à l'aide d'une résine époxydique. Deux interventions plus importantes ont été effectuées sur un linteau en grès inédit d'Amenemhat VII (XIIIe dynastie, T.2527) ainsi qu'un linteau en granite de Sésostris Ier (T.1545).

22. Touna al-Gebel, tombeau de Pétosiris

La tombe de Pétosiris à Touna al-Gebel, découverte et publiée par Gustave Lefebvre [14] au début du XXe siècle, est un monument exceptionnel pour deux raisons au moins : son architecture est plus proche de celle d'un temple que d'un tombeau, et son décor représente un rare cas de vrai syncrétisme, puisqu'au style pharaonique se mêlent des influences grecque et perse.

L'an passé (*BIFAO* 103, p. 578), deux missions de l'Ifao, composées de Jean-Pierre Corteggiani, Nadine Cherpion, égyptologues, et Jean-François Gout, photographe, avaient permis de réaliser une couverture photographique du monument, dont la publication complétera la réédition prévue de l'ouvrage de G. Lefebvre. Afin de mener à bien ce travail de publication, ont été établis cette année, du 8 au 13 mai 2004, des croquis de position, à l'échelle, de chacune des parois ; sur ces plans-clés, une nouvelle numérotation a été attribuée aux scènes, la numérotation de G. Lefebvre (reprise par Porter & Moss) ne tenant pas compte des reliefs dépourvus de textes. Georges Soukiassian, archéologue (Ifao), a dressé un nouveau plan de l'édifice, plus détaillé que celui publié en 1924, ainsi qu'un relevé architectural de la façade et de l'envers de la façade.

Toute l'équipe a bénéficié des facilités de travail accordées par Samir Anis, directeur de la zone de Minia, et par Gamal Abou Bakr Abdel Megid, inspecteur.

14 G. Lefebvre, *Le tombeau de Petosiris*, vol. I-III, Le Caire, 1923-1924.

Études coptes, arabes et islamiques

Pour les fonds documentaires coptes, voir *supra,* n°14.

23. Archives mameloukes et ottomanes du Caire

[Voir *infra*, Chercheurs et techniciens, Moustafa Taher].

24. Baouît

La reprise des fouilles à Baouît (cf. *BIFAO* 102, p. 536), suivant la convention signée entre le musée du Louvre et l'Ifao, a été encouragée par le prix Max Serres décerné par l'Académie des inscriptions et belles-lettres et par un prix de la Fondation Michela Schiff Giorgini. La première campagne s'est déroulée du 11 au 29 septembre 2003. Ont participé à cette mission : Dominique Bénazeth, coptologue, chef de chantier (Louvre), Julien Boerez, topographe (Esgt), Ramez Boutros, architecte (Ifao), Jean-Luc Bovot, archéologue (Louvre), Sylvain Griffet, topographe (Esgt), Sylvie Marchand, céramologue (Ifao), Maria Mossakowska-Gaubert, spécialiste du verre (Ifao), Georges Poncet, photographe, et Marie-Hélène Rutschowscaya, coptologue (Louvre). L'inspecteur désigné par le CSA était Adel Esmat Mohammad.

24.1. *Relevé topographique*

À partir des 5500 points levés, les topographes ont dessiné l'emprise du *kôm* puis les courbes de niveau (équidistantes d'un mètre). Le tracé est assez différent des plans utilisés jusqu'alors, qui dérivent tous de celui de Jean Clédat (1902). Sur ce nouveau plan ont été portées les structures apparentes et les zones contenant des structures repérables mais impossibles à dessiner sans en avoir entrepris le dégagement.

24.2. *Redécouverte de « l'église nord » fouillée au début du XXe siècle*

C'est en dégageant deux des colonnes en calcaire, désignées comme A et B dans le rapport de la prospection (*BIFAO*, 102, 2002, p. 538-539) que l'« église nord » a été identifiée. En effet, la colonne A présentait des restes de peintures où l'on a reconnu celles que Jean Clédat avait photographiées. Le remplissage de l'ancienne excavation était constitué de sable, dans lequel se trouvait un grand nombre d'objets et de fragments de divers matériaux.

24.2.1. LES STRUCTURES

Les structures dégagées cette année occupent l'angle sud-est du monument, depuis la niche axiale du mur oriental, jusqu'à la seconde travée de la nef. Le sol n'a pas été atteint à l'extérieur mais un dallage en calcaire assez bien conservé fut dégagé à l'intérieur. Il supporte les bases des colonnes en calcaire et deux lignes parallèles de boiseries, de direction sud-nord. Une nouvelle numérotation des colonnes s'impose, avec les lettres S pour la colonnade sud et N pour la colonnade nord ; dans ce nouveau système, B devient N1 et A devient S2. Les bases N1, N2, S1 et S2 ont été trouvées. Il reste en place une partie des fûts N1, S1 et S2. Deux tronçons de fûts sont couchés au sol. Devant la niche axiale, le dallage laisse place à un mortier où se lit l'emplacement d'installations liturgiques ; une colonnette en granit, appuyée contre le mur oriental, a pu en faire partie. Les murs sont construits en briques crues et briques cuites et recouverts d'enduits lissés ou peints. Une porte s'ouvre dans le mur sud. Des niches sont ménagées dans les murs. Les piliers cruciformes sont en briques cuites et parés de blocs de calcaire incluant des assises de bois. Ces bois se trouvent aussi dans la structure des pilastres et dans certaines parties des murs. Plusieurs poutres de palmier furent trouvées dans la partie méridionale.

24.2.2. LES PEINTURES

Des traces de polychromie montrent que les piliers cruciformes étaient peints (personnages, rinceaux). La colonne S2 est ornée en bas d'une zone de godrons gris et plus haut d'un serpent (côté ouest) et des pieds d'un personnage (côté est). Les deux tronçons de fûts couchés au sol présentent des peintures de personnages, déjà connus par les photographies (archange, saint Georges, le roi [David ?]) ou inconnus (Pierre, Jean, Zacharie). Une demi-colonnette, trois chapiteaux de pilastre et plusieurs blocs de calcaire montrent aussi de beaux restes de polychromie.

Les enduits à la base des murs sont uniformément blancs ou gris. Plus haut, des peintures dont subsistent d'innombrables éclats devaient recouvrir toutes les surfaces enduites de *mouna* et de plâtre. À l'état fragmentaire, des planches et des poutrelles présentent des motifs géométriques, une tête de canard et le corps d'un oiseau, qui correspondent aux fragments attribués au Louvre lors du partage des premières fouilles.

24.2.3. LE MATÉRIEL

Certains objets appartenaient clairement à la structure et au décor du monument : fragments architecturaux en bois ou en calcaire, châssis de fenêtres en plâtre avec vitres de couleur, éclats de peintures murales, boiseries sculptées ou peintes.

D'autres ne sont pas liés au contexte ; on peut simplement considérer qu'ils proviennent soit des déblais des anciennes fouilles, remis dans l'excavation, soit des environs immédiats du monument : fragment de tympan en calcaire sculpté dans le style de l'église sud, crânes et ossements humains dispersés, tuyaux de terre cuite. L'étude de la céramique a montré que les tessons sont principalement d'époque arabe (jusqu'au Xe siècle).

24.2.4. LA SÉPULTURE

À l'inverse des ossements épars signalés plus haut, une sépulture d'enfant a été mise au jour contre le chevet, près de son extrémité méridionale. Le corps orienté est/ouest était enveloppé dans un agglomérat de fibres végétales et placé sur un *gerid*. L'emplacement contigu à l'église était vraisemblablement intentionnel.

24.3. *Sondages dans la partie nord du kôm*

La vérification des mesures des salles 5 et 6 fouillées en 1913 et identifiées en 2002 assure l'exactitude du plan proposé par Cl. Robichon (*MIFAO* LIX, pl. I), tout au moins dans ses grandes lignes. Le sol de la salle 5, retrouvé devant la niche orientale, montre que les structures ne subsistent que sur une vingtaine de centimètres de hauteur.

Trois sondages ont été ouverts, puis remblayés à la fin de la mission. Dans ces trois secteurs, les structures sont en brique crue, parfois enduites. Le matériel est varié : céramique (vases, amphores, lampes, ostraca), verre, textile, vannerie et corderie, bois, os. Des restes alimentaires (noyaux de pêches, os, arêtes) se trouvaient dans les sondages 2 et 3.

Sondage 1 : 10 m × 10 m, au sud des structures fouillées en 1913, dans un secteur à peine effleuré à l'époque. Le seuil de la porte vers salle 6 a été atteint. Trois niveaux de sols ont été trouvés ; le plus bas, enduit, correspondant à celui de la salle 6. Des aménagements de murets et de banquettes avaient transformé les lieux à plusieurs reprises.

Sondage 2 : 3,60 m × 3 m, au sud-est du sondage 1. Des murs et un sol enduits délimitent une portion de pièce. Des poteries engagées dans le sol la désignent comme un cellier. L'espace attenant comporte trois foyers (*kanun*). Quelques fragments de vitrages laissent supposer une ou plusieurs fenêtres. Les murs sont fondés sur du sable. Il n'y a qu'un niveau d'occupation. La céramique, tout comme les verres, indique un abandon au VIe ou au début du VIIe siècle.

Sondage 3 : 6 m × 4,50 m, à l'est du sondage 1 et au sud du secteur fouillé par les archéologues égyptiens. La voûte d'une pièce s'est effondrée mais se trouve encore en place. Au-dessus, des vases étaient maintenus dans une banquette de terre crue et de nombreuses amphores de type *Late Roman 7* ont été retrouvées. Le matériel céramique exhumé est homogène et correspond à la phase très tardive de la période byzantine (premier quart du VIIe siècle). Une trappe est encore en place au sommet de la voûte, fermée par un vantail maintenu dans un bâti de bois sculpté.

Le mur sud présente, sur la face opposée à la pièce voûtée, le reste d'une intéressante peinture, aux couleurs vives, montrant un personnage tenant un bâton et une corde. Cette peinture a été provisoirement réensablée, afin de la préserver.

25. Enceintes médiévales du Caire : la muraille ayyoubide

Depuis 2000, l'Ifao développe un programme d'étude des enceintes urbaines du Caire médiéval. Ce programme associe plusieurs partenaires français et égyptiens : outre l'Ifao, l'université Paris IV-Sorbonne, le ministère des Affaires étrangères, le CSA et la Fondation Aga Khan Trust for Culture. Parallèlement à l'étude architecturale de la muraille fatimide (1087-1090) et de la muraille ayyoubide (1174-1200), Stéphane Pradines, archéologue arabisant (Ifao), a conduit cette année trois campagnes de fouille.

25.1. *Printemps 2003 : des bacs à chaux ayyoubides*

La première mission s'est déroulée du 12 avril au 12 juin 2003. L'équipe comprenait Philippe Blanchard, archéologue (Inrap), Caroline Chauveau, archéologue, Yéhia Hassan, contremaître, Nicolas Lacoste, archéologue, Damien Laisney, topographe (Ifao), Julie Monchamp, céramologue (univ. Paris IV), Edward Pollard, archéologue, Magdi Sulayman Ahmad, responsable au CSA du secteur d'Al-Azhar et Tarek Gharib Zurrud, inspecteur.

Une tranchée d'environ 38 m de long, du nord au sud et de 9 m de large, d'est en ouest, a été ouverte. L'ensemble stratigraphique étudié présente des niveaux supérieurs datés de la fin du XVe siècle, marqués par un habitat sommaire de la fin de l'époque mamelouke, visible dans la coupe stratigraphique de la zone 3, secteur 1, habitat au même niveau que la maison exhumée en 2002. Les couches intermédiaires comprennent des structures et des niveaux de sol du XIVe et XIIIe siècles. L'élément le plus intéressant est un ensemble de fours de métallurgistes à parois constituées de briques cuites et de scories. Cette production de fer est datée de l'époque ayyoubido-mamelouke, plus précisément du XIIIe siècle. Ces niveaux reposent sur une terrasse de sable jaune contemporaine de la construction/réfection de la muraille à la fin du XIIe siècle. La fouille révèle que cette terrasse ayyoubide de sable jaune s'étend tout le long de la muraille, formant ainsi un espace de circulation recoupé par endroits de structures ayyoubides comme trois fosses pour la confection de la chaux, datées de 1171-1176. La plus belle fait près de 3 m de diamètre, maçonnée en briques cuites avec un bac pour le mélange et un tuyau d'évacuation de la fleur de chaux. Ces bacs à chaux nous renseignent sur les méthodes de construction de la muraille et l'organisation du travail à l'époque de Saladin.

La zone 3, secteur 1 (nord) a livré d'importants niveaux fatimides sur plus d'un mètre de profondeur. Ces couches fatimides sont plus anciennes que les couches de destruction de la maison et du bassin fatimides trouvés en 2001. Des trous de poteaux orientés nord - nord-ouest ont été découverts au contact du substrat naturel, un gravier jaune. Ces trous de poteaux, orientés différemment par rapport à la maison du Xe-XIe siècle, suggèrent un habitat en matériaux périssables d'une époque antérieure, de la fin du Xe siècle.

Cette fouille effectuée le long de la muraille a permis de préciser stratigraphie et datations, de comprendre l'utilisation de l'espace étudié à l'époque ayyoubido-mamelouke (XIIIe-XIVe siècles), notamment par la découverte de fours et d'aires d'activités artisanales.

Fig. 29. Le Caire, enceinte de Badr al-Gamali surmontant un bassin fatimide plus ancien, juin 2003.

Les niveaux fatimides ont livré un mobilier riche et abondant, surtout pour l'étude de la céramique fatimide commune qui pourra être datée et classifiée en fonction des productions connues comme la céramique lustrée, les *fayoumi wares* ou les grès chinois. La maison fatimide découverte en 2001 (*BIFAO* 102, p. 542) n'est pas tardive. L'examen minutieux de la coupe stratigraphique, l'analyse du matériel archéologique, le dégagement de certaines bermes au contact de la fondation du massif de briques crues et surtout la comparaison avec des structures trouvées à Fostât et publiées par Roland-Pierre Gayraud, ont amené un ensemble d'indices conduisant à reculer la datation de la maison à une période plus ancienne, entre 980 et 1030. Il pourrait s'agir d'une villa « funéraire » de type Fostât. L'aménagement intérieur semble le prouver, bassin, jardin et cour, ainsi que la situation extérieure à la ville. Actuellement, aucune sépulture associée au mausolée n'a été retrouvée ; seules des fouilles au nord de la cour ou sous le massif de briques crues à l'ouest pourraient permettre de découvrir de telles structures.

25.2. *Automne 2003 : la muraille de Badr al-Gamali*

La seconde mission de l'année 2003 a été effectuée du 7 octobre au 22 novembre. L'équipe comprenait Caroline Chauveau, archéologue, Y. Hassan, contremaître, N. Lacoste, archéologue, D. Laisney, topographe (Ifao), Aude Leroy, dessinatrice, J. Monchamp, céramologue (univ. Paris IV), Noémie Martin, céramologue, Magdi Sulayman Ahmad, responsable du secteur d'Al-Azhar et Tarek Gharib Zurrud, inspecteur.

A été ouvert un secteur au sud, de 30 m sur 8 m, entre les fouilles réalisées au printemps et la tranchée des Antiquités à l'ouest. L'ensemble stratigraphique étudié est cohérent, avec des niveaux supérieurs datés de la fin du XVe siècle / début du XVIe siècle, et marqués par un habitat sommaire de la fin de l'époque mamelouke, visible dans la coupe stratigraphique de la zone 3, secteur 1, habitat au même niveau que la maison exhumée en 2002. L'essentiel des vestiges se compose de restes d'habitats et d'égouts de l'époque mamelouke entre la fin du XVe siècle et le milieu du XIIIe siècle. Les couches intermédiaires comprennent des structures et des niveaux de sol du XIVe et XIIIe siècles, notamment un four de potier bâti contre le massif d'un escalier menant à une niche d'archère. Il ne reste du four que la chambre de chauffe et un bout de dallage surplombant l'entrée excavée de cette chambre. Tous les niveaux archéologiques précédemment cités reposent sur une terrasse de sable jaune contemporaine de la construction de la muraille. La fouille a montré que cette terrasse ayyoubide de sable jaune s'étend tout le long de la muraille.

Dans la partie sud de la fouille, ont été exhumés des niveaux d'occupation fatimides, du XIe et XIIe siècles. Au nord, la fouille du bâtiment composé de grosses briques crues a été achevée ; ce bâtiment a été construit avant la terrasse de nivellement de sable jaune, contemporaine de la muraille ayyoubide. Sorte de bastion ou de tour d'angle, il a été érigé sur la « villa funéraire » fatimide du début du XIe siècle. Il est antérieur à la construction de la muraille de Saladin. Le massif de briques crues recoupe une villa « funéraire » fatimide de 980-1030. De par son caractère monumental, il s'agit peut-être d'une tour de la seconde enceinte fatimide, celle de Badr al-Gamali. Dans la tranchée réalisée par les archéologues des Antiquités, un grand mur de briques crues nord-sud semble rattacher ce bastion à Bab al-Tawfik, au nord de l'autre côté de la rue d'Al-Azhar. D'un point de vue stratigraphique, il est possible à présent de découper l'occupation fatimide en trois phases : la première phase de 970 à 980, la deuxième de 980 à 1030 et la troisième de 1030 à 1090.

25.3. *Printemps 2004 : la porte fatimide de Bab al-Tawfik*

La mission a été effectuée du 26 avril au 15 juin 2004. L'équipe comprenait D. Laisney, topographe (Ifao) ; J. Monchamp, céramologue (univ. Paris-IV), Niall O'Hora et Matthieu Moriamez, archéologues. Le CSA était représenté par Ahmad Quadri, inspecteur.

Fig. 30. Porte fatimide de Bab al-Tawfik, juin 2004.

Bab al-Tawfiq est une porte de l'enceinte de Badr al-Gamali datée par une inscription de 1087-1090, sous le règne du calife fatimide Mustansir (1036-1094), et contemporaine de Bab al-Futuh, Bab al-Nasr et Bab Zuweila. La porte a une hauteur totale de 9,30 m. L'arc principal est à 7,30 m de haut. L'inscription, publiée par G. Wiet, est en marbre blanc ; elle a une longueur de 2,96 m (3 m) et une hauteur de 40 cm.

Trois secteurs de fouilles ont été définis.

La fouille du secteur T1, dans et devant la porte, a révélé la présence d'un dallage fait de blocs pharaoniques en réemploi. La porte fatimide de Bab al-Tawfiq était précédée d'un glacis, une rampe en pierre permettant d'accéder à la ville. Il est fait mention du même glacis devant Bab Zuweila. Cette rampe, ce dallage en pierre est composé de réemplois de granit rose. Ces blocs pharaoniques ont été récupérés sur un temple d'Héliopolis du Moyen Empire (environ 1900 av. J.-C.).

Dans le secteur T2, au sud de la porte, a été exhumé un mur de grosses briques crues carrées comme celle de la muraille de Gawar. Il est intéressant de voir que la muraille de Badr al-Gamali utilise la même technique : seules les portes sont en pierre (le rempart de Gawar a peut-être été réutilisé). Ce mur en briques crues était relié à la porte et va jusqu'au sud de la rue d'Al-Azhar, comme cela avait été mis en évidence en 2001 dans les fouilles de l'Urban Plaza Parking.

Concernant le secteur T3, à l'est de la porte, la fouille s'est attachée au dégagement d'une tour de la muraille de Salah ad-Din. Cette tour, effondrée, a été construite à l'est, devant la porte fatimide de Tawfiq. Nous avons dégagé des merlons et les créneaux de cette tour, identique aux autres tours du front est du Caire, tours datées de 1174-1176. L'intérêt de ce secteur est de démontrer l'existence de deux fortifications indépendantes, l'enceinte fatimide de 1090 et la muraille ayyoubide de 1174.

La campagne de fouilles Ifao-MAE a ainsi permis de prouver l'existence d'une enceinte fatimide en brique crue à l'est du Caire et de mieux comprendre les résultats obtenus sur le parking Darassa depuis 2001. Deux enceintes ont été exposées, l'une en brique crue, datée de 1090, et l'autre en pierre calcaire, datée de 1174-1176. La mise au jour d'un dallage composé de blocs pharaoniques en réemploi est une autre découverte surprenante. Ce type de dallage était connu pour la porte fatimide de Bab Zuweila, mais n'avait pas été observé *in situ*. Les blocs hiéroglyphiques feront l'objet d'une étude par deux membres scientifiques égyptologues de l'Ifao, Lilian Postel et Isabelle Régen.

26. La société rurale en Égypte, dans le Bilad al-Sham et en Anatolie/Balkans

Les *Actes* du colloque sur la société rurale à l'époque ottomane (*BIFAO* 102, p. 542) sont désormais sous presse.

27. Isṭabl ʿAntar (Fostât)

Il n'était pas prévu pour cette année 2004 d'effectuer une nouvelle campagne de fouilles sur le site d'Istabl ʿAntar. L'accent a été mis par Roland-Pierre Gayraud (Lamm, UMR 6572 Cnrs) sur la mise au point du premier volume de la publication des fouilles.

Ce dernier a axé sa mission sur des dépouillements bibliographiques, des classements de clichés concernant la fouille et son matériel dans les archives de l'Ifao, et la saisie sur ordinateur de l'enregistrement du matériel (plus de 12 000 items). Ce travail sera continué de façon à disposer d'une base de données utile à la fois pour les chercheurs et pour le service des archives de l'Ifao. Par ailleurs, une cartographie de Fostât a été mise au point avec Damien Laisney, topographe (Ifao), dans le but de situer les divers éléments archéologiques aujourd'hui disparus, le projet connexe étant de cartographier l'évolution de Fostât de sa fondation jusqu'au XIIe siècle environ, selon les informations recueillies au cours de la fouille. Une mission d'étude de la céramique est prévue à l'automne 2004.

28. Lac Menzala

[Voir *infra*, Chercheurs et techniciens, Nessim H. Nenein].

29. Occupation chrétienne de la région thébaine

La mission attribuée à Catherine Thirard, coptisante, a été effectuée au cours de deux séjours en Égypte. Le premier, du 8 au 20 février 2004, a été consacré à des prospections, conduites avec Guy Lecuyot, dans les vallées situées sur le versant sud de la région thébaine alors que le second, du 3 au 17 avril, a été dédié à un travail documentaire à la bibliothèque de l'Ifao. Ce dernier a permis d'esquisser un répertoire des lieux de saints (*topoi*) du diocèse d'Armant.

Ce travail s'intègre dans une problématique plus générale visant à comprendre, parallèlement aux études effectuées par Anne Boud'hors et Chantal Heurtel sur les ostraca découverts lors des fouilles de Gurnat Mareï et de la TT 29, ainsi que par Florence Calament sur les ostraca en calcaire de la région thébaine conservés à l'Ifao, l'histoire et l'évolution des installations monastiques de la région thébaine entre le IVe et le IXe siècle. Une partie de ces recherches, qui avaient été effectuées lors de deux précédentes missions, s'était limitée à la région communément appelée par les sources documentaires « la montagne de Djémé ». Si l'évolution de l'organisation des implantations anachorétiques de ce secteur a pu être esquissée, il semble plus difficile, en revanche, d'identifier sur le terrain les *topoi* évoqués par les sources documentaires. Étendre ces premières recherches à une zone plus importante permet à la fois de comparer les formes d'habitat anachorétique, à supposer que les sites relevés aient abrité uniquement des ascètes et non des laïcs, leur éventuel processus de développement architectural et surtout de dresser une liste complète des lieux saints du diocèse d'Armant afin d'essayer de situer au moins les plus importants sur le terrain.

30. Peintures des monastères coptes

[Voir *infra*, Chercheurs et techniciens, Pierre Laferrière].

31. Qal'at al-Guindî (Sinaï)

La campagne 2004 s'est déroulée du 17 février au 6 mars en présence de Jean-Michel Mouton, chef de mission (univ. Lyon 2), Ramez Boutros (Ifao) et Claudine Piaton, architectes, Philippe Racinet et Jean-Olivier Guilhot archéologues, Damien Laisney, topographe (Ifao), Jérôme Jehel, photographe, Michel Wuttmann, responsable du laboratoire de restauration de l'Ifao, Hassân al-Amir et Abeid Mahmoud, restaurateurs (Ifao), Sandrine Mouny, céramologue, Clément Onimus et Yacine Saïdi, étudiants (univ. Lyon 2). Le CSA était représenté par Muhammad Hilmy, inspecteur.

Les fouilles et les relevés ont été conduits durant cette campagne en quatre points du site : le hammam (secteur I), l'unité d'habitation adossée au mur d'enceinte occidental (secteur II), l'entrée de la forteresse (secteur III) et la grande mosquée-citerne.

31.1. *Le hammam (secteur I)*

Cl. Piaton

Le travail a porté sur deux points : la poursuite du dégagement des pièces de service (P7, P8) et le dégagement de la grande salle (P1) par laquelle on accédait au hammam. À l'instar des autres pièces dégagées lors des précédentes campagnes, ces espaces étaient entièrement comblés par les matériaux provenant de l'effondrement de leurs murs et de leur couverture.

Le dégagement de la pièce 1 (5,70 × 3,20 m, orientée est-ouest) a révélé son rôle d'espace de distribution. Elle permet à la fois d'accéder au hammam à l'est, d'atteindre les terrasses à partir d'un escalier situé contre la courtine (C8-9) dans l'angle sud-est et de desservir les pièces sud de la résidence. Une banquette maçonnée file sur la totalité de son mur nord.

Plusieurs éléments témoignent d'un entretien régulier sur une période qui pourrait s'étendre à une cinquantaine d'années : 4 couches d'enduit successives sur les murs, un premier sol en dalles de pierre recouvert d'une couche de mortier.

Dans l'angle nord-ouest de la pièce 1, l'effondrement de la toiture qui n'avait pas été perturbé par celui des blocs de calcaire provenant des murs fournit une nouvelle fois une image très explicite de la structure composite des terrasses : sous-face en plâtre, poutres en palmier, *guerid* assurant le franchissement entre poutres et nattes de couverture. D'autre part, la conservation de l'enduit dans cet angle de la pièce permet de restituer avec certitude sa hauteur sous plafond (environ 3 m).

Le matériel archéologique provenant de ce dégagement (contexte 71) est quantitativement faible mais néanmoins complet : plusieurs jarres en céramique à glaçure, un penne de serrure, une balayette, un plat en bois, de nombreux noyaux et écorces de fruits (pêches, dattes, noisettes, citrons, grenades) et un *ouchebti* y ont été mis au jour. Trois douelles de tonneaux ont également été trouvées, sans qu'il soit possible de déterminer leur provenance : réutilisation dans la construction ou pièces simplement entreposées sur la terrasse. Il faut également noter la découverte de trois papiers : un papier magique et deux papiers comportant des listes de noms de soldats. Ces documents nous renseignent sur l'origine géographique des hommes de la garnison (Alep, Wāṣit), nous donnent les fonctions de certains militaires cantonnés dans la forteresse (*isfahsalār*), gardien de tour (*barrāǧ*) et nous fournissent surtout une liste de produits commandés par ces hommes pour améliorer leur ordinaire (miel, savon, huile de lin, vinaigre, graisse, sésame, mastic, etc.). Notons enfin que certains noms de soldats figurant sur l'un des papiers, découvert dans la pièce 1, se retrouvent sur l'un des graffiti de la porte d'entrée.

La couche d'abandon de cette pièce est dépourvue de matériel. Il apparaît donc, comme dans le hammam, que l'effondrement des murs et des plafonds est intervenu alors que la pièce était vide de tout mobilier.

LES PIÈCES DE SERVICE

Le dégagement de la partie est de la pièce 7 s'est poursuivi. Cet espace contient le foyer et l'emplacement de la chaudière. C'est un trou cylindrique, d'un diamètre d'environ 90 cm et d'une profondeur de 2,50 m, aménagé dans un massif maçonné qui s'appuie sur le sol rocheux. Ses parois sont constituées de briques cuites dans sa partie basse. Deux petites galeries (longueur : 1 m, hauteur : 1 m à 1,20 m, largeur : 0,30 à 0,60 m) partent de la base du foyer. L'une conduit à une pièce de service (P8) et l'autre à une salle (P9) qui s'étend sous l'ensemble du volume chauffé du bain (P3, P4, P5, P6) et est assimilable à un hypocauste. Cet espace qui n'a pas été fouillé est actuellement à demi comblé par des cendres et des brindilles de bois partiellement calcinées. On peut toutefois clairement décrire son plan et son système porteur : deux files de deux arcs en plein cintre orientées nord-sud portent un plafond légèrement voûté sur lequel est posé le dallage de pierre des salles chaudes. Plusieurs canalisations en terre cuite sont incluses dans la voûte.

Le système de chauffage du bain par le sol est donc maintenant bien mis en évidence et tout à fait similaire à celui de la forteresse de l'île de Graye (Qal'at Ayla). Les gaz chauds issus du foyer alimenté depuis la pièce de service (P8) circulaient sous le sol du bain. En l'absence de fouille complète des niveaux inférieurs du foyer et de cet hypocauste, il n'est pas encore possible de décrire avec précision le principe des échanges thermiques. On sait cependant que les deux conduits verticaux situés à l'opposé du foyer, l'un dans le mur de courtine à l'angle nord-est du bain et l'autre dans le mur sud (entre P6 et P2), repérés lors des précédentes campagnes, sont les conduits d'évacuation des fumées.

Parallèlement à ces travaux de dégagement, quelques murs très instables ont été consolidés, notamment dans la pièce 1 (murs sud et est). Abeid Mahmoud Ahmad a également restauré l'un des bassins en calcaire de la pièce 5.

PERSPECTIVES 2005

L'ensemble des structures mises au jour est maintenant relevé, seuls quelques points nécessiteront des dégagements complémentaires. L'escalier d'accès aux terrasses situé dans l'angle sud-est de la pièce 1, la terrasse de la pièce 2 et les pièces de service inférieures encore partiellement encombrés par des structures effondrées seront dégagés lors d'une prochaine campagne.

Les travaux effectués cette année dans la pièce 1 témoignent d'une très bonne conservation des élévations des murs qui s'étend par ailleurs à l'ensemble des pièces de la résidence. Les arases des murs actuellement visibles sont pour la plupart situées à plus de 3 m au-dessus des niveaux de sol. On dispose donc là d'un exemple de demeure du XIIe siècle parfaitement conservée. Un premier dégagement des éboulis de pierre supérieurs pourrait être effectué dès la prochaine campagne afin de dresser le plan de cet ensemble résidentiel qui semble s'organiser autour d'une cour pourvue d'un oratoire.

31.2. *Unité d'habitat adossée au mur d'enceinte (secteur II)*

Ph. Racinet, S. Mouny

La fouille du secteur II, commencée en 2003, concerne une unité d'habitat d'une superficie totale de 220 m^2, accolée à la courtine nord, derrière le secteur des mosquées. Le dégagement partiel d'une pièce d'archère avait permis de mettre au jour d'intéressantes peintures murales indiquant le caractère résidentiel de cet espace. Une monnaie datée de 644/1246 (sultan Al-Ṣāliḥ Naǧm al-Dīn Ayyūb) ainsi que le mobilier céramique plaçaient l'abandon vers le milieu du XIIIe siècle. La présente campagne s'est avant tout attachée à déterminer avec précision la structure de cette unité d'habitat, dont l'organisation est susceptible de se retrouver, de manière plus ou moins complexe, au moins tout le long de la courtine nord.

L'unité d'habitat est allongée du nord au sud perpendiculairement à l'enceinte (longueur totale de 19 m) et s'étend jusqu'à environ 3 m d'un édifice carré aux puissantes fondations, duquel elle est séparée par une probable artère desservant d'autres unités selon un axe transversal. Elle est structurée par deux pièces d'archère mitoyennes. Deux longs murs parallèles (largeur totale de 11,50 m) délimitent le corps même de l'unité.

L'unique porte qui donne accès à l'unité d'habitat est décalée vers l'ouest. Immédiatement à gauche de cette entrée se trouve une pièce (B : 3,50 × 2,50 m) fermée par une porte. Dans la partie nord, un ensemble de couches, visiblement effondrées, alternant des cailloutis et des végétaux, recouvrait une grande dalle de pierre seulement équarrie, qui scellait une vaste fosse sub-circulaire (diamètre de 1,40 m) creusée dans le rocher calcaire, certainement à partir d'une cavité naturelle créée par un phénomène de dissolution de la roche. L'existence d'une empreinte de canalisation dans un sable fin et compact indique que la fosse servait d'exutoire aux probables latrines situées dans la pièce mitoyenne nord (pièce D), à travers et en sous-œuvre du mur nord de la pièce B qui fonctionne d'une manière contemporaine avec la fosse.

Fig. 31. Qal'at al-Guindî, 2004.
Ensemble de poteries découvertes dans le secteur II.

Par ailleurs, l'étude complète du mobilier donnera des indices pour déterminer la ou les fonctions successives de cette pièce. Il pourrait s'agir d'un lieu de stockage transformé en dépotoir, si l'on se fonde sur la composition du mobilier céramique contenu dans l'épaisse couche organique située sous la couche d'abandon.

Du côté droit de l'entrée principale, vers l'est, un étroit couloir (0,80 m), long de 2,50 m, donne accès à la cour ouverte intérieure, par le biais d'un seuil avec une porte. Cette cour a la forme d'un L (espaces H et F).

Le grand côté de ce L (espace H ; 8 × 5 m) est limité à l'est par le mur de clôture de l'unité d'habitat et bordé à l'ouest par la pièce C. De cette partie de cour, on accède directement vers le nord à la pièce d'archère orientale (A' : 3,80 × 2,60 m), par un seuil élevé équipé d'une porte. Cette pièce présente deux phases d'occupation. Bien que résiduel, l'état primitif est marqué par un aménagement de qualité (vestiges d'enduit fin, lisse et blanc sur le mur nord et dans l'ébrasement de l'archère) ; il pourrait témoigner d'un usage résidentiel (réception) avec un probable système de fermeture de l'archère (encadrement en bois). Assez rapidement, cet espace a été transformé avec la mise en place d'un revêtement partiel d'enduit grossier gris et surtout avec la construction de deux murets dans la partie occidentale. Les enclos ainsi formés ont livré un grand nombre de poteries complètes et en place. Les formes de ces dernières permettent de distinguer une fonction de stockage des liquides pour l'enclos situé contre l'archère et un lieu de préparation des aliments pour l'enclos le plus grand situé au sud. La partie orientale, à laquelle on accède directement depuis la cour et qui a livré les vestiges d'une banquette fruste contre le mur nord, pourrait être un espace de consommation. Enfin, détail insolite, une niche creusée dans le mur sud-ouest de la pièce d'archère contenait un nécessaire à maquillage (pot et bâton à khôl) et un peigne, en situation.

Le petit côté du L de la cour (espace F : 3,60 × 3 m) dessert plusieurs pièces, toutes munies d'une porte. Au sud, la pièce C (2,40 × 2,30 m) correspond probablement à une cuisine mais plusieurs indices permettent d'envisager un réaménagement postérieur. Vers l'est, un étroit couloir en épingle à cheveux à gauche donne sur de possibles latrines (pièce D ; 1,80 × 0,60 m) reliées à deux fosses ; celle de la pièce B et une autre placée à l'extérieur de l'unité d'habitat (fosse 133). Cet espace est dallé. Mitoyen, un autre couloir en épingle à cheveux à droite, également dallé, mène à un petit hammam (G : 1,60 × 1,20 m) sur hypocauste, fort bien construit et disposant d'un système d'éclairage élaboré (petits vitraux colorés circulaires enchâssés dans un support de plâtre). Une porte séparait le bain de la probable salle de déshabillage située dans le tournant du couloir. Le foyer qui alimentait le bain pourrait être placé dans le sol de la petite cour (espace F).

Fig. 32. Qal'at al-Guindî, 2004. Lampe à huile découverte dans le secteur II.

Fig. 33. Qal'at al-Guindî, 2004. Peigne, pot et bâton à khôl découverts dans le secteur II.

Enfin, au nord, la pièce d'archère occidentale (A : 3,60 × 2,80 m) est la salle la plus décorée et la mieux équipée, du moins dans sa partie orientale avec les peintures murales et la banquette en pierre finement ciselée (campagne de 2003). Un petit muret haut de 0,35 m sépare, sur une longueur de 1,10 m, l'espace décoré de la partie occidentale qui ne possède pas d'aménagement construit et dont les murs sont revêtus d'un simple enduit lisse, sur lequel aucune peinture n'a été repérée en dehors de la frise supérieure. Le sol de cette pièce est dallé avec des joints en plâtre. Le démontage, même partiel, du dallage permettrait de savoir si cette salle disposait d'un système de chauffage par le sol. En tout cas, la vocation résidentielle de cette pièce d'archère ne fait aucun doute.

La découverte, dans la couche de destruction (partie nord de la cour H), d'une monnaie de bronze égyptienne, que l'on peut placer entre 1226 et 1238 (au nom du sultan ayyoubide Al-Kāmil (615-635 / 1218-1238) et du calife abbasside Al-Mustanṣir (623-640 / 1226-1242), conforte l'hypothèse chronologique. Le mobilier très diversifié témoigne à la fois d'une grande richesse et d'une occupation dense mais sur une courte durée. Cet habitat, qui appartient certainement à un système d'occupation de cette partie au moins de la forteresse, correspond à la résidence d'un personnage à statut particulier, dont le caractère religieux pourrait être révélé par la présence du hammam, point fort de l'organisation spatiale de l'unité, et l'aspect militaire par les scènes de bateaux de la peinture murale.

La transformation observée dans les deux pièces d'archère, qui tend à masquer leur caractère résidentiel primitif, pourrait illustrer le changement de fonction de la citadelle, qui abrite une prison en 1241 d'après la documentation écrite, et celui du statut de ses occupants.

31.3. *Porte d'accès à la forteresse (secteur III)*

J.-O. Guilhot

Un des axes retenus pour la campagne 2004 était l'étude de l'unique accès à la forteresse de Sadr qui révèle un dispositif de défense particulièrement élaboré, avec le franchissement de trois portes successives, d'un fossé et d'une barbacane. Après une analyse architecturale des structures conservées en élévation, un examen des blocs effondrés sur place et le relevé topographique des maçonneries, il a été décidé de pratiquer un sondage archéologique en arrière de la porte, coté place. Ce sondage avait plusieurs objectifs : mieux cerner le système de rampe permettant de rattraper le très fort dénivelé entre l'extérieur de la place et l'intérieur ; examiner la nature même de la rampe ; identifier d'éventuels aménagements au débouché de celle-ci. La situation du sondage permettait *a priori* de répondre à ces questions tout en respectant une distance de sécurité avec la dernière porte (porte aux boucliers), dont la stabilité pose problème. Le sondage pratiqué mesure environ 10 m de long par 2 m de large pour près de 3 m au plus profond. La base des couches archéologiques, le rocher, a été atteinte.

La stratigraphie est particulièrement simple, le volume dégagé correspondant à l'effondrement des élévations et en particulier des claveaux d'une voûte maçonnée. On notera la présence, le long du mur, d'une série de piquets en bois destinés à fixer une tente, un vélum. Leur dispersion assez régulière permet de s'interroger sur une superstructure de toile disposée au-dessus de la voûte.

En effet, le mobilier découvert dans l'US 92 correspond vraisemblablement à l'occupation d'une terrasse située sur la voûte qui s'est mélangée aux matériaux de celle-ci lors de son effondrement. On relève également dans cette couche, parmi de nombreux fragments d'enduits provenant des murs et de la voûte, la présence de graffiti tracés à l'encre bleue/noire sur le fond blanc.

L'espace étudié correspond à un couloir voûté abritant une rampe en chicane taillée dans le rocher. Seuls les murs est et sud ont été dégagés. Ils sont constitués en moyen appareil régulier dont les assises font environ 23 cm de haut. Les joints sont réalisés à la terre. Un enduit gris-blanc recouvre les murs. Il porte plus de 37 inscriptions tracées à l'encre, de très nombreux graffiti incisés : écritures, mais surtout lignes de bâtonnets de comptage [36, 47], cercles concentriques, étoiles à six branches, carrés emboîtés. Les inscriptions datées de la première moitié du XIIe siècle correspondent le plus souvent à des formules religieuses (nombreuses *basmala*), mais peuvent aussi présenter des caractères plus originaux : poème, liste de noms de soldats, graffiti de pèlerins signalant leur passage (dont celui d'un certain Qarāqūš b. Maḥmūd b. Qarāqūš), hymne à la gloire du sultan défunt Al-Kāmil écrit quelques mois après sa mort, exercices de numération, etc.

L'extrémité sud du couloir voûté correspondait, semble-t-il, à une loge de gardien. On y accédait par un escalier de trois marches, taillées dans le rocher. L'espace se divisait en trois, une banquette et une terrasse, semble-t-il, partitionnée en deux. Les parois de la banquette sont couvertes du même enduit que les murs.

Cette disposition (escalier, banquette, terrasse), comme la présence du mur sud, montrent que le débouché de l'entrée ne se faisait pas dans l'axe de la porte coté place. Le sondage réalisé en 2004 révèle donc que le dispositif très sophistiqué de défense de l'entrée était renforcé, comme au Krak des Chevaliers, d'un couloir voûté terminé par une chicane. L'étude des niveaux de circulation dans la rampe d'accès confirme également la monumentalité de la porte aux boucliers dont l'ouverture avoisinait les 4 m de hauteur.

31.4. *Relevé du complexe religieux*

R. Boutros

Le travail de relevé architectural du complexe religieux s'est concentré cette année sur la mosquée-citerne dite M1. Quatre façades externes et deux coupes-élévations internes ont été dessinées à l'aide d'un fond photogrammétrique. Les clichés de l'appareil photogrammétrique emprunté à l'École d'architecture de Lyon en 2001 ont été effectués et traités par Cl. Piaton. Le fond dessiné sur Autocad a servi de base pour établir les relevés minutieux comportant tous les détails de ces façades.

La mosquée M1, datée d'après son texte de fondation de 582 / 1186-1187, se compose d'une salle de prière de 13,30 m de long sur 6,45 m de large. Elle est construite sur une citerne creusée dans le rocher. Les parois de la citerne sont bâties en pierre et sont recouvertes d'un mortier hydraulique. La largeur de la citerne est plus petite que la largeur de la mosquée ; ainsi les parois de la mosquée reposent directement sur le bord du rocher. Seul un bloc effondré au sommet du rouleau de la voûte de la citerne permet d'estimer l'épaisseur de l'éboulis couvrant toute la surface intérieure de l'espace de prière. Il fait à peu près un mètre d'épaisseur. Dans cette partie, aucune trace du sol de la mosquée n'est visible. Aucun élément de la toiture ne subsiste sur la surface de l'éboulis. La paroi occidentale est creusée d'un *mihrâb* décoré et inscrit.

Le travail de relevé a permis de noter les premières observations sur les techniques de construction adoptées pour cet édifice.

DESCRIPTION DES FAÇADES DE LA MOSQUÉE M1

La façade nord comporte deux fenêtres de 0,88 m de haut et d'environ 0,70 m de large. Le linteau de chaque fenêtre est décoré d'un motif de coquille stylisé en forme géométrique. Les encadrements verticaux ainsi que l'appui et le linteau sont percés de trous qui servaient à fixer les grilles. Les premières assises dans la paroi nord sont faites à l'aide de blocs de petit appareil. Ces blocs ont beaucoup souffert des conditions climatiques et se sont dégradés à l'extérieur aussi bien qu'à l'intérieur de la mosquée. Les assises au-dessus des conques des fenêtres sont de grandes dimensions en élévation mais d'une petite épaisseur. Une banquette de 0,40 m de haut et de 0,60 m de profondeur file tout le long de cette façade. À l'angle nord-est, on trouve un petit escalier en pierre composé de quatre marches. Celui-ci semble servir à l'appel à la prière dans cette mosquée. La partie orientale de cette façade est relativement bien conservée, presque à la hauteur d'origine.

La façade sud comporte une seule fenêtre de 1 m de haut et de 0,68 m de large. Toute la partie orientale de cette façade est bien conservée. L'angle sud-ouest du bâtiment est écroulé. Parmi les pierres de cet éboulis on observe une pierre de console. Une assise de pierres de grosse taille constitue la fondation de cette paroi qui se compose d'assises de gros blocs de petit appareil très détériorés qui alternent avec de gros blocs de petite épaisseur.

La façade est conservée dans sa partie sud sur une hauteur de 5 m. Elle comporte l'accès à la citerne et une petite fenêtre de 0,50 m de large et d'une hauteur de 0,70 m avec un linteau décoré. De grandes surfaces du crépi qui couvrait les pierres existent encore.

L'accès à cette mosquée se fait du côté ouest par une petite porte axiale de 0,94 m de large et 1,60 m de haut. L'ouverture est constituée d'un arc brisé. Curieusement, la façade ouest est la seule qui comporte des merlons dans son éboulis.

PERSPECTIVE POUR 2005

Un nettoyage dans la surface de l'éboulis à l'angle sud-ouest intérieur de la salle de prière a révélé l'existence d'un escalier inconnu jusque-là. Le dégagement de cet élément sera poursuivi lors de la prochaine mission. Un sondage devant le *mihrâb* de la mosquée et devant le *minbar* semble également indispensable. On poursuivra aussi le relevé des faces intérieures et l'établissement des coupes dans la citerne.

32. Tinnîs

Cette première campagne, menée en collaboration avec la mission anglaise de l'université de Cambridge dirigée depuis 2001 par Alison Gascoigne, s'est déroulée du 5 au 17 avril 2004 ; y participaient Jean-Michel Mouton, chef de mission (univ. Lyon 2), Anne Schmitt, archéomètre (Cnrs, Lyon), Frédéric Chandevau, archéologue (Inrap), Fanny Léraillé, doctorante (univ. Lyon 2), Hasan Mustapha Muhammad, *raïs*. Le CSA était représenté par Saïd al-Agami Arafa et Tarek Husayn, inspecteurs.

L'objectif de départ était de repérer les ateliers textiles qui ont fait la réputation de Tinnîs à l'époque médiévale. En effet, les manufactures de Tinnîs fournissaient la garde-robe des califes de Bagdad et du Caire aux époques abbasside et fatimide et alimentaient la cour en tissus précieux. Les fameux *tirâz*, ces pièces d'étoffes brodées parfois rehaussées de fil d'or et d'argent, ont fait la renommée de ce centre dans toute la Méditerranée. À Tinnîs également était tissé chaque année le voile noir ou *kiswa* qui devait, à La Mekke, recouvrir la Ka'ba au moment du pèlerinage. Cette production textile issue d'ateliers publics (*tirâz al-'ammâ*) et privés (*tirâz al-khâssa*) utilisait essentiellement la fibre de lin produite dans le Delta égyptien et les fils de soie importés de Syrie et d'Al-Andalus qui arrivaient par voie de mer. Tinnîs était en effet le troisième port méditerranéen de l'Égypte médiévale. Cette première mission avait donc pour but d'effectuer une prospection générale du site et de déterminer une zone de fouille dans un quartier artisanal où aurait pu se

Fig. 34. Tinnîs, 2004. Vue du tell.

développer une activité textile. Une première évaluation archéologique sous la forme d'un sondage a été réalisée au centre de la ville. Le but était d'avoir un premier aperçu de la stratigraphie du site, de l'état de conservation des structures et de la nature du mobilier archéologique.

32.1. *Rappels historiques*

La cité de Tinnîs, située sur une île du lac Manzala, est mentionnée dès le IVe siècle et a connu une réelle prospérité à l'époque médiévale notamment grâce au développement d'une industrie textile reposant sur le tissage du lin et au trafic de son port fréquenté au XIIe siècle par les marchands italiens. Cette ville, centre d'un évêché depuis l'époque byzantine, était aussi connue pour son importante communauté chrétienne et ses nombreuses églises coptes et melkites encore signalées quelques temps avant la destruction de la ville.

Le déclin de Tinnîs s'explique en partie par les nombreux raids chrétiens à l'époque des croisades qui conduisirent le sultan Saladin à faire évacuer la population de la cité en 1192-1193 avant que son neveu Al-Kâmil n'ordonne la destruction du site en 1227.

32.2. *Prospection*

Le tell de Tinnîs, de forme ovoïde et d'une surface de vingt hectares, présente un relief ondulé, témoignage des nombreuses perturbations liées à la récupération des matériaux et au pillage qui ont suivi la destruction du site. En dehors des fouilles égyptiennes effectuées depuis la fin des années 1970, aucun repère fixe n'existe. Il est ainsi très difficile de savoir à quoi correspondent les nombreux monticules du site : structures, déblais liés à la récupération de matériaux, travaux militaires ?

Avant le début de la campagne, un travail préliminaire sur les sources textuelles avait été réalisé. Il est très vite apparu que l'*Histoire de Tinnîs* d'Ibn Bassâm, écrite au XIIe siècle, quelques décennies avant la destruction du site, fournissait des renseignements utiles sur la topographie urbaine. La zone nord-ouest semble correspondre chez Ibn Bassâm à un quartier artisanal avec des fours à chaux et à plâtre et des aires de blanchissage des tissus. La prospection dans ce secteur a permis de repérer quelques concentrations de gypse et quelques pierres calcaires pulvérulentes mais pas de structures ou d'objets révélateurs d'une activité textile.

La prospection a consisté à établir des points de repère sur le site, dont le plan topographique n'a jamais été dressé. Un premier repère a été implanté sur un point élevé au nord-ouest de l'île (point F3) non loin des limites nord de la ville. À partir de ce point, un quadrillage d'environ 100 m de côté a été établi selon les points cardinaux et un ramassage des objets visibles en surface a été effectué dans chaque quart. Dans les deux quarts nord, la quantité d'objets ramassés (céramiques glaçurées, verre, fragments de lampes, tessons de céramiques chinoises) baissait sensiblement en approchant de la zone des murailles. Le quart sud-ouest s'est avéré le plus riche avec, au point F6, une concentration de fragments de verre. Une autre zone a été évaluée plus au sud à partir de l'implantation d'un point F7 et d'une prospection plus fine sur une distance de 20 m. Le secteur sud-est a montré, notamment au point F8, situé sur un monticule assez élevé, une concentration importante de matériel : céramiques, fragments de verre et nombreux objets en bronze.

Du point de vue topographique, le choix de l'implantation d'un sondage devait permettre de définir la relation entre les creux, les monticules et les structures conservées. Le point F8 est situé au sommet d'un monticule au nord duquel se trouve une dépression plus marquée. De plus, des briques prises dans du mortier y apparaissent. Tous ces indices, associés à l'abondance du mobilier retrouvé, ont conduit à l'ouverture du flanc nord du monticule F8 (sondage 1).

32.3. *Évaluation archéologique*

Un carré de 5 m de côté (sondage 1) grossièrement orienté selon les points cardinaux a donc été tracé à proximité immédiate au nord de F8. La fouille a débuté par l'ouverture du flanc afin d'obtenir une première coupe de la stratigraphie des derniers remblais de destruction. Ainsi, les niveaux hauts du monticule F8, remblais de démolition et éboulis de gros matériaux de construction, présentent de forts pendages liés à des perturbations probablement postérieures à l'époque de la démolition du site.

Le manque de lisibilité des coupes dans les couches de gros remblais a nécessité l'utilisation d'une méthode de fouille par passes successives sur niveaux.

Un premier niveau de remblais hétérogène n'a livré, à l'ouest de la zone de fouille, que des éléments effondrés de structures construites sans lien avec leur contexte originel. Il s'agit de quatre pans de murs à lits de briques rouges, semblables à celles observées lors de la prospection et présentes sur l'ensemble du site. Les lits de briques étaient liés par un mortier de chaux cendreux ; des traces d'enduit au plâtre étaient présentes sur au moins un côté de chacun des quatre pans écroulés. Deux pans se positionnaient à l'oblique et reposaient sur un autre placé à la verticale, tandis que le quatrième, légèrement au sud des premiers, était à l'horizontale. Cette disposition semble indiquer une direction nord-sud de la structure effondrée mais aucune fondation n'a pu y être associée au niveau inférieur. Le mobilier contenu dans ce premier niveau consiste en de nombreux fragments de verre, métaux cuivreux, tessons de diverses céramiques et restes osseux d'animaux.

Compte tenu du manque de structures en place à ce niveau, il a été décidé de réduire la zone de fouille aux 2/5 de l'espace total et de l'élargir d'un mètre au nord, dans l'alignement des briques prises dans le mortier au centre de la dépression. La poursuite de l'opération s'est alors déroulée sur les niveaux inférieurs, en décalant l'ouverture vers le nord de manière à conserver une berme de sécurité à 1,30 m du niveau le plus haut, au droit de la coupe sud.

Cette ouverture a permis de mettre au jour une structure construite, à lits de briques et mortier, en élévation, située contre la coupe est du sondage. Ce mur, de direction nord-sud, n'était malheureusement pas lié à des niveaux de sol probablement situés sur des niveaux inférieurs, encore non atteints. Toutefois, à proximité, des couches horizontales ont pu être observées ; une couche cendreuse homogène repose sur un remblai hétérogène qui recouvre un niveau de chaux très fin qui pourrait être interprété comme un niveau de sol et de circulation délimité par le pan de mur est. Situées en dessous, plusieurs recharges en matériaux hétérogènes peuvent être observées recouvrant un lambeau de sol compact en chaux, lui-même associé à une structure horizontale en briques et mortier. Les briques positionnées à l'oblique de direction est-ouest sont associées au nord au niveau de chaux, et au sud à un espace recouvert de mortier cendreux. Cette structure ne semble pas liée au mur est ; néanmoins, l'arrêt de la fouille sur ce niveau ne permet pas de l'affirmer.

Les remblais de ces niveaux ont également livré un mobilier archéologique abondant. Cependant, de petits artefacts en os qui pourraient être liés à l'artisanat du textile sont apparus en plus grand nombre. De même, des copeaux de fibres végétales et des filaments textiles proviennent de ces niveaux et laissent présumer de la proximité d'un artisanat lié au textile.

32.4. *Matériel*

La campagne 2004 a permis de mettre au jour un nombre important d'objets, principalement des céramiques communes et glaçurées dont l'étude sera effectuée lors de la prochaine saison. Il faut également signaler la mise au jour d'une quantité importante d'os (bovidés, ovidés, oiseaux, poissons). Certains d'entre eux ont été travaillés *in situ* comme le montre la présence de fragments portant des traces de sciage identifiés comme des rejets de l'artisanat de l'os. Certains objets finis se rapportent manifestement à l'artisanat textile comme des aiguilles, broches, navettes, *fusaïoles*, fuseaux, bobines. Notons enfin la présence de fragments de céramiques contenant encore des traces de métal fondu.

Fig. 35. Tinnîs, 2004. Petits objets en os.

33. Traitement automatique de l'arabe

Chr. Gaubert a poursuivi le développement du logiciel « Sarfiyya » de traitement automatique de l'arabe. Il a entamé la programmation d'une version de ce logiciel en langage orienté objets Java pour permettre plus de portabilité à travers les différents types de systèmes d'exploitation et une future intégration avec l'internet. Il a réalisé un site internet conçu pour la diffusion de la version expérimentale de « Sarfiyya » et son utilisation par un public de chercheurs arabisants et d'enseignants de l'arabe.

B. Coopérations scientifiques et appuis de programmes

34. American Research Center in Egypt (Arce)

Le partenariat mis en place avec l'Arce pour le programme « L'exercice du pouvoir princier dans les sociétés du Proche-Orient (XIIIe-XVIIIe s.) » (cf. *BIFAO* 2003, p. 594) a permis la tenue de deux journées d'études, les 27 et 28 mars 2004 (voir ci-dessous, H. Journées d'étude, tables rondes et colloques de l'Ifao).

35. ʿAyn-Soukhna (CSA, Ifao)

La quatrième campagne d'étude du site pharaonique de ʿAyn Soukhna, en collaboration avec le CSA, s'est déroulée du 4 janvier au 8 février 2004. Elle était placée sous la direction du Pr Mahmoud Abd al-Raziq, égyptologue (université de Suez), et a bénéficié d'un soutien logistique, scientifique et technique de l'Ifao, et de la FRE 2562 du Cnrs (univ. Paris IV-Sorbonne). Y ont participé Georges Castel, architecte des fouilles (Ifao), Pierre Tallet, égyptologue (univ. Paris IV), Frédéric Servajean, égyptologue (Ifao), Philippe Fluzin (directeur du laboratoire « Métallurgie et culture » du Cnrs), Valérie Pichot (CEA), Valérie Le Provost, céramologue, Catherine Defernez, céramologue (Ifao), Magali Legrand et Céline Merrer, égyptologues (univ. Paris IV), Alain Lecler, photographe (Ifao) et Abeid Mahmoud, restaurateur (Ifao). Le CSA était représenté par Mustafa Mohammad Nour al-Din, inspecteur. Cette mission n'aurait pu avoir lieu sans le soutien financier d'EDF, qui a assuré l'essentiel de son financement.

35.1. *Le bâtiment adossé et les galeries de mines*

La campagne de fouilles de janvier 2003 avait révélé l'existence, dans le secteur nord-ouest du cirque 1, d'un bâtiment rectangulaire orienté est-ouest, englobant trois galeries de mines. La présence, dans la galerie centrale, d'une inscription monumentale datée de l'an 2 d'un roi dont le nom est perdu, pouvait évoquer – sans certitude – la présence sur le site d'un petit sanctuaire rupestre. L'étude de cette structure s'est poursuivie cette année.

La fin de la cour à portique a ainsi été dégagée, révélant l'entrée de cet ensemble, orientée à l'est. La couverture de cet espace reposait sur un dispositif de quatre poteaux de bois, disposés de façon un peu irrégulière. Il est possible que cette construction ait connu, en cours de fonctionnement, une série de remaniements techniques puisque deux autres empreintes de colonnes, moins profondément engagées dans le sol, ont été mises au jour entre les poteaux 1 et 2 de l'ensemble.

Le dégagement des galeries 4, 5 et 7 (qui sont englobées dans ce bâtiment adossé) s'est également poursuivi durant toute la campagne. Une réponse définitive sur la fonction exacte de cet aménagement ne peut être, pour l'instant, donnée.

Fig. 36. ʿAyn Soukhna, 2004. Le « bâtiment adossé ».

La galerie centrale (galerie 5) a pu être explorée sur une longueur de 5 m environ. Elle était remplie jusqu'au plafond de sédiments sablo-argileux, que l'on peut expliquer par la présence abondante d'une eau de ruissellement sur le site. Son comblement, sans doute rapide, scelle deux couches d'occupation datables, par le matériel céramique, du Moyen Empire. On peut noter, à proximité de l'inscription, la présence de nombreux fragments de galon de cuivre, très corrodés, qui ont pu constituer un dépôt. Par ailleurs, un foyer cendreux de grande importance semble avoir fonctionné en appui contre le mur est du boyau.

La galerie 4, également comblée jusqu'à son plafond, est celle qui a pu être dégagée sur la plus longue distance (environ 8 m) : elle a livré un très important matériel céramique, comprenant en particulier plusieurs formes intactes : des moules à pains perforés à leur extrémité (ayant pu servir d'embout à des cannes à souffler dans le processus de réduction du cuivre), et des petits vases fuselés, rappelant un peu les *qena-ware* connus entre la fin de l'Ancien Empire et la Première Période intermédiaire.

La galerie 7 est celle qui débouche sur la partie orientale du bâtiment. Son plafond s'est probablement effondré dans l'Antiquité, et l'on note, dans les niveaux supérieurs, plusieurs réoccupations successives à ciel ouvert. Certaines sont sans doute anciennes : on relève, en particulier, l'existence d'un grafitto grec sur un bloc tombé du plafond ; d'autres sont certainement plus récentes, et peuvent être attribuées à une présence bédouine (constitution d'enclos au moyen de murets de pierres sèches s'appuyant à la paroi, nombreuses déjections de capridés). Le dégagement de l'entrée initiale de cette galerie 7 a cependant fait apparaître des structures relativement bien conservées : la descenderie permettant d'accéder au boyau de mine était ainsi équipée d'une porte en briques crues, dont le seuil semble avoir été exhaussé à plusieurs reprises, signe d'un fonctionnement relativement long de cette entrée. Un ciseau en cuivre a été découvert dans l'un des montants de cette porte. La pièce à laquelle on accède au moyen de ce dispositif semble avoir été dotée d'un sol bien apprêté, sur lequel ont été découvertes de nombreuses céramiques du Moyen Empire, en place. L'une d'entre elles, une grosse amphore de stockage, porte encore une inscription de deux lignes en hiératique, mentionnant un fonctionnaire de l'administration centrale. Ce type de matériel semble spécifique des expéditions lointaines organisées par le pouvoir pharaonique : les meilleurs parallèles que l'on en connaisse pour cette époque ont été découverts sur le site de Mersa Gaouasis, également en bordure de la mer Rouge, par Abd el-Moneim M. Sayed [15].

De part et d'autre du bâtiment adossé, deux nouvelles galeries de mines (8 et 9) ont été découvertes. À l'ouest, la galerie 8 semble avoir été, à un moment de son utilisation, murée pour servir de magasin, puis débouchée à une époque ancienne. Un matériel céramique peu abondant a été prélevé à son entrée. Immédiatement à l'est du bâtiment adossé, la galerie 9 semble être équipée du même dispositif de porte en brique crue que la galerie 7. Faute de temps, son exploration a été remise à la campagne prochaine : on note cependant, enchâssés dans le seuil de la porte, la présence de plusieurs gros blocs de calcaire de forme grossièrement triangulaire, pourvus d'une perforation à l'une de leur extrémité. Ces éléments pourraient être des ancres de bateaux remployées dans une construction dont la fonction n'est pas encore établie.

L'ensemble des travaux effectués cette année ne permet pas d'obtenir de réponse définitive sur la fonction de ce bâtiment adossé. Il est vraisemblable que cette structure a servi, à la fin du Moyen Empire, pour entreposer un matériel très abondant. Au-delà de sa fonction de site minier, l'installation de ʿAyn Soukhna a sans doute été, à une époque de son histoire, une véritable plaque tournante sur la route de différents sites d'exploitation, dont, certainement, les mines de cuivre et de turquoise du Sinaï.

35.2. *Étude de la métallurgie*

L'étude des fours de réduction du cuivre présents sur le site a bénéficié cette année de la présence de Ph. Fluzin, qui a expertisé les structures dégagées la saison précédente dans la partie basse du site. Il a également repris les travaux de dégagement d'une batterie de fours située sur le versant est du cirque 2, qui n'avait été que partiellement étudiée lors de la campagne de 2002. L'état final de la fouille montre qu'il s'agissait d'une batterie de 4 fours enchâssés dans la pente, selon une technique que l'on retrouve dans la partie basse du site : le versant semble avoir été dans un premier temps entaillé, les fours étant ensuite aménagés dans une banquette maçonnée, sans doute pour des raisons d'isolation thermique. La surface de travail où œuvraient les métallurgistes de l'Antiquité est une sorte de plate-forme sur laquelle on observe la présence de petites enclumes servant à concasser les scories après une première fonte.
Une série d'échantillons a été prélevée sur l'ensemble de la chaîne opératoire du cuivre, et remise pour étude au laboratoire de l'Ifao, sous la responsabilité du CSA. Près d'un mètre cube de fragments de céramiques grossières ayant joué un rôle dans le processus de la réduction du cuivre ont également été retrouvés dans un dépotoir situé à proximité des lieux de traitement du métal. Ils ont été recueillis pour étude.

15. « New Light on the Recently Discovered Port on the Red Sea Shore », *ChronEg* 58, 1983, p. 23-37.

35.3. *Dégagement du cirque 1*

Plusieurs travaux ont été menés dans la partie sud du cirque 1, dont le dégagement avait été entrepris lors de la campagne de 2002. L'étude de l'ermitage établi à l'intérieur de la galerie 2 a ainsi été poursuivie. On note à l'extérieur du boyau de mine la présence d'une cuisine dotée de plusieurs espaces de rangements, dont certains contenaient encore de la céramique en place. À l'intérieur de la galerie, des banquettes latérales recouvertes de *mouna* avaient été aménagées le long de chacune des parois. Le sol correspondant à cette occupation avait été soigneusement aplani, puis recouvert d'un enduit argileux jaunâtre. Un sondage, pratiqué au pied de ces banquettes, a permis d'atteindre le sol originel de la galerie, près de 4 m en dessous de la voûte. La raison de la taille exceptionnellement grande de cette excavation est encore à découvrir.

Plus au sud, le dégagement du versant est du cirque s'est poursuivi : il n'a pas permis de dégager de nouvelles galeries de mines. En revanche, un monument original, placé sur une sorte de terrasse aménagée sur des déblais de mines, a été mis au jour. Il s'agit d'une cour rectangulaire à ciel ouvert qui possède, enchâssé dans son mur nord, un bloc gravé de hiéroglyphes. C'est un petit monument votif qui porte les noms de plusieurs fonctionnaires ayant participé à une expédition ; l'onomastique, comme l'étude des titres des personnages, conduit à dater l'inscription entre la fin de l'Ancien Empire et le début de la XIIe dynastie.

Fig. 37. ʿAyn Soukhna, 2004. Batterie de fours F1.

Sur le sol de cette structure ont été recueillis des moules à pains (fin Ancien Empire / Première Période intermédiaire) qui indiquent un fonctionnement rituel de cet ensemble. La poursuite de l'exploration de cette zone du cirque 1, située à proximité des inscriptions rupestres, permettra l'an prochain de déterminer si d'autres aménagements de ce type existent à cet endroit.

Fig. 38. ʿAyn Soukhna, 2004. Cirque 1, « mémorial ».

35.4. *Restauration*

Un important travail de restauration a été accompli tout au long de la campagne : de nombreuses céramiques complètes, mais retrouvées brisées dans les galeries, ont ainsi pu être reconstituées. Les objets de cuivre découverts sur le site (aiguilles, poinçons, pointes de flèches) ont également fait l'objet d'un nettoyage et d'une consolidation. La stèle découverte cette année au sud du cirque 1 ayant dû être, pour des raisons de sécurité, prélevée par le Conseil suprême des antiquités, une réplique en a été effectuée par Abeid Mahmoud, afin de préserver l'aspect initial du monument fouillé.

36. Bouto

L'Ifao a apporté son appui logistique (hébergement, administration) et technique (topographie) à la mission « Bouto » dirigée par Pascale Ballet, professeur à l'univ. de Poitiers, et qui associe, outre l'université de Poitiers, l'UMR 5138 du Cnrs (« Archéologie et archéométrie », Maison de l'Orient méditerranéen, Lyon), l'Institut archéologique allemand du Caire (Daik), et l'Institut d'archéologie et d'ethnologie de l'Académie polonaise des sciences (Varsovie), pour la prospection géophysique. Ce programme est également soutenu par le ministère des Affaires étrangères.

Le programme engagé porte sur l'histoire d'une agglomération du Delta, spécialisée dans la production de céramiques fines noires et rouges à la période gréco-romaine, et sur son rôle et la diffusion de ses produits dans le réseau urbain de l'Égypte septentrionale et en Méditerranée orientale. Les objectifs du programme consistent à définir la répartition spatiale des ateliers de potiers d'époques hellénistique et romaine et à les situer par rapport aux habitats de même période. D'autre part, il s'agit d'accroître la connaissance des ateliers proprement dits, des techniques utilisées pour la fabrication et la cuisson des céramiques fines noires et rouges, et de comparer les productions de Bouto à celles d'Alexandrie et d'autres sites urbains du Delta.

37. Carte archéologique de l'Égypte

La participation de l'Ifao au projet de « Carte archéologique de l'Égypte » (cf. *BIFAO* 99, p. 530 ; *BIFAO* 100, p. 531 ; *BIFAO* 102, p. 551) se poursuit. Les informations géographiques, topographiques et archéologiques relatives à la zone de Saqqâra-Sud sont en cours de traitement pour publication.

38. Centre d'études et de documentation économiques, juridiques et sociales (Cedej)

Par avenant à une convention réunissant le Centre d'études alexandrines (CEA, Alexandrie), le Centre d'études et de documentation économiques, juridiques et sociales (Cedej, Le Caire) et l'Institut de recherche et d'études sur le monde arabe et musulman (Iremam, Aix-en-Provence), avenant signé le 10 décembre 2003, l'Ifao s'est associé à un programme de recherche quadriennal intitulé « Alexandrie, une cité portuaire méditerranéenne à l'époque ottomane », placé sous la coordination scientifique de Michel Tuchscherer (université de Provence, Iremam). L'Institut apportera son soutien à l'organisation de colloques organisés dans le cadre de ce programme, et prendra en charge la publication des Actes dans sa collection des *Études alexandrines*.

39. Centre franco-égyptien d'étude des temples de Karnak (Cfeetk)

La quatrième campagne de fouilles sur le site de la chapelle d'Osiris Ounnefer Neb-djefaou s'est déroulée du 25 janvier au 27 février 2004. L'équipe était composée de Laurent Coulon (université Lyon 2), Catherine Defernez, céramologue (Ifao), S. Donnat, égyptologue (Ifao), Isabelle Régen, égyptologue (Ifao), et Pierre Zignani, architecte (Ifao). La fouille a été poursuivie sur trois secteurs.

39.1. *Parvis de la chapelle et abords orientaux.*

La fouille s'est attachée à déterminer l'agencement des massifs de briques crues et installations secondaires bordant l'allée menant au temple de Ptah. Au nord du parvis, un important massif est-ouest secondaire s'appuie sur l'enceinte de la chapelle. Adossée à celui-ci, une structure romaine tardive « en escalier », associée à une canalisation, avait été dégagée lors des saisons précédentes et a été démontée cette année. Parmi les blocs de remplois qui la composaient se trouvaient deux éléments inscrits en grès dont l'un vient compléter un fragment de linteau découvert lors de la campagne 2001. Ce linteau, originellement de très grande dimension, doit provenir de la première porte de la chapelle. Au sud de l'entrée de la chapelle, zone fortement perturbée par les interventions du XIXe siècle, une large part des structures était recouverte d'une masse de déblais modernes, comme un sondage l'avait montré en 2000. Ces remblais ont été retirés, laissant apparaître l'étendue de ce qui apparaît être un très large massif en briques crues bordant à l'est l'allée de Ptah et entaillant (?) à l'ouest l'enceinte de la chapelle. Une tranchée nord-sud a coupé la partie centrale du massif jusqu'aux fondations, tandis que des vestiges d'occupation copte subsistent sur le bord supérieur est et des niveaux ptolémaïques (où des monnaies en bronze ont été découvertes) sur la partie ouest. La poursuite de la fouille pourra permettre d'affiner la datation de ces très importants massifs de briques qui correspondent probablement à un aménagement de la voie dallée de Ptah dont l'emprise exacte reste à définir.

39.2. *Zone centrale de la chapelle.*

La recherche des limites des murs de briques crues entourant la chapelle et presque totalement arasés ou recouverts de murs secondaires, s'est poursuivie, permettant de compléter, encore partiellement, le plan de l'édifice. Par ailleurs, le déplacement de fragments de colonnes arénisés dans la zone nord de la salle hypostyle a permis d'achever le relevé architectural de la chapelle.

39.3. *Ouest de la chapelle.*

Les travaux ont également été poursuivis à l'ouest de la chapelle, en haut du massif sur lequel s'appuie l'arrière de celle-ci, permettant de circonscrire l'espace du bâtiment en briques crues qui occupe le secteur. Le mur arrière de cet édifice, un mur épais constitué de plusieurs rangées de briques, a pu être mis en évidence : au sud, ses limites n'ont pu être clairement définies, en raison de l'éolisation et de l'induration des substrats de surface qui caractérisent l'espace – son angle sud-ouest a été en partie entaillé, à l'époque romaine tardive, par une cavité profonde ; au contraire, au nord où il se poursuit, ce mur apparaît sous forme de lambeaux bien conservés sur plusieurs assises de hauteur.

L'extension du bâtiment au nord semble confirmée non seulement par la présence de ce mur imposant, mais aussi par l'existence d'un mur moins épais, orienté est-ouest, limité sur son flanc nord par un niveau de circulation introduisant, semble-t-il, vers d'autres pièces. La fouille n'a pu être entamée dans cette zone, dans la mesure où d'importants remblais recouvrent la totalité de la surface. Cependant, l'affleurement d'autres lambeaux de murs et de blocs épars, de même que l'orientation de certains massifs, suggèrent qu'il s'agit d'un bâtiment assez vaste, formé de deux corps symétriques, à l'intérieur desquels ont été aménagées plusieurs pièces ou cellules dont la fonction reste imprécise ; on peut toutefois noter que le plan de cet édifice évoque assez curieusement celui des structures en briques crues massives élevées au cours de la Basse Époque, qui sont bien attestées dans le Delta.

Une phase d'occupation importante, marquée par un sol de limon épais, a pu être déterminée dans la partie sud de la zone fouillée. Le mobilier prélevé dans les niveaux associés sans doute à la dernière utilisation du bâtiment puis dans ceux qui correspondent à son abandon possède d'assez nombreux éléments datables des Ve et IVe siècles av. J.-C. – notamment des fragments de conteneurs importés du monde égéen. Parmi les trouvailles faites en surface, on signalera une figurine intacte en terre cuite d'époque ptolémaïque ou romaine.

Lors de cette campagne, l'étude du matériel céramique provenant du secteur ouest de la chapelle s'est poursuivie, en vue d'affiner les datations des niveaux récemment mis au jour. Le mobilier découvert dans les secteurs dégagés en contrebas de la chapelle a fait l'objet d'un examen préliminaire. Les relevés épigraphiques des blocs découverts ont été réalisés par R. Migalla (Cfeetk). La restauration des blocs et objets a été réalisée par A. Asperti, E. Blanc, M. Nicolas, A. Oboussier et C. Sagouis (Cfeetk). Les photographies ont été réalisées par G. Polin (Cfeetk).

Un rapport préliminaire présentant les résultats des premières campagnes est publié dans ce *BIFAO*.

40. Centre national tchèque d'égyptologie (Cnte)

Une convention signée en février 2003 entre l'Ifao et le Centre national tchèque d'égyptologie (université Charles, Prague) a mis en place un programme de paléographie hiératique et semi-hiératique de l'époque archaïque et de l'Ancien Empire. Une équipe de six personnes a été constituée avec le Pr Miroslav Verner, pour le Cnte, et Vassil Dobrev, pour l'Ifao, comme coordinateurs scientifiques. Un premier atelier commun s'est déroulé à l'Ifao en octobre 2003.

41. Centre polonais d'archéologie méditerranéenne (Cpam)

La coopération de l'Ifao avec le Cpam s'est poursuivie, cette année encore, dans le cadre des chantiers épigraphiques de Deir al-Bahari (*supra*, n° 7) et de la fouille du complexe monastique de Naqlun (Fayoum) menée sous la direction de W. Godlewski, professeur à l'université de Varsovie (voir *infra*, Chercheurs et techniciens, Maria Mossakowska-Gaubert).

42. Collège de France (Chaire de civilisation pharaonique)

Une convention entre l'Ifao et la chaire de « Civilisation pharaonique : archéologie, philologie, histoire » du Collège de France, occupée par le Pr Nicolas Grimal, a été signée en juin 2004 en vue, d'une part, de projets de publications communes de fonds documentaires partagés par les deux institutions, et, d'autre part, d'asseoir la coopération déjà existante pour la réalisation de deux chroniques archéologiques : le *Bulletin d'information archéologique*, semestriel, mis en ligne sur le site www.egyptologues.net, et la chronique annuelle « Fouilles et travaux en Égypte et au Soudan », publiée par la revue *Orientalia*.

43. Fondation européenne de la science

Un contrat d'édition a été signé en novembre 2003 entre la Fondation européenne de la science (ESF, Strasbourg) et l'Ifao pour la publication de deux ouvrages intégrés dans la collection intitulée « Individu et société dans le monde méditerranéen musulman » : Adelhamid Henia (éd.), *L'individu et ses rapports au pouvoir dans les sociétés musulmanes de la Méditerranée*, et Fr. Georgeon, Kl. Kreiser (éd.), *Éducation et socialisation de l'enfant dans les sociétés musulmanes de la Méditerranée*. Contre participation financière de l'ESF, l'Ifao assurera la mise en page, l'impression et la diffusion de ces deux ouvrages.

44. Institut français du Proche-Orient (Ifpo)

Un nouvel avenant (no 3) à la convention de coopération liant l'Institut français d'études arabes de Damas (Ifead, intégré à l'Institut français du Proche-Orient) à l'Ifao, signé le 21 octobre 2003, a permis à Nadima Kreimed Khanmeh, technicienne au service des publications à l'Ifead, d'effectuer à l'imprimerie de l'Ifao, en décembre 2003, un stage de formation en PAO : mise en page, traitement d'images en bichromie et quadrichromie, colorimétrie et système de contrôle d'épreuve.

45. Institut national de recherches archéologiques préventives (Inrap)

En mars 2004 a été signée une convention avec l'Inrap pour la mise à disposition de l'Ifao, durant quatre semaines (mai 2004), de quatre archéologues participant à la campagne de fouille de Kôm al-Khilgan (*infra*, no 46). Il s'agissait de Mmes Nathalie Buchez et Dominique Gemehl, et de MM. Bruno Fabry et Luc Staniaszek.

46. Kôm al-Khilgan (Delta)

La troisième campagne sur le site de Kôm al-Khilgan, soutenue par la région Midi-Pyrénées et l'Ifao, s'est déroulée du 25 avril au 29 mai 2004. Y participaient Béatrix Midant-Reynes, chef de chantier (Cnrs), Abeid Mahmoud Ahmad, restaurateur (Ifao), Nathalie Buchez, céramologue (Inrap), Morgan De Dapper, géomorphologue (université de Gand, Belgique), Johanna Debowska, archéologue (Cracovie), Sylvie Duchesne, anthropologue (Centre d'anthropologie, Toulouse), Bruno Fabry, topographe (Inrap), Dominique Gemehl, archéologue (Inrap), Christiane Hochstrasser-Petit, dessinatrice (Centre d'anthropologie, Toulouse), Benoît Kirschenbilder, archéologue, Nicolas Lacoste, archéologue, Agnieszka Maczynska, archéologue (Poznan), Sylvie Marchand, céramologue (Ifao), Mohammad Ibrahim Mohammad, photographe (Ifao), Luc Staniaszek, anthropologue (Inrap), Évelyne Tissier, archéologue (Centre d'anthropologie, Toulouse), Yann Tristant, archéologue (Centre d'anthropologie, Toulouse). Le CSA était représenté par Mohammad Abd al-Salem Hanoun, inspecteur, Salem Gabr al-Baghdadi, inspecteur en chef à Mansoura, Ali Ibrahim Ameria, directeur de la province D.K., Mansoura, Naguib Mohammad al-Said Nour, directeur général des provinces D.K. et Domiat, Mansoura.

La campagne 2004 constituait la dernière année d'un programme de trois ans établi dans le but d'évaluer les potentialités archéologiques du site de Kôm al-Khilgan. D'un point de vue général, les deux précédentes missions avaient permis de déterminer les deux grandes périodes représentées : 1) une séquence pré- et protodynastique, présente sous la forme exclusive de structures funéraires ; 2) une période plus tardive représentée pour l'essentiel par une implantation d'époque Hyksôs, occupant les niveaux supérieurs de la *gezira*. Les travaux de terrain se sont déroulés selon ces deux volets chronologiques. Un troisième volet a été constitué par une série de sondages vers l'Ouest, dans les champs en contrebas du *Kôm*, afin d'évaluer le degré de destruction des structures dans cette zone bouleversée par l'implantation des champs.

46.1. *La fouille*

46.1.1. LES NIVEAUX DEUXIÈME PÉRIODE INTERMÉDIAIRE

La stratigraphie et les structures domestiques

D. Gemehl et N. Buchez

Deux axes ont été privilégiés cette année, visant à compléter les informations obtenues lors des missions précédentes et à valider leur interprétation. En premier lieu, les données concernant la stratification globale du site ont été enrichies par deux nouveaux sondages ouverts au sud et à l'ouest, vers la zone de contact entre la *gezira* et la plaine d'inondation (SD27 et SD31). Ils ont permis de définir l'extension réelle des occupations conservées par rapport au potentiel représenté par l'étendue de la butte résiduelle, en localisant notamment les bords de la *gezira* aux périodes prédynastiques et DPI. En second lieu et en parallèle, la fouille d'une aire de 240 m^2 (secteur 4), choisie en fonction des problématiques définies pour les ensembles prédynastiques, a débuté.

Les niveaux DPI, d'une épaisseur totale de 0,60 à 0,80 m dans ce secteur, n'ont été fouillés jusqu'à leur base que sur la moitié de cette surface. Finement stratifiés, ils se rapportent à l'occupation d'une zone où sont concentrées des structures du même type que celles identifiées lors des deux précédentes campagnes. Il s'agit d'un groupe de silos et de constructions circulaires équipées de foyers, qui s'associent ou se recoupent selon une chronologie très serrée. La densité et l'imbrication des installations se sont révélées beaucoup plus complexes que la stratigraphie levée en 2003 pouvait le laisser penser.

Fig. 39. Kôm al-Khilgan, 2004. Secteur 04. Tombe construite S.173 d'époque Hyksôs.

Les sépultures DPI et/ou postérieures

S. Duchesne, L. Staniaszek, B. Kirschenbilder, N. Lacoste

Douze sépultures DPI ont été découvertes cette année, portant à trente-sept le nombre de tombes de cette époque. Une seule est restée non fouillée. Elles ont livré seize adultes et trois enfants.

Les modes d'inhumations reconnus dans le secteur 04 sont identiques à ceux des années précédentes, avec essentiellement des tombes construites en briques crues et des sépultures en fosse simple [fig. 39]. Le corpus s'est enrichi cette année de deux sarcophages anthropomorphes, à l'intérieur desquels chaque défunt était enveloppé dans un linceul ou un cartonnage, présentant encore des vestiges de peintures roses et bleues sur les crânes et les pieds [fig. 40a-b]. L'un des deux sarcophages contenait deux adultes inhumés ensemble, un homme et une femme. Dans l'autre se trouvait une femme. Il s'agit ici d'un des deux cas de sépultures multiples rencontrées cette année. Un autre cas s'observe dans la S.174, tombe en briques crues, avec un homme en place et 3 adultes en position remaniée

Fig. 40a-b. Kôm al-Khilgan, 2004. Secteur 04. S.175. Deux sarcophages anthropomorphes mis au jour dans la même fosse.

(réutilisation ou violation de sépulture ?). La moitié des sépultures présente du mobilier associé au défunt ; ce sont essentiellement des céramiques et des scarabées inscrits et peints. Le défunt de la sépulture S.171, un enfant âgé de 2-3 ans, portait un tour de cou, composé de perles et d'amulettes. Des offrandes alimentaires ont également été observées dans trois tombes construites.

46.1.2. LE CIMETIÈRE PRÉDYNASTIQUE

S. Duchesne, L. Staniaszek, B. Kirschenbilder, N. Lacoste

Soixante-huit tombes ont été découvertes cette année, soixante-six ont été fouillées ainsi que onze tombes découvertes l'an passé. Elles ont livré cinquante-deux adultes et dix-huit enfants.

Pour la période prédynastique, les inhumations sont majoritairement en fosse simple, en natte et en jarre, pour les jeunes enfants. Toutefois, trois sépultures en coffre de terre cuite ont été mises au jour [fig. 41]. Pour la première fois cette année a été découvert un nouveau type d'inhumation : *des sépultures multiples.* Deux tombes doubles, associant un homme et un enfant âgé de 6 ans environ (S.196) et un adulte et un enfant âgé de 3 ans environ (S.201), et une tombe triple, avec un adulte et deux enfants âgés de 6-8 ans et de 10-14 ans (S. 217).

La position des défunts prédynastiques est en grande majorité sur le côté (84 %), plutôt à gauche (47 %). Une différence liée à l'âge est observée : les adultes sont plutôt inhumés sur le côté gauche (52/102, soit 51 %), alors que les enfants le sont sur le côté droit (27/54, soit 50 %). Les positions sur le ventre et sur le dos sont minoritaires (16 %).

La moitié des tombes renferme des objets associés au défunt. Il s'agit pour la très grande majorité de céramiques (59/71 objets), situées essentiellement à la tête et aux pieds des défunts, et ensuite des coquillages *Unio* (7/71).

La proportion de sujets immatures dans la population prédynastique, qui s'élève à 37 % (63/169), se rapproche d'une mortalité archaïque, définie autour de 40-45 %.

46.2. *Le matériel*

46.2.1. LES CÉRAMIQUES DYNASTIQUES

S. Marchand

Cette seconde saison d'étude a permis une réévaluation générale du cadre chronologique des céramiques trouvées sur le site pour les périodes dynastiques. Il débute avec l'Ancien Empire (VIe dynastie). On constate la présence d'un hiatus important qui comprend la longue période qui va de la fin de l'Ancien Empire à la fin du Moyen Empire. La majorité du matériel céramique est à situer dans le cadre de la Deuxième Période intermédiaire et pour une part moins importante dans celui du Nouvel Empire.

L'objectif principal de cette saison a été l'augmentation du premier catalogue chrono-typologique (formes et pâtes) établi l'année précédente. Tout le matériel issu des sondages et des contextes d'habitat des fouilles 2003 a été étudié. Le matériel des tombes mis au jour lors des fouilles réalisées en 2004 a également été examiné. Le second objectif a été la prise de 66 échantillons céramiques pour examens et photos macro qui seront réalisés au laboratoire de l'Ifao. Les productions significatives d'origine égyptienne et les céramiques importées datées de la Deuxième Période intermédiaire et du Nouvel Empire ont fait l'objet d'un prélèvement.

Fig. 41. Kôm al-Khilgan, 2004. Secteur 04.
Sépulture S188 de tradition « Haute-Égypte » : Nagada III.

46.2.2. LA CÉRAMIQUE PRÉDYNASTIQUE

N. Buchez

Trente-deux tombes fouillées en 2004 ont livré du mobilier céramique, soit en tout 57 vases archéologiquement complets : 32 vases se rapportent à la culture de Basse-Égypte et 25 sont de tradition nagadienne. Le corpus céramique « nagadien » de cette année comprend également 3 jarres utilisées comme contenant.

Jusqu'aujourd'hui, les éléments de tradition nagadienne caractérisant le milieu et la fin de la phase Nagada II, telles les poteries à décors figuratifs et à motifs en spirale, bien attestés tant sur le site d'habitat proche de Tell al-Farkha que plus à l'est dans les tombes de Minshat Abou Omar font défaut à Kôm al-Khilgan. L'un des enjeux de la poursuite des fouilles sur ce site est d'attester ou non l'existence d'une phase dite « de transition » telle qu'elle apparaît à Tell al-Farkha et Minshat Abou Omar, associant des éléments de tradition de Basse-Égypte et de tradition nagadienne, mais aussi de mieux cerner, au-delà de cette simple mixité qui ne dure qu'un temps, les phénomènes d'acculturation ; par exemple, l'absence de dépôt céramique dans la tombe qui semble caractériser la culture de Basse-Égypte alors que « Les symboles du manger et du boire (auxquels correspond le service de vaisselle de base) paraissent tellement importants dans la culture nagadienne que l'enterrement sans vase d'accompagnement observé dans quelques rares cas peut être considéré comme une sépulture déviant des pratiques normatives qui renvoie à des positions particulières dans la société ». Ici ou là (S.226 et S.198), quelques petits tessons pouvant être datés Nagada III compris dans le comblement d'une tombe sans mobilier suggèrent que la pratique d'enterrer sans céramique a pu perdurer, à Kôm al-Khilgan, au delà du Nagadien II.

46.2.3. LE MATÉRIEL LITHIQUE

B. Midant-Reynes, E. Tissier

Il comprend : 1) le matériel de silex taillé, très peu abondant ; 2) le matériel de broyage constitué par les meules, les molettes ; et 3) les percuteurs.

Trente-neuf pièces de silex taillé ont été récoltées cette année sur l'ensemble du secteur fouillé, dont douze fragments de lames totalement brûlés. On rencontre diverses variétés de silex. Il s'agit souvent d'un silex brun beige, homogène, à grain fin, opaque, mais on trouve également des aspects brillants, de couleur caramel et des silex brun à zébrures. Les seules pièces présentes sont des outils. Il s'agit dans la plupart des cas de lames – parfois de lamelles – fragmentées, présentant un denticulé régulier latéral ou bilatéral, accompagné presque toujours du lustre caractéristique. Elles appartiennent aux niveaux supérieurs et peuvent être identifiées comme des éléments de faucilles. Deux pièces peuvent être rapportées au Prédynastique. La première est une lamelle associée à la sépulture S.176. En silex beige caramel brillant, elle est issue d'un nucleus à double plan de frappe opposé, comme l'attestent les vestiges de plan de frappe sur le léger outrepassage. La seconde est une grande lame épaisse, la plus grande de la collection (105 × 34 × 9 mm), en silex marron translucide, cassée en partie proximale, présentant des retouches bilatérales alternantes, irrégulières : grignotantes et directes à droite, partielles, inverses et écailleuses, à gauche. Trouvée au fond du sondage SD35, elle pourrait être liée à une sépulture de tradition Basse-Égypte, comme le sont toutes les tombes de ce secteur.

Le matériel de broyage inventorié regroupe 16 meules, dont une seule entière, et 17 molettes, ce qui porte à 45 le nombre total de meules inventoriées depuis 2002, et à 49 le nombre de molettes. De nombreux débris s'y ajoutent. La totalité provient des niveaux dynastiques, en contexte domestique (structures ou couches) ; deux fragments ont été découverts dans des sépultures (S.141 et S.144). Le matériau employé est essentiellement un grès silicifié roux (quartzite) ou gris et qui devient rouge sous l'effet du feu. On relève de nombreux cas de réutilisation de meules cassées, comme en témoignent les traces d'utilisation (poli, piquetage) sur cassures. Dans quatre cas seulement, on discerne des traces de pigment ocré. Les mesures prises sur les meules entières ou subcomplètes donnent des dimensions moyennes de 20 cm de longueur pour 13,5 de largeur et 4,5 cm d'épaisseur. Les molettes, en grès silicifié comme les meules, se caractérisent par leurs formes subcubiques à subsphériques à facettes lisses ou finement piquetées.

On compte 55 pièces identifiées comme percuteurs en raison des traces d'impacts plus ou moins violentes portées sur la surface. Le terme de passage entre molettes et percuteurs est parfois difficile à identifier car une même pièce peut avoir servi à broyer, à piler puis à percuter. Lorsque des facettes abrasées présentaient des traces de percussion, l'objet a été identifié comme percuteur. Comme les molettes donc, dont ils peuvent constituer l'ultime usage, les percuteurs sont des pièces subsphériques, en grès silicifié ou en silex, d'un diamètre moyen compris entre 5,5 et 6,5 cm. On rencontre également des galets plats ou oblongs. Dans ce dernier cas, les zones actives sont aux deux extrémités.

Le matériel lithique est faiblement représenté à Kôm al-Khilgan. Il intéresse presque exclusivement la phase dynastique où il apparaît sous la forme d'un outillage importé, tourné vers des activités agricoles et domestiques : des éléments de faucilles en silex et du matériel de mouture en grès silicifié. Parmi ces derniers, les éléments qui sont parvenus entiers ou subentiers attestent de fréquentes réfections.

Les gisements les plus proches de ce matériau sont situés au Gebel Ahmar, dans la banlieue orientale du Caire, sous la ville actuelle de la cité Nasr, et se caractérisent précisément par la teinte rouge violacé de la pierre à cet endroit. On note des affleurements de basalte dans la région du Gebel Qatrani, à une quinzaine de kilomètres au nord du Fayoum, et d'Abou Roach, au nord-est du Caire.

46.3. *Les prospections géo-archéologiques*

M. De Dapper et Y. Tristant

Les recherches menées lors de la campagne 2003 ont permis de reconnaître dans la butte résiduelle aplanie sur laquelle est installé le site archéologique de Kôm al-Khilgan, une formation géologique particulière, dénommée *gezira* ou *turtleback*. Il s'agit d'une accumulation sableuse, déposée sur les berges des chenaux nilotiques, à l'époque où le Delta égyptien était encore actif. L'eau des inondations, chargée en gravier, sable, argile et limon, déposait sur les berges des chenaux sa charge de fond (sable) tandis que la charge en suspension (limon et argile), plus légère, était entraînée au loin. De cette dynamique d'accumulation sont nés de longs bourrelets sableux situés le long des chenaux anastomosés du Delta, séparés les uns des autres par de larges plaines d'inondation marécageuses. À la fin du Pléistocène, les effets de l'érosion, l'abandon de nombreux chenaux par suite d'une raréfaction du sable de charge, et l'accumulation de sédiments légers à la suite d'une hausse du niveau de la mer ont entraîné une extension massive des plaines d'inondation, au détriment des bourrelets sableux. Ceux-ci ont été recouverts par l'argile ou réduits à de petites buttes sableuses, qui dépassaient encore de l'eau au moment des crues à l'époque historique, d'où leur nom de *gezira* (« île » en arabe).

Les prospections géomorphologiques et archéologiques poursuivies sur le site de Kôm al-Khilgan lors de la campagne 2004 avaient trois objectifs principaux : 1) continuer les sondages à la tarière inaugurés en 2003 pour cerner la *gezira* de Kôm al-Khilgan et délimiter sa bordure occidentale ; 2) déterminer les limites de l'extension de la *gezira* du site protodynastique voisin de Tell al-Samara et mettre en évidence les liens géomorphologiques entre les deux gisements ; 3) corréler les systèmes topographiques de Kôm al-Khilgan et de Tell al-Farkha (site prédynastique situé à 8 km au sud et fouillé par une équipe polonaise) afin de déterminer les altitudes respectives de niveaux d'inondation observés sur chacun des sites.

46.3.1. PROSPECTION SUR LA GEZIRA DE KÔM AL-KHILGAN

Les prospections géomorphologiques pratiquées pendant la saison 2003 avaient pour but de confirmer l'existence de la *gezira* de Kôm al-Khilgan et de déterminer ses dimensions. Afin de compléter les 95 carottages effectués lors de cette mission, 51 nouveaux sondages ont été réalisés cette année avec une tarière de type Eykellkamp, à une profondeur maximale comprise entre 2 et 3 m, afin de circonscrire la zone de contact entre le sable de la *gezira* et l'argile de la plaine d'inondation.

L'étude des bordures de la *gezira* a identifié des pentes très abruptes à l'est et à l'ouest de la butte sableuse, beaucoup plus douces au sud. L'utilisation d'un appareil de mesure de la résistivité géo-électrique, prévue pour la saison 2005, permettra une analyse beaucoup plus fine des pentes de la *gezira* et de leur dynamique géomorphologique.

46.3.2. PROSPECTIONS SUR LA GEZIRA DE SAMARA

Les sondages à la tarière menés au nord du site, depuis le *tell* de Kôm al-Khilgan jusqu'à l'extrémité orientale du village de Samara, sur une distance d'environ 900 m, ont mis en évidence des couches d'argile plastique et homogène de part et d'autre du canal de drainage de Samara, qui rejoint en aval le Bahr Hâdous, l'un des principaux canaux de drainage du Delta oriental. Ces strates argileuses marquent l'emplacement d'un paléo-chenal ou d'un ancien bras du Nil, dans le lit duquel a été creusé le canal actuel de Samara. Les prospections de 2004 ont montré que le site de Tell al-Samara et le village de Samara sont en fait installés sur une même *gezira*, longue d'environ 1,3 km. Le matériel archéologique observé en surface dans les champs qui coiffent aujourd'hui la grande *gezira* de Samara laisse présager une zone archéologique très étendue. Les recherches futures permettront de déterminer les limites précises de cette *gezira* et peut-être de localiser un secteur d'habitat contemporain de la nécropole prédynastique de Kôm al-Khilgan.

46.3.3. CHEMINEMENT TOPOGRAPHIQUE ENTRE KÔM AL-KHILGAN ET TELL AL-FARKHA

Le site de Tell al-Farkha est localisé à 6 km au sud-ouest de Kôm al-Khilgan, près du village moderne de Ghazala. Découverte en 1987, la localité est fouillée depuis 1998 par une mission de la Société préhistorique de Poznan et l'Institut d'archéologie de l'université Jagellone de Cracovie dirigée par M. Chlodnicki et K.M. Cialowicz. Les recherches archéologiques menées sur ce site ont abouti à la découverte d'un habitat se rattachant aux cultures de Basse-Égypte et à la phase Nagada IIC-IIID, ainsi qu'une nécropole contemporaine de la période Nagada IIIC-IIID.

L'objectif du cheminement topographique effectué lors de la campagne 2004 entre les deux sites était de corréler les systèmes topographiques des deux gisements et leur altitude de référence. Sur un parcours de 6558 m, l'équipe de Kôm al-Khilgan a calculé la dénivelée entre les altitudes « zéro » des deux sites au moyen d'un niveau de chantier, tandis que l'équipe polonaise de Tell al-Farkha suivait le chemin dans le sens inverse pour calculer la même dénivelée au moyen d'une station totale. La différence entre les deux mesures est de -11 cm, situant ainsi l'altitude de référence du site de Kôm al-Khilgan à 4,84 m au-dessus du niveau de la mer et celle du site de Tell al-Farkha à 6,12 m au-dessus du niveau de la mer. Cette corrélation permet désormais de replacer les sites de Kôm al-Khilgan et de Tell al-Farkha dans un système topographique commun. Les niveaux d'inondation observés sur chacune des localités pourront ainsi être positionnés les uns par rapport aux autres et dans le cadre des phénomènes naturels qui ont marqué la région au IVe millénaire avant notre ère.

46.4. *Conclusion : bilan et perspectives*

Le bilan de ces trois années d'évaluation peut être ainsi résumé.

On a pu : 1) estimer l'extension du site pour les deux périodes considérées et son degré de destruction ; 2) établir une stratigraphie générale et amorcer des fouilles plus extensives qui ont révélé un riche potentiel archéologique ; 3) mettre en évidence une grande nécropole prédynastique à double composante culturelle (cultures de Basse et de Haute-Égypte). Ce dernier point représente une découverte d'un grand intérêt pour la connaissance des périodes de formation de l'histoire égyptienne, tout particulièrement dans cette zone de contact que représente le Delta oriental. À cet égard, il apparaît essentiel de fouiller le plus grand nombre possible de sépultures. En effet, si, d'un point de vue général, la bonne connaissance des pratiques funéraires d'une communauté repose sur la qualité de la fouille et la *quantité de tombes fouillées*, ce dernier aspect est d'autant plus important pour des cultures qui se caractérisent par leur faible investissement funéraire – peu ou pas de mobilier – comme c'est le cas pour les communautés prédynastiques de Basse-Égypte. Les arguments archéologiques (niveau d'apparition des fosses, recoupements) et statistiques sont amenés à jouer un rôle de premier plan dans un tel contexte.

En conséquence, un nouveau programme de trois ans est proposé selon les axes suivants : 1) la fouille des structures dynastiques (presque exclusivement représentées par la phase Hyksôs) ; 2) la poursuite des fouilles de la nécropole prédynastique ; 3) du point de vue géo-archéologique, l'objectif principal sera d'affiner la compréhension des bordures de la *gezira* et de replacer la zone archéologique de Kôm al-Khilgan dans un cadre géographique et archéologique plus vaste, à l'échelle de la région (resituer le paléo-chenal de Kôm al-Khilgan par rapport à celui de Tell al-Farkha).

47. Mission archéologique française de Saqqâra (Mafs)

Placée sous le patronage de Jean Leclant, secrétaire perpétuel de l'Académie des inscriptions et belles-lettres, et dirigée par Audran Labrousse, architecte archéologue (Cnrs, univ. Paris IV - Sorbonne), la Mafs est soutenue financièrement par le ministère des Affaires étrangères.

L'Ifao a fourni cette année encore, de février à avril 2004, un important soutien scientifique et technique. Jean-François Gout, photographe (Ifao), a effectué des relevés de terrain et d'objets. Bernard Mathieu, égyptologue (Ifao), a poursuivi l'étude et l'identification des blocs inscrits des Textes des Pyramides de la reine Ânkhesenpépy II ; les fac-similés ont été réalisés par Élise Bène (doctorante univ. Montpellier III, vacataire Ifao). Anne Minault-Gout, égyptologue (Cnrs, chercheur associé Ifao), a poursuivi l'étude de la vaisselle en « albâtre égyptien » du monument funéraire de la reine, les dessins étant exécutés par Khaled Zaza (Ifao).

48. Musée du Louvre

Le musée du Louvre et l'Ifao coopèrent, dans le cadre de conventions, sur deux chantiers archéologiques : à Deir al-Médîna, où Guillemette Andreu, égyptologue (conservateur en chef au musée du Louvre), a effectué une première campagne de terrain aux abords sud du Grand Puits (*supra*, n° 8.2), et sur le site de Baouît, où une première campagne de fouille s'est déroulée en septembre 2003 (*supra*, n° 24).

49. Section française de la Direction des antiquités du Soudan (Sfdas)

Du 6 janvier au 2 février 2004, l'Ifao a apporté son concours à la Sfdas, dirigée par Francis Geus ; il s'agissait d'effectuer une mission d'étude de la nécropole pharaonique de l'île de Saï en vue de la publication finale. Ont participé, côté Ifao, Anne Minault-Gout, archéologue-égyptologue (Cnrs, FRE 2563, chercheur associé Ifao), Jean-François Gout, photographe, et Damien Laisney, topographe.

Environ 150 prises de vues ont été réalisées au Musée de Khartoum sur le matériel issu de la nécropole pharaonique SAC5 ; Abd al-Rahman Mohammad Ali, conservateur en chef, en a aimablement facilité l'accès. À Saï, un relevé topographique fin du site a été réalisé, ainsi que le dégagement des puits rebouchés de plusieurs tombes afin de pouvoir faire des mesures et des vérifications dans les caveaux. On a procédé ensuite à des relevés topographiques et photographiques des caveaux. 796 prises de vues d'objets ont été effectuées. La dernière semaine, A. Minault-Gout a poursuivi les vérifications et l'étude des objets dans le magasin de la mission à Saï.

50. Sinaï (Gebel Egma, Gebel Bodiya, 'Ayn Fogeya)

L'équipe était constituée cette année de François Paris, préhistorien (chef de mission, IRD), Jean-Claude Aunos, photographe, Damien Laisney, topographe (Ifao), Francis Berteaux, géoarchéologue (IRD), Jean-François Saliège, géochimiste (IRD), Marc Souris, informaticien (IRD), Michel Wuttmann, restaurateur (Ifao), et Milad Fouad Asham, inspecteur du CSA. Le programme de la mission, qui s'est déroulée du 8 au 27 mai 2004, était : 1) le survey de la nécropole d'Abu Rugum ; 2) la fouille de certains types de sépulture.

La nécropole d'Abu Rugum se situe dans le Gebel Egma (Sinaï central) ; elle se caractérise par de nombreux monuments funéraires qui traduisent une occupation principale allant du Néolithique à l'âge du bronze.

L'inventaire des structures archéologiques a été effectué ainsi que le relevé topographique du site afin de réaliser un modèle numérique de terrain qui permettra ensuite d'analyser la distribution des structures archéologiques par type. Ont été identifiées 524 structures archéologiques au total, classées en : cultuelles (84) ; funéraires (322) ; habitats (48) ; divers ou indéterminées (70). Pour les sépultures, on dénombre 75 cercles pleins (CP), 150 enclos circulaires à tumulus central (CTC), 35 monuments en murette (MM), et 61 tumulus et divers.

Des sondages ont été réalisés sur 12 monuments : 2 CP, 4 CTC, 6 MM. Tous les CP et trois CTC ont fourni des restes osseux en très mauvais état de conservation. Les MM n'ont rien fourni, mais des prélèvements de sédiments ont été effectués pour des analyses de teneur en phosphate. Tous les restes osseux ont été réenterrés dans l'attente d'une autorisation d'exportation pour effectuer des datations 14C. Toutes les tombes ont été refermées afin d'éviter leur dégradation.

51. Tell al-Herr

Comme les années précédentes, l'Ifao a apporté son appui logistique et scientifique à la mission archéologique franco-égyptienne de Tell al-Herr conduite par Dominique Valbelle, professeur à l'université Paris IV-Sorbonne, et soutenue par le ministère des Affaires étrangères. Ont participé à la mission 2004, côté Ifao, Catherine Defernez, membre scientifique égyptologue et céramologue, Nathalie Favry, égyptologue et conservateur de la bibliothèque, et Hassân Mohammad Ahmad, restaurateur, qui a nettoyé, consolidé et restauré le mobilier métallique et la céramique.

52. Université de Gîza (Le Caire)

Plusieurs enseignants à l'université de Gîza sont parallèlement chercheurs associés de l'Ifao : Mohammad Afifi, historien arabisant, Ola al-Aguizi, égyptologue, doyen de la faculté d'archéologie, Hassan Ibrahim Amer, égyptologue, ainsi que Nathalie Beaux-Grimal, qui assure la coordination de la filière francophone d'égyptologie à la faculté d'archéologie. Le laboratoire de restauration et d'étude des matériaux de l'Ifao, sous la responsabilité de Michel Wuttmann, a apporté, comme les années précédentes, un soutien technique à des étudiants doctorants de la faculté d'archéologie.

Rappelons d'autre part que depuis septembre 2000, en partenariat avec le Centre français de culture et de coopération du Caire, des cours de français de spécialité sont organisés à l'Ifao (3 heures par jour, 2 jours par semaine) pour des doctorants égyptiens.

53. Université Montpellier III (Paul-Valéry)

Plusieurs étudiants doctorants de l'université Paul-Valéry (Montpellier III) sont intervenus dans les programmes de l'Institut.

Vacataire de l'Ifao, Élise Bène a effectué des fac-similés de blocs inscrits de Textes des Pyramides de la reine Ânkhesenpépy II, dans le cadre des travaux de la Mafs (*supra*, n° 47). Vanessa Ritter a bénéficié d'une bourse doctorale de l'Ifao (février 2004), qui lui a permis de poursuivre ses recherches sur les *Enseignements méconnus de l'Égypte ancienne* et de participer au chantier archéologique de Deir al-Médîna (*supra*, n° 8.2), Virginie Thomasset a bénéficié d'une bourse doctorale de l'Ifao (mai 2004) et s'est jointe à la mission « Pétosiris » (*supra*, n° 22).

Enfin, Bernard Mathieu, égyptologue, directeur de l'Ifao, a donné plusieurs séminaires à l'université Paul-Valéry, où il dirige des travaux de recherches. Il a également participé, ainsi que Dimitri Meeks (Cnrs, Ifao), au jury de thèse de Jérôme Rizzo, doctorant de l'université Montpellier III : « Le terme *ḏw* dans les textes de l'Ancienne Égypte. Essai d'analyse lexicale » (4 novembre 2003).

54. Université Rennes II (Haute Bretagne)

La collaboration de l'Ifao avec l'université de Haute Bretagne (Rennes II) s'est poursuivie avec l'activité du « Groupe de recherche pluridisciplinaire sur les amphores trouvées en Égypte, de l'époque archaïque au début de la conquête arabe (VIe s. av. J.-C. - VIIe s. apr. J.-C.) » (Grpate), constitué par Antigone Marangou (maître de conférences, univ. Rennes II, laboratoire « Arts et sociétés »), et Sylvie Marchand, responsable du laboratoire de céramologie de l'Ifao.

55. Université Strasbourg II (Marc-Bloch)

Comme l'an passé, l'Ifao a développé son partenariat avec l'Institut d'égyptologie de l'université Marc Bloch (Strasbourg II) en assurant la logistique et le financement partiel de la quatrième campagne consacrée au temple de Qasr al-Agoûz dirigée par Claude Traunecker, professeur, (*supra*, n° 18), de la mission de Bahariya dirigée par Frédéric Colin, maître de conférences (*supra*, n° 4), ainsi que de l'étude par Hanane Gaber, doctorante, de trois tombes de Deir al-Médîna en vue de leur publication (*supra*, n° 8.1).

Parallèlement, un projet de transfert des antiquités entreposées dans la tombe de Pétaménophis (TT 33), en vue d'amorcer un programme de relevés et de restauration de ce monument exceptionnel, a été préparé par l'Ifao, en collaboration avec Cl. Traunecker et Annie Schweitzer, et soumis au CSA (mai 2004).

C. PERSONNELS ET LABORATOIRES

Membres scientifiques

Giuseppe Cecere, membre scientifique arabisant (à titre étranger), 1re année

TRAVAUX COLLECTIFS

G. Cecere a participé régulièrement aux réunions scientifiques de l'Ifao, ainsi qu'à deux colloques internationaux : « Alexandrie, cité portuaire méditerranéenne à l'époque ottomane (XVIe – début XIXe siècle », Alexandrie, 30 octobre-1er novembre 2003, organisé par l'Ifao et le Cedej ; « "What happened ?" Telling stories about Law in Muslim Society » (colloque sur le droit islamique), Le Caire, 24-26 octobre 2003, organisé par le Cedej et l'Institut néerlandais (Nvic).

RECHERCHES PERSONNELLES

G. Cecere a poursuivi ses recherches sur la prédication d'Ibn 'Atâ' Allâh al-Iskandarî, figure remarquable de penseur religieux, à la fois mystique, écrivain et juriste de la première période mamelouke. Son travail s'est déroulé en plusieurs étapes : approfondissement de la bibliographie « de contexte » (cadre général de référence pour l'histoire égyptienne de la période concernée, avec une attention particulière aux dynamiques sociales et au rôle des soufis dans ces dynamiques ; caractères spécifiques de la pensée de l'auteur, évolution, dans l'histoire du soufisme, des thèmes et des doctrines qu'il traite dans son œuvre) ; analyse et traduction de l'ouvrage qui constitue l'objet spécifique de ce projet de recherche, le *Tâj al-arûs al-hâwî li tahdhîb al-nufûs* qu'on peut définir d'une manière générique comme un recueil de « sermons », ouvrage qui n'a encore fait l'objet d'aucune édition critique, ni d'aucune étude scientifique ; enfin, la préparation d'une communication donnée, dans le cadre du Séminaire de l'Ifao, dimanche 9 mai, sur le thème de l'amour divin chez Ibn 'Ata' Allâh.

Les recherches effectuées jusqu'à présent ont permis d'obtenir des résultats importants pour sa thèse de doctorat à l'université de Florence, dont la soutenance est prévue pour juin 2005.

Catherine Defernez, membre scientifique égyptologue, 3e année

TRAVAUX COLLECTIFS

Du 10 octobre au 26 novembre 2003, C. Defernez a pris part aux travaux archéologiques de la mission de Douch - 'Ayn-Manâwir. Au cours de cette campagne, elle a participé, avec Christophe Thiers (égyptologue), au dégagement de plusieurs installations domestiques et artisanales d'un vaste habitat de l'époque perse dans la zone du complexe MMA (cf. no 3.1).

Comme l'an passé, du 5 au 15 janvier 2004, elle a continué l'étude de la documentation céramique recueillie sur le chantier de 'Ayn-Soukhna (no 35).

Du 27 janvier au 27 février 2004, elle a participé à la mission de Laurent Coulon à Karnak, sur le site de la chapelle d'Osiris Ounnefer Neb-Djefaou (nº 39). Les investigations récentes ont permis de compléter le plan et la fouille du vaste établissement en briques crues partiellement dégagé au cours des campagnes précédentes, à l'ouest de la chapelle. En outre, s'est poursuivie l'analyse du mobilier céramique extrait de la fouille de l'édifice et de ses abords.

Enfin, dans le cadre de la mission de Tell al-Herr (10 avril-31 mai 2004) dirigée par le Pr Dominique Valbelle (univ. Paris IV-Sorbonne), C. Defernez a pu faire progresser ses recherches sur la période perse achéménide (nº 51).

RECHERCHES PERSONNELLES

C. Defernez a poursuivi ses travaux en cours sur les échanges commerciaux aux Ve et IVe siècles av. J.-C., notamment l'influence de la culture matérielle perse et grecque sur le développement de l'industrie céramique égyptienne, en vue de la préparation d'une monographie sur le sujet.

Par ailleurs, les données récentes fournies par le site de la chapelle d'Osiris Ounnefer Neb-Djefaou ont permis de compléter le dossier ouvert sur les productions céramiques spécifiques de la Basse Époque dans la région thébaine.

Ivan Guermeur, membre scientifique égyptologue, 2e année

TRAVAUX COLLECTIFS

Comme l'an passé, Ivan Guermeur a pris part au chantier de Tebtynis (*supra*, nº 20), en septembre-octobre 2003, où il a participé aux divers travaux de la mission (déroulage de papyrus démotiques et hiératiques, activités de terrain, etc.). Il a poursuivi l'étude des papyrus hiératiques mis au jour depuis 2001 en vue de leur publication dans un volume spécifique de la collection des Fouilles franco-italiennes de l'Ifao, réalisé en collaboration avec Marc Gabolde, ancien membre scientifique de l'Ifao, maître de conférences à l'université Paul-Valéry (Montpellier III).

Dans le cadre du programme de paléographie hiéroglyphique (nº 12) dirigé par Dimitri Meeks (Cnrs, Ifao), la première phase de l'étude du mammisi de Philae – dessins et correction des dessins –, entreprise l'an dernier, a été achevée.

RECHERCHES PERSONNELLES

Le travail entrepris avec Philippe Collombert, ancien membre scientifique de l'Ifao, chargé de cours à l'université de Genève, sur la constitution d'un nouveau dictionnaire géographique de l'Égypte ancienne a été poursuivi ; les dépouillements préalables sont en cours. Par ailleurs, l'enquête historique, géographique, archéologique et religieuse menée sur une région du centre du Delta – comprise entre Xoïs, Tell al-Balamoun, et la Ménoufia – a été continuée.

Enfin, au Musée du Caire, avec la collaboration d'Alain Lecler, photographe (Ifao), I. Guermeur a poursuivi l'étude de plusieurs monuments privés tardifs, en vue de leur publication. Par ailleurs, au musée d'Ismaïlia, A. Lecler ayant réalisé la couverture photographique du naos n° 2218, il a pu entreprendre une nouvelle édition de ce monument important.

Julien Loiseau, membre scientifique arabisant, 3e année

TRAVAUX COLLECTIFS

J. Loiseau a assuré le suivi de la mise en place du programme de recherche consacré à « L'exercice du pouvoir à l'âge des sultanats » (*infra*, H. Journées d'étude, tables rondes et colloques de l'Ifao). Cette année a été consacrée à la préparation de la rencontre de travail avec les futurs partenaires du programme, chercheurs et responsables d'institutions de recherche françaises et américaines, qui s'est tenue à l'Ifao les 25 et 26 mars 2004. Le texte définitif du programme a été finalisé. Entre-temps, les prises de contact ont abouti à la constitution de l'équipe travaillant sur le versant égyptien du programme, dont J. Loiseau assure la coordination.

RECHERCHES PERSONNELLES

Après l'achèvement des principaux dépouillements dans les centres d'archives du Caire, J. Loiseau s'est concentré sur la rédaction du texte de sa thèse sur l'*Urbanisation des périphéries et la mise en valeur de l'espace urbain au Caire (XIIIe-XVe siècles).* L'automne 2003 a été tout particulièrement consacré à un travail de documentation et de cartographie historique de l'ensemble des lieux de culte (*ǧāmiʿ* ou autre institution à *ḫuṭba*) de la capitale égyptienne entre 1400 et 1450, soit environ deux cent vingt édifices, dont une soixantaine disparus dans l'intervalle et une soixantaine nouvellement construits. L'hiver 2004 a été également consacré, en marge de la rédaction, au dépouillement des deux derniers volumes parus de la nouvelle édition des *Ḫiṭaṭ* de Maqrīzī, soit un millier de pages.

L'édition en cours, en collaboration avec Mustapha Taher (Ifao), d'une pièce d'archive de la fin du XIVe siècle a été complétée par la constitution des index technique, anthroponymique et toponymique.

Lilian Postel, membre scientifique égyptologue, 2e année

TRAVAUX COLLECTIFS

Au cours de la sixième campagne épigraphique dans le temple de Tôd, du 15 novembre au 11 décembre 2003 (*supra*, n° 21), L. Postel a entrepris d'inventorier en vue de leur publication les fragments datés de la XIe à la XVIIe dynastie issus des campagnes de fouilles de l'Ifao de 1937 à 1950. À ce premier ensemble se sont ajoutés diverses pièces trouvées après 1950 ainsi qu'un lot de stèles, d'inscriptions fragmentaires et d'objets cultuels datables de la Première Période intermédiaire et de la XIe dynastie, conservés dans le magasin de site du CSA mais sans indication sur le lieu ni la date de leur découverte. C'est en tout une cinquantaine de fragments, complètement ou partiellement inédits, qui ont pu être catalogués, dessinés et photographiés. La mission épigraphique a été complétée par un *survey* des fragments entreposés sur les banquettes et étagères réparties sur l'aire du temple. Tous les fragments susceptibles de remonter au Moyen Empire, presque exclusivement en calcaire, ont été photographiés : plusieurs d'entre eux portent un cartouche de Sésostris Ier ou un décor que le style permet vraisemblablement de rattacher à l'activité architecturale du début de la XIIe dynastie ; de petites dimensions, ils n'ont en général pas été retenus par Bisson de La Roque dans sa publication des campagnes de 1934 à 1936 (*FIFAO* 17) et demeurent inédits.

Du 20 au 29 février 2004, la participation de L. Postel à la mission d'étude effectuée à Dendara dans le cadre de la fouille des « quartiers civils » (cf. *BIFAO* 103, p. 956, et *supra*, n° 9.4) a consisté à collationner sur l'original le relevé du texte hiératique inscrit sur un bol effectué lors de la précédente mission. Les dessins des scellements et d'autres objets réalisés avant 2003 ont été vérifiés sur les originaux avec Khaled Zaza, dessinateur (Ifao) et, si besoin, corrigés ou complétés. De nouveaux fragments inscrits ont été catalogués et étudiés : ils appartiennent aux couches superficielles de la fouille et sont postérieurs au Moyen Empire. La publication de ces objets prendra place dans un volume collectif sur le matériel archéologique de la fouille.

RECHERCHES PERSONNELLES

Le corpus des inscriptions thébaines (et apparentées) de la XIe dynastie s'est enrichi de nouveaux documents, inédits ou peu connus. Une base de données a été mise en place et l'étude particulière de plusieurs monuments ou groupes de monuments a été menée en parallèle. Par ailleurs, la constitution d'un fichier des fragments du décor de la chapelle de la tombe de la reine Néfrou à Deir al-Bahari (TT 319), dispersés dans les musées égyptiens, européens et américains, a été poursuivie. Une mission épigraphique et photographique dans la tombe est prévue pour le début de l'année 2005.

À côté de ces recherches sur le terrain ou en bibliothèque, le remaniement de la thèse de doctorat en vue de sa publication a été achevé. Le manuscrit a été remis à l'éditeur en décembre 2003 ; l'ouvrage constituera le volume 10 des *Monographies Reine Élisabeth* de la Fondation égyptologique Reine Élisabeth de Bruxelles et paraîtra aux éditions Brepols en août 2004.

Stéphane Pradines, membre scientifique arabisant, 3e année

TRAVAUX COLLECTIFS EN ÉGYPTE

De juin 2003 à juin 2004, St. Pradines a assumé la responsabilité de trois campagnes de fouilles sur la Muraille ayyoubide, fouilles qui associent l'Ifao, le CSA, le MAE, l'université de Paris IV - Sorbonne et la Fondation Aga Khan (*supra*, n° 25).

Il a co-dirigé avec Chr. Velud, directeur des études, la préparation d'un cahier spécial en archéologie islamique qui paraîtra dans le prochain numéro des *Annales islamologiques* (38). Enfin, il a donné des cours d'archéologie islamique dans la section française de l'université de Gîza durant le second semestre de l'année universitaire.

TRAVAUX COLLECTIFS EN AFRIQUE ORIENTALE

Du 5 août au 5 septembre 2003, St. Pradines a dirigé la fouille archéologique de la cité de Gedi au Kenya, coopération internationale trilatérale entre les Musées nationaux du Kenya (NMK), l'Institut britannique en Afrique orientale (Biea) et le laboratoire d'Islam médiéval du Cnrs (UMR 8084) soutenu par le MAE. Gedi se trouve à 20 km au sud de Malindi, dans la province côtière du Kenya. La problématique posée était celle de l'évolution de l'habitat de Gedi depuis la fondation de la cité en 1050-1100 jusqu'à sa mutation architecturale vers 1400-1450. La découverte majeure de cette campagne de fouille a été la mise au jour d'une maison du XIVe siècle, avec une cour dotée de latrines et d'un puits maçonné avec du mortier de chaux. Les murs de la maison sont montés avec de l'argile et recouverts d'un enduit de plâtre fin. Les maisons de Gedi, datées du XIVe siècle, démontrent que le passage de l'architecture en matériaux périssables à la pierre est plus ancien que ce que laissaient entendre les récits de certains historiens arabes tel Ibn Battûta. Ces travaux seront publiés sous la forme d'une monographie intitulée *Gedi, une cité swahili. Islam médiéval en Afrique orientale.*

Depuis septembre 2002, l'ambassade de France en Tanzanie a lancé un programme de restauration de la ville de Kilwa Kisiwani, notamment de sa grande mosquée et de son palais. Le site voisin de Songo Mnara, classé par l'Unesco, fait aussi partie du programme de restauration. St. Pradines prend part à ce nouveau projet, coopération internationale entre les Antiquités tanzaniennes, le MAE, l'ambassade de France et l'ambassade du Japon. Avec une superficie de 44,5 hectares, Kilwa Kisiwani était certainement la plus grande cité-État d'Afrique orientale avant l'arrivée des Européens dans l'océan Indien. Pour la période médiévale, la cité de Songo Mnara n'avait jamais fait l'objet de fouilles extensives. La mission archéologique française devra effectuer un relevé topographique de la cité et réaliser des fouilles sur les bâtiments les plus significatifs (palais et mosquées). L'étude des mosquées de Kilwa et de Songo Mnara apparaît comme fondamentale puisqu'elle apportera des informations sur les premières traces d'islamisation au Sud de l'Afrique orientale.

Isabelle Régen, membre scientifique égyptologue, 1re année

TRAVAUX COLLECTIFS

Du 2 au 24 février 2004, I. Régen a pris part aux fouilles du secteur de la chapelle saïte d'Osiris Ounnefer Neb-djéfaou à Karnak menées par Laurent Coulon (*supra*, n° 39). À Bahariya (n° 4.1), du 3 au 15 avril 2004, sous la conduite de Frédéric Colin, elle a effectué divers relevés de structures en briques sur le site de Qasr 'Allam (XXVe-XXVIe dyn.). Sous la direction de Michel Valloggia, à Abou Roach (n° 1.1), elle a établi le relevé de la carrière de calcaire révélée par un sondage au sud du complexe funéraire du roi Rêdjédef (19-29 avril 2004).

Collaborant à la rédaction de la monographie *Gebel el-Zeit II : Habitats et sanctuaires* (*FIFAO*), préparée par Georges Castel et Georges Soukiassian, elle a achevé le chapitre relatif aux bagues de faïence et sceaux qui lui avait été confié l'an dernier (*supra*, n° 10).

RECHERCHES PERSONNELLES

I. Régen a poursuivi ses recherches sur les versions tardives du Livre de l'Amdouat et du Livre des Portes (époques saïte-ptolémaïque). Dans ce cadre, une visite de la tombe de Pétaménophis (TT 33) a été effectuée le 31 mars 2004 avec Bernard Mathieu, directeur de l'Ifao, Michel Wuttmann, restaurateur et archéologue (Ifao), Jean-François Gout, photographe (Ifao), et Rémi Desdames, chargé des relations avec le CSA (Ifao), afin d'évaluer l'état de la tombe et les travaux de nettoyage des parois à envisager. La tombe servant de magasin jusqu'à la salle III où une porte murée condamne l'accès aux salles suivantes, l'étude de ses versions (salles XII-XIII, XXII) ne pourra se faire sans le déménagement des objets qui y sont entreposés. Ce dernier est envisagé dans un projet Ifao en collaboration avec l'université Marc-Bloch (Strasbourg II) incluant par la suite un relevé épigraphique et photographique complet du monument.

Quatre sarcophages du musée du Caire comportant des scènes de l'Amdouat et/ou du Livre des Portes, les JE 48446-48447, inédits, photographiés en 2003 par Alain Lecler (Ifao), et CG 29306 seront documentés dans une monographie regroupant huit sarcophages tardifs du musée (CG 29301-2, 29304, 29306, 29792, JE 48446-7, 60597) préparée en collaboration avec Colleen Manassa, doctorante de l'université de Yale (Ph.D. sur « The Late Underworld. Sarcophagi and inscribed related Material », sous la direction de J.C. Darnell).

Le fac-similé et la photographie d'un fragment de couvercle très abîmé de sarcophage tardif remployé comme seuil de la mosquée cairote Kikhya (époque ottomane) ont été réalisés en octobre 2003.

Chercheurs et techniciens

Emad Adly, chargé des chroniques archéologiques

En collaboration avec Nicolas Grimal, professeur au Collège de France et chercheur associé à l'Ifao, E. Adly réalise d'une part la revue semestrielle *Bulletin d'information archéologique* (*BIA*, dépouillement de la presse archéologique égyptienne, traduction des articles, organisation de l'information et rédaction), et effectue d'autre part la collecte des données archéologiques destinées à la rédaction de la chronique annuelle des « Fouilles et travaux » pour la revue *Orientalia* (contacts avec les fouilleurs, visites des sites et chantiers de fouilles, récolte des rapports, dépouillement des périodiques) (cf. *supra*, n° 42).

Il a participé parallèlement au chantier de Bahariya (n° 4), où il effectue le recensement et la cartographie des mausolées et lieux de culte, ainsi que l'étude du culte des saints musulmans implantés dans l'oasis, et poursuit son travail de thèse sur le mausolée et le culte attaché à l'imâm al-Shâfi'î au Caire.

Mohammad Afifi, chercheur associé arabisant

Professeur au département d'histoire de l'université du Caire, M. Afifi y a été nommé en décembre 2003 directeur du Centre d'études et de recherches historiques. Il est également membre du comité de l'Histoire au Conseil supérieur de la culture.

Les 30-31 mars 2004, M. Afifi a organisé un colloque international à l'université du Caire sur « Les relations entre l'Égypte et l'Afrique du Nord aux XIXe et XXe siècles ».

À l'Ifao, il a participé à l'atelier des jeunes chercheurs historiens et préparé pour publication les actes du colloque sur « La société rurale à l'époque ottomane » (n° 26).

Enfin, M. Afifi a participé au colloque sur l'histoire du Bilad Al-Sham à l'époque ottomane organisé par l'Ifpo-Ifead (Damas) et l'Institut allemand de Beyrouth, qui s'est tenu du 28 mai au 3 juin 2004.

Ola al-Aguizi, chercheur associé égyptologue

Doyen de la faculté d'archéologie à l'université de Gîza depuis novembre 2003, Ola al-Aguizi a continué d'assurer les cours de langue de la filière francophone d'égyptologie : égyptien hiéroglyphique, hiératique et démotique.

Elle a finalisé un premier volume d'ostraca démotiques (étiquettes de jarres) issus des fouilles de Tebtynis (*supra*, n° 20), préparé en collaboration avec Frédéric Colin.

Younis Ahmad, restaurateur

Younis Ahmad a participé au chantier de Tebtynis, où il assure la conservation-restauration du mobilier archéologique, ainsi que des interventions sur les monuments (consolidations, nettoyages, comblements, restitutions). À Balat (oasis de Dakhla), il a participé à la restauration de la céramique et du petit mobilier. À 'Ayn-Manâwir (oasis de Kharga), il a collaboré à l'ensemble des activités de conservation-restauration et participé à la formation aux comblements des lacunes sur les vases céramiques. À Bahariya, il a participé aux travaux de restauration de monnaies de bronze et au remontage de mobilier céramique.

Mohammad Abou al-Amayem, architecte

M. Abou al-Amayem a entrepris l'étude de la zone de Geziret Al-Fil (« l'île de l'éléphant »), actuellement dans le quartier de Choubra au Caire, depuis l'époque ayyoubide jusqu'à nos jours, dans le cadre d'un *magister* préparé à l'université du Caire. Il a mené également des études sur différents monuments du Caire : la mosquée de Gahin al Khalwati, pour publication dans les actes du congrès sur le soufisme tenu à l'Ifao en 2003, le quartier situé à l'est du palais fatimide (Darb Molokhya et voisins) pour publication dans les *Annales islamologiques*, la citadelle du Caire à la fin du XIXe siècle à la lumière de la carte du colonel Green (1896), également pour publication dans les *Annales islamologiques*.

Il a participé à l'enrichissement et au fonctionnement de la cartothèque de l'Ifao : recherche de nouvelles cartes, mise à disposition des cartes pour les chercheurs, préparation des cartes pour l'obtention des permis de fouille. Il a poursuivi son travail de documentation pour les Archives (photographie des monuments islamiques, immeubles et palais du Caire).

Comme l'an passé, M. Abou al-Amayem a également apporté une aide à différents chercheurs et personnels de l'Institut, notamment au Dr Ayman Fouad, chercheur associé (Ifao), pour la recherche des sites et des monuments mentionnés dans les *Khitat* de Al-Maqrisi, à Valentine Denizeau et Alexandra Arango, pour une étude sur les hammams du Caire (autorisations du CSA, visite des lieux, photographies et relevés), ainsi qu'au CSA pour l'étude des monuments islamiques du Caire.

Hassan Ibrahim Amer, chercheur associé égyptologue

Outre ses cours d'égyptologie à l'université du Caire, à la filière francophone d'égyptologie et à la faculté des lettres de l'université de Hélouan, Hassan I. Amer a participé à deux nouvelles campagnes de fouilles sur le site d'Oxyrhynchos (Al-Bahnasa), du 15 octobre au 20 novembre et du 29 novembre au 20 décembre 2003, en collaboration avec le Pr J. Padro (univ. de Barcelone) et le Centre d'égyptologie François-Daumas de l'université Paul-Valéry (Montpellier III).

Les fouilles d'Oxyrhynchos se sont déroulées sur trois secteurs : la structure funéraire d'époque byzantine, la tombe nº 14 du secteur 20600, et l'Osireion.

La structure byzantine compte trois puits d'accès à des cryptes : deux puits conduisent à des constructions souterraines en briques crues, tandis que le troisième serait à mettre en relation avec le réaménagement d'anciennes structures en pierre, des caveaux funéraires comme pour la tombe voisine (nº 12), remontant, au moins, au Haut Empire romain.

Dans le secteur 20600, sous la couche byzantine, on observe la présence de tombes antérieures, datables approximativement du début du Ier siècle apr. J.-C.

Les couches sur lesquelles reposent ces tombes illustrent le comblement intentionnel d'un grand vide laissé par le saccage de la tombe nº 14. Sous ces couches, ont été découverts les vestiges d'une grande tombe, dont il ne reste que la partie basse des murs. Quelques pierres de pavement sont en place, ainsi que plusieurs cuves et couvercles de sarcophages, et trois nouveaux sarcophages anthropomorphes, dont un ouvert et sans couvercle, les deux autres intacts.

Enfin, la fouille de l'Osireion a été poursuivie. La première partie du couloir comporte 28 niches avec une inscription en hiératique (cf. *BIFAO* 102, 2002, p. 572). Une autre série de niches, anépigraphes, se trouve dans le prolongement des précédentes, mais à un niveau plus élevé. Le mobilier funeraire associé à ces niches reste identique : cubes en calcaire avec inscription démotique, amulettes, boules de terre, statuettes en argile et cônes en terre avec représentations peintes.

Hassân al-Amir, restaurateur

Sur le chantier prédynastique d'Adaïma, Hassân al-Amir a assuré la conservation du petit mobilier archéologique. À Tôd, il a organisé la construction de banquettes isolées de l'humidité capillaire et le transport de blocs préalablement consolidés. Dans la forteresse de Qal'at al-Guindî (Sinaï), il a poursuivi l'anastylose du mihrab du lieu de prière en plein air, la consolidation et la protection des peintures murales. Dans l'oasis de Bahariya, enfin, il a assuré la restauration de monnaies de bronze.

Nathalie Beaux-Grimal, chercheur associé égyptologue

Pour la septième année, N. Beaux-Grimal a assuré, avec le Pr Tohfa Handoussa, la responsabilité de la filière francophone d'égyptologie à la faculté d'archéologie de l'université du Caire (Gîza).

Sur le terrain, elle a effectué en décembre 2003 le relevé épigraphique de la niche nord du vestibule de la chapelle d'Hathor d'Hatchepsout à Deir al-Bahari (nº 7) avec la Polish Archaeological Mission – Temple of Hatshepsut, dirigée par le Dr Janusz Karkowski. En collaboration avec ce dernier et avec Élizabeth Majerus, dessinatrice, elle a préparé la publication de cette chapelle.

N. Beaux-Grimal a préparé également la publication de la paléographie du mastaba de Ti à Saqqâra (nº 15).

Ramez W. Boutros, architecte

Du 1er avril au 30 juin 2003, R. Boutros a occupé un poste de chargé de recherche au Cnrs à l'UMR 7044 de l'université Marc-Bloch (Strasbourg II), « Histoire et culture de l'Égypte protobyzantine. Édition de sources textuelles » dirigée par le professeur Jean Gascou. C'est dans l'un des programmes de cette UMR qu'a été intégrée sa préparation de l'édition d'un corpus arabe de textes hagiographiques et liturgiques sur le culte des saints Cyr et Jean.

Du 11 au 29 septembre 2003, il a participé à la mission de fouille conjointe Ifao-musée du Louvre à Baouît (nº 24) : sondages dans le secteur nord du site et relevé architectural du plan de l'église nord. Il a également participé à la campagne de Qal'at al-Guindî (nº 31), du 21 février au 3 mars 2004, en effectuant relevés architecturaux des façades et coupes dans la grande mosquée de la forteresse de Sadr.

Parallèlement à ce travail de terrain, R. Boutros a poursuivi son programme d'éditions hagiographiques : il s'agit de préparer la publication d'une sélection de trois catégories de textes, à la fois différents, mais représentatifs du culte des saints dans divers lieux de pèlerinages égyptiens. Ce choix a été fixé comme suit : 1. Édition de deux homélies en arabe sur la fuite en Égypte, textes liés au culte de la Vierge Marie et au souvenir du séjour de la sainte Famille sur divers sites ; 2. Édition d'un corpus hagiographique et liturgique sur le culte des saints Cyr et Jean, textes concernant le culte des saints médecins ; 3. Édition d'un groupe de textes arabes contenant les vies et les miracles d'anachorètes du Ve siècle ayant vécu dans les grottes situées au nord d'Antinoopolis, ancienne capitale de la Thébaïde Prima. L'étude de ces recueils ne se borne pas à un aspect technique, mais elle s'attache aussi et surtout à l'histoire de leur composition. L'analyse des différentes strates qui se sont constituées à travers les divers témoins est susceptible de fournir des données sur les objectifs cachés derrière la rédaction et la diffusion de ces homélies.

Georges Castel, architecte de fouilles

Sur le terrain, G. Castel a effectué en compagnie de Pierre Tallet, du 5 au 7 octobre 2003, une visite du *ouadi* Abou Gada (Sinaï). Il a surtout organisé et géré, du 5 janvier au 15 février 2004, le chantier de ʿAyn Soukhna (*supra*, n° 35) en collaboration avec le Pr Mahmoud Abd al-Raziq (université du canal de Suez et le CSA).

Au bureau, il a réalisé la mise au propre des relevés architecturaux et stratigraphiques du chantier de ʿAyn Soukhna, étude de la documentation et des rapports préliminaires. Pour les fouilles de Gebel al-Zeit (n° 10), il a poursuivi l'établissement des catalogues d'objets (céramique, faïences, vases en calcite, sparterie et cuir). Concernant enfin les fouilles du monastère de Saint-Marc à Qurnat Mareï, il a procédé à l'informatisation des anciens relevés et au suivi de l'étude de céramique menée par Pascale Ballet (n° 8.4).

Mohammad Chawqi, dessinateur

Sur les chantiers, M. Chawqi a travaillé à Tebtynis (dessins de céramiques), Douch / 'Ayn-Manâwir (dessins de céramiques, correction d'encrages de planches d'outillage lithique), à Balat (dessins de céramiques de la Deuxième Période intermédiaire, dessin de céramiques des maisons 7 et 8 de 'Ayn-Asil ; mise au net de fac-similés d'empreintes de sceaux et de tablettes inscrites), ainsi qu'à Abou Roach (dessins de céramiques et d'outils en silex).

En atelier, il a effectué l'encrage de planches d'outillage lithique ('Ayn-Manâwir) et la mise au net de dessins de céramiques (Gebel Um Nagât et Ouadi al-Ambawât).

Nadine Cherpion, archiviste, égyptologue

Avec l'assistance de Gonzague Halflants, N. Cherpion a assumé la gestion du service des archives scientifiques de l'Institut (*supra*, n° 14.3). Elle a parallèlement veillé à l'organisation, en tant que chef de mission, des différentes opérations menées par l'Ifao sur le site de Deir al-Médîna (*supra*, n° 8). Elle a également participé à deux campagnes photographiques à Touna al-Gebel (tombeau de Pétosiris) en vue de la publication du monument (*supra*, n° 22).

Du 9 au 14 décembre 2003, N. Cherpion a visité et étudié plusieurs tombes de la nécropole thébaine, en vue de rédiger une synthèse sur la peinture égyptienne du Nouvel Empire (critères de datation, histoire des styles et approche du contenu symbolique). Elle était accompagnée de Jean-François Gout, photographe (Ifao), qui a pris quelques clichés dans ces monuments. Il s'agit des tombes TT 31 (Khonsou, époque ramesside), TT 38 (Djéserkaréseneb, sans doute sous Thoutmosis IV), TT 45 (Djehouti, sous Amenhotep II, mais usurpée à l'époque ramesside par

Djehoutiemheb), TT 54 (Houy, sous Amenhotep III, mais usurpée à l'époque ramesside par Kenro), TT 108 (Nebseny, probablement sous Thoutmosis IV), TT 120 (Aanen, sous Amenhotep III), TT 253 (Khnoummose, probablement sous Thoutmosis IV), TT 277 (Ameneminet, époque ramesside), TT 278 (Amenemheb, époque ramesside), ainsi que la tombe de Thoutmosis IV (KV 43) dans la Vallée des Rois.

N. Cherpion prépare d'autre part un second volume sur la datation des mastabas de l'Ancien Empire.

Jean-Pierre Corteggiani, chargé des relations scientifiques et techniques, égyptologue

J.-P. Corteggiani s'est rendu à Touna al-Gebel, avec Nadine Cherpion, responsable des archives (Ifao), et Jean-François Gout, photographe (Ifao), pour terminer couverture photographique et vérifications dans le tombeau de Pétosiris (*supra*, n° 22). Il a effectué en avril 2004 une seconde mission à Bagawât (oasis de Kharga), avec Victor Ghica, coptisant, pour le collationnement des graphites coptes et l'établissement d'un plan topographique du site, en vue d'une prochaine publication. Il a continué ses travaux en cours, dont la publication de la tombe d'Inherkhâouy (TT 359), préparée en collaboration avec N. Cherpion, et la rédaction d'un dictionnaire des divinités de l'Égypte (*L'Égypte ancienne et ses dieux*).

Comme les années précédentes, J.-P. Corteggiani est intervenu dans différents médias, en fonction de l'actualité archéologique ou internationale et a participé à des émissions télévisées grand public (entre autres « Des racines et des ailes », sur France 3). Il a développé l'activité de diffusion de l'information par le biais notamment du courrier électronique, et assuré, à la demande de l'ambassade ou de la direction de l'Institut, des visites de sites archéologiques ou du Musée égyptien du Caire pour différentes personnalités de passage.

Vassil Dobrev, archéologue, égyptologue

Du 8 octobre au 30 décembre 2003, V. Dobrev a conduit les travaux de la mission de Tabbet al-Guech à Saqqâra-Sud (*supra*, n° 19). Dans le cadre de la convention de participation signée entre l'Ifao et la société Gédéon Programmes, il s'est rendu à Paris, du 8 au 12 septembre 2003, pour les commentaires de la projection en avant-première du film documentaire *À la recherche du pharaon perdu*, diffusé le 5 octobre 2003 sur France 3. Le 15 mai 2004, il a participé au débat qui a suivi la projection du film documentaire *À la recherche du pharaon perdu*, dans le cadre de l'après-midi Thema « L'Égypte des pharaons » organisé par le Museum national d'histoire naturelle à Paris.

Du 31 mai au 5 juin, V. Dobrev a participé à la conférence sur l'art et l'archéologie de l'Ancien Empire, organisée par l'Institut tchèque d'égyptologie et par le Centre national tchèque d'égyptologie à Prague.

V. Dobrev a également assuré les visites du site de Saqqâra pour différentes personnalités de passage.

Sylvie Donnat, assistante de l'adjoint aux publications, égyptologue

Dans le cadre de ses fonctions auprès de Frédéric Servajean, adjoint aux publications, S. Donnat a travaillé à la préparation de différents articles et monographies.

Elle a poursuivi parallèlement ses recherches personnelles sur les relations entre les vivants et les morts dans l'Égypte ancienne. En vue de la publication de sa thèse, elle a notamment travaillé à l'élaboration d'un manuscrit sur les lettres aux morts.

En février 2004, elle a participé à la quatrième campagne de fouilles menée, dans le cadre d'une collaboration du Cfeetk et de l'Ifao, sur le site de la chapelle d'Osiris Ounnefer Neb-djefaou à Karnak (nº 39).

Mathieu Eychenne, chercheur associé arabisant

M. Eychenne travaille sur les relations entre les élites militaires et les élites civiles en Égypte et en Syrie à l'époque des Mamelouks bahrides (1250-1382). Il a particulièrement concentré son travail sur le dépouillement des sources documentaires, notamment des sources littéraires éditées (chroniques, dictionnaires, biographiques, descriptions topographiques).

Parallèlement, et en complément de ce travail de thèse, il a entrepris la réalisation d'un index détaillé des notices du dictionnaire biographique intitulé *Aʿyân al-Asr wa Aʿwân al-Nasr*, écrit par Al-Safadî au XIVe siècle.

Khaled al-Enany Ezz, chercheur associé égyptologue

Maître de conférences à la faculté de tourisme de l'université de Hélouan, Khaled al-Enany assure des cours d'archéologie et de civilisation et co-dirige des mémoires de *master* en égyptologie. Il donne également des cours de civilisation à l'université du Six-Octobre.

En qualité de chercheur associé de l'Ifao, et dans le cadre du programme de paléographie hiéroglyphique dirigé par Dimitri Meeks (*supra*, nº 12.1), il a rédigé la partie commentaire du fascicule consacré au Petit Temple d'Abou Simbel (remise du manuscrit prévue fin 2004).

Nathalie Favry, conservateur de la bibliothèque, égyptologue

Cette année, la bibliothèque de l'Ifao a inventorié 1 176 ouvrages ou périodiques, dont 238 pour le fonds arabe. Le nombre de nouveaux lecteurs inscrits dépasse 470 avec une fréquentation constante depuis l'année dernière. La liste des collections conservées à la bibliothèque est maintenant complète : elle comprend 770 entrées. En collaboration avec l'imprimerie, 8 ouvrages ont été reproduits et 571 monographies ou fascicules de périodiques ont été reliés.

L'un des grands projets de la bibliothèque concerne le changement du logiciel « Alexandrie » dont les dysfonctionnements rencontrés cette année ont perturbé la saisie informatique. Des visites à la Bibliotheca Alexandrina et au ministère égyptien de l'Agriculture ont permis d'apprécier les capacités d'autres systèmes. Le passage à un outil plus adapté permettra certainement de concrétiser, en commun avec d'autres bibliothèques de recherche françaises, le projet de dépouillement des périodiques.

Parallèlement à son activité de conservateur de la bibliothèque, N. Favry a participé, comme les années précédentes à la mission de Tell al-Herr (Nord-Sinaï), du 1er au 21 avril 2004 (*supra*, nº 51).

Ayman Fouad Sayyed, chercheur associé arabisant

Comme l'an passé, A. Fouad a assuré la responsabilité de tutorat auprès des doctorants français et égyptiens rattachés à l'Ifao et apporté conseils et informations aux chercheurs de passage sur les domaines relatifs aux études des manuscrits pour l'histoire médiévale et moderne de l'Égypte et du monde arabo-musulman.

Il a également participé à deux congrès à l'étranger : « Storia e Cultura della Yemen in Era Islamica a l'Accademia Nazionale dei Lincei », Rome, les 30-31 octobre 2003, et « Lectures historiques des chroniques médiévales (mondes arabe, persan, turc et syriaque) », Damas, Ifpo-Ifead, du 10 au 12 décembre 2003.

Christian Gaubert, informaticien, arabisant

Chr. Gaubert est assisté de Khaled Nagy, technicien informaticien recruté en 1999.

Un site intranet destiné au personnel de l'Ifao et à l'information interne a été mis en service en avril 2004. Entièrement réalisé avec des outils logiciels « libres » et mis à jour par le personnel de l'administration, cet intranet est appelé à héberger la majeure partie des applications de gestion administrative, scientifique et technique de l'Ifao.

Parmi d'autres projets entamés ou poursuivis cette année, signalons la mise en place d'une architecture sécurisée pour le réseau (pare-feu et protection physique du câblage), l'étude du remplacement du logiciel de la bibliothèque, afin de répondre aux normes internationales de format des données et de promouvoir l'interconnexion des serveurs de bibliothèques, le suivi du projet des archives numérisées, la poursuite du développement de l'intranet du site de Douch (mission effectuée en novembre 2003), l'installation d'une interface « WebMail » pour l'accès à l'email de l'Ifao depuis un poste sur l'internet, ou encore la préparation de l'indexation en texte intégral des anciens *BIFAO*.

Outre son activité d'informaticien et de responsable du service informatique de l'Ifao, Chr. Gaubert a poursuivi le développement du logiciel « Sarfiyya » de traitement automatique de l'arabe (cf. *supra*, nº 33).

Chr. Gaubert a participé également au chantier de Naqlun, en octobre 2003, pour l'étude des archives chrétiennes arabes fatimides découvertes en 1998.

Jean-François Gout, photographe

Sur le terrain, d'octobre 2003 à juin 2004, J.-Fr. Gout est intervenu sur plusieurs chantiers archéologiques : Deir al-Médîna (relevés de tombes, dont la TT 10, graffiti démotiques du temple, dégagement des abords du Grand Puits), Douch / 'Ayn Manâwir (relevés de terrain et photographie d'objets), Touna al-Gebel (fin des relevés du tombeau de Pétosiris), Saqqâra-Sud (pour la Mafs : relevés sur le terrain et photographie d'objets, fin de l'enregistrement des blocs inscrits des Textes des Pyramides de la reine Ânkhesenpépy II), Héliopolis (programme « Patrimoine architectural » : prise de vues de repérage pour la préparation du relevé de septembre).

Au Caire, il a effectué diverses prises de vues au Musée égyptien, dont celles destinées au nouveau catalogue du musée de Louqsor, à la demande du Dr Zahi Hawass, secrétaire général du CSA.

En laboratoire, avec A. Lecler, J.-Fr. Gout a poursuivi le traitement des images et autres travaux numériques. La totalité des photographies prises de 1999 à 2004 figure maintenant dans la base « Orphéa » ; d'autre part, 3 000 des 15 000 plaques de verre ont été reconditionnées et numérisées, et figurent également dans la base.

Nicolas Grimal, chercheur associé égyptologue (Collège de France)

TRAVAUX COLLECTIFS ET ENSEIGNEMENT

Comme l'an passé, N. Grimal a assuré la direction scientifique du Centre franco-égyptien d'étude des temples de Karnak (Cfeetk), co-direction de l'UPR 1002 du Cnrs, et présidé la chaire d'Égypte du Centre universitaire méditerranéen (CUM) de Nice. En collaboration avec Emad Adly (Ifao), il a assuré le suivi des chroniques archéologiques : *Bulletin d'information archéologique* et « Fouilles et travaux en Égypte et au Soudan », pour la revue *Orientalia* (cf. *supra*, n° 42).

Il a également dispensé cours et séminaires au Collège de France en 2002-2003 : « Les Égyptiens et la géographie du monde (suite) » et « Les *Annales* de Thoutmosis III : étude et commentaire (suite) » (résumés dans *ACF* 2003 et sur le site www.egyptologues.net), ainsi que deux séminaires à l'université Paris IV : « Nouvelles découvertes du Cfeetk » et « Politique extérieure et notion de frontières » (15 et 16 mars 2004).

RECHERCHES PERSONNELLES

N. Grimal a effectué en décembre 2003 - janvier 2004 une campagne épigraphique à Karnak (*Annales* de Thoutmosis III). Parallèlement, avec Emmanuelle Arnaudiès, il a participé aux relevés épigraphiques et à l'étude de la porte du VIIe pylône ; avec Atef Abou al-Fadel et Héléna Delaporte-Zacharias, il a participé à l'étude des représentations du mur occidental reliant les VIIIe et IXe pylônes.

Abeid Mahmoud Hamed, restaurateur

Sur le chantier de Tabbet al-Guech (Saqqâra-Sud), A. Hamed a assumé le démontage, la consolidation et le remontage d'éléments des décors pariétaux des tombes mises au jour. À ʿAyn Soukhna, il a consolidé et moulé une stèle pour remplacer, sur le terrain, l'original par une copie. Il a restauré une partie du mobilier métallique et céramique. Dans la forteresse de Qalʿat al-Guindî, il a poursuivi l'anastylose du mihrab du lieu de prière en plein air, la consolidation et la protection des peintures murales. Il a moulé un bloc de dédicace et restauré le mobilier en céramique. À Abou Roach, enfin, il a consolidé des décors pariétaux des mastabas et il est intervenu sur le mobilier archéologique.

Naglaa Hamdi, assistante de l'adjoint aux publications

Dans le cadre de ses fonctions auprès de l'adjoint aux publications, N. Hamdi a préparé en vue de publication plusieurs articles et monographies et a collaboré à la mise au point des nouvelles *Recommandations aux auteurs*.

Parallèlement, elle a poursuivi ses études à la Faculté de théologie, et la rédaction de sa thèse de doctorat à l'université de Ain Chams intitulée *Trois traductions de La dame aux Camélias : étude comparée*. Elle a assisté à différents colloques et séminaires, dont le second symposium sur la vie monastique en Égypte qui avait pour thème « Monasticism in Fayoum », Semaine copte.

Un travail de recherche portant sur la vie monastique en Égypte après la conquête des Arabes est en cours. Il se fonde sur l'étude des manuscrits arabes relatant la vie des moines ainsi que les récits des voyageurs.

Yousreya Hamed, dessinatrice

Comme les années précédentes, Y. Hamed a consacré l'essentiel de son temps aux dessins destinés aux publications du temple de Dendara. Sur le terrain, dans le temple d'Isis, elle a procédé à des vérifications et des relevés (novembre 2003). Au bureau, elle a poursuivi son travail sur le temple d'Hathor : assemblage des dessins des scènes des parois extérieures du naos (l'assemblage de la paroi est-ouest réalisé initialement en 6 panneaux a été repris en 4 panneaux ; paroi sud réalisée en deux panneaux ; reprise de la numérotation des textes) ; poursuite et achèvement du dessin des gargouilles ; dessin d'une travée latérale du plafond du pronaos. Elle a également réalisé 215 nouveaux signes hiéroglyphiques pour la fonte MacScribe.

Enfin, elle a effectué des encrages pour des publications en cours (ouvrage d'Ayman Fouad).

Nessim H. Henein, architecte, ethnologue

N.H. Henein a procédé cette année à la révision du texte arabe et français de l'ouvrage *Poissons et oiseaux dans les proverbes égyptiens*. Il supervise également la traduction en cours, de l'arabe en français, de l'ouvrage *Pêche et chasse dans le lac Menzala*.

Ayman Hussein, dessinateur, responsable du service dessin

Le service de dessin, placé sous la responsabilité d'A. Hussein, a été réorganisé en janvier 2004. Un comité de régulation arrête dorénavant le calendrier des travaux qui y sont menés. Toutes les informations liées aux travaux en cours ont été regroupées dans une base de données accessible aux membres du service et du comité de régulation. La gestion du service implique essentiellement le suivi des travaux individuels, les réglages techniques finaux avant livraison au commanditaire, et les travaux d'inventaire.

Parallèlement, A. Hussein a participé à deux chantiers : Douch - 'Ayn-Manâwir, en octobre-décembre 2003 (dessin de mobilier céramique, expression graphique de détails de feuilles d'arbres), et Balat, en février 2004 (dessin de mobilier céramique des maisons 7 et 8 de 'Ayn Asil). Il a procédé à la mise au net de certains dossiers : mobilier archéologique du chantier de Douch - 'Ayn-Manâwir, relevés des décors peints de Qal'at al-Guindî, modifications demandées par le service des publications ou par les auteurs sur des illustrations d'ouvrages en préparation.

Frédéric Imbert, chercheur associé arabisant

Directeur du Département d'enseignement de l'arabe contemporain au Caire (Deac), Fr. Imbert a dirigé ses actions de recherche, cette année, selon deux axes : l'expertise en épigraphie arabo-musulmane et la préparation d'un ouvrage d'épigraphie arabe sur la Jordanie.

Les expertises en épigraphie arabe sont des collaborations ponctuelles avec des chercheurs ou des équipes de recherche travaillant sur des sites égyptiens (ou extérieurs à l'Égypte) ayant révélé des inscriptions arabes : tuiles portant des graffiti provenant d'une église de Palmyre (Syrie) ainsi qu'une inscription sans doute remployée dans le pavement du même bâtiment (pour le Polish Centre of Archaeology in Cairo), tessons inscrits de différentes époques (pour A. Collinet, mission archéologique de Sehwan Sharif, vallée du Sind, Rajastan), déchiffrement d'un linteau inscrit de style coufique anguleux archaïque (pour M.-O. Rousset), lecture et analyse du formulaire d'une inscription monumentale de Salah al-Dîn (Saladin), datée deux fois, de style *naskhi* ayyoubide, bloc trouvé sur la muraille ayyoubide du Caire islamique (pour St. Pradines, Ifao), ensemble de graffiti ayyoubides trouvés dans la citadelle de Qal'at al-Guindî, Sinaï (pour J.-M. Mouton).

L'ouvrage d'épigraphie arabe sur la Jordanie est tiré d'un mémoire de thèse de doctorat (univ. d'Aix-en-Provence, 1986) intitulé *Corpus des inscriptions arabes de Jordanie du Nord*, refondu à la lumière de nouveaux documents épigraphiques.

Dans le cadre de la formation à la recherche des arabisants en formation au Deac, un effort particulier d'ouverture aux séminaires de l'Ifao a été réalisé. Les chercheurs inscrits en DEA et thèse peuvent suivre et participer au séminaire des jeunes doctorants en sciences humaines de l'université du Caire.

Hoda R. Khouzam, responsable du fonds arabe de la bibliothèque

H. Khouzam a poursuivi le travail d'organisation, de classement et de saisie informatique du fonds arabe de la bibliothèque : monographies (125 nouvelles acquisitions), collections (création d'un programme permettant l'édition d'un catalogue), périodiques (réédition du catalogue), brochures (476 notices saisies).

Différents contacts et échanges se sont noués, notamment avec la bibliothèque de la faculté d'archéologie de l'université du Caire et le German Institute for Oriental Studies (Liban).

H. Khouzam a également participé à la huitième assemblée générale de l'Association des bibliothécaires et des documentalistes égyptiens, qui s'est tenue au British Council le 29 avril 2004, ainsi qu'au congrès de la faculté de lettres, univ. du Caire, département Bibliothèques et Archives, filière de Béni-Souef, les 20 et 21 mars 2004.

Elle a effectué aussi divers travaux de traduction, notamment lors du colloque sur *Les Sources de l'Histoire à l'Époque ottomane*, à Alexandrie (30 oct. - 1er nov. 2003).

Pierre Laferrière, dessinateur

P. Laferrière a procédé à l'identification, pour le service des archives de l'Ifao, des documents photographiques et iconographiques des sites coptes : mensuration des peintures et dessins en vue de leur mode de classement dans le futur dépôt des archives.

Il a également travaillé à la préparation d'une exposition de copies peintes de sa main, organisée en marge du 8e Congrès international d'études coptes, à Paris, en juin 2004 (choix des peintures, modalités du transfert, notice pour un cartel de présentation, notices explicatives des peintures exposées).

Mais il a concentré son activité sur la rédaction de son ouvrage *La Bible murale dans les sanctuaires coptes*, présentation de 25 planches de dessins récapitulant les scènes murales et voûtes d'absides des sanctuaires coptes publiés par l'Institut. Le contenu en est le suivant : Introduction. Brève histoire des missions de l'Ifao. Fonction du dessin. Chapitre 1 : Les basiliques triconques (Sohag). Chapitre 2 : Les *haikals* (monastères de Saint-Antoine, Saint-Paul, Esna / Al-Chouhada et les quatre monastères du Ouadi al-Natroun) ; un bref rappel historique et les références bibliques précèdent une description des scènes.

Damien Laisney, topographe

Comme les années précédentes, D. Laisney est intervenu sur de nombreux chantiers : 'Ayn Ziyada et Dikura, du 12 au 26 octobre 2003 (relevés topographiques des sites, avec Mohammad Gaber), muraille ayyoubide, en décembre 2003 (relevés archéologiques des fouilles), île de Saï, Soudan, du 6 au 29 janvier 2004 (relevés topographiques et architecturaux des sites SAC5, avec A. Minault-Gout), 8B5.SAP1, avec Fr. Geus, et 8B5B, avec Y. Lecointe), Deir al-Médîna, du 7 au 13 février (relevé topographique autour du Grand Puits, avec rattachement au système TMP), Qal'at al-Guindi, du 21 février au 4 mars 2004 (relevés architecturaux, avec J.-O. Guilhot), Dendara, du 12 au 19 mars 2004 (relevé des pièces métalliques du pronaos du temple, avec M. Aubert et Ph. Fluzin), Bahariya, du 13 au 19 avril 2004 (relevés topographiques du site de 'Ayn al-Muftella et rattachement dans le système égyptien des sites de Qasr al-Allam, Qaret al-Daba'a, Qaret al-Tub, 'Ayn al-Muftella et du temple d'Alexandre), 'Ayn Yerqa, en mai 2003 (relevés topographiques et archéologiques sur le site d'Abu Rugum, avec Fr. Berteaux, Fr. Paris, J.-Fr. Saliège et M. Souris).

Le travail de bureau a permis d'établir ou de compléter les plans topographiques de 'Ayn Ziyada, Dikura, Saï, Deir al-Médîna, Qal'at al-Guindî, Qasr al-Allam, Qaret al-Daba'a, et Séhel.

Par ailleurs, en collaboration avec l'IRD de Tunis, D. Laisney a suivi du 26 novembre au 8 décembre 2003 une formation sur le logiciel Savane (SIG).

Alain Lecler, photographe

A. Lecler est intervenu sur de nombreux chantiers archéologiques de l'Institut : Abou Roach (dont prises de vue d'hélicoptère), Adaïma, 'Ayn Soukhna, Balat, Dendara, Bahariya (relevé des quatre chapelles de Mouftella). À Dendara, en plus des prises de vue habituelles, il a terminé avec Sylvie Cauville la numérotation des colonnes de hiéroglyphes du temple d'Isis afin de compléter la préparation de la publication.

À Louqsor, à la demande du Dr Zahi Hawass, secrétaire général du CSA, il a photographié les objets présentés dans les nouvelles salles du musée.

Au Caire, A. Lecler a effectué diverses prises de vues au Musée égyptien – dont l'ensemble des objets destinés à l'exposition du Congrès international des égyptologues (Grenoble, sept. 2004) –, et travaillé, en laboratoire, avec J.-Fr. Gout, au traitement des images et autres opérations numériques.

Mireille Loubet, chercheur associé arabisant

M. Loubet est demeurée chercheur associé de l'Ifao jusqu'au 31 décembre 2003, avant d'être affectée à l'UMR 6125 « Textes et documents de la Méditerranée antique et médiévale », Centre Paul-Albert Février, sous la direction du professeur Gilles Dorival (Mmsh, Aix-en-Provence).

Elle a soutenu le 4 décembre 2003 une thèse de doctorat en Histoire des religions et anthropologie religieuse, dirigée par le professeur Paul Fenton (univ. Paris IV-Sorbonne) et intitulée *Futûhât az-zamân. Les conquêtes spirituelles du temps, traité anonyme de piétisme juif médiéval,* qui lui a valu la mention très honorable avec félicitations du jury.

M. Loubet a participé aux séminaires des arabisants organisés par l'Ifao, ainsi qu'à différents colloques internationaux : « Writers, Books and Librairies in Judaeo-Arabic Culture », XIIIe conférence internationale de la Society for Judaeo-Arabic Studies, 25-28 août 2003, Saint-Pétersbourg, et « Enjeux d'histoire, jeux de mémoire, les usages du passé juif », colloque de clôture du programme de recherches « Les usages du passé », partenariat Institut interuniversitaire d'études et de culture juives (IECJ) et Mmsh, Aix-en-Provence, 8-10 décembre 2003.

Sylvie Marchand, céramologue

S. Marchand a étudié le matériel céramique de différents chantiers de l'Ifao, ou auxquels l'Institut apporte son appui : Baouît (20-29 septembre 2003), 'Ayn-Manâwir (8 novembre - 10 décembre 2003), Balat (7-18 janvier 2004), Dendara (20-29 février 2004), Abou Roach (1-18 avril 2004), Bahariya (19-30 avril 2004), Kôm al-Khilgan (15-30 mai 2004).

Différents travaux d'expertise lui ont été demandés de la part d'autres missions étrangères : Ouadi Natroun, étude du matériel céramique en collaboration avec Sandrine Marquié, sous la responsabilité de Marie-Dominique Nenna, CEA (6-16 octobre 2003) ; carrières autour de Saqqâra et près de Safaga, prospection céramique, sous la responsabilité de James Harrel, université de Toledo (juillet 2004).

Avec la collaboration de Grégory Marouard (doctorant à l'université de Poitiers sous la direction de Pascale Ballet), en juin-juillet 2003, S. Marchand a poursuivi les travaux destinés à activer la base de données du programme « Amphores » (Grpate) avec la réorganisation du rangement des échantillons céramiques, le reclassement des photos macro des échantillons, et enfin, la correction des catalogues des formes réalisés sur In-Design. En juin 2004, pour ce même programme, ont été effectuées macrophotographies et lames minces avec les échantillons de pâte céramique.

En janvier 2004, elle a organisé un stage de formation à l'étude de la céramique datée du Moyen Empire (étude des pâtes, réalisation d'un catalogue de formes, etc.) pour Magali Legrand, étudiante en maîtrise d'archéologie à l'université Paris IV-Sorbonne (sous la direction de Pierre Tallet).

Enfin, après la parution des *Cahiers de la céramique égyptienne* 7, 2004, S. Marchand a achevé la préparation des *CCE* 8, consacrés entièrement aux études récentes sur les amphores égyptiennes et importées trouvées en Égypte.

Bernard Mathieu, directeur, égyptologue

TRAVAUX COLLECTIFS

B. Mathieu a assuré pour la cinquième année la direction de l'Ifao et, notamment, la coordination et l'orientation des programmes relevant de la section égyptologique et papyrologique (voir *supra*, Chantiers archéologiques et programmes de recherche, section « Études égyptologiques et papyrologiques »).

En collaboration avec Dimitri Meeks, égyptologue (Cnrs, Ifao), il a assumé la coordination scientifique du séminaire égyptologique de l'Institut consacré, comme l'an passé, au thème suivant : « Le lexique entre profane et sacré : tournures familières et discours religieux dans l'Égypte ancienne » (voir *infra*, F. Séminaire égyptologique de l'Ifao). En collaboration avec D. Meeks et Myriam Wissa, égyptologue, il a organisé le colloque international « Apport de l'Égypte à l'histoire des techniques. Méthodes, chronologie et comparaisons » (Ifao, 15-17 septembre 2003) ; il y a présenté une communication intitulée « Les navires de Kaïemânkh et la toise du foulon ». Il assure maintenant, avec D. Meeks et M. Wissa, l'édition des actes.

Responsable scientifique des publications égyptologiques de l'Ifao, il est aussi, depuis 2003, membre du comité de lecture de la revue *Archéo-Nil. Bulletin de la Société pour l'étude des cultures prépharaoniques de la vallée du Nil* (Paris), membre du Board of Reviewers des *Annales du Services des antiquités de l'Égypte* (Le Caire), et membre correspondant du Deutsches archäologisches Institut Kairo.

Dans le cadre de la formation doctorale, B. Mathieu a dispensé trois séminaires de quatre heures chacun à l'université Paul-Valéry - Montpellier III (5 novembre 2003, 4 février 2004 et 19 mai 2004), où il dirige des travaux de recherches : 1) « La *montée vers le grand dieu* : une géographie cultuelle de l'au-delà dans l'Égypte ancienne » ; 2) Le Texte des Sarcophages 312 : reconstitution d'un mythe ; 3) « *Accéder au grand dieu* : le langage des dieux ». Il a participé cette année au jury de soutenance de thèse de Jérôme Rizzo, « Le terme *ḏw* dans les textes de l'Ancienne Égypte. Essai d'analyse lexicale », université Paul-Valéry (4 novembre 2003).

En octobre-novembre 2002, il a pris part en tant qu'épigraphiste aux travaux de la mission de l'Ifao à Tabbet al-Guech, Saqqâra-Sud (*supra*, n° 19).

RECHERCHES PERSONNELLES

Dans le cadre de la Mission archéologique française de Saqqâra (*supra*, n° 47), B. Mathieu a poursuivi en mars-avril 2004 l'étude des fragments de Textes des Pyramides découverts dans le complexe de la reine Ânkhesenpépy II. À ce jour, 590 des 1 034 blocs ou fragments inventoriés par la Mafs depuis la campagne 2000 ont été identifiés. Quelques nouvelles formules peuvent ainsi être partiellement reconstituées, et des compléments apportés à certains des nouveaux textes découverts chez Pépy Ier (notamment TP 1001 et 1002). Il a parallèlement poursuivi le travail de traduction commentée des textes de la pyramide de Pépy Ier publiés par l'Ifao (*MIFAO* 118/1-2, 2001).

Il a poursuivi enfin ses recherches sur la littérature et l'historiographie dans l'Égypte ancienne.

Bernard Maury, architecte

Durant l'année 2003-2004, l'activité de B. Maury s'est répartie sur les secteurs suivants : réédition des *Palais et maisons du Caire du XIVe au XVIIIe siècle*, programme des archives photographiques de la Citadelle, travaux de restauration de la maison Sennari, documentation photographique sur Le Caire.

La réédition des 5 tomes des *Palais et maisons du Caire du XIVe au XVIIIe siècle* s'effectuera selon les modalités suivantes : réédition du texte français sans changement, réimpression des planches photographiques, à partir des négatifs originaux, selon les techniques actuelles, ajout d'un résumé en français et en arabe pour chaque ouvrage.

Durant la dernière mission de restauration des plaques photographiques de la Citadelle par Mme Hamburger en octobre-novembre 2003, B. Maury a suivi la question du rangement des archives : mise en boîte, rangement en armoire, aménagement des locaux ; un dossier technique a été constitué en vue de la mise à disposition et la remise en état de locaux pour ce projet. Ce dossier, comportant le relevé des locaux ainsi que la liste et l'estimation des travaux à exécuter, a été remis au CSA. Un second dossier, complété, a été déposé en février 2004.

Les travaux de restauration proprement dits de la maison Sennari avaient été achevés à l'automne 2000. Restait l'aménagement des jardins et des abords immédiats de la maison. Ces travaux ont repris en octobre 2002, mais l'entreprise égyptienne à qui avaient été confiés ces travaux ayant déposé son bilan en décembre 2003, le programme n'est pas encore achevé ; à ce jour, les travaux d'aménagement des jardins sont terminés à 80 %, et ceux de la ruelle d'accès à 50 %.

L'idée de créer une base de données liée à une carte cadastrale interactive du Caire, pour classer et gérer un grand nombre de photographies du Caire islamique, se concrétise. Cet important programme permettrait, outre le classement et le traitement d'une grande quantité de documents sur Le Caire, de développer des thèmes de recherches sur la Vieille Ville. Des rencontres avec diverses institutions ont eu lieu durant l'année (CEA d'Alexandrie, Cedej, l'Eais du CSA), principalement pour examiner le niveau de précision nécessaire d'une carte informatisée, son utilisation potentielle et les développements possibles, ainsi que les conditions d'acquisition.

Parallèlement à ces activités principales, B. Maury a réalisé des expertises auprès du Ministère égyptien de la Culture, participé à un colloque sur la Sauvegarde du Patrimoine mondial à Avignon (septembre 2003), et effectué deux séjours (septembre 2003 et février 2004) à la Mmsh (Aix-en-Provence), pour l'identification, en collaboration avec l'archiviste Mme Disdier, des photographies des collections Lézine et Revault. Cette collaboration, qui devrait se poursuivre et s'élargir aux manuscrits et dessins, pourrait déboucher sur un échange de documents d'archives concernant Le Caire, entre l'Ifao et la Mmsh.

Dimitri Meeks, égyptologue (Cnrs), mis à disposition de l'Ifao

TRAVAUX COLLECTIFS

Comme l'an passé, D. Meeks a assumé la responsabilité scientifique et la coordination du programme international de paléographie hiéroglyphique (voir *supra* n° 12.1). Il a également assuré, avec Bernard Mathieu, directeur de l'Ifao, la coordination et la responsabilité scientifique des séances mensuelles du séminaire doctoral d'égyptologie portant sur « Le lexique entre profane et sacré : tournures familières et discours religieux dans l'Égypte ancienne » (*infra,* F. Séminaires égyptologiques de l'Ifao).

En collaboration avec B. Mathieu et Myriam Wissa, égyptologue, D. Meeks a organisé le colloque international « Apport de l'Égypte à l'histoire des techniques. Méthodes, chronologie et comparaisons », qui s'est tenu à l'Ifao du 15 au 17 septembre 2003. Il y a présenté une communication sur « L'Égypte ancienne et l'histoire des techniques : Égyptiens et égyptologues entre tradition et innovation ». Il assure maintenant, avec B. Mathieu et M. Wissa, l'édition des actes.

D. Meeks a participé au jury de soutenance de thèse de Jérôme Rizzo, « Le terme *ḏw* dans les textes de l'Ancienne Égypte. Essai d'analyse lexicale », université Paul-Valéry, Montpellier III (4 novembre 2003).

RECHERCHES PERSONNELLES

D. Meeks a achevé le manuscrit de son étude (traduction, commentaire philologique et mythologique) sur le « Papyrus du Delta » (P. Brooklyn 27.218.84), et l'a remis au service des publications en décembre 2004.

Dans le cadre de l'encyclopédie *Iconography of Deities and Demons in the Biblical World* de Fribourg, D. Meeks a établi la typologie iconographique du dieu Harpocrate à partir de la documentation égyptienne et méditerranéenne orientale. Plus de 500 documents ont été rassemblés et classés. Ce travail est maintenant sous presse.

Au cours de l'année, D. Meeks a participé à plusieurs colloques internationaux où il a pu présenter les résultats de ses recherches tant sur l'historiographie de l'histoire des techniques en égyptologie (Le Caire, septembre 2003) que sur le cheval dans la religion égyptienne (Athènes, novembre 2003).

Laïla Menassa, dessinatrice

Sur le terrain, en novembre 2003 et février 2004, L. Menassa a effectué des relevés sur Kodatrace dans le caveau de la TT 218 (Amennakht) : linteau et deux jambages, parois nord, est et moitié de la paroi sud.

En atelier, elle a effectué la mise au net de relevés de différentes tombes thébaines : chapelle de Khametri (TT 220), caveau de Khametri (TT 220), caveau d'Amennakht (TT 218), et tombe de Ramosé (TT 7).

Anne Minault-Gout, chercheur associé égyptologue

Comme l'an passé, A. Minault-Gout a pris part aux travaux de la Mission archéologique française de Saqqâra (Mafs), en collaboration avec Jean-François Gout, photographe (Ifao) et Khaled Zaza, dessinateur (Ifao), en étudiant la vaisselle en pierre du monument funéraire de la reine Ânkhesenpépy II (*supra*, n° 47).

Elle a également participé à la mission d'étude de la nécropole pharaonique SAC5 de l'île de Saï (Soudan) en vue de la publication finale (n° 49).

Hassân Mohammad, restaurateur

Sur le chantier de 'Ayn-Manâwir (oasis de Kharga), Hassân Mohammad Ahmad a collaboré aux divers travaux de conservation-restauration. À Balat (oasis de Dakhla), il a contribué au prélèvement et à la restauration de céramiques, aux opérations de conservation du petit mobilier archéologique et au transport des éléments de la tombe de Bedjou vers leur futur lieu d'exposition. À Deir al-Medîna, il a défait la restauration ancienne d'un vase plastique, remonté les éléments et comblé les lacunes. À Tell al-Herr (mission dirigée par D. Valbelle), il a nettoyé, consolidé et restauré le mobilier métallique et la céramique.

Maria Mossakowska-Gaubert, chercheur associé coptisante

Du 18 au 21 septembre 2003, M. Mossakowska-Gaubert a participé au chantier du Centre polonais d'archéologie méditerranéenne, dirigé par W. Godlewski (université de Varsovie), dans le complexe monastique de Naqlun (Deir al-Malak Gabriyal, Fayyoum). Elle a poursuivi l'étude de la verrerie de l'époque fatimide et ayyoubide découverte dans plusieurs constructions monastiques et tombeaux civils situés sur les kôms A et E.

Ensuite, du 21 au 30 septembre 2003, elle a participé à la mission conjointe Louvre - Ifao qui mène ses travaux dans le complexe monastique de Baouît (n° 24), où elle a étudié les objets en verre trouvés lors des sondages ainsi que dans le remplissage de sable formé après les fouilles de J. Clédat, au début du XXe siècle, dans l'église nord. Ce matériel peut être daté d'une manière approximative du VIe au Xe siècle.

M. Mossakowska-Gaubert a poursuivi parallèlement la rédaction de sa thèse de doctorat sur les origines de l'habit monastique en Égypte, préparée sous la direction de W. Godlewski (université de Varsovie).

Sawsan Noweir, chercheur associé arabisante

Maître de conférences à l'École d'architecture de Versailles, S. Noweir est aussi chargée de recherche en poste d'accueil à l'IRD au Caire.

Outre un programme de travail sur « Ville et architecture de transition : Azbakiya entre centre ville et vieille ville », pour l'IRD, et un autre sur « Préservation du patrimoine architectural et urbain en Égypte : les villes du XIXe et du XXe siècles : Port Saïd » (pour l'IRD, l'université du Caire et le Cultnat), elle conduit, dans le cadre de l'Ifao, une recherche sur les « Hammams du Caire », un projet de documentation et de publication pluridisciplinaire regroupant historiens et architectes, chercheurs et doctorants autour d'une étude historique et architecturale des hammams cairotes.

Ce projet s'intègre dans le programme de recensement et de sauvegarde du patrimoine islamique du Caire de l'Ifao qui consiste en l'élaboration d'un fonds de documentation à partir de toutes les sources disponibles : textes, archives, photos, cartes et plans. Pour les hammams, le fonds documentaire a été complété par des relevés systématiques sur le terrain par des étudiants de l'École d'architecture de Versailles et par une campagne photographique. Certains hammams ont été entièrement relevés, pour les autres des vérifications et des relevés complémentaires sont en cours.

Frédéric Servajean, adjoint aux publications, égyptologue

Assisté de Sylvie Donnat, égyptologue, et de Naglaa Hamdi, coptisante et arabisante, Fr. Servajean a assuré la supervision des publications de l'Ifao.

Au cours du second semestre de l'année universitaire 2003-2004, il a dispensé un cours sur les textes et pratiques funéraires à la Faculté de tourisme et d'hôtellerie de l'université d'Hélouan (Le Caire).

Fr. Servajean a, en outre, poursuivi, en décembre 2003, ses travaux sur la tombe thébaine 335 à Deir al-Médîna et la mise au point d'un cédérom permettant une restitution en 3 dimensions « temps réel » du monument, en vue de sa publication finale. En janvier 2004, il a également participé aux fouilles de ʿAyn-Soukhna (nº 35), effectuant certains relevés et travaillant plus particulièrement sur les fragments de creusets servant à la réduction du minerai de cuivre. Il a, enfin, poursuivi son travail de mise au point finale du texte hiéroglyphique des formules des transformations du Livre des Morts (XVIIIᵉ-XXᵉ dynasties), ainsi que ses recherches sur les relations existant entre les étoffes rituelles et les corps célestes.

Mohammad al-Shaer, chercheur associé physicien

La convention signée avec Mohammad al-Shaer (professeur à la faculté d'ingénierie de l'université de Zagazig, chef du Eng. Physics and Mathematics Dept.) a été reconduite, pour poursuivre, dans les locaux de l'Ifao, les expérimentations de laboratoire sur l'utilisation des plasmas gazeux dans le traitement des objets cuivreux de petite taille. La réalisation d'une unité pilote de traitement, transportable sur les chantiers de fouille, en est à sa phase de fabrication.

En 2003, des expérimentations ont eu lieu sur l'installation plasma située à l'Ifao. Des échantillons en cuivre et bronze ont été introduits dans le plasma d'hydrogène en vue de tester l'efficacité de la méthode de déchloruration des objets cuivreux par les plasmas. Des analyses ont permis d'identifier les différents types de composés chimiques existant à la surface des échantillons, comme les oxydes, les carbonates et les chlorures. Elles ont révélé l'efficacité de la méthode pour la réduction de certains chlorures, par leur transformation soit en une forme volatile capable d'être pompée, soit en une forme soluble, qui peut être éliminée à l'aide de bains successifs dans l'eau déionisée.

Les résultats de ces expérimentations ont été exposés lors d'une conférence donnée en juillet 2003 : M. al-Shaer, M. Wuttmann, « Enhancement of Chlorides Removal from Copper Artifacts by the Effect of RF Hydrogen Plasma », *XXVIᵉ International Conference on Phenomena in Ionized Gases*, vol. 3, Greifswald (Allemagne), 2003, p. 151-152.

Georges Soukiassian, archéologue

Du 15 septembre au 14 octobre 2003, G. Soukiassian a participé à une nouvelle campagne de propection sous-marine d'épaves au large d'Alexandrie (travaux de J.-Y. Empereur, *supra*, nº 6).

Il a dirigé du 20 décembre 2003 au 4 mai 2004 la fouille de la ville de ʿAyn-Asil - Balat, ancienne capitale des gouverneurs de l'oasis de Dakhla, ainsi que les travaux entrepris à Qilaʿ al-Dabba (*supra*, nº 5).

Enfin, du 8 au 13 mai 2004, il a effectué des relevés au tombeau de Pétosiris à Touna al-Gebel (*supra*, nº 22).

Moustafa Anouar Taher, chercheur associé arabisant

Moustafa Taher a poursuivi plusieurs travaux de publications en collaboration avec différents universitaires et chercheurs : avec Sylvie Denoix (Mmsh, univ. Aix-en-Provence) pour *L'évolution juridique d'un acte à l'époque mamlouke ;* avec Jean-Claude Garcin (Mmsh, univ. Aix-en-Provence) pour *Les principales références aux phénomènes sismiques dans le monde musulman jusqu'au* XIIe *siècle de l'hégire* ; avec Michel Tuchscherer (Mmsh, univ. Aix-en-Provence) sur la société ottomane et le projet « Alexandrie, cité portuaire méditerranéenne à l'époque ottomane ». Parallèlement, en collaboration avec S. Denoix et M. Tuchscherer, il continue l'analyse des documents d'archives conservés sur microfilms comprenant différents types d'actes notariés.

Enfin, comme les années précédentes, Moustafa Taher a apporté ponctuellement son aide aux chercheurs, membres scientifiques arabisants de l'Ifao ou chercheurs de passages.

Christian Velud, directeur des études, historien arabisant

TRAVAUX COLLECTIFS

Pour la dernière année de son second mandat, Chr. Velud a assuré, en collaboration avec les chercheurs de la section, la mise en place et le suivi de la programmation scientifique des « Études coptes, arabes et islamiques ». Il a organisé le séminaire hebdomadaire de l'Institut (voir *infra*, E. Séminaires de l'Ifao) et assuré le suivi de l'Atelier des historiens doctorants (voir *infra*, G. Séminaires arabo-islamiques).

Chr. Velud a effectué une mission à l'Ifea d'Istanbul (12-15 février 2004) pour préparer les réunions de mise en place du programme « L'exercice du pouvoir à l'âge des sultanats ». Il a organisé au Caire deux journées de réunions avec les chercheurs et responsables d'institutions de recherche françaises et américaines (Ifao, 25-26 mars 2004 ; voir *infra*). En collaboration avec Dora Lafazani (EFA), il a organisé les trois journées du colloque international « Empires et États nationaux en Méditerranée : la frontière entre risques et protection », qui se sont tenues au Caire du 6 au 8 juin 2004 (voir *infra*).

Il a participé à différents colloques et séminaires de l'université du Caire, au séminaire d'histoire ottomane de la *Gama'iyya misriyya lildirâsat al-târîkhiyya* (Société égyptienne des études historiques, resp. Pr Raouf Abbass), au séminaire d'histoire ottomane de l'université américaine du Caire (resp. Pr Nelly Hanna), aux séminaires organisés par le Conseil suprême de la culture (resp. Dr Imad Abu Ghazi), au premier colloque sur « Les sociétés méditerranéennes devant le risque » (Madrid, Casa de Velázquez, 29 sept. - 1er oct. 2003), et à la table ronde « Alexandrie : cité portuaire méditerranéenne à l'époque ottomane (XVIe - début XIXe siècles) », qui s'est déroulée à la Bibliotheca Alexandrina (30 oct. - 1er nov. 2003). Il a participé enfin à la réunion de l'Afemam (Lyon, Maison de l'Orient, 2 - 4 juillet 2004).

Comme l'an passé, en partenariat avec les services culturels de l'ambassade de France au Caire, Chr. Velud a veillé à l'organisation à l'Ifao de cours de français de spécialité pour les doctorants égyptiens de l'université du Caire (septembre 2003 - juin 2004). Les services culturels ont pris en charge un stage de langue intensif à Vichy, en juillet 2004, pour deux de ces doctorants.

Responsable scientifique des publications arabisantes de l'Ifao, Chr. Velud a supervisé avec Naglaa Hamdi, assistante de l'adjoint aux publications, l'édition des *Annales islamologiques* 37, du *Bulletin critique des Annales islamologiques* 19 (cédérom) et de 7 monographies. Il est aussi membre du comité de lecture du *Bulletin d'études orientales* (Ifead) et membre du comité de direction et du conseil scientifique du *BCAI*.

Il a assuré enfin deux séminaires de Dess à l'Institut d'études politiques de Lyon, en mars 2004 : 1. Une historiographie de l'archéologie en Méditerranée aux XIXe et XXe siècles ; 2. Introduction à l'histoire et à la civilisation arabo-musulmanes.

RECHERCHES PERSONNELLES

Chr. Velud a poursuivi le dépouillement d'archives militaires au Caire, au Dâr al-Wathâ'iq, sur la question des frontières et des tribus en Égypte au XIXe et XXe siècles.

Michel Wuttmann, restaurateur, archéologue

Gestion du laboratoire de restauration et d'étude des matériaux

La saison 2003-2004 a constitué une année de transition, marquée par une réorganisation des locaux et des moyens. L'équipement nécessaire à la réalisation des lames minces pétrographiques a été acquis et installé en février 2004. L'étude des inclusions dans les pâtes céramiques (programme « amphores », Grpate) a débuté en juin 2004. L'appareil d'analyse portable par fluorescence-X a été immobilisé pendant plus d'un an : en révision en France (changement des sources et calibration), il n'a pu revenir facilement sur le territoire égyptien en butte à de nombreuses difficultés administratives. L'extension du laboratoire, entreprise en janvier 2004, s'est achevée le 1er juin. Comme l'an passé, le laboratoire a accueilli les paléobotanistes Hala Barakat et Claire Newton.

Dans le domaine des échanges avec les institutions égyptiennes, la convention signée avec le Pr Mohammad al-Shaer (faculté d'ingénierie de l'université de Zagazig) a été reconduite, pour poursuivre, dans les locaux de l'Ifao, les expérimentations de laboratoire sur l'utilisation des plasmas gazeux dans le traitement des objets cuivreux de petite taille. La réalisation d'une unité pilote de traitement, transportable, en est à sa phase de fabrication. D'autre part, comme par le passé, un soutien technique a été apporté à des étudiants de l'université du Caire (faculté d'archéologie, section de restauration) qui préparent maîtrises ou thèses de doctorat sur des sujets du domaine de compétence du laboratoire (métal, verre).

Dans le domaine de la formation encore, deux restaurateurs du laboratoire (Abeid Mahmoud et Hassân al-Amir) se sont rendus en stage, en juillet 2003, au laboratoire de restauration de l'association « Materia Viva », dirigée par Monique Drieux, avec laquelle l'Ifao a signé une convention scientifique et technique. Le programme de la formation était centré sur la restauration des verres, le comblement des lacunes sur les verres et les céramiques. En complément de ce programme, Valérie Uzel, restauratrice au laboratoire « Materia Viva », a dispensé à Douch, en novembre 2003, à l'ensemble des restaurateurs présents, une formation au comblement des lacunes sur vases céramiques.

La saison 2003-2004, enfin, a vu la mise au point du projet d'installation à l'Ifao d'un laboratoire de datation par le carbone 14. Ce laboratoire serait doté de deux bancs de préparation des échantillons, l'un destiné à la mesure conventionnelle par compteur à scintillation liquide, qui se ferait à l'Ifao, l'autre à la confection des ampoules de CO_2 destinées à être exportées vers un laboratoire équipé de spectromètre de masse sur accélérateur de particules. Le laboratoire proposerait ses prestations à l'ensemble de la communauté archéologique en Égypte.

TRAVAUX ARCHÉOLOGIQUES ET RECHERCHES PERSONNELLES

À Douch (oasis de Kharga), M. Wuttmann a assuré la coordination des travaux sur le site de 'Ayn-Manâwir : gestion du chantier, prospection de l'oasis (voir *supra*, n° 3). À Balat (oasis de Dakhla), il a participé, comme les saisons précédentes, à la fouille de la ville de 'Ayn-Asil et assumé la gestion du matériel archéologique non épigraphique (voir *supra*, n° 5).

Khaled Baha al-Din Zaza, dessinateur

Cette année encore, Khaled Zaza est intervenu sur de nombreux chantiers de l'Ifao : dessins de céramiques à Tebtynis (Fayoum) et à Bahariya, fac-similés d'inscriptions hiéroglyphiques à Tabbet al-Guech (Saqqâra-Sud), fac-similés et encrages sur ordinateur dans le cadre de la mission épigraphique de Tôd. Il a également effectué des dessins de vases en albâtre à Saqqâra (mission de la Mafs, n° 47).

En atelier, Khaled Zaza a notamment achevé les dessins de 46 planches destinées à la publication des cuirs de Didymoi Khashm al-Minayh (étude conduite par Martine Leguilloux), terminé les dessins prévus pour la publication des inscriptions de Séhel (publication par les soins d'Annie Gasse et Vincent Rondot).

Pierre Zignani, architecte

Comme les années précédentes, P. Zignani a coordonné les différents programmes de la mission Ifao à Dendara (n° 9). Avec l'aide de Damien Laisney, topographe (Ifao) et du bureau d'architecte Ichnos SA à Genève, il a achevé le manuscrit de l'étude architecturale du temple d'Hathor. En collaboration avec Philippe Fluzin (Laboratoires métallurgies et cultures, UMR 5060 du Cnrs), du 9 au 18 mars 2004, il a poursuivi les études archéométallurgiques en cours.

En collaboration avec Laurent Coulon (univ. Lyon 2), il a poursuivi en février 2004 le relevé et l'étude architecturale et archéologique de la chapelle d'Osiris Neb-Djefaou à Karnak (*supra*, n° 39).

D. PUBLICATIONS

Publications de l'Institut français d'archéologie orientale

Comité éditorial et comités de lecture

Depuis mai 2000 ont été mis en place ou réorganisés le comité éditorial et les comités de lecture de l'Ifao. Le comité éditorial définit la politique éditoriale de l'Ifao, évalue les manuscrits proposés et émet la décision de publication, éventuellement en co-édition, à l'exception des articles destinés au *BIFAO* et aux *Annales islamologiques*, qui sont évalués chacun par un comité de lecture spécifique.

Le comité éditorial est actuellement composé de Jean-Pierre Corteggiani, chargé des relations scientifiques et techniques, Bernard Mathieu, directeur, Frédéric Servajean, adjoint aux publications, Patrick Tillard, directeur de l'imprimerie, et Christian Velud, directeur des études coptes, arabes et islamiques.

Les comités de lecture sont constitués d'une quinzaine de membres français ou étrangers, représentatifs des nombreuses disciplines intéressant, pour le *BIFAO*, la section des études égyptologiques et papyrologiques, et, pour les *Annales islamologiques*, la section des études coptes, arabes et islamiques.

Imprimerie

L'imprimerie de l'Ifao poursuit sa mutation technologique. La production annuelle est passée en quelques années d'une dizaine d'ouvrages à plus de vingt-cinq. Le délai de production d'un ouvrage a été ramené à dix-huit mois environ. Les critères de qualité des ouvrages dans leur contenu comme dans leur forme ont été maintenus, voire améliorés. L'édition d'ouvrages sur cédérom et sur Internet a été réalisée, cette année encore avec succès.

La réédition de cinq volumes consacrés au temple d'Esna (*Esna* I-V), publiés par Serge Sauneron entre 1959 et 1969, inaugure un programme de réimpression d'ouvrages épuisés – mais toujours demandés – du fonds éditorial de l'Institut. D'autres titres, parus dans différentes collections, seront ainsi de nouveau mis à la disposition du public, dans des délais relativement brefs, grâce à un processus d'impression numérique.

L'édition du catalogue des publications a été établie en version papier et sur internet (www.ifao.egnet.net), en collaboration avec le service informatique.

Les investissements ont porté sur le renouvellement de matériel pré-presse et l'achat de logiciels. Les bâtiments de l'atelier des presses ont été rénovés.

OUVRAGES SORTIS DES PRESSES DE L'IFAO EN 2003-2004

1. P. GRANDET, *Catalogue des ostraca hiératiques non littéraires de Deîr el-Médîneh, Tome IX (n°s 831-1000), DFIFAO* 41, 2003.
2. J.-Y. EMPEREUR, M.-D. NENNA (éd.), *Necropolis* 2/1, *EtudAlex* 7/1, 2003.
3. J.-Y. EMPEREUR, M.-D. NENNA (éd.), *Necropolis* 2/2, *EtudAlex* 7/2, 2003.
4. Chr. THIERS, *Tôd. Les inscriptions du temple ptolémaïque et romain.* II. *Textes et scènes n°s 173-329, FIFAO* 18/2, 2003.
5. Chr. THIERS, *Tôd. Les inscriptions du temple ptolémaïque et romain.* III. *Relevé photographique, FIFAO* 18/3, 2003.
6. Fr. SERVAJEAN, *Les formules des transformations du Livre des Morts à la lumière d'une théorie de la performativité, BiEtud* 137, 2003.
7. H. CUVIGNY (éd.), *La route de Myos Hormos. L'armée romaine dans le désert Oriental d'Égypte, FIFAO* 48/1, 2003.
8. H. CUVIGNY (éd.), *La route de Myos Hormos. L'armée romaine dans le désert Oriental d'Égypte, FIFAO* 48/2, 2003.
9. P. BALLET, N. BOSSON, M. RASSART-DEBERGH, *Kellia* II/2, *L'ermitage copte QR 195, FIFAO* 49, 2003.
10. M. BERNAND, É. CHAUMONT (éd.), AL-BAZDAWI, *Livre où repose la connaissance des preuves légales, TAEI* 38, 2003.
11. B. MATHIEU, *Abréviations des périodiques et collections en usage à l'Institut français d'archéologie orientale du Caire*, quatrième édition, revue et augmentée, Ifao, 2003.
12. *Hommages à Fayza Haikal* (contributions réunies par N. Grimal, Amr Kamel et C. May-Sheikholeslami), *BiEtud* 138, 2003.
13. M. SCHIFF GIORGINI, avec la collaboration de Cl. Robichon et J. Leclant, *Soleb* IV. *Le temple. Plans et photographies, BiGen* 25, 2003.
14. M. AFIFI, A. RAYMOND (éd.), *Le Dîwân du Caire. 1800-1801. Édition, analyse et annotation du texte d'Ismaïl El-Khashshâb, TAEI* 39, 2003.
15. *Bulletin de l'Institut français d'archéologie orientale* 103, 2003.
16. *Annales islamologiques* 37, 2003.
17. *Bulletin critique des Annales islamologiques* 19, 2003 (incluant *BCAI* 1 à 18).
18. *Cahiers de la céramique égyptienne* 7, 2004.
19. G. BOUVIER, *Catalogue des étiquettes de jarres hiératiques inédites de l'Institut d'égyptologie de Strasbourg* 5, *DFIFAO* 43, 2003.
20. Ch. HEURTEL, *Les inscriptions coptes et grecques du temple d'Hathor à Deir al-Médîna, BEC* 16, 2003.
21. A. RAYMOND, *Égyptiens et Français au Caire. 1798-1801, BiGen* 18, 2e éd., 2004.
22. A. BOUD'HORS, *Ostraca grecs et coptes de Baouit, BEC* 17, 2004.
23. J. ČERNÝ, *A Community of Workmen at Thebes in the Ramesside Period, BiEtud* 50, 3e éd. augmentée, 2004.

24. G. SCATTOLIN, *The Dîwân of Ibn al-Fârid, Reading of its Text Throughout History*, *TAEI* 41, 2004.
25. M. REDDÉ, P. BALLET, A. LEMAIRE, Ch. BONNET, *Kysis. Fouilles de l'Ifao à Douch*, *DFIFAO* 42, 2004.
26. V. RONDOT, *Le temple de Soknebtynis et son dromos*, *Tebtynis* II, *FIFAO* 50, 2004.
27. S. SAUNERON, *Quatre campagnes à Esna*, *Esna* I, 1re éd. 1959, réédition 2004.
28. S. SAUNERON, *Le temple d'Esna*, tome II, *Esna* II, 1re édition 1963, réédition 2004.
29. S. SAUNERON, *Le temple d'Esna,* tome III, *Esna* III, 1re éd. 1968, réédition 2004.
30. S. SAUNERON, *Le temple d'Esna,* tome IV/1, *Esna* IV, 1re éd. 1969, réédition 2004.
31. S. SAUNERON, *Les fêtes religieuses d'Esna aux derniers siècles du paganisme, Esna* V, 1re éd. 1962, réédition 2004.
32. M. VOLAIT (éd.), *Le Caire – Alexandrie. Architectures européennes 1850-1950, EtudUrb* 5, 1re éd. 2001, 2e éd. 2004.
33. É. CHASSINAT, *Le temple de Dendera* I, 1re éd. 1934, réédition 2004.
34. É. CHASSINAT, *Le temple de Dendera* II, 1 re éd. 1934, réédition 2004.
35. Chr. LEITZ, *Kurtzbibliographie* ..., 1re éd. 2002,
réédition revue et augmentée 2004 (sur le site internet de l'Ifao).
36. É. CHASSINAT, *Le temple de Dendera* III, 1re éd. 1935, réédition 2004.
37. É. CHASSINAT, *Le temple de Dendera* IV, 1re éd. 1935, réédition 2004.
38. É. CHASSINAT, *Le temple de Dendera* V/1, 1re éd. 1952, réédition 2004.
39. É. CHASSINAT, *Le temple de Dendera* V/2, 1re éd. 1947, réédition 2004.
40. W. BOUTROS, *lexique franco-égyptien. Le parler du Caire.* 1re éd., 2000, réédition 2004.
41. Fr. SERVAJEAN, *Les formules des transformations du Livre des Morts à la lumière d'une théorie de la performativité*, *BiEtud* 137, 2003, réédition 2004.
42. D. MEEKS, *Paléographie hiéroglyphique* 1, 2004.
43. B. MATHIEU, S. BICKEL,(éd.) *D'un monde à l'autre,Textes des Pyramides & Textes des Sarcophages*, *BiEtud* 139, 2004.
44. FR. BAUDEN, *Les trésors de la postérité...*, *TAEI* 40/1, 2004.
45. FR. BAUDEN, *Les trésors de la postérité...*, *TAEI* 40/2, (texte arabe sur cédérom), 2004.
46. B. MENU (éd.) *La dépendance rurale dans l'Antiquité égyptienne et proche-orientale, BiEtud* 140, 2004.
47. H. JACQUET-GORDON (éd.) *Bulletin de la céramique égyptienne* 22, 2004.
48. *Bulletin de l'Institut français d'archéologie orientale* 104, 2004.
49. *Annales islamologiques* 38, 2004.
50. *Bulletin critique des Annales islamologiques* 20, 2004 (incluant *BCAI* 1 à 19).

Impressions pour le Cedej

51. *Lettre de l'Observatoire urbain du Caire contemporain* no 4, Cedej, 2003.
52. *Lettre de l'Observatoire urbain du Caire contemporain* no 5, Cedej, 2004.
53. L. RYZOVA, *L'effendiyya ou la modernité contestée*, collection 15/20, Cedej, 2004

Publications de l'équipe

Emad ADLY

Communication

« Le saint, le cheikh et la femme adultère : courrier du cœur adressé à l'imâm al-Shâfi'î au Caire », communication présentée au Workshop "What Happened ? Telling Stories about Islamic Law in Muslim Societies", organisé par le Nvic, le Cedej et l'Ifao, Le Caire, 24 octobre 2003.

Publications

En collaboration avec N. Grimal, *Bulletin d'information archéologique* XXVII (127 p.) et XXVIII (149 p.), diffusé sur le site internet de la Chaire « Civilisation de l'Égypte pharaonique : archéologie, philologie, histoire » : www.egyptologues.net.

En collaboration avec N. Grimal, « Fouilles et travaux en Égypte et au Soudan, 2000-2002 », *Orientalia* 72, 1er fascicule, 2003.

Mohammad AFIFI

Publication

En collaboration avec A. Raymond (éd.), *Le Dîwân du Caire. 1800-1801. Édition, analyse et annotation du texte d'Ismaïl El-Khashshâb*, *TAEI* 39, 2003.

Nathalie BEAUX-GRIMAL

Communication

« La pintade, le soleil et l'éternité. Étude autour du signe G21 », conférence internationale sur l'écriture égyptienne, organisée par le Centre de l'écriture de la Bibliotheca Alexandrina, Alexandrie, 23 avril 2004.

Publications

« Le message muet de l'image dans l'écriture hiéroglyphique égyptienne », dans les *Actes de la Conférence internationale sur la Calligraphie, l'écriture, et les inscriptions dans le monde à travers les âges*, Bibliotheca Alexandrina, Alexandrie, 2004 (sous presse).

« La pintade, le soleil et l'éternité. À propos du signe G21 », *BIFAO* 104, 2004.

Ramez W. BOUTROS

Communications

« Édition de textes hagiographiques : matière pour l'histoire des pèlerinages coptes », exposé présenté devant l'Assemblée générale de l'UMR 7044, Strasbourg, 24 mai 2003.

« L'hagiographie copte des saints thérapeutes : matière pour l'histoire des pèlerinages », *11es journées d'études* de l'Association française de coptologie, université Marc-Bloch, Strasbourg, 12-14 juin 2003.

« Le Couvent de la Vierge à Gabal al-Tayr : histoire et archéologie », conférence donnée à l'université du Caire, faculté d'archéologie, filière française, novembre 2003.

« L'importance des textes hagiographiques pour écrire l'histoire des pèlerinages coptes à l'époque médiévale », *12e Semaine copte*, église de la Vierge à Choubra, Le Caire, novembre 2003.

« Christian Monuments in Tuton », communication présentée lors du symposium « Monasticism in Fayoum », St. Mark Foundation for Coptic History Studies, Deir al-Azab (Fayyoum), 5-10 février 2004.

Publication

« Dayr Ǧabal al-Ṭayr : monastère ou église d'un village ? », dans M. Immerzel, J. Van der Vliet (éd.), *Actes du septième congrès international des études coptes à Leyde du 27 août au 2 septembre 2000*, éd. Peeters, 2004 (sous presse).

Georges CASTEL

Publication

En collaboration avec Mahmoud Abd al-Raziq et Pierre Tallet, « Les mines de cuivre de Ayn Soukhna », *Archéologia*, nº 411, mai 2004.

Giuseppe CECERE

Communication

« L'amour divin dans l'œuvre d'Ibn Atâ Allâh al-Iskandârî (m. 709/1309), mystique prédicateur du Caire mamelouk », séminaire de l'Ifao, Le Caire, 9 mai 2004.

Publication

Compte rendu de B. Abrahamov, *Divine Love in Islamic Mysticism. The Teachings of Al-Ghazâlî and Al-Dabbâgh*, *Oriente Moderno*, 2004 (sous presse).

Jean-Pierre CORTEGGIANI

Communications

« Un monument égyptien exceptionnel : le tombeau de Pétosiris à Touna el-Gebel », Association France-Égypte.

« L'eau dans l'Égypte ancienne », séminaire de la Lyonnaise des eaux, Louqsor, 14 mai 2004.

« Les travaux de l'Ifao », section Égypte du Ccef, Le Caire, 6 juin 2004.

« La peinture funéraire de Deir al-Medina », séminaire de l'Ifao, Le Caire, 13 juin 2004.

Publications

« En lisant les *Lettres d'Égypte* de Teilhard de Chardin » dans *Actes des colloques internationaux Teilhard de Chardin, Colloque 2002, Paris-Le Caire. Bâtir, protéger et partager la planète Terre*, Paris, 2003, p. 393-406.

« Marguerite Yourcenar et l'Égypte : le voyage à Antinoé » dans *Actes de la journée Marguerite Yourcenar tenue à Athènes le 29 mars 2003*, Athènes, 2004.

Catherine DEFERNEZ

Communications

En collaboration avec S. Marchand, « Les imitations égyptiennes des conteneurs d'origine égéenne et levantine (du VIe siècle au début du IIe siècle av. J.-C.) : un exemple d'innovation technique secondaire », colloque international *L'apport de l'Égypte à l'histoire des techniques : méthodes, chronologie et comparaisons*, Ifao, Le Caire, 15-17 septembre 2003.

« Introduction à la céramique égyptienne », séminaire de Licence et de DEA, Institut d'art et d'archéologie, Paris, 1er mars 2004.

« La céramique de Tell el-Herr : un témoin privilégié dans le commerce du Delta oriental », séminaire de Licence et de DEA, Institut d'art et d'archéologie, Paris, 8 mars 2004.

Publications

« La céramique de Ayn-Soukhna : observations préliminaires », *Cahiers de la céramique égyptienne* 7, 2004, p. 59-89.

En collaboration avec L. Coulon, « La chapelle d'Osiris Ounnefer Neb-Djefaou à Karnak. Rapport préliminaire des fouilles et travaux 2000-2004 », *BIFAO* 104, 2004.

Vassil DOBREV

Communications

« Le Grand Sphinx de Giza », interview pour le documentaire intitulé *Seven Wonders of Ancient Egypt*, produit par Atlantic Productions Ltd, Discovery Channel et Channel 5, Giza, 19 janvier 2004.

« La recherche du pharaon perdu à Saqqâra-Sud », Club culturel égyptien, Le Caire, 20 janvier 2004.

« Une nouvelle nécropole à Tabbet al-Guech (Saqqâra-Sud) », séminaire de l'Ifao, Le Caire, 21 mars 2004.

« Une nouvelle nécropole de l'Ancien Empire à Saqqâra-Sud », communication donnée lors du colloque *Art et archéologie de l'Ancien Empire*, Prague, 2 juin 2004.

Publications

« Evidence of Axes and Level Lines at the Pyramid of Pepy I », dans P. Jánosi (éd.), *Structure and Significance. Thoughts on Ancient Egyptian Architecture dedicated to Dieter Arnold*, Le Caire, Vienne, 2004, p. 257-267.

23 fiches pour le DVD *À la recherche du pharaon perdu*, édité par France Télévisions.

Sylvie DONNAT

Communications

« L'antagonisme vivants / morts dans l'Égypte pharaonique : rites de protection et rites de conciliation », séminaire de l'Ifao, Le Caire, 14 décembre 2003.

« *Ṯnw-r(ꜣ)* et les bons comptes des relations vivants / morts », séminaire égyptologique de l'Ifao, Le Caire, 23 mai 2004.

Publication

« Le *Dialogue d'un homme avec son* ba à la lumière de la formule 38 des Textes des Sarcophages », *BIFAO* 104, 2004.

Khaled AL-ENANY EZZ

Publication

« La vénération *post mortem* de Sésostris Ier », *Memnonia* XIV, 2003, p. 129-138.

« Le "dieu" nubien Sésostris III », *BIFAO* 104, 2004.

Nathalie FAVRY

Publication

*Les nomarques sous le règne de Sésostris Ier*, coll. *Les institutions dans l'Égypte ancienne* 1, Presses de l'université de Paris-Sorbonne, 2004.

Ayman FOUAD SAYYED

Publication

Édition critique de l'ouvrage de Maqrizi, *Al-Khitat*, volume IV, 2004.

Nicolas GRIMAL

Communications

« Découvertes archéologiques en Égypte et au Soudan », Centre universitaire méditerranéen, Nice, 7 octobre 2003.

« Espace divin et espace humain : la théocratie pharaonique », symposium du Collège de France consacré à « l'Homme et ses espaces », Collège de France, 14-15 octobre 2003.

« Géographie politique du Proche Orient : le point de vue des anciens Égyptiens », Auditorium du Louvre, Paris, 6 février 2004.

« Pouvoir royal et discours dans l'Égypte du IIe millénaire », « Grandes conférences interuniversitaires », Ville de Lyon – Pôle universitaire de Lyon, 26 février 2004.

« Les travaux récents du Cfeetk », Maison de l'Orient et de la Méditerranée, Lyon, 27 février 2004.

Publications

En collaboration avec E. Adly : *Bulletin d'information archéologique* 27 (janvier-juin 2003), 28 (juillet-décembre 2003), 29 (janvier-juin 2004), accessibles sur le site : www.egyptologues.net.

En collaboration avec E. Adly : « Fouilles et travaux en Égypte et au Soudan : 2002-2003 », *Orientalia* 73, 2004, p. 1-149 et I-XIX.

Éditeur, avec Amr Kamel et C. May-Sheikholeslami, de : *Hommages à Fayza Haikal*, *BiEtud* 138, Ifao, Le Caire, 2003, X + 324 + 33 p.

Préface de : M.-H. Rutschowscaya, *Le châle de Sabine, chef-d'œuvre de l'art copte*, *Études d'égyptologie* 4, Fayard, Paris, 2004.

Préface de : G. Dormion, *La chambre de Chéops. Analyse architecturale*, *Études d'égyptologie* 5, Fayard, Paris, 2004.

Ivan GUERMEUR

Communications

« *Lector in fabula*. À propos d'un mot mystérieux », séminaire égyptologique de l'Ifao, Le Caire, 1er décembre 2003.

Publications

Les cultes d'Amon hors de Thèbes. Recherches de géographie religieuse, *BEHE* 123, Brepols, Turnhout, 2004.

Compte rendu de Ph. Derchain, *Les impondérables de l'hellénisation*, *MRE* 7, Brepols, Turnhout, 2000, dans *BiOr* LX, 2003, col. 327-340.

« Le groupe familial de Pachéryentaisouy (Caire JE 36576) », *BIFAO* 104, 2004.

Hoda R. KHOUZAM

Publication

Traduction française de : Mohammad Saleh, Cynthia May Sheikholeslami, *Le Caire. Le Musée égyptien et les sites pharaoniques*, Longman, 2004.

Julien LOISEAU

Publications

« Un bien de famille. La société mamelouke et la circulation des patrimoines, ou la petite histoire d'un moulin du Caire », *Annales islamologiques* 37, 2003, p. 275-314.

Compte rendu de : *The Waqf Document of Sultan al-Nâsir Hasan b. Muhammad b. Qalâwûn for his Complex in al-Rumaila*, edited and annoted by Howayda N. al-Harithy, *Bibliotheca islamica*, 45, Beirut, 2001, pour le *Bulletin critique des Annales islamologiques* 19, 2003.

« La Porte du vizir : programmes monumentaux et contrôle territorial au Caire à la fin du XIVe siècle », *Histoire urbaine* 9, avril 2004 (sous presse).

Sylvie MARCHAND

Communications

« Les imitations égyptiennes des conteneurs d'origine égéenne et levantine (du VIe siècle au début du IIe siècle av. J.-C.) : un exemple d'innovation secondaire » (en collaboration avec Catherine Defernez), communication présentée lors du colloque international « L'apport de l'Égypte à l'histoire des techniques. Méthodes, chronologie et comparaisons », Ifao, Le Caire, 16 septembre 2003 (sous presse).

« L'archéologie achéménide en Égypte » (en collaboration avec Michel Wuttmann), communication prononcée lors du colloque « L'archéologie de l'Empire achéménide » organisé par la chaire d'histoire et de civilisation du monde achéménide et de l'Empire d'Alexandre, Collège de France, Paris, 21-22 novembre 2003 (sous presse).

Publication

« Fouilles récentes dans la zone urbaine de Dendara : la céramique de la fin de l'Ancien Empire au début de la XIIe dynastie », *CCE 7*, 2004, p. 211-238.

Bernard MATHIEU

Communications

« Les navires de Kaïemânkh et la toise du foulon », communication présentée lors du colloque international « L'apport de l'Égypte à l'histoire des techniques. Méthodes, chronologie et comparaisons », Ifao, Le Caire, 15 septembre 2003 (sous presse).

« *Compter sur ses doigts. Écrire avec ses doigts.* Fragments d'anthropologie digitale », séminaire égyptologique de l'Ifao, Le Caire, 4 avril 2004.

« Les mystères de la VIe dynastie. Conjurations politiques et pharaons perdus », conférence donnée pour l'Association « Hiéroglyphes », Hôpital de la Timone, Marseille (Bouches-du-Rhône), 2 juin 2004.

Publications

« La littérature égyptienne sous les Ramsès d'après les ostraca littéraires de Deir el-Médineh », dans *Deir el-Médineh et la Vallée des Rois. La vie en Égypte au temps des pharaons du Nouvel Empire*, sous la dir. de G. Andreu, Actes du colloque organisé par le musée du Louvre les 3 et 4 mai 2002, éd. Khéops, Paris, 2003, p. 117-137.

Compte rendu critique de : Jan Assmann, *Ägyptische Hymnen und Gebete übersetzt, kommentiert und eingeleitet. Zweite, verbesserte und erweiterte Auflage*, Universitätsverlag Freiburg Schweiz, Vandenhoeck & Ruprecht Göttingen, 1999. XVII + 569 pp. (*Orbis Biblicus et Orientalis*), dans : *Chronique d'Égypte* LXXVIII/155-156, 2003, p. 139-143.

« L'Institut français d'archéologie orientale, un pilier de la recherche française en Égypte », bibliothèque Clio, sur le site internet www.clio.fr, 2004.

Préface de : Anne Boud'hors, *Ostraca grecs et coptes des fouilles de Jean Maspero à Baouit*, *Bibliothèque d'études coptes* 16, Le Caire, 2004, p. IX-X.

Avant-Propos (en collaboration avec Cl. Gallazzi) de : Vincent Rondot, *Tebtynis II. Le temple de Soknebtynis et son dromos, Fouilles franco-italiennes, FIFAO* 50, Le Caire, 2003, p. IX-XII.

Préface de : Claude Carrier, *Les Textes des Sarcophages du Moyen Empire égyptien*, éd. du Rocher, 2004, p. XIII-XVI.

« L'Institut français d'archéologie orientale, Le Caire », présentation de l'Institut dans la *Lettre d'information du département des sciences de l'homme et de la société. Relations internationales*, n° 70, Cnrs, Paris, 2004, p. 20-21 (www.cnrs.fr/SHS/actions/lettre.php).

« Une formation de noms d'animaux (ABCC) en égyptien ancien », *BIFAO* 104, 2004.

« Les travaux de l'Institut français d'archéologie orientale en 2003-2004 », *BIFAO* 104, 2004.

Dimitri MEEKS

Communications

« L'Égypte ancienne et l'histoire des techniques : Égyptiens et égyptologues entre tradition et innovation », communication présentée lors du colloque international « L'apport de l'Égypte à l'histoire des techniques. Méthodes, chronologie et comparaisons », Ifao, Le Caire, 15 septembre 2003 (sous presse).

« Tirer la langue », séminaire égyptologique de l'Ifao, Le Caire, 23 novembre 2003.

« L'introduction du cheval dans l'Égypte ancienne et son insertion dans les croyances religieuses », colloque international « Les équidés dans le monde méditerranéen antique », Athènes, 26 novembre 2003 (sous presse).

« *Smd* ou l'art et la manière », séminaire égyptologique de l'Ifao, Le Caire, 15 février 2004.

« De la calligraphie à la paléographie », conférence internationale « Ancient Egyptian Calligraphy », Alexandrie, 24 avril 2004.

« Franchissement et transgression de la frontière : expansion et risques à l'époque pharaonique », colloque international « Empires et États nationaux en Méditerranée : la frontière entre risque et protection », Ifao, Le Caire, 6 juin 2004.

« Femme stérile ou femme enceinte », séminaire égyptologique de l'Ifao, Le Caire, 20 juin 2004.

Publications

« Où chercher le pays de Pount ? », dans le catalogue de l'exposition *L'Égypte. Parfums d'histoire*, Grasse, 2003, p. 54-57.

« Locating Punt », dans D. O'Connor, S. Quirke (éd.), *Encounters with Ancient Egypt.* Vol. 7. *Mysterious Lands*, Londres, 2003, p. 53-80.

« À propos du prêt de céréales en période de disette », dans N. Kloth, K. Martin, E. Pardey (éd.), *Es werde niedergelegt als Schriftstück. Festschrift für Hartwig Altenmüller, BSAK* 9, Hambourg, 2003, p. 275-280.

« Remarques sur quelques étymologies coptes » dans G. Takács (éd.), *Egyptian and Semito-Hamitic (Afro-Asiatic) Studies in Memoriam W. Vycichl, Studies in Semitic Languages and Linguistics* vol. XXXIX, Leyde, 2004, p. 110-115.

Compte rendu de : Chr. Leitz, *Magical and Medical Papyri of the New Kingdom, Hieratic Papyri in the British Museum* VII, London, 1999, dans *Bibliotheca Orientalis* 60, 2003, p. 316-319.

Maria MOSSAKOWSKA-GAUBERT

Communications

« Quelques expressions grecques liées à l'aspect technique de la production des tuniques en Égypte », communication présentée lors du colloque international « L'apport de l'Égypte à l'histoire des techniques. Méthodes, chronologie et comparaisons », Ifao, Le Caire, 15 septembre 2003 (sous presse).

« Les récipients en verre trouvés dans les tombeaux des époques fatimide et ayyoubide à Naqlun (1986-2003) », communication présentée lors du symposium « Monasticism in Fayoum », St. Mark Foundation for Coptic History Studies, Deir al-Azab (Fayyoum), 5-10 février 2004.

Lilian POSTEL

Publications

« Les origines de l'art thébain de la XIe dynastie », *Égypte. Afrique & Orient* 30, août 2003, p. 3-30.

Dogme monarchique et protocole des souverains égyptiens au début du Moyen Empire (des premiers Antef au règne d'Amenemhat Ier), Monographies Reine Elisabeth 10, Bruxelles, Turnhout (sous presse).

Stéphane PRADINES

Communications

« Découverte d'une maison fatimide à l'est du Caire islamique », colloque « Aspects of Fatimid Egypt », Netherlands-Flemish Institute, Le Caire, 3 juin 2003.

« De l'or, de l'ivoire et des épices : les ports médiévaux d'Afrique orientale, de Gedi à Kilwa », séminaire de l'Ifao, Le Caire, 26 octobre 2003.

« Un programme d'archéologie islamique de l'Ifao : les fouilles de sauvetage sur les murailles médiévales du Caire », séminaire des membres scientifiques de la Casa Vélasquez, Madrid, 20 février 2004.

« Les fouilles de la muraille ayyoubide », séminaire à la faculté de tourisme de l'université de Hélouan, Le Caire, 26 avril 2004.

« Les murailles du Caire : des Fatimides à Saladin », conférence donnée au Centre français de culture et de coopération, Le Caire, 10 mai 2004.

Publications

« Islamization and Urbanization on the Coast of East Africa : recent excavations at Gedi, Kenya », *Azania 38*, BIEA, Nairobi, 2003, p. 180-182.

« L'Afrique noire et la Chine. La céramique importée : symbole du pouvoir des marchands swahili », dans *La grande histoire de la porcelaine chinoise*, Paris, 2003, p. 35-41.

« Note préliminaire sur un atelier de pipes ottomanes à l'est du Caire », *Cahiers de la céramique égyptienne* 7, Le Caire, 2004, p. 281-291.

Fortifications et urbanisation en Afrique orientale, *Cambridge Monographs in African Archaeology* 58, *BAR* S1216, Oxford, 2004, 374 p.

Isabelle Régen

Communication

« La "tombe" égyptienne : *js / (m)ʿḥʿ.t* », séminaire égyptologique de l'Ifao, Le Caire, 18 janvier 2004.

Frédéric SERVAJEAN

Publications

« Le tissage de l'Œil d'Horus et les trois registres de l'offrande (à propos de la formule 608 des Textes des Sarcophages) », *BIFAO* 104, 2004.

« Lune ou soleil d'or ? Un épisode des *Aventures d'Horus et de Seth* (P. Chester Beatty I r°, 11, 1 - 13, 1) », *RdE* 55, 2004 (sous presse).

Mohammad AL-SHAER

Publication

En collaboration avec M. Wuttmann, « Enhancement of Chlorides Removal from Copper Artifacts by the Effect of RF Hydrogen Plasma », *XXVIe International Conference on Phenomena in Ionized Gases*, vol. 3, Greifswald (Allemagne), 2003, p. 151-152.

Christian VELUD

Communication

« Le tracé des frontières en Syrie de l'Est de 1920 à 1930 : choix politiques et risques consentis », colloque Empires et États nationaux en Méditerranée : la frontière entre risques et protection, Ifao, Le Caire, 6-8 juin 2004.

Michel WUTTMANN

Communications

« L'archéologie achéménide en Égypte » (en collaboration avec Sylvie Marchand), communication prononcée lors du colloque « L'archéologie de l'Empire achéménide » organisé par la chaire d'histoire et de civilisation du monde achéménide et de l'Empire d'Alexandre, Collège de France, Paris, 21-22 novembre 2003 (sous presse).

Présidence de la session d'ouverture de « International RILEM Tutorial on Analysis of Materials for Fine Restoration », Le Caire, 4-6 avril 2004.

Pierre ZIGNANI

Publication

« Observations architecturales sur la porte d'Évergète », *Cahiers de Karnak* XI, 2004, p. 711-741.

E. SÉMINAIRES DE L'INSTITUT FRANÇAIS D'ARCHÉOLOGIE ORIENTALE

organisés par Christian Velud

12/10/2003 : Florence CALAMENT (Musée du Louvre), « Les moines au quotidien dans la montagne thébaine ou les ostraca comme matière vivante ».

19/10/2003 : Jean-Pierre VAN STAËVEL (Paris IV – Sorbonne), « Genèse d'un souk : réflexions sur l'évolution des paysages urbains dans le Maghreb oriental du IIIe/IXe siècle ».

26/10/2003 : Stéphane PRADINES (Ifao), « De l'or, de l'ivoire et des épices : les ports médiévaux d'Afrique orientale, de Gedi à Kilwa ».

02/11/2003 : Jean-Louis BACQUÉ-GRAMMONT (Cnrs), « Le monde vu d'Istanbul à la fin du XVIe siècle ».

16/11/2003 : Luc GABOLDE (Cnrs), « Les obélisques de Karnak : mille fragments d'une théologie solaire à Thèbes ».

30/11/2003 : Isabelle HAIRY (Cnrs), « Le système hydraulique de la ville d'Alexandrie du IVe siècle av. J.-C. au XIXe siècle ».

14/12/2003 : Sylvie DONNAT (Ifao), « L'antagonisme vivants / morts dans l'Égypte pharaonique : rites de protection et rites de conciliation ».

11/01/2004 : Tawfiq ACLIMANDOS (Cedej), « Les officiers libres en Égypte (1934-1954) : questions résolues, problèmes en suspens ».

25/01/2004 : Pierre TALLET (univ. Paris IV – Sorbonne), « Les inscriptions et les fouilles de Ayn Soukhna ».

08/02/2004 : Nicolas de LAVERGNE (Cedej), « L'État et l'école coranique en Égypte (1867-1915) : une analyse sociologique de la statistique scolaire égyptienne ».

22/02/2004 : Sylvie DENOIX (Cnrs), Moustapha TAHER (Ifao), « Évolution juridique d'un bien et modalités pratiques de l'élaboration d'un acte à l'époque mamelouke ».

07/03/2004 : Christian LEBLANC (Cnrs), « Les temples de millions d'années. Nouvelles réflexions à partir d'un exemple thébain : le Ramesseum ».

21/03/2004 : Vassil DOBREV (Ifao), « Une nouvelle nécropole à Tabbet al-Guech (Saqqâra-Sud) ».

18/04/2004 : Nairy HAMPIKIAN (Arce), « Les résultats des travaux de conservation de Bâb Zûwayla » (en anglais).

09/05/2004 : Giuseppe CECERE (Ifao), « L'amour divin dans l'œuvre d'Ibn Atâ Allâh al-Iskandârî (m. 709/1309), mystique prédicateur du Caire mamelouk ».

16/05/2004 : Jean-Noël FERRIÉ (Cedej), « Le constitutionnalisme égyptien d'Ismaïl Pacha à Fouad Ier ».

30/05/2004 : Jean-Yves EMPEREUR (CEA), « Alexandrie à l'époque macédonienne : les découvertes récentes ».

13/06/2004 : Jean-Pierre CORTEGGIANI (Ifao), « La peinture funéraire de Deir al-Médîna ».

F. Séminaire égyptologique de l'Institut français d'archéologie orientale

sous la responsabilité de et organisés par Dimitri Meeks et Bernard Mathieu

Thème 2003-2004 : Le lexique entre profane et sacré : tournures familières et discours religieux dans l'Égypte ancienne

23/11/2003 : (1) : « Tirer la langue » (D. MEEKS, Cnrs, Ifao).
01/12/2003 : (2) : « *Lector in fabula*. À propos d'un mot mystérieux » (I. GUERMEUR, Ifao).
18/01/2004 : (3) : « La "tombe" égyptienne : *js / (m)ꜥḥꜥ.t* ». (I. RÉGEN, Ifao).
15/02/2004 : (4) : « *Smd* ou l'art et la manière » (D. MEEKS, Cnrs, Ifao).
14/03/2004 : (5) : « Par delà le bien et le mal » (Ph. COLLOMBERT, univ. de Genève).
04/04/2004 : (6) : « *Compter sur ses doigts. Écrire avec ses doigts*. Fragments d'anthropologie digitale » (B. MATHIEU, Ifao).
23/05/2004 : (7) : « Le terme *ṯnw-r(ꜣ)* et les bons comptes des relations vivants/morts » (S. DONNAT, Ifao).
20/06/2004 : (8) : « Femme stérile ou femme enceinte » (D. MEEKS, Cnrs, Ifao).

G. Séminaires arabo-islamiques de l'Institut français d'archéologie orientale

sous la responsabilité de Christian Velud

Atelier des historiens doctorants

(organisé par Ramadan al-Khouly et Marwa Tamim, en partenariat avec le Deac).

23/10/2003 : Tewfik AKLIMANDOS (chercheur associé au Cedej), « 20 ans passés dans la recherche d'archives de la Révolution de juillet 1952 ».
18/12/2003 : May AL-ABRASHI (Arce), « La Qarâfa (la cité des morts) de l'époque mamelouke à nos jours ».
29/01/2004 : Amaal AWIDA (université du Caire), « La femme au début du XXe siècle : un point de vue féminin ».
15/04/2004 : Ramy Atta SIDIQ (université du Caire), « La presse des Coptes en Égypte (1877-1930 ».
20/05/2004 : John ISKANDER (Arce), « Les conséquences de la réforme dans l'Église copte d'aujourd'hui ».
03/06/2004 : Charif YOUNÈS (université de Hélouan), « Les relations entre le nassérisme et l'Islam politique ».

17/06/2004 : Ayman CORTAY (Deac), « La “zbiba”, marque de prière ».
Catherine LETHOMAS (Deac), « La situation des chiites au sein du système d'enseignement libanais de 1970 à nos jours ».
Pierre TEULER (Deac), « La place de l'écrivain et d'une littérature critique au sein d'une société et d'une politique répressives à travers trois romans de N. Mahfouz, J. Amado et A. Kourouma ».
Enrique KLAUS (Deac), « Le syndicat des journalistes en Égypte ».

H. JOURNÉES D'ÉTUDE, TABLES RONDES ET COLLOQUES DE L'INSTITUT FRANÇAIS D'ARCHÉOLOGIE ORIENTALE

L'apport de l'Égypte à l'histoire des techniques. Méthodes, chronologies et comparaisons

Colloque international, Ifao, Le Caire, 15-17 septembre 2003

organisé par Bernard MATHIEU, Ifao, Dimitri MEEKS, Cnrs, Ifao, et Myriam WISSA, *Grafma Newsletter*

Lundi 15 septembre.

9h - 9h 15. Ouverture du colloque : Bernard Mathieu

9h 30 - 13h. Séance I. Présidence : Patrice Pomey

Dimitri MEEKS (Cnrs, Ifao), « L'Égypte ancienne et l'histoire des techniques : égyptiens et égyptologues entre tradition et innovation ».

Wilhelmina WENDRICH (Univ. of California Los Angeles), « Body Knowledge ; Ethnoarchaeological Learning and the Interpretation of Ancient Technology ».

Paul NICHOLSON (Cardiff Univ.), « Petrie and the Production of Vitreous Materials ».

Marie-Dominique NENNA (Cnrs), « Les artisanats du verre et de la faïence : tradition et renouvellement dans l'Égypte gréco-romaine ».

14h - 17h 30. Séance II. Présidence : Paul Nicholson

Bernard MATHIEU (Ifao), « Techniques, culture et idéologie. Deux exemples égyptiens : les bateaux de Kaïemânkh et la perche du foulon ».

Patrice POMEY (Cnrs, Centre Camille-Jullian, univ. de Provence), « Le rôle du dessin dans la conception des navires antiques. À propos de deux textes akkadiens ».

Adel SIDAROUS (Evora, Lisbonne), « Lexicologie comparée et techniques autochtones. L'apport des scalae copto-arabes ».

Roland-Pierre GAYRAUD (Cnrs, Aix-en-Provence), « La réapparition de la glaçure en Égypte au IXe siècle ».

Mardi 16 septembre

9h - 12h 30. Séance III. Présidence : Karel Innemée

Janine BOURRIAU (McDonald Inst. for Archaeological Research, Cambridge), « The Recognition of Technology in the Pottery of the Middle and New Kingdoms : an Underrated Tool in the Archaeologists armory ».

Catherine DEFERNEZ (Ifao), Sylvie MARCHAND (Ifao), « Les imitations égyptiennes des conteneurs d'origine égéenne et levantine (du VIe siècle au début du IIe siècle av. J.-C.) : un exemple d'innovation technique secondaire ».

Pascale BALLET (univ. de Poitiers), « De "nouvelles technologies" céramiques à Bouto ? »

Salima IKRAM (American Univ. in Cairo), « Meat Production in Ancient Egypt ».

14h - 16h 45. Séance IV. Présidence : Wilhelmina Wendrich

Philippe JOCKEY (Centre Camille-Jullian, univ. de Provence), « Des premiers *kouroi* à la sculpture d'inspiration alexandrine : histoire(s) technique(s) d'une relation gréco-égyptienne ».

Dominique CARDON (Cnrs, Lyon), « Les techniques textiles et la teinturerie en Égypte romaine à la lumière des textiles archéologiques des *praesidia* du désert Oriental ».

Maria MOSSAKOWSKA-GAUBERT (Ifao), « Quelques expériences grecques liées à l'aspect technique de la production des tuniques en Égypte aux époques romaine et byzantine ».

Mercredi 17 septembre

9h - 12h 30. Séance V. Présidence : Pascale Ballet

Valérie PICHOT (Cnrs), Philippe FLUZIN (Cnrs), Michel VALLOGGIA (univ. de Genève), Michel WUTTMANN (Ifao), « Les chaînes opératoires métallurgiques en Égypte à l'époque gréco-romaine : premiers résultats archéométriques et archéologiques ».

Karel INNEMÉE (Leiden Univ.), « Was Egypt the Centre of Encaustic Painting (2nd- 11th Century A.D.) ? »

Myriam WISSA (Paris), « Du rouleau de cuir au parchemin. Réflexion sur l'évolution d'une technique en Égypte depuis les origines jusqu'au début de l'ère islamique ».

Ian SHAW (SACOS, Univ. of Liverpool), « "Master of the Roads". Quarrying and Communications Networks in Egypt ».

Gisèle HADJI-MINAGLOU (Ifao), « La construction en brique à Tebtynis ».

L'exercice du pouvoir à l'âge des sultanats
Journées d'étude, Ifao, Le Caire, 27-28 mars 2004
responsable Christian Velud, Ifao

Participants : Jere L. Bacharach, historien (univ. de Washington, Seattle), Irene A. Bierman, historienne (Ucla), Pierre Bikai, archéologue (American Center for Oriental Research, Amman), Sylvie Denoix, historienne (Cnrs, Aix-en-Provence), Chris Edens, archéologue (American Inst. for Yemeni Studies, Sanaa), Ethem Eltem, historien (univ. de Sabanci, Istanbul), Ayman Fouad, historien (Ifao), Tony Greenwood, historien (American Research Inst., Istanbul), Julien Loiseau, historien (Ifao), Richard Mac Grégor, historien, (univ. de Vanderbilt), Jim Miller, géographe (American Inst. for Maghrebi Studies), Tunis, Nasser Rabbat, historien (MIT, Cambridge), Eric Vallet, historien (univ. Paris I), Christian Velud, historien (Ifao), Bethany Walker, historienne (univ. d'Oklahoma, Tulsa).

La recherche d'un cadre historique dynamique pour l'histoire du monde islamique est l'une des voies les plus prometteuses dans les programmes de recherche actuels. Ce projet sur l'exercice du pouvoir donne l'occasion de repenser la périodisation de l'histoire de ce monde et de le faire en partant de ce monde lui-même. L'hypothèse est avancée que, entre la période des califats et l'époque des États modernes, il existe un moment, « l'âge des sultanats », où le pouvoir s'exerce selon certaines modalités.

Étudier ces pouvoirs dans une perspective comparatiste permettra, en examinant leur production, leur manifestation et leur réception, de comprendre cet « âge des sultanats ». Privilégier l'étude de l'exercice du pouvoir permettra également de poser des questions communes à la diversité des situations. L'accumulation de pratiques et de représentations dessine en effet les contours de *coutumes* du pouvoir ; néanmoins, ces coutumes, ainsi constituées, quelquefois en continuité avec celles des pouvoirs précédents, ont été constamment remodelées. Leur analyse comparée permettra de dégager des traits communs ainsi qu'une expression de la diversité de l'exercice du pouvoir à l'âge des sultanats. De cette manière, cette recherche sera l'occasion de faire émerger une périodisation propre à l'aire islamique.

Empires et états nationaux en Méditerranée : la frontière entre risques et protection
Colloque international, Ifao, Le Caire, 6-8 juin 2004
responsables Dora Lafazani, EFA, et Christian Velud, Ifao

Dimanche 6 juin

9h. Ouverture du colloque : Dora Lafazani (École française d'Athènes) et Christian Velud (Ifao)

9h 30. 1er atelier : L'Empire sans frontières : espaces sécurisés, espaces à risques.

Président : Gérard Chastagnaret (Casa de Velázquez)

Dimitri Meeks (Ifao) : « Franchissement et transgression de la frontière : risques et expansion à l'époque pharaonique ».

Ayman Fouad (Ifao) : « L'Empire musulman dans sa plus grande extension aux IVe/Xe siècles ».

François Cadiou (univ. de Nancy) et Pierre Moret (Casa de Velázquez) : « Rome et la frontière hispanique à l'époque républicaine (IIe - Ier siècles av. J.-C.) ».

Jean-Louis Baqué-Grammont (Cnrs) : « Les royaumes "bien gardés". Vœux pieux et réalités des confins ottomans ».

Discutant : Jean-Yves Empereur (CEA d'Alexandrie) : « Frontières dans le monde hellénistique ».

15h. 2e atelier : Évaluer le risque : les enjeux de la construction des frontières.

Président : Brigitte Marin (École française de Rome)

Anne Brogini (École française de Rome) : « Malte : une frontière chrétienne entre risques subis et risques choisis ».

Anne Couderc (univ. Paris I - Sorbonne) : « L'établissement de la frontière de l'État grec au XIXe siècle : du risque de la révolution à celui des irrédentismes ».

Zaki al-Bahiri (univ. de Mansoura, Égypte) : « Les raisons de l'annexion du Soudan par Mohammad Ali ».

Christian Velud (Ifao) : « Le tracé des frontières de Syrie orientale au début du XXe siècle : les risques régionaux de la contestation permanente ».

Discutant : Metin Kunt (Sabanci Univ., Istanbul) : « Setting Ottoman Limits : Frontiers-into-Borders ».

Lundi 7 juin

9h. 3e atelier : Gestion politique du risque frontalier.

Président : Pierre Moret (Casa de Velázquez)

Vera Constantini (univ. de Venise) : « La défense d'une frontière liquide : trois siècles de proximité vénéto-ottomane ».

Dalenda Larguèche (univ. de Tunis) : « Au-delà de la frontière et du risque quotidien dans la Tunisie du XIXe siècle : la contrebande du *bârûd* et du *kif* chez les tribus des Frâshîsh et des Hammâma ».

Abdelmajid Kaddouri (univ. de Rabbat) : « Frontières religieuses, frontières culturelles : *Ribat*-s et *zaouia*-s au Maroc au XVIe siècle ».

Dora Lafazani (École française d'Athènes) : « Sens, permanence et mutations de la frontière nord de la Grèce, 1913-1993 ».

Discutant : Angélique Laîou (univ. d'Athènes) : « Frontière politique-frontière culturelle ? L'exemple de la frontière entre pays islamiques et pays chrétiens en Orient pendant les croisades ».

15 h. 4e atelier : Vivre la frontière.

Président : Michèle Brunet (École française d'Athènes)

Patrice Cressier (Casa de Velázquez) : « Sainteté et risques de la mer : le quotidien du littoral marocain au Bas Moyen Âge ».

Henri Dolset (Casa de Velázquez) : « Entre ennemis de l'extérieur et "protecteurs" de l'intérieur, la maîtrise du risque dans les marches catalanes, X^e^ - XIIe siècles ».

Wolfgang Kaiser (UMR Telemme, Mmsh, Aix en Provence) : « Frontières mouvantes. Razzias, course et connivence en Méditerranée occidentale (XVIe - XVIIe siècles) ».

Gilles de Rapper (Idemec, Aix-en-Provence) & Pierre Sintès (École française d'Athènes) : « Du rideau de fer à la forteresse Europe : les traversées de la frontière gréco-albanaise ».

Discutant : Gema Martin-Munoz (univ. autonome de Madrid) : « Vivre les frontières imaginaires : identités, religions, cultures ».

Mardi 8 juin

9h. 5e atelier : Risques et logiques supra-nationales.

Président : Mohammad Afifi (univ. du Caire, Ifao)

Petros Stagkos (Univ. de Thessalonique) : « L'espace Schengen et la difficile gestion politico-juridique de frontières de l'union européenne ».

Sylvie Fouet (Ehess, communauté européenne) : « Frontières et murs en Palestine : les obstacles à la circulation et l'art du contournement ».

Ali Bensaad (Iremam) : « Les confins sahariens : nouvelle frontière européenne ».

Serge Weber (École française de Rome) : « Anciennes et nouvelles frontières : le point de vue migrant en Europe ».

Discutant : Jean-Noël Ferrié (Cedej) : « La perception des risques en Méditerranée et la politique de l'Union européenne depuis Barcelone ».

16 h. Conférence de clôture & synthèse générale.

Alain Joxe (Ehess) : « Comparaison de la militarisation ou de la violence sur deux glacis nord-sud : Méditerranée et Mexique ; élément d'un diagnostic sur la similitude ou la différence entre la grande stratégie européenne et la grande stratégie américaine ».

I. DEMANDES DE MISSIONS ET DE BOURSES DOCTORALES

Missions attribuées au titre de l'année 2004-2005

50 mensualités rémunérées et 13 missions sans frais

Bénéficiaire	**Institution / statut**	**Objet**	**Mission en 2003-2004**
ANDREU (Guillemette)	Musée du Louvre	Chantier de Deir al-Médîna (Ifao) *Mission sans frais*	X
BALLET (Pascale)	Univ. de Poitiers	Chantier de Deir al-Medîna (Ifao), céramique du monastère de Saint-Marc	X
BAUD (Michel)	Égyptologue	Chantier d'Abou Roach, nécropole "F" (Ifao)	X
BÉNAZETH (Dominique)	Musée du Louvre	Chantier de Baouît (Ifao, Louvre) *Mission sans frais*	X
BONIFAY (Michel)	Cnrs, Mmsh	Études sur les amphores, Bahariya (Ifao)	
BOUD'HORS (Anne)	Cnrs, IRHT	Ostraca coptes de Deir al-Medîna (Ifao)	
BOUQUET (Olivier)	Univ. de Provence Aix-Marseille I	Recherches sur les hauts dignitaires ottomans	
BOVOT (Jean-Luc)	Musée du Louvre	Chantier de Baouît (Ifao, Louvre) *Mission sans frais*	X
BUCHEZ (Nathalie)	Céramologue	Chantier d'Adaïma (Ifao)	X
BÜLOW-JACOBSEN (Adam)	Univ. Copenhague	Chantier du désert Oriental, fortins romains (Ifao)	X
CABOT (Élodie)	Anthropologue	Chantier d'Adaïma (Ifao)	
CALAMENT (Florence)	Musée du Louvre	Ostraca coptes conservés à l'Ifao	
CARDON (Dominique)	Spécialiste des tissus	Chantier du désert Oriental, fortins romains (Ifao)	X
CAUVILLE COLIN (Sylvie)	Cnrs, Paris	Chantier épigraphique de Dendara (Ifao)	X
CHAUVEAU (Michel)	Ephe IV, Paris	Chantier de 'Ayn Manâwir (Ifao)	X
COLIN (Frédéric)	Univ. Strasbourg II	Chantier de Bahariya (Ifao) *Mission sans frais*	X
COLLOMBERT (Philippe)	Univ. Genève	Chantier de Tebtynis (Ifao, univ. Milan)	
COULON (Laurent)	Univ. Lyon II	Chantiers de Karnak (Cfeetk)	X
CUVIGNY (Hélène)	Cnrs, Paris	Chantier du désert Oriental, fortins romains (Ifao) *Mission sans frais*	
DÉCOBERT (Christian)	Ehess, Paris	Carte des sites chrétiens et musulmans (Ifao)	
DÉCOBERT (Christian)	Ehess, Paris	Carte des sites chrétiens et musulmans (Ifao)	

Bénéficiaire	Institution / statut	Objet	Mission en 2003-2004
DESPLANCQUES (Sophie)	Univ. Paris IV	Relevés et étude de la TT 18	
DUCHESNES (Sylvie)	Cnrs	Chantier d'Adaïma (Ifao)	X
FABRE (David)	Égyptologue	Recherche sur les échanges maritimes	
FAVRELLE (Geneviève)	Coptologue	Papyrus copte d'Edfou conservés à l'Ifao *Mission sans frais*	X
FEÏSS (Corinne)	Géomorphologue	Chantier de Qal'at al-Guindi (Ifao)	
FOURNET (Jean-Luc)	Cnrs, Strasbourg II	Papyrus et ostraca grecs de l'Ifao	X
FOY (Danièle)	Spécialiste du verre	Chantier de Fostat (Ifao)	
GAYRAUD (Roland-Pierre)	Cnrs, Univ. de Provence Aix-Marseille I	Chantier de Fostat (Ifao)	X
GRANDET (Pierre)	Univ. cathol. d'Angers	Ostraca hiératiques non littéraires conservés à l'Ifao	X
GRANGER-TAYLOR (Hero)	Spécialiste des tissus	Chantier du désert Oriental, fortins romains (Ifao)	X
GUILLON (Jean-Marie)	Égyptologue	Chantier de Deir al-Médîna (Ifao) *Mission sans frais*	X
HEIJER (Johannes)	Univ. Leyde	Recherches sur la cohabitation interconfessionnelle à l'époque fatimide	
HEURTEL (Chantal)	Cnrs, Paris	Manuscrits et ostraca coptes conservés à l'Ifao	
HOCHSTRASSER-PETIT (Christiane)	Dessinatrice	Chantier d'Adaïma (Ifao)	X
JACQUET (Jean)	Archéologue	Publication des fouilles chrétiennes d'Adaïma (Ifao)	X
JACQUET-GORDON (Helen)	Archéologue	Chantier de Karnak-Nord, Trésor (Ifao)	X
KOENIG (Yvan)	Cnrs, Ephe IV	Papyrus hiératiques conservés à l'Ifao	X
LABRIQUE (Françoise)	Univ. Besançon	Chantier de Bahariya (Ifao) *Mission sans frais*	X
LACAZE (Ginette)	Univ. de Pau	Recherches sur l'alimentation dans l'Égypte du IIIe millénaire *Mission sans frais*	X
LECUYOT (Guy)	Cnrs, Paris	Recherches sur les monastères coptes de la région thébaine	X
LOUBET (Mireille)	Cnrs, Mmsh	Recherches sur les pratiques ascétiques	
MEURICE (Cédric)	Musée du Louvre	Recherches sur le monastère Saint-Siméon	X
MICHEL (Nicolas)	Univ. de Provence Aix-Marseille I	Recherches sur les archives ottomanes	X

Bénéficiaire	Institution / statut	Objet	Mission en 2003-2004
MIDANT-REYNES (Béatrix)	Cnrs, Toulouse	Chantier d'Adaïma (Ifao)	X
NADAL (Danielle)	Spécialiste des tissus	Chantier du désert Oriental, fortins romains (Ifao)	X
NOWIK (Witold)	Spécialiste des colorants	Chantier du désert Oriental, fortins romains (Ifao)	
PANTALACCI (Laure)	Univ. Lyon II	Chantier de Balat, 'Ayn Asîl (Ifao)	X
PARIS (François)	Archéologue (IRD)	Chantiers du Sud-Sinaï (Ifao, IRD)	X
PERRAUD (Milena)	Égyptologue	Recherches sur la protection de la tête dans l'Égypte pharaonique *Mission sans frais*	X
PIATON (Claudine)	Architecte, Paris	Chantier de Qal'at al-Guindi (Ifao)	X
REDDÉ (Michel)	Ephe IV, Paris	Chantier du désert Oriental, fortins romains (Ifao) *Mission sans frais*	
RICHARD (Jean-François)	Géographe (IRD)	Chantiers du Sud-Sinaï (Ifao, IRD) *Mission sans frais*	
SCHAAD (Daniel)	Archéologue	Chantier de Balat, 'Ayn Asîl (Ifao)	X
SOURIS (Marc)	Informaticien (IRD)	Chantiers du Sud-Sinaï (Ifao, IRD) *Mission sans frais*	
TALLET (Pierre)	Univ. Paris IV Sorbonne	Étiquettes de jarre conservées à l'Ifao, chantiers de 'Ayn Soukhna et du Sud-Sinaï (Ifao)	X
THIERS (Christophe)	Égyptologue	Chantiers de Tod et d'Ermant (Ifao)	X
THIRARD (Catherine)	Coptologue	Recherches sur les monastères coptes de la région thébaine	X
TUCHSCHERER (Michel)	Univ. de Provence Aix-Marseille I	Programmes sur l'histoire de l'Égypte ottomane (Ifao)	X
VOLAIT (Mercedes)	Univ. de Tours	Recherches sur le patrimoine urbain d'Héliopolis (Ifao)	
VOLOKHINE (Youri)	Univ. de Genève	Chantier d'Ermant (Ifao)	
WIDMER (Ghislaine)	Égyptologue	Chantier de Tebtynis (Ifao, univ. Milan)	
WISSA (Myriam)	Égyptologue	Recherches personnelles (Grafma)	
WITKOWSKI (Maciej)	Historien	Recherches sur l'émir Qurqumas	

Bourses doctorales attribuées au titre de l'année 2004-2005

30 mensualités rémunérées

Bénéficiaire	Établissement	Dir. de recherches	Thème de recherche	Bourse en 03-04	Nbre de mensual.
BLOUIN (Catherine)	Univ. de Nice Univ. Laval	P. Arnaud E. Hermon	Autopsie des dynamiques socio-environnementales du delta du Nil sous le Principat		1
BRAMOULLÉ (David)	Univ. Toulouse – Le Mirail	Chr. Picard	Les Fatimides et leur espace maritime (969-1171)		1
BRU (Hadrien)	Univ. François Rabelais, Tours	M. Sartre	Représentations et célébrations du pouvoir impérial romain dans les provinces syriennes d'Auguste à Constantin		1
CHABIERA (Aleksandra)	Univ. de Varsovie	A. Lukaszewicz, M. Gawlikowski	Les peintures murales d'époque gréco-romaine en Égypte		1
CHRIST (Georg)	Univ. de Bâle	A. von Müller	Profit et sûreté – Normes et structuration du commerce vénitien à Alexandrie entre 1415 et 1425		1
DIXNEUF (Delphine)	Univ. Poitiers Univ. Lyon II	P. Ballet J.-Y. Empereur	Les amphores égyptiennes, entre le Sinaï et la Moyenne-Égypte		1
EYCHENNE (Mathieu)	Univ. Aix-Marseille I	M. Balivet S. Denoix	Les relations entre les élites civiles et militaires en Égypte et en Syrie à l'époque mamlûke (1250-1517)	X	1
FAUCHER (Thomas)	Univ. Paris IV – Sorbonne	O. Picard J.-Y. Empereur	L'atelier monétaire d'Alexandrie sous les Lagides : problèmes techniques et stylistiques		1
GABER (Hanane)	Univ. Strasbourg II	Cl. Traunecker	Publication de trois tombes de Deir al-Médîna	X	1
GRADEL (Coralie)	Univ. Lille III	Fr. Geus	Le commerce à longue distance dans le royaume de Méroé	X	1
GRÄZER (Aude)	Univ. Strasbourg II	Cl. Traunecker	Le confort et ses éléments dans l'habitat de l'Égypte ancienne		1
JEUDY (Adeline)	Univ. Paris I Univ. de Leyde	Catherine Jolivet Mat Immerzeel	Le mobilier liturgique copte en bois à l'époque médiévale		1

Bénéficiaire	Établissement	Dir. de recherches	Thème de recherche	Bourse en 03-04	Nbre de mensual
KOLEVA (Elka)	Univ. Paris IV – Sorbonne	D. Valbelle Y. Koenig	Les papyrus magiques du fonds Chester Beatty		1
LARCHER (Cédric)	Ephe IV	P. Vernus	Les titres auliques exceptionnels dans les représentations cérémonielles		1
LE PROVOST (Valérie)	Univ. Poitiers	P. Ballet	Les productions céramiques dans l'Égypte ancienne (de la Première Période intermédiaire à la XIIIe dynastie)	X	1
LEFEVRE (Dominique)	Ephe IV	P. Vernus	Les papyrus documentaires d'El-Hibeh de la XXIe dynastie		1
LÉRAILLÉ (Fanny)	Univ. Lyon II	J.-M. Mouton	Les ateliers textiles de Basse et Moyenne-Égypte, des Ommeyades aux Ayyoubides	X	1
LOUIS (Catherine)	Ephe V	J.-D. Dubois	Le catalogue du fonds littéraire copte de l'Ifao	X	1
MERRER (Céline)	Univ. Paris IV – Sorbonne	D. Valbelle	L'organisation du travail collectif et des corps expéditionnaires en Égypte ancienne		1
MEURISSE (Laetitia)	Lille III	D. Valbelle	Les chapitres aux amulettes du Livre des Morts		1
PIQUET (Caroline)	Univ. Paris IV – Sorbonne	D. Barjot J. Frémeaux	La Compagnie Universelle du Canal Maritime de Suez en Égypte, 1888- 1956		1
RAZANAJAO (Vincent)	Montpellier III	B. Mathieu	Tell Faraoûn, Imet. Recherches sur les cultes, la géographie et l'histoire de la Bouto orientale		1
SCHMITT (Lionel)	Univ. Strasbourg II	Cl. Traunecker	Le désert et les contrées désertiques dans la pensée égyptienne		1
SENNOUNE (Oueded)	Univ. Lyon II	J.-Y. Empereur	Les voyageurs à Alexandrie depuis le VIIe siècle jusqu'à l'arrivée de Bonaparte		1
TRISTANT (Yann)	Univ. Toulouse - Le Mirail	B. Midant-Reynes	L'occupation humaine dans le Delta du Nil aux Ve et IVe millénaires	X	1

Bénéficiaire	Établissement	Dir. de recherches	Thème de recherche	Bourse en 03-04	Nbre de mensual.
VAN DE KERCHOVE (Anna)	Ephe V	J.-D. Dubois	Pratiques rituelles et traités hermétiques	X	1
VENTURINI (Isabelle)	Montpellier III	B. Mathieu	Les exercices scolaires dans l'Égypte pharaonique		1
VIRENQUE (Hélène)	Montpellier III	J.-Cl. Grenier	Le naos de Sopdou de Saft el-Henneh		1
YOYOTTE (Marine)	Univ. Paris IV – Sorbonne	D. Valbelle	Le harem de Gurob		1
ZAHRA (Zakia)	Univ. d'Alger-Bouzareah	R. Deguilhem N. Saidouni D. Djerbal	La fondation de Subul al-Khayrat à Alger (XVIIIe-XIXe siècles)		1

English Summaries

Sydney H. Aufrère

Imhotep et Djoser dans la région de la cataracte. De Memphis à Éléphantine

This paper reconsiders the delicate problem of Djoser and Imhotep, two well known figures during the Ptolemaic period in the region of the first cataract. Why is Imhotep, a popular Memphite personnage since the Old Kingdom, worshipped in the Elephantine area, far from his original cult centre ? Is it possible to improve our knowledge of the process by which the Egyptians instituted a cult of Imhotep there ? Is this cult based on local historical events which would have made the introduction of this Memphite demigod into the Elephantine pantheon easier ?

Partly based on the analysis of the delicate problem of the Famine stela, the present paper gathers together the pieces of a puzzle, from Memphis-Saqqara and Hermopolis to Elephantine. It demonstrates that the cult of Imhotep in Elephantine probably emanated from both Memphite and Hermopolite religious traditions. This paper shows how the establishment of his cult at Elephantine was based on a comparison of Imhotep with Ptah and Khnum and their influence on the development of embryo. Moreover, it shows that the specific characteristics of Imhotep were particularly appreciated during the Late Period because he was considered (as a son of Ptah and Khnum) able to use his influence with both deities, to accelerate the flood process and protect pregnant women.

Nathalie Beaux

La pintade, le soleil et l'éternité. À propos du signe G 21

The sign G21, identified by L. Keimer as a reference to the Guineafowl, *Numida meleagris* L., has the phonetic reading *nḥ*, which is also the bird's name, *Nḥ*. It is commonly used in the writing of the word for cyclical eternity, *Nḥḥ*.

Nḥ is mentioned in funerary texts, connected to sunrise.

The palaeography of the sign G21, the study of the bird's behaviour, and a careful analysis of funerary texts throw a light on the link established by the Ancient Egyptians between the Guineafowl, the sun and cyclical eternity.

Florence Calament

Varia Coptica Thebaica

The article discusses inscriptions from forty-five previously unpublished limestone and terracotta ostraca housed at the French Institute in Cairo with their transcriptions and translations.

The author argues for a Theban origin dating to the VIIth and VIIIth centuries B.C. based on internal criteria such as dialect and subject matter. Acknowledging the monastic context for the inscriptions, the author classifies the themes as epistolary – in particular requests and accounts – and writing exercises derived from prayers, biblical fragments and as yet, undetermined texts.

Frédéric Colin

Un temple en activité sous Domitien au Kôm al-Cheikh *Aḥmad* (*Baḥariya*) d'après une dédicace grecque récemment découverte

A Greek inscription recently discovered in Kôm al-Cheikh Aḥmad (Baḥariya Oasis), mentioning the *praefectus* Marcus Iunius Rufus, was probably, this discussion argues, a dedication to an unknown deity of a building belonging to a temple, which dates to the reign of Emperor Domitianus. The site may have been excavated in the XXth century by Ahmed Fakhry. The author also studies the corpus of inscriptions dedicated to Roman emperors and dated according to the name of the *praefectus Aegypti*.

Laurent Coulon, Catherine Defernez

La chapelle d'Osiris Ounnefer Neb-Djefaou à Karnak. Rapport préliminaire des fouilles et travaux 2000-2004

Since 2000, excavations have been undertaken in the XXVIth dynasty Chapel of Osiris Ounnefer Neb-djefaou located in the northern part of the *temenos* of Amun at Karnak. This small temple, whose remains were exposed during the XIXth century, has never been the subject of systematic study. In addition to the publishing of the inscriptions, the project's focus is on the definition of the structure of the building and its relation to the neighbouring area, especially the path leading to the temple of Ptah and the adjacent mound that takes up a large part of the north-western corner of the *temenos* of Amun. The excavations have revealed several phases of occupation at the entrance of the chapel, from the XXVIth dynasty to the Coptic period, notably the reuse of several lintel blocks from the Saite chapel in a probably late Roman "hydraulic" settlement.

Concerning the temple itself, whose mudbrick and stone walls were badly weathered over the last centuries, a preliminary reconstruction of its plan is suggested.

West of this area, the remains of a large mudbrick building, probably connected to the chapel, have been partly exposed. The pottery recovered in the upper levels can be dated to the Saite period or the end of the Late Period. The general interpretation of this structure is discussed.

Sylvie Donnat

Le *Dialogue d'un homme avec son* ba à la lumière de la formule 38 des Textes des Sarcophages

This article reconsiders previous interpretation of the *Dialog of a man with his* Ba according to which the Dispute between the man and his *Ba* takes place, as a literary fiction, in the presence of the divine tribunal. This thesis is supported by the comparison with spell 38 of the *Coffin Texts.* In this spell in which the confrontation, also in front of the divine tribunal, is between the dead and his heir, the son appears as the dead father's *Ba* on earth.

A comparison between the relationship of the dead with his *Ba* and with his heir in the funerary texts suggests that the *Dialog* is not concerned with man's relationship with death but rather with the relationship between the living and the dead, a major issue in Ancient Egypt. Therefore, the *Dialog* obviously deals with the question of solidarity between generations recommended by the official discourse and the sapiential literature.

Khaled El-Enany

Le « dieu » nubien Sésostris III

This article provides evidence for the veneration of Sesostris III in Nubia after his death. The documents gathered herein are classified in geographical order : South to North, from Gebel Docha to Amada. During the New Kingdom – especially the second half of the XVIIIth dynasty – Sesostris III was considered a true local Nubian God : chapels and temples were dedicated to him, he is shown giving life to New Kingdom Pharaohs, his speech is preceded by *ḏd-mdw jn* like other divinities, etc. While the veneration of Sesostris III is attested to by evidence found in thirteen Nubian sites, Semna, Kumma, and Ouronarti seem to be the most important centers for his cult in Nubia.

Hanane Gaber

L'orientation des défunts dans les « caveaux – sarcophages » à Deir al-Médîna

This research aims to identify in Deir al-Medina burial-chambers decorative and archaeological elements which mark coffin positions. In this paper, a little group of Deir al-Medina burial-chambers is examined, in which many iconographic and textual subjects imitate those present on sarcophagi. The location of these decorative themes studied in the sepulchres, as well as other archaeological data, enables us to suggest the orientation of the dead in burial chambers, which imitated the decoration of sarcophagi.

Marc Gabolde

Tenttepihou, une dame d'Atfih, épouse morganatique du futur Thoutmosis IV

Two well known Shabtis in Marseille (Vieille-Charité n° 365 and n° 366), formerly attributed to an otherwise unknown queen Tenthapi, belong in fact to a royal acquaintance called Tenttepihu. This shadowy woman was probably a morganatic spouse of Thutmosis IV before his accession to the throne. The new reading of the name and titles allows to suggest that Tenttepihu was born in the vicinity of modern Atfih and that she was the mother of a prince called Pentepihu.

Ivan Guermeur

Le groupe familial de Pachéryentaisouy (Caire JE 36576)

The present article consists of the publication of a statuary group discovered by G. Legrain at Karnak in 1904. The monument, dating from the end of the IVth or the beginning of the IIId century BC, now preserved in the Cairo Museum (JE 36576), belongs to an Amun priest from Xoïs : Pacheryentaisouy.

His son, Achakhet, who presented it, covered it with texts : in addition to the traditional appeals for priests and autobiographical compositions, he had it engraved with an hymn to Amun and very originals texts, whose funerary character is manifest. These texts, very uncommon on this kind of monument sited in a temple and not in a tomb, have no exact parallels. They took their inspiration from contemporary compositions like *Glorifications*, *Book of Going on for Eternity*, *Book for Breathing*, *Embalming Ritual*, etc.

Yvan Koenig

Le papyrus de Moutemheb

The magical papyrus Louvre E 32308 comes from Deir al-Medîna and belongs to a group of amulets which, once folded, were hung around the neck of the patient. It can be differentiated from others with texts of the same kind by the great number of drawings that surround the text. It also contains several sequences similar to those found in P. Turin 1996. These sequences are not true parallels, but variations that can only be explained as personal choices on the part of the scribe, choices that were sometimes based on graphic or phonetic variations.

Françoise Labrique

Le catalogue divin de ʿAyn al-Mouftella : jeux de miroir autour de « celui qui est dans ce temple » (Mission Ifao avril 2004)

The epigraphic survey carried out in April 2004 by the Ifao team in the Saite Chapel nº 1 (nomenclature of Fakhry) of ʿAyn al-Muftella in the Baḥariya Oasis allowed us to identify a large number of divine figures on the first register of the walls. This article proposes an initial interpretation of the links between the divine groups, which have been almost completely identified.

Giuseppina Lenzo-Marchese

Les colophons dans la littérature égyptienne

The colophons in Egyptian literature are found from the XIIth dynasty to the Roman Period. Most of the time, we find them in literary texts, *Books of the Dead*, and late ritual texts. The use of colophons varies according to the period and the nature of the text. This article offers an explanation for the expression *ỉw.f pw* and its variants, which are found at the end of various manuscripts, and tracks the evolution of this expression.

Bernard Mathieu

Une formation de noms d'animaux (ABCC) en égyptien ancien

It is well known that the ancient Egyptian lexicon shows structural patterns very close to those of Semitic languages, at least as much as derivation processes (prefixation, suffixation, reduplication) are concerned. A specific type of reduplication (ABCC) has been used in Egyptian to build a significant number of animal names, as *pꜣgg.t*, frog, *ḥfrr*, tadpole, *ḥdqq.w*, rats, or *ḫprr*, beetle. Gathering about thirty attestations of this specific pattern, which conveys a diminutive / pejorative meaning, we can get arguments to rebuild the vocalic structure as AaBCáC-aw (masc.), AaBCáC.at (fem.). For this Egyptian pattern, the Accadian *ʾdmm*, wasp, or *kulbābu*, ant, offer convincing Semitic counterparts.

Florence Mauric-Barberio

Reconstitution du décor de la tombe de Ramsès III (partie inférieure) d'après les manuscrits de Robert Hay

Rediscovered by James Bruce at the end of the XVIIIth century, the tomb of Ramesses III (KV 11) is one of the most famous and important monuments in the Valley of the Kings. Well known for the design and decoration of the upper part, the tomb is less known for its lower part, which is in very bad condition today. This lower part was still preserved in the XIXth century, but among the travellers and scholars who visited the tomb at that time, very few made descriptions or drawings of the decorations in the lower part. Until now the only two sources of our knowledge were the *Notices descriptives* of J.-Fr. Champollion and the *Notices des hypogées royaux* of E. Lefébure ; however the unpublished manuscripts of Robert Hay kept in the British Library provide a third source. These important manuscripts contain some folios devoted to the tomb of Ramesses III, which provide crucial information about the decoration now lost. The aim of this paper is to publish this material, which consists of eight pages of hand-written notes (including sketches) and two views of the sarcophagus chamber executed with the help of the *camera lucida*. After an introduction of Robert Hay and a discussion of his work in Egypt (Part 1), the author gives the transcription of the English text (Part 2) and try to reconstruct the lower part of the decorative programme of KV 11, from the descent to corridor S to the last room Z (Part 3). For the reconstruction, the author collects the information in all three sources (which complement each other well) and take into account, as much as possible, the traces of decoration which remain extant on the walls.

Cédric Meurice, Yann Tristant

Jean Clédat et le site de Béda : données nouvelles sur une découverte protodynastique dans le Sinaï septentrional

In 1910 during agricultural work east of the Suez Canal and some 50 km north-east of modern Ismailiya, Beda pots dating to the Early Dynastic Period were discovered. A study of Jean Clédat's notes now preserved in the Louvre museum makes a new report on the finds possible. Considering the research carried out by Jean Clédat in the Suez area at the beginning of the XXth century, substantial information has been obtained on the location and the archaeological context of this exceptional discovery. This paper concerning the Beda pots and their incised *serekhs* constitutes a new contribution to our understanding of the Nile Delta region and its role in the contacts between Egypt and the Levant during the Early Dynastic period.

Abd-el-Gawad Migahid

Zwei spätdemotische Zahlungsquittungen aus der Zeit des Domitian

Publication of two late demotic "receipts of payment" (*ỉw*-Urkunden) from the Erzherzog Rainer Collection in Vienna. The documents were issued by the priests of the god Soknopaios and the goddess Isis-Nepherses at Soknopaiou Nesos.

The first papyrus (P. Vindob. D 6833) from regnal year 8 of Caesar Domitian (?) (= 88 / 89 A. C. E.) contains a tax (*nḥt*) on four ships (*ḏy.w 4.t*). The receipt also acknowledges other payments that were payed in installments in "money (and) copper" (*ḥḏ ḥmt*), and in kind with products like "cattle" (*ỉḥ*) or "jugs" (*šš.w*). The taxpayer is "the scribe of the priests" (*pꜣ sẖ nꜣ wꜥb.w*), in all probability an administrator for another person, the owner of the four ships, whose name is mentioned in the text.

The other receipt (P. Vindob. D 6837) dating from regnal year 9-10 of Caesar Domitian (= 89-90 A. C. E.) and classified under the so-called late demotic papyrus documents, refers to a new kind of tax which is not mentioned directly. However, it concerns the tax for using the "pasturage" (?) (*tꜢy*?) in *PꜢy-šy*, as well as the "proceeds" (*ẖny.t*) of the *šfṱ*. The two localities were obviously combined with Soknopaiu Nesos in both administration and taxation. The payments were payed in at least eight installments.

Jean Revez

Une stèle commémorant la construction par l'empereur Auguste du mur d'enceinte du temple de Montou-Rê à Médamoud

Publication of a commemoration stela, currently located in the Cairo Museum basement, that shows that the largest mudbrick wall enclosing the temple of Montu-Ra in Medamud was built by the roman Emperor Augustus, and not Ptolemy III, as previously believed by some. The stela also gives the original dimensions of the partly destroyed wall unearthed in the 1920s by Ifao and the Louvre, under the supervision of F. Bisson de La Roque.

Jérôme Rizzo

Une mesure d'hygiène relative à quelques statues-cubes déposées dans le temple d'Amon à Karnak

The inscriptions engraved on some block statues belonging to the "cachette" of the temple of Amun at Karnak and ranging in date from the XXVIth dynasty to the Ptolemaic period, give precise and unexpected details about the procedure of the reversion of offerings. Thus, the extended placing of foodstuffs on the body of the statue is perceived as a threat that seriously jeopardizes the "health" of the dedicatee.

Frédéric Servajean

Le tissage de l'Œil d'Horus et les trois registres de l'offrande. À propos de la formule 608 des Textes des Sarcophages

Analysis of spell 608 of the *Coffin Texts* and the ritual that is described therein.

Christophe Thiers

Fragments de théologies thébaines. La bibliothèque du temple de Tôd

Publication of seven blocks belonging to the library of the temple of Montu in Tod. The titles of the books give us some aspects of the Theban theologies during the Ptolemaic period.

Gihane Zaki

Formules et commentaires sur la valeur sacrée du scarabée

This article discusses the translation of additional texts coming from the Edfu version of the myth of Horus. Through these *glosses*, priests certainly wanted to highlight religious thought through the universality of scarab/winged scarab in architecture. These commentaries appear throughout the "Victory of Winged Disk" story and the ritual of Victory festival studied by Maurice Alliot in *Le culte d'Horus à Edfou au temps des Ptolémées.*

Those texts come from liturgical literature and don't have a direct relation with the myth ritual process. It shows once more the skill and ability of Edfu priests to use manuals of the *pr ʿnḫ* to complete and coordinate all temple texts.

Ministère de l'Éducation nationale, de l'Enseignement supérieur et de la Recherche, Paris.
Publication de l'Institut français d'archéologie orientale.
Dépôt légal : 4e trimestre 2004 ; numéros d'éditeur et d'imprimeur 927B/0417

DIFFUSION

Ventes directes et par correspondance

Au Caire

à l'IFAO,
37 rue al-Cheikh Aly Youssef (Mounira)
[B.P. Qasr al-'Ayni n° 11562]
11441 Le Caire (R.A.E.)

Fax : (20.2) 794 46 35
Tél. : (20.2) 797 16 00
http ://www.ifao.egnet.net

Section Diffusion Vente →

Tél. : (20.2) 797 16 22
e-mail : ventes@ifao.egnet.net

Leïla Books
39 Qasr al-Nil St. 2nd floor - office : 12
[P.O. Box 31 – Daher 11271]
Cairo (Egypt)

Fax : (20.2) 392 44 75
Tél. : (20.2) 393 44 02
395 97 47

e-mail : leilabks@link.net
http ://www.leila-books.com

En France

Vente en librairies
Diffusion : AFPU
Distribution : SODIS